# FISCHER KOLLEG
## Das Abitur-Wissen

ist ein Repetitorium, Übungs- und Nachschlagewerk für Schüler, die die Oberstufe (Kollegstufe, Studiumstufe, Sekundarstufe II) des Gymnasiums oder anderer vergleichbarer Schulen besuchen, zugleich für alle, die im Zweiten Bildungsgang oder im Selbststudium ein der Reifeprüfung vergleichbares Bildungsziel anstreben. Es ist als »selbstlehrendes System« benutzbar, hält aber zugleich alle Anschlüsse an das Informationsangebot der Schule offen.

Fischer Kolleg besteht aus folgenden 10 Bänden:

**Mathematik**

**Physik**

**Chemie**

**Biologie**

**Deutsch**
Verstehen – Sprechen – Schreiben

**Fremdsprachen**
Englisch – Französisch – Latein

**Literatur**

**Geographie**

**Geschichte**

**Sozialwissenschaften**
Gesellschaft – Staat – Wirtschaft – Recht

# MATHEMATIK

Herausgegeben von
Rudolf Brauner und Walter Jung

Fischer Taschenbuch Verlag

Mitarbeiter dieses Bandes

Herausgeber: Professor Walter Jung, Rudolf Brauner
Autoren:     Rudolf Brauner, Fritz Geiß, Professor Horst Walter

QA
37.2
.M3
1979

Überarbeitete 3. Auflage: 61.–77. Tausend
November 1979

Fischer Taschenbuch Verlag GmbH, Frankfurt am Main
© Fischer Taschenbuch Verlag GmbH, Frankfurt am Main 1973, 1979

Redaktion: Lexikographisches Institut Dr. Störig, München
Zeichnungen: Dušan Kesić, Robert Funk und Niels Larsen
Umschlagentwurf: Rambow, Lienemeyer, van de Sand

Satz und Druck: Passavia Druckerei GmbH, Passau
Einband: Clausen & Bosse, Lech/Schleswig
Printed in Germany
1480-ISBN-3-596-24511-7

# Inhalt

## Kapitel IV   Geometrie *(Brauner)*   241

# Vorwort

Der Band Mathematik hat so etwas wie die Quadratur des Zirkels zu lösen, wenn er mehr bieten will als ein Lexikon und etwas anderes als ein Lehrbuch. Herausgeber und Autoren standen vor dem Problem, den Schulstoff eines Faches zu bestimmen, das sich im Laufe der letzten Jahre in einem Prozeß rascher Veränderung befunden hat, der noch nicht abgeschlossen ist. »Neue Mathematik« wurde zum Schlagwort. Die Verwirklichung zahlreicher neuer Ideen im Unterricht der Schulen erfolgte aber keineswegs einheitlich, so daß dem Schüler in verschiedenen Schulen ein sehr unterschiedliches Schulwissen vermittelt wurde und wird.

In dieser Lage war ein mittlerer Kurs geboten. Die traditionelle Mathematik, die ohnehin in einer Reihe von guten Nachschlagewerken zusammengefaßt ist, konnte nicht einfach übernommen werden. Aber die Darstellung ehrgeiziger Experimente hätte ebensowenig einem breiten Bedürfnis gedient und mußte daher vermieden werden.

Die Themenauswahl war ein schwieriges Problem. Denn die Oberstufe der Gymnasien tendiert zu einem Kurssystem, in dem ein breit gestreutes Angebot an Themen in Wahlkursen vorliegt. Die Themenliste der Konferenz der Kultusminister konnte hier lediglich ein Anhalt sein.

Es erschien notwendig, als Kernbestand Algebraische Strukturen aufzunehmen, mit deren Hilfe sich inhaltlich verschiedene Gebiete des mathematischen Schulstoffs unter einem strukturellen Aspekt einheitlich beschreiben lassen. Weiter gehört nach wie vor Geometrie mit dem Akzent auf verschiedenen Modellen zu diesem Kernbestand, ebenso wie Infinitesimalrechnung. Noch gibt es Unklarheit darüber, in welcher Form künftig den Schülern Differential- und Integralrechnung angeboten werden soll. Hier bot sich eine starke Beschränkung auf die zentralen Themen an. Dabei wurde von typischen Aufgaben ausgegangen, wie sie der Leser aus der Schule kennt, und daran wurde die Theorie entwickelt, deren Bedeutung wieder an Aufgaben gezeigt wurde. Im Fall der Infinitesimalrechnung wurde auch an einigen Stellen versucht, durch Darstellungsvarianten den verschiedenen Benutzern entgegenzukommen. Freilich besteht beim gegenwärtigen Stand der Entwicklung wenig Hoffnung, daß dabei jeder Leser auf die ihm vertraute Einkleidung des Stoffes trifft. Ein kleiner Abschnitt über die Differentialgleichungen mag Interessierten eine Hilfe sein, auch in bezug auf die Physik.

Als Beispiel für ein wahlfreies Thema wurde »Lineares Optimieren« in den Band aufgenommen. Dieses Thema stellt ein modernes Beispiel für die Anwendung der Mathematik dar, wobei die Zuordnung zur Geometrie möglich, aber nicht notwendig ist.

Naturgemäß konnte kein Thema erschöpfend behandelt werden. Die vorliegende, konzentrierte Darstellung des Schulwissens kann nicht ein Lehrbuch ersetzen. Aber sie kann durch die Betonung anderer Aspekte und Darstellungsmittel dabei helfen, grundlegende Einsichten zu vermitteln und Verständnisschwierigkeiten zu beheben, an denen der Leser sonst gescheitert ist. Als besondere Hilfe sei auf die zahlreichen Aufgaben verwiesen, die jeweils am Ende der einzelnen Teile ausführlich gelöst werden, auch auf verschiedenen Wegen. Der Benutzer kann so zunächst einmal selbst kontrollieren, wo noch Lücken vorliegen. Wenn er so vorgeht, wird er den meisten Gewinn von einer anschließenden Durcharbeitung der Lösungen haben.

Dem Charakter des Bandes entsprechend mußte auf die Angabe von Literatur für den Benutzer, die meist doch nicht zur Hand ist, verzichtet werden, ebenso auf detaillierte Nachweise der Literatur, aus denen die Autoren die meisten Anregungen gewonnen haben. Es ist selbstverständlich die neuere didaktische Literatur konsultiert worden, die ja gerade in der Mathematik im Lauf der letzten Jahre stark angewachsen ist. Herausgeber und Autoren sind sich der Tatsache bewußt, daß in vielen Fällen für und gegen die Entscheidungen, die sie schließlich getroffen haben, Argumente vorgebracht werden können. Für Hinweise auf Verbesserungsmöglichkeiten, insbesondere für die Darlegung von Verständnisschwierigkeiten sind sie jederzeit dankbar.

Abschließend noch ein Hinweis auf die am Ende des Buches befindliche Zusammenstellung »*Zeichen und Abkürzungen*«. Diese soll dem Leser das Verständnis der Darstellungen erleichtern. Die betreffenden Zeichen und Abkürzungen sind entweder direkt erklärt oder es wird durch die Seitenangabe auf die Stellen der Erklärung verwiesen.

Die Herausgeber

# Kapitel I  Algebraische Strukturen

## Vorbemerkungen zum Begriff »algebraische Strukturen«

Die Schulmathematik zerfällt in *Teilbereiche,* die sich auf inhaltlich verschiedene Situationen beziehen. So lernt man etwa Sätze der Algebra wie $(a + b)^2$ $= a^2 + 2ab + b^2$, der Geometrie *(Satz von Thales),* der Zahlentheorie *(es gibt unendlich viele Primzahlen)* oder der Wahrscheinlichkeitsrechnung (die Wahrscheinlichkeit dafür, daß die unabhängigen Ereignisse $A$ und $B$ gleichzeitig eintreten, ist gleich dem Produkt der Wahrscheinlichkeiten für diese beiden Ereignisse). Die Einteilung der Mathematik in derartige Teilgebiete (die Liste der angeführten Gebiete ist nicht vollständig) hat hauptsächlich *historische* Gründe. Nicht zu allen Zeiten war das Interesse für die einzelnen Gebiete gleich groß. Die Gebiete haben sich zu verschiedenen Zeiten verschieden stark weiterentwickelt.

Trotz der inhaltlichen Verschiedenheit von mathematischen Bereichen hat man manchmal den Eindruck, daß sie sich gleichartig verhalten, was man mit der Bemerkung »Das ist genauso wie . . .« andeutet. Ein Beispiel möge das Gemeinte verdeutlichen:

*a)* Wir betrachten die Menge, die aus den ganzen Zahlen $(+1)$ und $(-1)$ besteht, und die vertraute Multiplikation » · «. Die Aussagen über diese Menge und die betrachtete Verknüpfung » · « lassen sich überschaubar in der folgenden Tabelle zusammenfassen. Es zeigt sich, daß man bei der Produktbildung von Elementen der betrachteten Menge nur wieder Elemente dieser Menge erhält:

| · | $(+1)$ | $(-1)$ |
|---|---|---|
| $(+1)$ | $(+1)$ | $(-1)$ |
| $(-1)$ | $(-1)$ | $(+1)$ |

*b)* Wir betrachten die Menge, die aus den Objekten »gerade Zahl« ($G$) und »ungerade Zahl« ($U$) besteht. Definiert man in dieser Menge eine »Addition« (»gerade plus gerade gibt gerade«, »ungerade plus ungerade gibt gerade« usw.), so führt dies auch in diesem Beispiel zu einer Tabelle:

| + | $G$ | $U$ |
|---|---|---|
| $G$ | $G$ | $U$ |
| $U$ | $U$ | $G$ |

*c)* Wir betrachten die Menge der Deckdrehungen eines echten Rechtecks (nicht alle Seiten sind gleich lang). Diese Menge enthält genau zwei Elemente: die Drehung $D$ um $0°$ (um den Mittelpunkt des Rechtecks) und die Drehung $T$ um $180°$ (um den Mittelpunkt des Rechtecks).

Ähnlich, wie man in den Fällen *a)* und *b)* durch die Multiplikation aus je zwei Elementen der Menge ein neues Element herstellen kann, so ist dies auch hier möglich: bezeichnet » ∘ « die Nacheinanderausführung von zwei Deckdrehungen ($D \circ T$ ist diejenige Deckabbildung, die man dadurch erhält, daß man *zuerst die*

Drehung $D$ und *dann* die Drehung $T$ ausführt), so erhält man, wie man aus der folgenden Tabelle ersehen kann, wiederum nur Elemente der Ausgangsmenge:

| $\circ$ | $D$ | $T$ |
|---|---|---|
| $D$ | $D$ | $T$ |
| $T$ | $T$ | $D$ |

Obwohl die beschriebenen Beispiele inhaltlich verschieden sind (eine Menge von Deckdrehungen eines echten Rechtecks ist von einer Menge von ganzen Zahlen verschieden, und die Nacheinanderausführung von Deckdrehungen hat nichts zu tun mit der Multiplikation von Zahlen), wird ihre *Gleichartigkeit* durch die Tabellen unterstrichen. Die Information, die in den drei Tabellen enthalten ist, kann in einer *einzigen* Tabelle festgehalten werden: Identifiziert man nacheinander $(+1)$, $(G)$ und $D$ (neutraler Name $x$), $(-1)$, $(U)$ und $T$ (neutraler Name $y$) und die drei Verknüpfungen aus den Beispielen $(a)$, $(b)$ und $(c)$ (neutraler Name $*$), so erhält man in jedem der drei Fälle diese Tabelle:

| $*$ | $x$ | $y$ |
|---|---|---|
| $x$ | $x$ | $y$ |
| $y$ | $y$ | $x$ |

Man sagt, die drei Beispiele haben die gleiche *Struktur*; diese Struktur wird in obiger Tabelle festgehalten.

Mit fortschreitender Entwicklung der einzelnen Gebiete der Mathematik fielen derartige *Strukturgleichheiten* immer öfter auf. So ist etwa die Menge der ganzen Zahlen bezüglich der Addition $(Z, +)$ strukturgleich zur Menge der positiven rationalen Zahlen bezüglich der Multiplikation $(Q^+, \cdot)$. In beiden Fällen liegt die Struktur einer *Gruppe* vor. Solange man beide Beispiele isoliert behandelt, ist man gezwungen, gewisse Sätze *(Rechenregeln)*, die sich entsprechen, getrennt jedesmal neu zu beweisen. Einige Beispiele:

| In $(Z, +)$ läßt sich zeigen: | In $(Q^+, \cdot)$ läßt sich zeigen: |
|---|---|
| 1) $-(-z) = z$ für alle $z \in Z$; | $(a^{-1})^{-1} = a$ für alle $a \in Q^+$; |
| 2) Aus $a + b = a + c$ folgt $b = c$ für alle $a, b, c \in Z$; | Aus $r \cdot s = r \cdot t$ folgt $s = t$ für alle $r, s, t \in Q^+$; |
| 3) $-(a - b) = b - a$ für alle $a, b \in Z$; | $\left(\dfrac{r}{t}\right)^{-1} = \dfrac{t}{r}$ für alle $r, t \in Q^+$. |

Aus *ökonomischen* Gründen wäre es viel sinnvoller, derartige Aussagen ein für allemal für *Gruppen* allgemein zu beweisen und dann diese bewiesenen Sätze in konkreten Fällen anzuwenden. Ein derartiges Vorgehen liegt dem zugrunde, was man *Strukturmathematik* nennt: Man beweist für gewisse algebraische Strukturen (Gruppen, Ringe, Körper, Vektorräume) Sätze, die keinen Bezug auf inhaltliche Vorstellungen nehmen, sondern allein aus den die Struktur kennzeichnenden Axiomen folgen.

Aus diesem Blickwinkel erfolgt ein Aufbau der Mathematik nicht mehr durch sukzessive Abhandlung der historisch begründeten Teilgebiete der Mathematik, sondern nach *strukturellen Gesichtspunkten*. Seit 1935 arbeitet eine Gruppe von ständig wechselnden Mathematikern unter dem Pseudonym *Bourbaki* an dem Versuch, die gesamte Mathematik unter dem Strukturaspekt zu ordnen. Es hat sich hierbei als nützlich erwiesen, sogenannte *Mutterstrukturen* am Anfang zu untersuchen. Die Mutterstrukturen zerfallen in drei Unterstrukturen: die *Ordnungsstrukturen* (Theorie der geordneten Mengen), die *algebraischen Strukturen* (Theorie der Gruppen, Ringe, Körper, Vektorräume, Verbände) und die *topologischen Strukturen* (Theorie der topologischen Räume). Wir werden uns in diesem Kapitel ausschließlich mit Ausschnitten aus dem Gebiet der *algebraischen Strukturen* befassen.

Nach einem intensiven Studium der Mutterstrukturen werden bei Bourbaki die *abgeleiteten* oder *multiplen* Strukturen behandelt. Im allgemeinen wird es so sein, daß man ein vorgelegtes Teilgebiet aus der Mathematik nicht eindeutig einer der Mutterstrukturen wird zuordnen können. Ein Beispiel für einen Begriff aus der Schulmathematik möge dies veranschaulichen: Man kann sich fragen, zu welcher Struktur die *rationalen Zahlen*, die im Mathematikunterricht eine wichtige Rolle spielen, gehören. Eine Analyse dieses Begriffs zeigt, daß er in allen drei Mutterstrukturen angesiedelt ist:

*1)* Man kann zwei rationale Zahlen über die Relation »$\leq$« der Größe nach *vergleichen*; die rationalen Zahlen sind eine *geordnete* Menge, und diese Ordnung hat interessante Eigenschaften: aus $a < b$ und $b < c$ folgt $a < c$. Als Beispiel für eine geordnete Menge gehören die rationalen Zahlen zu den Ordnungsstrukturen.

*2)* Unabhängig von der Tatsache, daß man zwei rationale Zahlen miteinander vergleichen kann, kann man mit diesen Zahlen auch *rechnen*, man kann zwei rationale Zahlen *addieren* und *multiplizieren*. Hierbei ergibt sich eine Fülle bemerkenswerter Eigenschaften, wie etwa:

$$a + b = b + a \qquad \text{für alle rationalen Zahlen } a, b;$$
$$(a \cdot b) \cdot c = a \cdot (b \cdot c) \qquad \text{für alle rationalen Zahlen } a, b, c;$$
$$a \cdot (b + c) = a \cdot b + a \cdot c \qquad \text{für alle rationalen Zahlen } a, b, c.$$

Die rationalen Zahlen sind ein Beispiel für einen *Körper* (algebraische Struktur).

*3)* Läßt man die ordnungstheoretischen und algebraischen Eigenschaften der rationalen Zahlen außer acht, so besitzen sie unabhängig davon auch eine *topologische Struktur:* jeder rationalen Zahl kann man eine *Umgebung* zuordnen, und Umgebungen respektieren gewisse topologische Gesetzmäßigkeiten: der Durchschnitt zweier offener Umgebungen ist wieder eine offene Umgebung (topologische Struktur).

Darüber hinaus sind die Teilbereiche miteinander gekoppelt; so gilt etwa:

$$\text{aus} \quad a < b \quad \text{und} \quad 0 < c \quad \text{folgt} \quad a \cdot c < b \cdot c;$$
sowie
$$\text{aus} \quad a < b \quad \text{folgt} \quad a + c < b + c.$$

Die Ausführungen mögen verdeutlichen, was für ein kompliziertes Gebilde eine rationale Zahl ist. Im Werk von Bourbaki lernt man diese einzelnen verschiedenen Aspekte zuerst isoliert allgemein kennen und sieht hinterher beim Begriff der rationalen Zahl alle Aspekte zusammen.

In diesem Kapitel werden wiederholt folgende Begriffe verwendet, die wir am Beispiel des Gruppenbegriffs erläutern wollen:

*Grundbegriff,    Definition,    Axiom,    Axiomensystem,    monomorphes (kategorisches) Axiomensystem,    meromorphes Axiomensystem,    Modell,    Satz, Theorie.*

Wir wollen folgenden *Text* betrachten, der auf den ersten Seiten eines Kapitels über Gruppentheorie stehen könnte:

Es sei $G$ eine *Menge* und es sei $*$ eine in der Menge definierte *Verknüpfung*, d.h. eine Abbildung von $G \times G$ in $G$.

*Axiome:*    *A1):* Für alle $g, h \in G$ gilt $(g * h) \in G$.

*A2):* Für alle $g, h, l \in G$ gilt $(g * h) * l = g * (h * l)$.

*A3):* Es gibt ein Element $n \in G$ mit $n * g = g * n = g$ für alle $g \in G$.

*A4):* Zu jedem $g \in G$ existiert ein $g^I \in G$ mit $g^I * g = g * g^I = n$.

**Definition:** $(G, *)$ heißt *Gruppe*, falls A1) bis A4) erfüllt sind.

*Bemerkungen:* In diesem Text wird beschrieben, was man in der Mathematik unter dem *Gruppenbegriff* versteht. Hierzu sind sogenannte *Grundbegriffe* notwendig, die nicht definiert sind, sondern die den Charakter von *Variablen* besitzen. In unserem Text sind dies $G$ und $*$. Über diese Grundbegriffe werden gewisse Annahmen gemacht, die in den sogenannten *Axiomen* formuliert werden. Axiome können aufgefaßt werden als *Aussageformen*. In der angegebenen *Definition* wird festgelegt, was in der Mathematik als Gruppe bezeichnet werden darf: jedes Paar $(G, *)$ von einer Menge $G$ und einer Verknüpfung $*$, das den Axiomen A1) bis A4) genügt.

Unter einem *Modell* versteht man jede *Interpretation* der *Grundbegriffe*, durch die die Axiome (Aussageformen) in wahre Aussagen übergehen. Ein Modell für eine Gruppe kann als ein Beispiel für eine Gruppe aufgefaßt werden.

Ein Modell für eine Gruppe bilden die ganzen Zahlen. Hierbei wird $G$ als die Menge $Z = \{0, +1, -1, +2, -2, \ldots\}$ und die Verknüpfung $*$ als die für ganze Zahlen definierte Addition aufgefaßt. Man überzeugt sich, daß mit dieser Interpretation der Grundbegriffe die Axiome A1) bis A4) wahre Aussagen werden.

Ein weiteres Modell für eine Gruppe erhält man, wenn man $G$ als die Menge der Deckabbildungen eines Quadrats auffaßt und die Verknüpfung $*$ als die Nacheinanderausführung von Deckabbildungen interpretiert.

Ein *Axiomensystem* (= Menge der Axiome einer Struktur) heißt *kategorisch* oder *monomorph*, wenn alle Modelle paarweise isomorph sind. Ein Axiomensystem heißt *meromorph*, wenn es nicht-isomorphe Modelle gibt. Wie man an den beiden angegebenen Modellen für Gruppen sieht, ist das Axiomensystem für Gruppen nicht monomorph; im 1. Fall enthält $G$ unendlich viele Elemente, im 2. Fall genau 8 Elemente, so daß sich diese beiden Mengen nicht bijektiv aufeinander abbilden lassen.

Unter einem *Satz* über Gruppen (einem gruppentheoretischen Satz) versteht man jede aus den Gruppenaxiomen folgende Aussageform.

Unter der *Theorie* der Gruppen (Gruppentheorie) versteht man die Menge aller herleitbaren Sätze über Gruppen.

# Verknüpfungsgebilde

Im Schulunterricht werden in der Menge der natürlichen Zahlen verschiedene *Verknüpfungen* betrachtet und auf Eigenschaften untersucht, d. h. Vorschriften, die je zwei natürlichen Zahlen *genau eine* natürliche Zahl zuordnen. So sind etwa die Addition » + «, die Multiplikation » · «, das Bilden des größten gemeinsamen Teilers zweier Zahlen »ggT« und das Bilden des Maximums »max« derartige Verknüpfungen. Die Vorschrift der Subtraktion ist keine solche Verknüpfung, da sie nicht für alle Paare natürlicher Zahlen definiert ist: so ist z. B. $(3 - 4)$ keine natürliche Zahl. In der Potenzmenge einer Menge ist das Bilden der Vereinigung »∪« und das Bilden des Durchschnitts »∩« zweier Mengen eine Verknüpfung, in der Menge der Translationen der Ebene die Nacheinanderausführung von Translationen eine derartige Verknüpfung. Es ist deshalb sinnvoll, diesen Begriff allgemein zu fassen.

**Definition:** $M$ sei eine nicht leere Menge und $*$ eine Abbildung, die je zwei Elementen $a$, $b$ aus $M$ genau ein Element $(a * b)$ aus $M$ zuordnet. Die Abbildung $*$ heißt *Verknüpfung* (oft auch *innere Verknüpfung* genannt); das Paar $(M, *)$ heißt *Verknüpfungsgebilde*.

*Beispiele* für Verknüpfungsgebilde:
Im folgenden geben wir Beispiele für den oben definierten Begriff des Verknüpfungsgebildes an. Dazu ist es notwendig, die Grundbegriffe $M$ und $*$ zu interpretieren (wir könnten dafür auch sagen, daß wir *Modelle* für Verknüpfungsgebilde angeben, was jedoch für derartig einfache Begriffe nicht üblich ist).

*a)* Für die folgende Beispielgruppe sei $M$ die Menge der natürlichen Zahlen. Für alle $a, b \in M$ sei

$$a * b = a + b;$$
$$a * b = a \cdot b;$$
$$a * b = \max(a, b) = \begin{cases} a & \text{falls} \quad a \geq b; \\ b & \text{falls} \quad a < b; \end{cases}$$
$$a * b = \mathrm{ggT}(a, b);$$
$$a * b = a^b.$$

*b)* $M$ = Menge der ganzen Zahlen. Für alle $a, b \in M$ sei:

$$a * b = a + b;$$
$$a * b = a - b;$$
$$a * b = (a + b)^2;$$
$$a * b = a.$$

*c)* $M$ = Menge der Deckabbildungen des gleichseitigen Dreiecks.
$a * b$ = diejenige Deckabbildung des gleichseitigen Dreiecks, die die gleiche Wirkung erzielt wie die Nacheinanderausführung der Deckabbildungen $a$ und $b$ (*zuerst a, dann b* anwenden).

*d)* $M = \{0, 1, 2, 3\}$. Für alle $a, b \in M$ sei:

$$a * b = \text{Rest von } (a + b) : 4 \quad \text{(Viererrest von } (a + b))$$

*e)* $M$ = Potenzmenge einer Menge, d. h. die Menge aller Teilmengen einer Menge. Für alle $a, b \in M$ sei:

$$a * b = a \cup b;$$
$$a * b = a \cap b;$$
$$a * b = (a \cup b) \setminus (a \cap b).$$

*Gegenbeispiele:* Folgende Interpretationen der Grundbegriffe sind *nicht* erlaubt (führen also nicht auf Beispiele für Verknüpfungsgebilde). Man beachte, daß es zum Nachweis der Negation der Aussage »$(M, *)$ ist Verknüpfungsgebilde« genügt zu zeigen, daß es *mindestens zwei* Elemente $a, b \in M$ gibt, für die nicht gilt »$(a * b) \in M$«. Es ist also nicht notwendig zu zeigen, daß für *alle* $a, b \in M$ gilt $(a * b) \notin M$, um nachzuweisen, daß $(M, *)$ kein Verknüpfungsgebilde ist.

1) $M = N$;

$$a * b = a - b \quad \text{(setzen Sie } a = 2, \ b = 5\text{)};$$

$$a * b = \frac{a}{b} \quad \text{(setzen Sie } a = 2, \ b = 3\text{)}.$$

2) $M = $ Menge der Primzahlen. Für alle $a, b \in M$ sei

$$a * b = a + b \quad \text{(setzen Sie } a = 5, \ b = 7\text{)}.$$

3) $M = \{1, 2, 3, 4\}$. Für alle $a, b \in M$ sei

$$a * b = |a - b| \quad \text{(setzen Sie } a = b\text{)}.$$

Falls die betrachtete Menge $M$ *endlich* und ihre Mächtigkeit nicht zu groß ist, kann man ein Verknüpfungsgebilde oft überschaubar in einer *Verknüpfungstafel* oder *Tabelle* darstellen. Wir verdeutlichen das Gemeinte für $M = \{0, 1, 2\}$ und $a * b = $ Rest von $(a + b) : 3$ durch die folgende Tabelle:

| $*$ | 0 | 1 | 2 |
|---|---|---|---|
| 0 | 0 | 1 | 2 |
| 1 | 1 | 2 | 0 |
| 2 | 2 | 0 | 1 |

Allgemein schreiben wir bei einer endlichen Menge $M = \{m_1, \ldots, m_n\}$ und einer Verknüpfung $*$ in die Eingänge (0. Zeile und 0. Spalte) der Tafel die Elemente

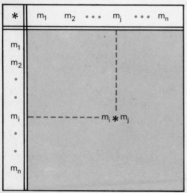

*Graphische Darstellung einer Verknüpfung*

der Menge (in gleicher Reihenfolge!) und in das Feld, das der $i$-ten Zeile und $j$-ten Spalte entspricht, das Element $m_i * m_j$.

*Gegenbeispiel:* Die folgende Tabelle ist *keine* Verknüpfungstafel, da das Element $3 * 3 = 5$ nicht zur Menge $M = \{2, 3, 4\}$ gehört:

| * | 2 | 3 | 4 |
|---|---|---|---|
| 2 | 2 | 3 | 4 |
| 3 | 2 | ⑤ | 4 |
| 4 | 2 | 2 | 3 |

### Die Kommutativität einer Verknüpfung

In der Mathematik sind neben den zwischen den Elementen definierten Verknüpfungen insbesondere deren *Eigenschaften* von Interesse. Diese Eigenschaften werden in Gesetzen formuliert, deren Kenntnis bei der Anwendung oft nützlich ist.
Dazu ein Beispiel: Um die mehrgliedrige Summe $13 + 31 + 87 + 19$ zu bestimmen, wird ein geschickter Schüler folgendermaßen vorgehen:

$$13 + 31 + 87 + 19 = (13 + 87) + (31 + 19) = 100 + 50 = 150$$

und nicht etwa – wie es die Definition nahelegt –

$$[(13 + 31) + 87] + 19 = (44 + 87) + 19 = 131 + 19 = 150$$

rechnen. Der Schüler nutzt hierbei u.a. die Tatsache aus, daß man bei der Addition von natürlichen Zahlen die Reihenfolge der Summanden vertauschen darf (ohne das Resultat zu verändern).
Überträgt man dieses Verfahren von dem speziellen Verknüpfungsgebilde $(N, +)$ auf ein beliebiges Verknüpfungsgebilde $(G, *)$, so hätte man hier die (unbewiesene) Gesetzmäßigkeit

$$a * b = b * a \quad \text{für alle} \quad a, b \in G$$

benutzt. Während bei der Addition von natürlichen Zahlen die Vertauschbarkeit der Summanden als legitime Operation bekannt ist, gilt dies im allgemeinen in beliebigen Verknüpfungsgebilden nicht. Hierzu einige Beispiele:
In $(N, *)$ mit $a * b = a^b$ und in $(Z, *)$ mit $a * b = a - b$ ist die Vertauschbarkeit der Elemente bezüglich der jeweils definierten Operation nicht gewährleistet $(2^3 \neq 3^2, 2 - 3 \neq 3 - 2)$. Wir geben dieser besonderen Eigenschaft einer Verknüpfung einen Namen.

**Definition:** In einem Verknüpfungsgebilde $(G, *)$ heißt die Verknüpfung $*$ *kommutativ* genau dann, wenn für alle $a, b \in G$ gilt:

$$a * b = b * a.$$

$(G, *)$ heißt *kommutatives Verknüpfungsgebilde*.

*Beispiele:* In $N$ sind $+, \cdot,$ ggT und max kommutative Verknüpfungen; die Verknüpfung $a * b = a$ ist dagegen nicht kommutativ $(2 * 3 = 2 \neq 3 * 2 = 3)$.
In $Q$ sind die Verknüpfungen $*$ mit

$$a * b = a \cdot b^{-1} (b \neq 0) \quad \text{und} \quad a * b = a - b$$

nicht kommutativ.
Die Verknüpfung der Hintereinanderausführung von Abbildungen in der Menge

der Deckabbildungen eines gleichseitigen Dreiecks ist nicht kommutativ, denn es gibt zwei Abbildungen (die Drehung um 120° und die Spiegelung an einer Höhe des Dreiecks), die nicht miteinander vertauschbar sind.

*Bemerkungen:* Der Begriff der kommutativen und nichtkommutativen Verknüpfung ist auch außerhalb der Mathematik von Bedeutung:

*1)* In der deutschen Sprache darf man in einem aus 2 Wörtern zusammengesetzten Wort diese Wörter im allgemeinen nicht vertauschen, ohne die Bedeutung des Wortes zu ändern:

*Beispiel:* Bier-Flaschen $\neq$ Flaschen-Bier (das erstere sind Flaschen, die für Bier bestimmt sind; das zweite ist Bier aus Flaschen, im Gegensatz zu Bier vom Faß).

*2)* Es ergibt nicht das gleiche Resultat, wenn man

*a)* zuerst die Socken, dann die Schuhe anzieht (bei uns das übliche Verfahren) oder

*b)* zuerst die Schuhe, dann die Socken anzieht (ungewöhnlich, aber bei Glatteis zu empfehlen).

*3)* Es ist nicht das gleiche, ob man zuerst das Fenster öffnet und dann den Kopf hinausstreckt oder erst den Kopf hinausstreckt und dann das Fenster öffnet.

*4)* Für Chemiker wichtig: Es ist nicht das gleiche, ob man in ein Gefäß zuerst Wasser und dann dazu Schwefelsäure gießt oder zuerst Schwefelsäure ins Gefäß gießt und dann dazu Wasser. (»Erst das Wasser, dann die Säure, sonst passiert das Ungeheure«.)

### Die Assoziativität einer Verknüpfung

Legt man folgende »Aufgabe«

$$12 : 6 : 2 \tag{1}$$

vor, so sind zwei »Lösungen« denkbar: 1 *und* 4. Da die Division eine Verknüpfung von 2 Elementen ist, kann man die Aufgabe auf zwei verschiedene Arten interpretieren:

*a)* $\qquad\qquad (12 : 6) : 2 \;=\; 2 : 2 = 1;$

*b)* $\qquad\qquad 12 : (6 : 2) = 12 : 3 = 4.$

Wegen $(12 : 6) : 2 \neq 12 : (6 : 2)$ ist es offensichtlich nowendig festzulegen, wie (1) zu verstehen ist. Mit Hilfe von Klammern kann dies geschehen.

Bei $\qquad\qquad\qquad 4 + 2 + 1 \tag{2}$

ergibt sich jedoch bei *beliebiger Klammerung* stets das gleiche Resultat:

$$(4 + 2) + 1 = 4 + (2 + 1) = 7.$$

Im Beispiel (2) ist es also möglich und deshalb aus ökonomischen Gründen sinnvoll, Klammern wegzulassen. Im Fall (1) ist die Angabe der Klammerung notwendig. Diese Unterscheidung führt zum Begriff der assoziativen Verknüpfung.

**Definition:** Die Verknüpfung $*$ heißt *assoziativ* genau dann, wenn für alle $x, y, z \in G$ gilt:

$$x * (y * z) = (x * y) * z.$$

$(G, *)$ heißt *assoziatives Verknüpfungsgebilde*.

Die Assoziativität einer Verknüpfung rechtfertigt also das Weglassen von Klammern: wie immer man bei einem drei- (oder mehr-)gliedrigen Ausdruck klammert, man erhält stets das gleiche Resultat.

*Beispiele:* Die Verknüpfung * in $(N, *)$ mit $a * b = a + b$ für alle $a, b \in N$ ist assoziativ.

*Gegenbeispiel:* Die Verknüpfung * in $(N, *)$ mit $a * b = (a + b)^2$ ist *nicht* assoziativ, da $[(a + b)^2 + c]^2 = [a + (b + c)^2]^2$ im allgemeinen falsch ist, wie man im Falle $a = 1$, $b = 2$, $c = 3$ sieht:

$$[(1 + 2)^2 + 3]^2 \neq [1 + (2 + 3)^2]^2.$$

Man beachte, daß die Negation der Aussage »Die Verknüpfung * ist assoziativ« lautet: »Es gibt *mindestens ein* Tripel von Zahlen $a$, $b$, $c$ mit $a * (b * c) \neq (a * b) * c$« und nicht etwa »$(a * b) * c \neq a * (b * c)$ für alle $a, b, c \in M$«.

Die Verknüpfung * in $(Z, *)$ mit $a * b = a - b$ für alle $a, b \in Z$ ist *nicht assoziativ:*

$$3 - (2 - 1) \neq (3 - 2) - 1.$$

Die Verknüpfung * in $(Q^+, *)$ mit $a * b = \dfrac{a + b}{2}$ für alle $a, b \in Q^+$ ist *nicht assoziativ:*

$$(2 * 4) * 5 \neq 2 * (4 * 5).$$

Die Verknüpfung * in $(N, *)$ mit $a * b = a^b$ für alle $a, b \in M$ ist ein Beispiel für ein *nicht assoziatives* Verknüpfungsgebilde, wie $(2^3)^2 \neq 2^{(3^2)}$ zeigt.

Ein wichtiges Beispiel für eine assoziative Verknüpfung ist die Nacheinanderausführung von Abbildungen.

*Bemerkung:* Der Begriff der assoziativen (bzw. der nicht assoziativen) Verknüpfung ist auch außerhalb der Mathematik von Bedeutung:

*1)* Einem gesprochenen zusammengesetzten Wort kann man seine Bedeutung nicht entnehmen, wie das folgende Beispiel zeigt:

(Mädchenhandel) Schule $\neq$ Mädchen (Handelsschule).

Ersteres ist eine Schule für Mädchenhandel und wird von keinem Kultusministerium eines Landes geduldet, letzteres ist eine Handelsschule, die von Mädchen besucht wird, und ist etwas völlig Legales. Offensichtlich kommt es hier auf die Zusammenfassung der Wörter (Beklammerung) an. (Das Beispiel ist nicht völlig korrekt, da im zweiten Wort ein Buchstabe s mehr vorkommt.)

*2)*        (Professorenkalb) Steak $\neq$ Professoren(Kalbsteak).

Ersteres ist ein Steak vom Professorenkalb (falls es solche Kälber gibt), letzteres ist ein Gericht in einer Universitätsmensa – ein Kalbsteak für Professoren.

*3)* Ein letztes Beispiel aus einem Kochbuch möge die Tragweite des Begriffs der assoziativen Verknüpfung veranschaulichen: Mit »v« werde die Verknüpfung »vermischt mit« in der Menge der Zutaten bezeichnet. Es gilt:

Wasser v (Mehl v Fett) $\neq$ (Wasser v Mehl) v Fett.

(Versucht man, Wasser mit dem, was sich aus der Vermischung von Mehl mit Fett ergibt, zu vermischen, so erhält man etwas anderes, als wenn man das, was sich aus der Vermischung von Wasser und Mehl ergibt, mit Fett vermischt.)

### Die Existenz von neutralen Elementen

In manchen Verknüpfungsgebilden gibt es Elemente, die gegenüber allen anderen Elementen der Menge ausgezeichnet sind: In $(Z, +)$ ist die Zahl 0 und in $(Q^+, \cdot)$

ist die Zahl 1 ein solches Element. Die Sonderrolle dieser Elemente besteht darin, daß jedes Element der Menge bei Verknüpfung mit diesem Element unverändert bleibt.

**Definition:** In einem Verknüpfungsgebilde $(M, *)$ heißt ein Element $n \in M$ *neutrales Element* genau dann, falls für alle $m \in M$ gilt:

$$m * n = n * m = m.$$

Wie einfache Beispiele zeigen, hat nicht jedes Verknüpfungsgebilde ein neutrales Element; so besitzt etwa die Menge $\{2, 4, 6, 8, \ldots\}$ bezüglich der Multiplikation kein neutrales Element.

*Beispiele: 1)* In der Menge der Deckabbildungen des gleichseitigen Dreiecks ist die Drehung um $0°$ um den Mittelpunkt neutrales Element.

*2)* In der Menge der Permutationen (siehe S. 33) auf einer Menge $M$ bezüglich der Nacheinanderausführung von Permutationen ist die Permutation, die jedes Element fest läßt, neutrales Element.

*3)* In der Potenzmenge einer Menge $A$ ist bezüglich der Vereinigung als Verknüpfung die leere Menge neutrales Element.

Bei diesen Beispielen fällt auf, daß immer nur *ein* neutrales Element existiert. Dies ist kein Zufall, denn es läßt sich folgender Satz beweisen:

**Satz:**    In einem Verknüpfungsgebilde gibt es höchstens ein neutrales Element.

Dieser Satz rechtfertigt die Sprechweise »*das* neutrale Element«.

### Die Existenz von inversen Elementen zu gegebenen Elementen

In den Verknüpfungsgebilden $(Z, +)$ und $(Q^+, \cdot)$, die beide ein neutrales Element besitzen (0 bzw. 1), ist folgende Situation gegeben: in $(Z, +)$ sind die Gleichungen $z + x = 0$ und $x + z = 0$ eindeutig nach $x$ für beliebige $z \in Z$ lösbar. Man nennt $x$ ein zu $z$ inverses Element bezüglich der Addition. Ein Inverses bezüglich $+$ von $(-6)$ ist $(+6)$ und ein Inverses von $(+3)$ ist $(-3)$. Es gilt

$$(+6) + (-6) = 0, \quad (+3) + (-3) = 0.$$

In $(Q^+, \cdot)$ sind die Gleichungen $q \cdot x = 1$ und $x \cdot q = 1$ ebenfalls eindeutig nach $x$ für beliebige $q \in Q^+$ lösbar. Man nennt $x$ ein Inverses von $q$ bezüglich der Multiplikation. Ein Inverses bezüglich $\cdot$ von $\frac{3}{4}$ ist $\frac{4}{3}$ und ein Inverses von $\frac{6}{5}$ ist $\frac{5}{6}$. (Ein Inverses von $x$ stimmt im letzten Fall mit dem Kehrwert von $x$ überein.) Es gilt $\frac{3}{4} \cdot \frac{4}{3} = 1, \quad \frac{6}{5} \cdot \frac{5}{6} = 1.$

Wie das Beispiel $(N_0, +)$ zeigt, hat nicht jedes Verknüpfungsgebilde $(M, *)$ mit neutralem Element die Eigenschaft, daß jedes Element ein inverses Element besitzt. Wir kennzeichnen die in $(Z, +)$ und $(Q^+, \cdot)$ besondere Situation durch die folgende Definition.

**Definition:** In einem Verknüpfungsgebilde $(M, *)$ mit neutralem Element $n$ heißt $a^I \in M$ *inverses Element* von $a \in M$ genau dann, wenn gilt

$$a^I * a = a * a^I = n.$$

*Bemerkungen:* Für *inverses Element von a* sagt man oft abkürzend auch *Inverses*. Aus der Definition geht jedoch hervor, daß der Begriff des inversen Elements (eines Elements) ein *Relativbegriff* ist, d.h. sich stets auf ein Element bezieht.

Der Ausdruck »*Inverses*« hat für sich genommen also keinen Sinn: Es muß bekannt sein, *wovon* das betrachtete Element Inverses ist. Es kann vorkommen (siehe dazu unten in Beispiel 3), daß es in einem Verknüpfungsgebilde zu einem Element mehrere Inverse gibt. Diese Tatsache verbietet die Sprechweise von *dem* inversen Element. Im folgenden wird jedoch durch zusätzliche Forderungen an $(M, *)$ die Eindeutigkeit des inversen Elements erzwungen.

In der Literatur findet man für $a^I$ auch das Zeichen $a^{-1}$. Dies kann zu Schwierigkeiten führen:

in $(Z, +)$ gilt: $\qquad\qquad 4^I = 4^{-1} = -4;$

in $(Q^+, \cdot)$ gilt: $\qquad\qquad 4^I = 4^{-1} = \frac{1}{4};$

woraus man natürlich nicht $-4 = \frac{1}{4}$ schließen darf. Es ist deshalb sinnvoll, für ein Inverses eines Elements a ein neutrales Symbol, etwa $a^I$ oder Inv $(a)$, zu benutzen.

*Beispiele: 1)* In der Menge der Deckabbildungen des gleichseitigen Dreiecks bezüglich der Hintereinanderausführung als Verknüpfung besitzt jedes Element ein Inverses: das neutrale Element sowie jede der drei Spiegelungen ist zu sich selbst invers, d. h., inverses Element dieses Elements ist das jeweilige Element selbst. Ein inverses Element der Drehung um 120° ist die Drehung um 240°, und der Drehung um 240° ist die Drehung um 120°.

*2)* In $(Z, *)$ mit

$$a * b = a + b - a \cdot b \qquad \text{für alle } a, b \in Z$$

ist 0 neutrales Element. Wir wollen uns überlegen, welche Elemente z Inverse bezüglich * besitzen. Wenn $x^I$ Inverses von x ist, dann muß gelten: $x * x^I = 0$ und $x^I * x = 0$, d. h.:

$$x + x^I - x \cdot x^I = 0$$

und $\qquad\qquad x^I + x - x^I x = 0.$

Da die Verknüpfung * kommutativ ist $(a + b - a \cdot b = b + a - b \cdot a)$, genügt es, zur Bestimmung von $x^I$ die erste Gleichung nach $x^I$ zu lösen. Es ergibt sich

$$x^I(1 - x) = -x; \qquad x^I = \frac{-x}{1 - x} \text{ falls } x \neq 1 \text{ ist.}$$

Da nach Definition $x^I$ wieder in Z liegt, besitzen nur die Elemente 0 und 2 Inverse (die Elemente sind zu sich selbst invers), denn nur für $x = 0$ und $x = 2$ liegt $\frac{-x}{1 - x}$ in Z.

*3)* Sei $(M, *)$ mit $M = \{2, 4, 5, 8\}$ durch folgende Verknüpfungstafel gegeben:

| * | 2 | 4 | 5 | 8 |
|---|---|---|---|---|
| 2 | 2 | 4 | 5 | 8 |
| 4 | 4 | 2 | 2 | 2 |
| 5 | 5 | 2 | 2 | 8 |
| 8 | 8 | 4 | 5 | 8 |

Gibt es zu 2, 4, 5 und 8 inverse Elemente?

Man überlegt sich, daß 2 neutrales Element der Menge ist. Durch Nachprüfen ergibt sich:

Zu 2 ist nur 2 inverses Element. Zu 4 ist 4 und 5 inverses Element. (Man beachte, daß 8 kein Inverses zu 4 ist: zwar gilt $4 * 8 = 2$, aber nicht $8 * 4 = 2$, siehe Definition S. 20.)

Zu 5 ist 5 inverses Element. Zu 8 gibt es kein inverses Element.

Das letzte Beispiel zeigt, daß es in einem Verknüpfungsgebilde mit neutralem Element zu einem Element *mehrere* Inverse geben kann. Falls die betrachtete Verknüpfung * *assoziativ* ist, kann dies nicht eintreten; es gilt:

**Satz:** In einem assoziativen Verknüpfungsgebilde mit neutralem Element gibt es zu jedem Element höchstens ein Inverses.

Assoziative Verknüpfungsgebilde haben in der Literatur einen besonderen Namen erhalten:

**Definition:** Das Verknüpfungsgebilde $(M, *)$ heißt genau dann *Halbgruppe*, wenn die Verknüpfung * assoziativ ist.

*Bemerkung:* Man kann an einer Verknüpfungstafel erkennen, ob
*a)* die betrachtete Verknüpfung *kommutativ* ist,
*b)* ein *neutrales Element* existiert,
*c)* wie man gegebenenfalls zu einem Element ein *Inverses* findet.

Wir erläutern dies an einem Beispiel: Für $G = \{0, 1, 2, 3\}$ und $a * b =$ Rest von $(a + b):4$ ergibt sich folgende Verknüpfungstafel:

| * | 0 | 1 | 2 | 3 |
|---|---|---|---|---|
| 0 | 0 | 1 | 2 | 3 |
| 1 | 1 | 2 | 3 | 0 |
| 2 | 2 | 3 | 0 | 1 |
| 3 | 3 | 0 | 1 | 2 |

*a)* Die Kommutativität von * erkennt man an der Symmetrie der Tafel zur Hauptdiagonale (Diagonale von »links oben« nach »rechts unten«).

Die Symmetrie zur Hauptdiagonale besagt, daß das Element, das dem Schnittpunkt der $i$-ten Zeile mit der $j$-ten Spalte $a_i * a_j$ entspricht, gleich ist dem Ele-

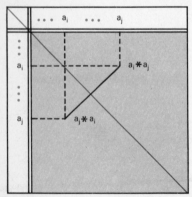

*Die Kommutativität einer Verknüpfung:*
$a_i * a_j = a_j * a_i$

ment, das dem Schnittpunkt der $j$-ten Zeile mit der $i$-ten Spalte $a_j * a_i$ entspricht, also $a_i * a_j = a_j * a_i$  für alle $a_i$ und  $a_j \in M$.

Dies ist aber gerade die Bedingung für die Kommutativität von $*$.

*b)* Die Existenz eines neutralen Elements erkennt man daran, daß sich die Eingänge der Tafel (nullte Zeile und nullte Spalte) an geeigneter Stelle reproduzieren. Es ist üblich (aber nicht notwendig), das neutrale Element an die erste Stelle in den Eingängen zu schreiben, so daß die erste Zeile mit der nullten Zeile und die erste Spalte mit der nullten Spalte übereinstimmt.

*c)* Falls das Verknüpfungsgebilde ein neutrales Element n besitzt, so findet man ein Inverses zu $a_i$, indem man in der dem Element $a_i$ entsprechenden $i$-ten Zeile das neutrale Element sucht und feststellt, in welcher Spalte $j$ es vorkommt. Das Element $a_j$ ist dann inverses Element zu $a_i$, falls neben  $a_i * a_j = n$  auch $a_j * a_i = n$ gilt, was sich an der Tafel ebenfalls nachprüfen läßt.

Für die Gültigkeit der Assoziativität von $*$ läßt sich keine solch einfache Bedingung angeben. Der Nachweis der Assoziativität einer Verknüpfung ist oft recht langwierig und zeitraubend.

### Aufgaben

*1)* Entscheiden Sie, ob es sich bei dem gegebenen Paar $(M, *)$ um ein Verknüpfungsgebilde handelt.

   *a)* $(N, *)$ mit $a * b = a^2$;

   *b)* $(N, *)$ mit $a * b = a - b + ab$;

   *c)* $(Z, *)$ mit $a * b = a^b$;

   *d)* $(N, *)$ mit $a * b = -b + a$;

   *e)* $(N, *)$ mit $a * b = b$;

   *f)* Menge der Spiegelungen, die ein Quadrat in sich überführen, bezüglich der Nacheinanderausführung.

*2)* Untersuchen Sie in den Fällen, in denen es sich in Aufgabe *1)* um Verknüpfungsgebilde handelt, ob die Verknüpfungen kommutativ bzw. assoziativ sind. Geben Sie im negativen Fall ein Gegenbeispiel an.

*3)* Untersuchen Sie folgende Verknüpfungsgebilde auf Kommutativität bzw. Assoziativität:

   *a)* $(Q\backslash\{0\}, *)$ mit $a * b = \dfrac{a \cdot}{b}$;

   *b)* $(R, *)$     mit $a * b = a \cdot b$;

   *c)* $(R, *)$     mit $a * b = |a - b|$;

   *d)* $(Q, *)$     mit $a * b = a + b + ab$.

*4)* Geben Sie ein Verknüpfungsgebilde an, in dem die Verknüpfung

   *a)* kommutativ und assoziativ

   *b)* kommutativ, aber nicht assoziativ

   *c)* nicht kommutativ, aber assoziativ

   *d)* weder kommutativ noch assoziativ ist.

*5)*  Welche der folgenden Verknüpfungsgebilde besitzen ein neutrales Element? Geben Sie gegebenenfalls dieses Element an!

*a)*  $(N, +)$;    $(N_0, +)$;    $(Z, +)$;    $(Q, \cdot)$;    $(Z, \cdot)$;

*b)*  $(R \times R, *)$;    $(a, b) * (c, d) = (a + c, bd)$;

*c)*  $(\{-2, -1, 0, 1, 2, 3\}, *)$,    $a * b = \max(a, b)$;

*d)*  $(P(M), \cap)$;    $(P(M), \triangle)$,    $M$ beliebige Menge,    $P(M) =$ Potenzmenge von $M$, $\triangle$ symmetrische Differenz (siehe Aufgabe *6c*);

*e)*  $(Q, *)$, $a * b = a + b + ab$;

*f)*  $(Q, *)$, $a * b = a + b - ab$.

*g)*  Die Menge $\{1, 2\}$ mit einer der drei Verknüpfungen, die gegeben sind durch folgende Verknüpfungstafeln

| *  | 1 | 2 |
|----|---|---|
| 1  | 1 | 1 |
| 2  | 1 | 1 |

| *  | 1 | 2 |
|----|---|---|
| 1  | 1 | 2 |
| 2  | 2 | 1 |

| *  | 1 | 2 |
|----|---|---|
| 1  | 2 | 1 |
| 2  | 1 | 2 |

*6)*  *a)*  $R^+$ sei die Menge aller positiven reellen Zahlen versehen mit der Verknüpfung $a * b = \max(a, b)$. Geben Sie an, welche Elemente aus $R^+$ Inverse besitzen. Bestimmen Sie zunächst das neutrale Element, falls es existiert.

*b)*  $(Q, *)$ mit $a * b = a + b - ab$ ist ein Verknüpfungsgebilde mit 0 als neutralem Element. Welche Elemente aus $Q$ besitzen Inverse?

*c)*  Es sei $P$ die Potenzmenge von $M = \{a, b\}$ und $*$ die symmetrische Differenz (für $x, y \in P$ sei $x * y = (x \cup y) \backslash (x \cap y)$). Geben Sie an, welche Elemente Inverse besitzen und wie diese heißen.

*d)*  Untersuchen Sie, welche der folgenden Verknüpfungstafeln
   *1)*  assoziativ sind;
   *2)*  ein neutrales Element besitzen;
   *3)*  welche Elemente Inverse besitzen.

| *  | 1 | 2 | 3 | 4 |
|----|---|---|---|---|
| 1  | 1 | 2 | 3 | 4 |
| 2  | 2 | 4 | 2 | 4 |
| 3  | 3 | 2 | 1 | 4 |
| 4  | 4 | 4 | 4 | 4 |

| *  | 1 | 2 | 3 | 4 |
|----|---|---|---|---|
| 1  | 1 | 2 | 3 | 4 |
| 2  | 2 | 1 | 4 | 3 |
| 3  | 3 | 4 | 1 | 2 |
| 4  | 4 | 2 | 3 | 1 |

| *  | 1 | 2 | 3 | 4 |
|----|---|---|---|---|
| 1  | 1 | 1 | 1 | 1 |
| 2  | 2 | 2 | 2 | 2 |
| 3  | 3 | 3 | 3 | 3 |
| 4  | 4 | 4 | 4 | 4 |

# Operationentreue Abbildungen (Homomorphismen)

Zur Erklärung des Begriffs der *operationentreuen Abbildung*:

*1)* Bekanntlich kann man das Produkt $617 \cdot 2613$ *logarithmisch* berechnen. Die logarithmische Berechnung führt die Multiplikation von Zahlen auf die Addition der Logarithmen dieser Zahlen zurück – was man als Vereinfachung ansehen kann. Zur Erinnerung: Die Berechnung von $617 \cdot 2613$ erfolgt meist so: Man schlägt in einer Tafel den Logarithmus von 617 (log 617) und den Logarithmus von 2613 (log 2613) nach, addiert diese Zahlen und sucht den zu dieser Zahl gehörenden Numerus in der Tafel auf. Diese Zahl ist das Produkt von 617 · 2613.

Im allgemeinen enthalten mathematische Tafeln jedoch auch Tafeln für die trigonometrischen Funktionen, die Quadrat- und Wurzelfunktion. Man kann sich nun einen zerstreuten Benutzer vorstellen, der versehentlich in der Wurzeltafel statt der Logarithmentafel nachschlägt. Anstelle von log 617 schlägt er $\sqrt{617}$, anstelle von log 2613 schlägt er $\sqrt{2613}$ nach, addiert diese Zahlen und sucht den »Numerus« (in diesem Fall das Quadrat der Zahl). Natürlich erhält er dabei nicht das Produkt von 617 · 2613.

Da die *Methode* des Nachschlagens in beiden Fällen die gleiche ist, kann man sich fragen, warum man bei Anwendung der Logarithmentafel zu einem richtigen Ergebnis kommt, bei Anwendung der Wurzeltafel, die analog aufgebaut ist, jedoch nicht. Sicher hängt das damit zusammen, daß für alle $x, y \in R^+$ gilt:

$$\log (x \cdot y) = \log x + \log y,$$

daß aber 
$$\sqrt{x \cdot y} = \sqrt{x} + \sqrt{y}$$
nicht allgemeingültig ist.

Wir werden später sehen, daß die beiden Verknüpfungsgebilde $(R^+, \cdot)$ und $(R, +)$ strukturgleich sind und die Abbildung $x \to \log x$ von $R^+$ auf $R$ eine operationentreue bijektive Abbildung ist.

*2)* Im folgenden ist eine Liste bekannter Schülerfehler zusammengestellt, die wohlbekannt und dem Leser vielleicht auch schon unterlaufen sind:

*1)* $(a + b)^2 = a^2 + b^2$    $a, b \in N$;

*2)* $\sin(\alpha + \beta) = \sin \alpha + \sin \beta$    $\alpha, \beta \in [0°, 180°]$;

*3)* $\sqrt{a + b} = \sqrt{a} + \sqrt{b}$    $a, b \in Q^+$;

*4)* $|a + b| = |a| + |b|$    $a, b \in R$;

*5)* $(f \cdot g)' = f' \cdot g'$    $f, g \in$ Menge der differenzierbaren Funktionen.

Im Gegensatz dazu sind folgende »Formeln« wahr:

*6)* $|a \cdot b| = |a| \cdot |b|$    $a, b \in Q$;

*7)* $(a \cdot b)^2 = a^2 \cdot b^2$    $a, b \in Q$;

*8)* $2 \cdot (a + b) = 2a + 2b$    $a, b \in Q$;

*9)* $\int_a^b [f(x) + g(x)] \, dx = \int_a^b f(x) \, dx + \int_a^b g(x) \, dx$

    $f, g \in$ Menge der integrierbaren Funktionen;

*10)* $(f + g)' = f' + g'$    $f, g \in$ Menge der differenzierbaren Funktionen.

Obwohl *1)* bis *5)* nicht allgemeingültig, *6)* bis *10)* jedoch allgemeingültig sind, unterscheiden sich *1)* bis *10) formal* voneinander nicht; *1)* besagt: Es ergibt das gleiche, ob man erst zwei Zahlen addiert und das Ergebnis quadriert oder ob man erst die Zahlen quadriert und die erhaltenen Zahlen addiert; *5)* besagt: Es führt zum gleichen Resultat, ob man erst zwei Funktionen multipliziert: $(f \cdot g)(x) = f(x) \cdot g(x)$ und dann differenziert oder ob man erst die Funktionen differenziert und dann multipliziert; *6)* besagt: Ob man erst zwei Zahlen multipliziert und dann vom Ergebnis den Betrag bildet oder ob man erst die Beträge bildet und dann diese multipliziert; beides führt zum gleichen Resultat; *8)* besagt: Ob man zuerst zwei Zahlen addiert und dann das Ergebnis verdoppelt oder ob man erst zwei Zahlen verdoppelt und dann die verdoppelten Zahlen addiert: in beiden Fällen erhält man das gleiche Resultat.

In *1)* bis *10)* wird jeweils eine Vertauschbarkeit gewisser Operationen behauptet, die in *1)* bis *5)* nicht zutrifft, in *6)* bis *10)* jedoch erfüllt ist. Das Zustandekommen der Schülerfehler in *1)* bis *5)* ist vielleicht dadurch zu erklären, daß fälschlicherweise angenommen wird, daß diese Vertauschbarkeit stets zu Recht bestehe. Dies jedoch ist keine logische Angelegenheit, sondern hängt von der gegebenen Situation ab.

In *1)* bis *10)* kommt jeweils eine Menge vor, in der eine Verknüpfung definiert ist und eine Abbildung der Menge in sich selbst oder in eine andere Menge; so wird in *2)* das abgeschlossene Intervall $[0°, 180°]$ auf $[-1, 1]$ abgebildet.

Diese Beispiele regen folgende Begriffsbildung an:

**Definition:** $(G, *)$ und $(H, \heartsuit)$ seien Verknüpfungsgebilde.

Eine Abbildung $f$ von $G$ in $H$ mit $f(a * b) = f(a) \heartsuit f(b)$ für alle $a, b \in G$ heißt *operationentreue Abbildung* oder *Homomorphismus*.

Das Symbol $\heartsuit$ bezeichnet die in $H$ definierte Verknüpfung. Die folgende Figur veranschaulicht die Operationentreue der Abbildung.

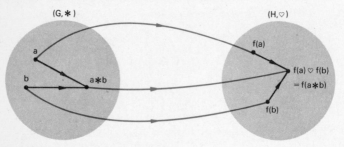

*Beispiel einer operationentreuen Abbildung*

Die Operationentreue einer Abbildung besagt: »Erst verknüpfen, dann abbilden« führt zum gleichen Resultat wie »erst abbilden, dann verknüpfen«.

Man sagt für diesen Sachverhalt kurz:

Das Bild der Verknüpfung ist gleich der Verknüpfung der Bilder.

*1)* bis *5)* beschreiben keine operationentreuen Abbildungen, *6)* bis *10)* beschreiben operationentreue Abbildungen.

Die Abbildung mit der Vorschrift $x \to \log x$ ist eine operationentreue Abbildung von $(R^+, \cdot)$ auf $(R, +)$.

*Beispiele* für operationentreue Abbildungen:

*1)* $x \to$ Rest von $x:5$ ist eine operationentreue Abbildung von $(N, +)$ auf $(\{0, 1, 2, 3, 4\}, *)$ mit $a * b =$ Rest von $(a + b):5$.

*2)* $x \to 2^x$ ist eine operationentreue Abbildung von $(R, +)$ auf $(R^+, \cdot)$, denn es gilt:

$$2^{x+y} = 2^x \cdot 2^y.$$

*Gegenbeispiele: 1)* $x \to 2x + 1$ ist keine operationentreue Abbildung von $(N, +)$ in $(N, +)$, denn es existieren $x$ und $y$ aus $N$ mit

$$2(x + y) + 1 \neq (2x + 1) + (2y + 1) \qquad (\text{Setze } x = y = 1).$$

*2)* $x \rightarrow (x + 1)^2$ ist keine operationentreue Abbildung von $(R, +)$ in $(R, +)$, denn es existieren $x$ und $y$ aus $N$ mit

$$[(x + y) + 1]^2 \neq (x + 1)^2 + (y + 1)^2 \qquad (\text{Setze } x = y = 1).$$

*3)* $x \rightarrow 2x$ ist keine operationentreue Abbildung von $(Z, \cdot)$ in $(Z, \cdot)$, denn es gibt Elemente $x, y \in Z$ mit

$$2\,(x \cdot y) \neq 2x \cdot 2y \qquad (\text{Setze } x = y = 1).$$

## Neunerprobe und operationentreue Abbildung

Der Nachweis der Legitimität der *Neunerprobe* kann mit Hilfe des Homomorphiebegriffs geführt werden. Mittels der Abbildung $x \rightarrow$ Rest von $(x{:}9)$ [Übergang von einer Zahl auf deren Neunerrest] wird $(N, \cdot)$ auf $(\{0, 1, 2, \ldots, 8\}, *)$ abgebildet, wobei $x * y =$ Rest von $(x \cdot y){:}9$ ist. Da diese Abbildung operationentreu ist, gelangt man zum gleichen Resultat, wenn man zuerst zwei Zahlen multipliziert und dann deren Neunerrest bestimmt oder erst den Neunerrest bildet und dann die Neunerreste multipliziert. Diese Tatsache nutzt die Neunerprobe aus. Ein Beispiel möge das verdeutlichen:

Mit Hilfe der Neunerprobe kann man die Unkorrektheit von

*A)* $\qquad\qquad 508 \cdot 911 = 462788$

etwa dadurch feststellen, daß man nachprüft, ob die entsprechende Aussage für die Neunerreste gilt:

$$508 \cdot 911 = 462788;$$
$$N(508 \cdot 911) = N(462788);$$
$$N(508) * N(911) = N(462788);$$
$$4 * 2 = 8;$$
$$8 = 8.$$

Hierbei bedeutet $N(x)$ den Neunerrest der Zahl $x$. In diesem Fall gilt die entsprechende Aussage. Hieraus folgt nur, daß *A) richtig sein kann*, jedoch nicht, daß *A)* notwendig richtig ist. Das folgende Beispiel möge den Sachverhalt illustrieren:

$$4812 \cdot 5006 = 19121214;$$
$$N(4812 \cdot 5006) = N(19121214);$$
$$N(4812) * N(5006) = 3;$$
$$6 * 2 = 3;$$
$$3 = 3.$$

Obwohl die Rechnung falsch ist (wie man etwa durch Überschlagsbildung feststellen kann), stimmt die Neunerprobe.

Die Neunerprobe hilft meist nur weiter, wenn die entsprechende Aussage für die Neunerreste falsch ist: In diesem Fall ist die Rechnung *falsch* (natürlich nur unter der Voraussetzung, daß bei der Bestimmung der Neunerreste und ihrer Multiplikation kein Fehler gemacht worden ist!).

Die Untersuchung von operationentreuen Abbildungen ist in der Mathematik deshalb von Interesse, weil man mit ihnen die strukturelle Gleichheit zweier inhaltlich verschieden definierter mathematischer Gebilde beschreiben kann (Isomorphie). Operationentreue Abbildungen haben besondere Eigenschaften, die wir im folgenden Satz zusammenfassen:

**Satz:** Für jede operationentreue Abbildung f des Verknüpfungsgebildes $(G, *)$ *auf* das Verknüpfungsgebilde $(H, \heartsuit)$ gilt:

*a)* Falls $n$ neutrales Element in $G$ und $n'$ neutrales Element in $H$ ist, so gilt: $f(n) = n'$ (das neutrale Element wird bei operationentreuen Abbildungen auf das neutrale Element abgebildet).

*b)* $f(x^I) = [f(x)]^I$ für jedes $x \in G$ (das Bild des Inversen ist das Inverse des Bildes).

*c)* Aus der Kommutativität von $(G, *)$ folgt die Kommutativität von $(H, \heartsuit)$.

(Kommutativität überträgt sich bei operationentreuen Abbildungen).

*d)* $f(x^m) = [f(x)]^m$ für jedes $m \in N$, wobei $x^m = \underbrace{x * \ldots * x}_{m \text{ Glieder}}$.

*Beweise: a)* Es ist zu zeigen, daß $f(n) \heartsuit h = h \heartsuit f(n) = h$ für jedes $h \in H$ gilt. Da $f$ die Menge $G$ *auf* die Menge $H$ abbildet, gibt es ein $g \in G$ mit $f(g) = h$. Hieraus, mit der Operationentreue von $f$ und der Tatsache, daß $n$ in $G$ neutrales Element ist, ergibt sich:

$$f(n) \heartsuit h = f(n) \heartsuit f(g) = f(n * g) = f(g) = h;$$
$$h \heartsuit f(n) = f(g) \heartsuit f(n) = f(g * n) = f(g) = h.$$

Durch die letzten beiden Zeilen wird ausgedrückt, daß $f(n)$ neutrales Element in $H$ ist, was zu beweisen war.

*b)* Für jedes $x$ aus $G$ gilt:

$$x * x^I = x^I * x = n.$$

Hieraus folgt wegen der Operationentreue von $f$:

$$f(x * x^I) = f(x) \heartsuit f(x^I) = f(n) = n';$$
$$f(x^I * x) = f(x^I) \heartsuit f(x) = f(n) = n';$$

womit gezeigt ist, daß $f(x^I)$ Inverses von $f(x)$ ist, also

$$[f(x)]^I = f(x^I)$$

gilt, was zu beweisen war.

*c)* Da $(G, *)$ kommutativ ist, gilt $g * g' = g' * g$ für alle $g, g' \in G$. Es ist zu zeigen, daß für beliebige $h_1, h_2 \in H$ gilt: $h_1 \heartsuit h_2 = h_2 \heartsuit h_1$. Da $f$ die Menge $G$ auf die Menge $H$ abbildet, gibt es $g_1$ und $g_2$ mit

$$f(g_1) = h_1 \text{ und } f(g_2) = h_2.$$

Hieraus folgt $h_1 \heartsuit h_2 = f(g_1) \heartsuit f(g_2) = f(g_1 * g_2) = f(g_2 * g_1) = f(g_2) \heartsuit f(g_1) = h_2 \heartsuit h_1$, was zu beweisen war.

*d)* Ein Beweis dieser Tatsache kann mit Hilfe der Methode der vollständigen Induktion geführt werden. Wir überlassen den Beweis dem Leser.

### Aufgaben

*7)* Welche der folgenden Abbildungen sind operationentreu?

  *a)* $f:(Z, +) \to (\{2n \mid n \in Z\}, +), f(x) = 2x$;

*b)*  $f:(R, \cdot) \rightarrow (\{z \mid z \in R \text{ und } z \geq 0\}, \cdot), f(x) = x^2$;

*c)*  $f:(N, +) \rightarrow (Z, \cdot), f(x) = 0$;

*d)*  $f:(N, +) \rightarrow (N, +), f(x) = 2x + 1$;

*e)*  $f:(N, +) \rightarrow (N, +), f(x) = 1$;

*f)*  $f:(Z, *) \rightarrow (Z, \circ), f(x) = -x$;

$a * b = a + b + ab$;    $a \circ b = a + b - ab$;

*g)*  $f:(R, +) \rightarrow (R, +), f(x) = x^2$.

Hierbei bedeutet etwa *c)*, daß die Abbildung *f*, die das Verknüpfungsgebilde $(N, +)$ in das Verknüpfungsgebilde $(Z, \cdot)$ abbildet und deren Abbil-
dungsvorschrift $f(x) = 0$ heißt, auf Operationentreue untersucht werden soll.

*h)*  $f:(Z, \cdot) \rightarrow (\{-1,1\}, \cdot),$    $f(x) = \begin{cases} 1, & x \text{ gerade} \\ -1, & x \text{ ungerade}; \end{cases}$

*i)*  $f:(Q\backslash\{0\}, \cdot) \rightarrow (Q\backslash\{0\}, \cdot),$    $f(x) = |x|$.

*8)*  $G = (\{1, 2, 3\}, *)$ und $H = (\{a, b, c\}, \circ)$ seien Verknüpfungsgebilde mit den
Verknüpfungen $*$ bzw. $\circ$, die durch folgende Verknüpfungstafeln gegeben
sind:

| $*$ | 1 | 2 | 3 |
|---|---|---|---|
| 1 | 1 | 2 | 3 |
| 2 | 2 | 3 | 1 |
| 3 | 3 | 1 | 2 |

| $\circ$ | a | b | c |
|---|---|---|---|
| a | c | a | b |
| b | b | b | a |
| c | c | a | b |

Welche der folgenden Abbildungen sind operationentreu?

*a)*  $1 \rightarrow a,$    $2 \rightarrow b,$    $3 \rightarrow c$;

*b)*  $1 \rightarrow a,$    $2 \rightarrow a,$    $3 \rightarrow a$;

*c)*  $1 \rightarrow a,$    $2 \rightarrow b,$    $3 \rightarrow b$;

*d)*  $1 \rightarrow b,$    $2 \rightarrow c,$    $3 \rightarrow c$;

*e)*  $1 \rightarrow b,$    $2 \rightarrow b,$    $3 \rightarrow b$;

*f)*  $1 \rightarrow c,$    $2 \rightarrow a,$    $3 \rightarrow b$.

# Gruppen

Je mehr Information über ein Verknüpfungsgebilde gegeben ist, um so leichter
lassen sich über dieses Verknüpfungsgebilde interessante Aussagen herleiten. Im
folgenden wollen wir deshalb nur noch Verknüpfungsgebilde betrachten, die
besondere Eigenschaften besitzen: die Verknüpfungsgebilde sind assoziativ, sie
besitzen ein neutrales Element, und jedes Element besitzt ein inverses Element.
Derartige Verknüpfungsgebilde heißen *Gruppen*.

**Definition:** Ein Verknüpfungsgebilde $(G, *)$ heißt genau dann *Gruppe*, wenn
gilt:

        *1)* Die Verknüpfung $*$ ist assoziativ, d.h. für alle $g, h, l \in G$ gilt:
$(g * h) * l = g * (h * l)$.

*2)* $(G, *)$ besitzt ein neutrales Element, d.h. es gibt ein Element $n \in G$ mit $n * g = g * n = g$ für alle $g \in G$.

*3)* Jedes Element besitzt ein Inverses, d.h. zu jedem Element $g \in G$ gibt es ein $g^I \in G$ mit $g^I * g = g * g^I = n$.

Ist die Verknüpfung $*$ kommutativ (was für den Gruppenbegriff nicht gefordert wird!), so heißt $(G, *)$ *kommutative Gruppe* oder *Abelsche Gruppe*. Ist $G$ endlich, so heißt $(G, *)$ *endliche Gruppe*; sonst heißt $(G, *)$ *unendliche Gruppe*. Ist $(G, *)$ eine endliche Gruppe, so heißt die Anzahl der Elemente in $G$ *die Ordnung von* *(G, \*)*. Die Menge $G$ der Gruppe $(G, *)$ heißt *Trägermenge*.

Der Gruppenbegriff ist von Interesse, weil er auf inhaltlich verschiedenartige Situationen paßt und so eine einheitliche Beschreibung dieser Situationen gestattet. An vielen Stellen im Schulunterricht tauchen Gruppen auf. Wir verdeutlichen dies, indem wir verschiedene *Modelle* für Gruppen angeben. Dazu ist es notwendig, die Grundbegriffe $G$ und $*$ zu interpretieren. Der Leser mache sich hierbei stets die Gültigkeit der Axiome *1)* bis *3)* klar.

## Modelle für Gruppen

*1)* $G$ sei die Menge aller Deckdrehungen eines Quadrats um seinen Mittelpunkt (entgegengesetzt dem Uhrzeigersinn). $G$ enthält genau die 4 Elemente $D_0$, $D_{90}$, $D_{180}$, $D_{270}$:

$$D_0 = \text{Drehung um } 0°; \qquad D_{90} = \text{Drehung um } 90°;$$
$$D_{180} = \text{Drehung um } 180°; \qquad D_{270} = \text{Drehung um } 270°.$$

Jede Drehung läßt sich durch ihre Wirkung auf die *Ausgangslage* des Quadrats veranschaulichen.

In $G$ kann man als Verknüpfung $*$ die Nacheinanderausführung zweier Deckdrehungen festlegen. $D_{90} * D_{180}$ bedeutet diejenige Drehung, die die gleiche

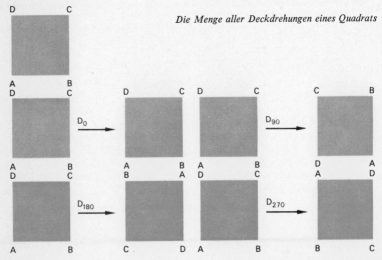

*Die Menge aller Deckdrehungen eines Quadrats*

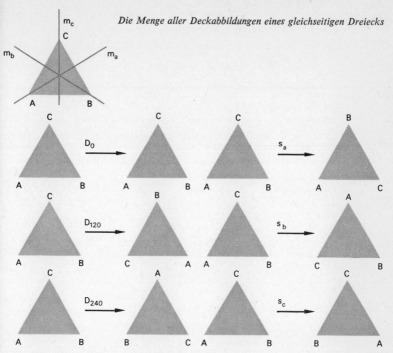

Wirkung hat wie die Nacheinanderausführung der Drehung um 90° und daran anschließend die Drehung von 180°. Die Drehung $D_{270}$ bewirkt das gleiche. Also

$$D_{90} * D_{180} = D_{270}.$$

Man überlegt sich nacheinander:

*a)* $G$ ist bezüglich $*$ abgeschlossen, d.h. die Nacheinanderausführung zweier Drehungen ergibt stets wieder eine Drehung: $(G, *)$ ist ein Verknüpfungsgebilde.

*b)* $G$ besitzt ein neutrales Element: die Drehung $D_0$.

*c)* Jedes Element besitzt ein Inverses, das in $G$ liegt.

$$(D_0)^I = D_0, \quad (D_{90})^I = D_{270}, \quad (D_{180})^I = D_{180}, \quad (D_{270})^I = D_{90}.$$

*d)* Die Verknüpfung $*$ ist assoziativ (das Nacheinanderausführen von Abbildungen ist stets eine assoziative Verknüpfung).

Somit ist $(G, *)$ eine *Gruppe*, deren *Gruppentafel* folgende Gestalt hat:

| $*$ | $D_0$ | $D_{90}$ | $D_{180}$ | $D_{270}$ |
|---|---|---|---|---|
| $D_0$ | $D_0$ | $D_{90}$ | $D_{180}$ | $D_{270}$ |
| $D_{90}$ | $D_{90}$ | $D_{180}$ | $D_{270}$ | $D_0$ |
| $D_{180}$ | $D_{180}$ | $D_{270}$ | $D_0$ | $D_{90}$ |
| $D_{270}$ | $D_{270}$ | $D_0$ | $D_{90}$ | $D_{180}$ |

Darüber hinaus gilt für alle Drehungen $D_x, D_y$: $D_x * D_y = D_y * D_x$; $(G, *)$ ist eine kommutative Gruppe. Die Eigenschaft der Kommutativität von $*$ wird jedoch bei Gruppen nicht verlangt. Wir halten sie hier nur als zusätzliche Eigenschaft fest.

*2)* $G$ sei die Menge aller Deckabbildungen des gleichseitigen Dreiecks. Man überlegt sich, daß $G$ genau 6 Elemente enthält: 3 Drehungen um den Mittelpunkt (entgegengesetzt dem Uhrzeigersinn) und drei Spiegelungen an den drei Seitenhalbierenden des Dreiecks.

$D_0 =$ Drehung um $0°$;    $D_{120} =$ Drehung um $120°$;    $D_{240} =$ Drehung um $240°$;    $S_a =$ Spiegelung an der Geraden $m_a$;    $S_b =$ Spiegelung an der Geraden $m_b$;    $S_c =$ Spiegelung an der Geraden $m_c$.

Wir veranschaulichen die Abbildungen in $G$ durch ihre Wirkung auf die *Ausgangslage* des Dreiecks (siehe Figur S. 31).

Wie beim vorhergehenden Modell kann man in $G$ eine Verknüpfung $*$ als Nacheinanderausführung der Abbildungen einführen und man überlegt sich, daß $(G, *)$ eine Gruppe ist mit folgender Gruppentafel:

| $*$ | $D_0$ | $D_{120}$ | $D_{240}$ | $S_a$ | $S_b$ | $S_c$ |
|---|---|---|---|---|---|---|
| $D_0$ | $D_0$ | $D_{120}$ | $D_{240}$ | $S_a$ | $S_b$ | $S_c$ |
| $D_{120}$ | $D_{120}$ | $D_{240}$ | $D_0$ | $S_b$ | $S_c$ | $S_a$ |
| $D_{240}$ | $D_{240}$ | $D_0$ | $D_{120}$ | $S_c$ | $S_a$ | $S_b$ |
| $S_a$ | $S_a$ | $S_c$ | $S_b$ | $D_0$ | $D_{240}$ | $D_{120}$ |
| $S_b$ | $S_b$ | $S_a$ | $S_c$ | $D_{120}$ | $D_0$ | $D_{240}$ |
| $S_c$ | $S_c$ | $S_b$ | $S_a$ | $D_{240}$ | $D_{120}$ | $D_0$ |

Hinweis für das *Ausfüllen* der Tafel:
Um etwa $D_{240} * S_a$ zu bestimmen, betrachtet man folgende Figurenfolge, der man die Gültigkeit von $D_{240} * S_a = S_c$ entnimmt. Die gesuchte Ersatzabbildung für $(D_{240} * S_a)$ ist die Spiegelung $S_c$.

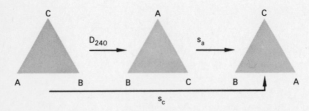

*Die Ersatzabbildung für die Operation* $D_{240} * S_a$ *ist die Spiegelung* $S_c$

Man beachte hierbei, daß $S_a$ die Spiegelung an der Mittelsenkrechten $m_a$ im Dreieck in der *Ausgangslage* ist und daß diese Achse bei allen Abbildungen, die man auf das Dreieck anwendet, *fest* bleibt. Deshalb verläuft in obiger Figur die Achse der Spiegelung $S_a$ durch $B$ und steht senkrecht auf $AC$.
Wegen $D_{240} * S_a \neq S_a * D_{240}$ ist $(G, *)$ keine kommutative Gruppe.

*3)* Obwohl im letzten Modell die Elemente der Gruppe als geometrisch wohldefinierte Abbildungen gekennzeichnet sind, zeigt sich, daß beim Umgehen mit diesen Elementen die inhaltliche Bedeutung der Elemente (als Deckabbildungen eines gleichseitigen Dreiecks) vergessen werden kann: es genügt die Information, wohin die Eckpunkte des Dreiecks abgebildet werden. Die Elemente der Gruppe können aufgefaßt werden als bijektive Abbildungen der Menge $\{A, B, C\}$ auf sich, wobei $A$, $B$ und $C$ Namen für verschiedene Objekte sind. Derartige Abbildungen einer Menge auf sich nennt man *Permutationen*. Es ist üblich, die Permutationen aus Modell *2)* folgendermaßen darzustellen:

$$D_0 = \begin{pmatrix} ABC \\ ABC \end{pmatrix}; \quad S_a = \begin{pmatrix} ABC \\ ACB \end{pmatrix};$$

$$D_{120} = \begin{pmatrix} ABC \\ BCA \end{pmatrix}; \quad S_b = \begin{pmatrix} ABC \\ CBA \end{pmatrix};$$

$$D_{240} = \begin{pmatrix} ABC \\ CAB \end{pmatrix}; \quad S_c = \begin{pmatrix} ABC \\ BAC \end{pmatrix}.$$

Betrachtet man eine Menge $M$ mit $m$ ($m \in N$) Elementen und die Menge $G$ aller bijektiven Abbildungen der Menge $M$ auf sich, so bildet $(G, *)$ eine Gruppe, die sogenannte *Permutationsgruppe* auf einer $m$-elementigen Menge, falls »*« – was naheliegt – als die Hintereinanderausführung von Permutationen (bijektiven Abbildungen) interpretiert wird. In diesem speziellen Beispiel handelt es sich um eine 6-elementige Permutationsgruppe auf einer 3-elementigen Menge. Allgemein hat die Permutationsgruppe einer $m$-elementigen Menge $m!$ Elemente.

In der historischen Entwicklung der Gruppentheorie waren die Permutationsgruppen auf einer Menge die ersten bekannten Modelle für Gruppen.

*4)* Im folgenden konstruieren wir ein Modell für eine Gruppe, deren Elemente Wörter aus einer Kunstsprache sind. Ein Wort in unserer Sprache besteht aus Buchstaben des Alphabets. Man kann sich ein Land vorstellen, in dem das Alphabet nicht so umfangreich wie bei uns ist, sondern nur aus zwei Buchstaben, $A$ und $B$, besteht. Mögliche Wörter sind etwa: $A$, $ABA$, $AAA$, $BABA$, $BABAB$ (ein Wort wird verstanden als Abfolge von Buchstaben). Natürlich gibt es unendlich viele Wörter in dieser Sprache. Durch eine *Grammatik* wird in dieser Kunstsprache festgelegt, wann zwei Wörter die gleiche Bedeutung haben. Diese Grammatik besteht aus folgenden Regeln:

*1. Regel:*  Kommt in einem Wort die Buchstabenkombination $AA$ vor, so kann in diesem Wort diese Kombination ersatzlos ohne Änderung der Bedeutung des Wortes gestrichen werden. (Beispiel: Das Wort $ABAA$ ist gleichbedeutend mit dem Wort $AB$; das Wort $BAAA$ gleichbedeutend mit dem Wort $BA$.)

*2. Regel:*  Kommt in einem Wort die Buchstabenkombination $BB$ vor, so kann in diesem Wort diese Kombination ersatzlos ohne Änderung der Bedeutung des Wortes gestrichen werden. (Beispiel: Das Wort $BABBB$ ist gleichbedeutend mit dem Wort $BAB$; das Wort $BBB$ gleichbedeutend mit dem Wort $B$.)

*3. Regel:*  In einem Wort kann die Buchstabenkombination $AB$ durch die Buchstabenkombination $BA$ ohne Änderung der Bedeutung des Wortes ersetzt werden. (Beispiel: Das Wort $ABAB$ ist gleichbedeutend mit dem Wort *ABBA*; das Wort *BBA* gleichbedeutend mit dem Wort *BAB*.)

Wir wenden nun alle drei Regeln gleichzeitig an: das Wort *ABAABAABB* kann durch Anwendung von Regel 1 ersetzt werden durch *ABBBB*, dieses Wort durch Anwendung der Regel 2 durch *A*.

Man kann nun alle möglichen Wörter diesen drei Regeln unterwerfen und nach den *kürzesten* übrigbleibenden Wörtern fragen: da Wörter, die durch die Regeln 1–3 ineinander übergeführt werden können, die gleiche Bedeutung haben, ist es aus ökonomischen Gründen sinnvoll, sich nur diese Wörter zu merken. Man überlegt sich leicht, daß aus der unendlichen Menge aller möglichen Wörter nur 4 Wörter mit paarweise verschiedener Bedeutung übrigbleiben: *A*, *B*, *AB* und *L* (*L* = das leere Wort, das keinen Buchstaben enthält; das Wort *ABAB* würde nach Anwendung der Regeln auf *L* führen).

In der Menge $G = \{A, B, AB, L\}$ der reduzierten Wörter wollen wir eine Verknüpfung $*$ einführen: zwei Wörter *X* und *Y* werden durch $*$ dadurch verknüpft, daß man *Y* an *X* anfügt und dann das entstehende Wort durch die Anwendung der Grammatik auf das kürzeste Wort reduziert.

*Beispiel:* $AB * A = ABA = B$; $AB * AB = ABAB = L$.

Das Verknüpfungsgebilde $(G, *)$ kann in einer Tafel beschrieben werden, an der man erkennt, daß $(G, *)$ eine kommutative Gruppe ist, die die interessante Eigenschaft besitzt, daß jedes Element zu sich selbst invers ist.

| $*$ | $L$ | $A$ | $B$ | $AB$ |
|---|---|---|---|---|
| $L$ | $L$ | $A$ | $B$ | $AB$ |
| $A$ | $A$ | $L$ | $AB$ | $B$ |
| $B$ | $B$ | $AB$ | $L$ | $A$ |
| $AB$ | $AB$ | $B$ | $A$ | $L$ |

*5)* Sei $M = \{a, b\}$ und sei $G = P(M)$ die Potenzmenge von *M*:

$$P(M) = \{\emptyset, \{a\}, \{b\}, \{a, b\}\}.$$

In *G* kann man eine Verknüpfung $*$ folgendermaßen definieren: für alle $X, Y \in G$ sei:

$$X * Y = (X \cup Y) \backslash (X \cap Y).$$

Die unter dem Namen *symmetrische Differenz* bekannte Verknüpfung hat im Venn-Diagramm die folgende Darstellung. Die schraffierte Fläche der folgenden Figur repräsentiert $(X \cup Y) \backslash (X \cap Y)$.

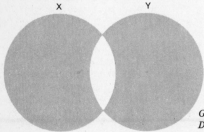

*Graphische Darstellung der symmetrischen Differenz*

Als Verknüpfungstafel von $(G, *)$ ergibt sich dementsprechend:

| * | $\emptyset$ | $\{a\}$ | $\{b\}$ | $\{a, b\}$ |
|---|---|---|---|---|
| $\emptyset$ | $\emptyset$ | $\{a\}$ | $\{b\}$ | $\{a, b\}$ |
| $\{a\}$ | $\{a\}$ | $\emptyset$ | $\{a,b\}$ | $\{b\}$ |
| $\{b\}$ | $\{b\}$ | $\{a, b\}$ | $\emptyset$ | $\{a\}$ |
| $\{a, b\}$ | $\{a, b\}$ | $\{b\}$ | $\{a\}$ | $\emptyset$ |

Sie zeigt, daß $(G, *)$ eine kommutative Gruppe ist, die wie die Gruppe aus dem vorhergehenden Modell genau 4 Elemente hat und bei der jedes Element zu sich selbst invers ist.

6) $G$ sei die Menge aller reellwertigen Funktionen auf $R$ und $*$ für Funktion $f$ und $g$ aus $G$ wie folgt definiert:

$$(f * g)(x) = f(x) + g(x) \quad \text{für alle } x \in R.$$

$(G, *)$ ist eine Gruppe, die wegen der Kommutativität von $+$ in $R$ kommutativ ist, deren neutrales Element die Funktion $f(x) = 0$ ist und für die gilt:

$$[f(x)]^I = -f(x).$$

7) $G$ sei die Menge aller Reste, die bei Division einer natürlichen Zahl durch 5 auftreten können: $G = \{0, 1, 2, 3, 4\}$ und $*$ sei wie folgt definiert:

$$g * h = \text{Rest von } (g + h) : 5$$

für alle $g, h \in G$. Die Gruppe $(G, *)$ der Reste ist kommutativ und hat 5 Elemente mit folgender Tafel:

| * | 0 | 1 | 2 | 3 | 4 |
|---|---|---|---|---|---|
| 0 | 0 | 1 | 2 | 3 | 4 |
| 1 | 1 | 2 | 3 | 4 | 0 |
| 2 | 2 | 3 | 4 | 0 | 1 |
| 3 | 3 | 4 | 0 | 1 | 2 |
| 4 | 4 | 0 | 1 | 2 | 3 |

*Bemerkung:* Ersetzt man die Zahl 5 (Modul) in diesem Beispiel durch eine andere natürliche Zahl $n$, so erhält man stets kommutative Gruppen mit $n$ Elementen.

8) *Modelle für Gruppen*, deren *Elemente Zahlen* sind.
a) $G$ sei die Menge $Z$ der ganzen Zahlen und $*$ die übliche Addition $(+)$ für ganze Zahlen.
$(Z, +)$ ist eine unendliche kommutative Gruppe.
b) $G$ sei die Menge der geraden Zahlen und $*$ die Addition für ganze Zahlen.
$(G, *)$ ist eine unendliche kommutative Gruppe.
c) $G$ sei die Menge der durch $n$ teilbaren ganzen Zahlen (d.h. Zahlen, die ein Vielfaches von $n$ sind) und $*$ sei die für ganze Zahlen definierte Addition.
$(G, *)$ ist eine unendliche kommutative Gruppe.
d) $G$ sei die Menge der positiven rationalen Zahlen und $*$ die für rationale Zahlen definierte Multiplikation.
$(G, *)$ ist eine unendliche kommutative Gruppe.

*e)* G sei die Menge der rationalen Zahlen und ∗ die Addition für rationale Zahlen.

$(G, *)$ ist eine unendliche kommutative Gruppe.

*f)* Ersetzt man in den Beispielen *d)* und *e)* die Eigenschaft *rational* durch *reell*, so erhält man ebenfalls jeweils eine unendliche kommutative Gruppe.

*Gegenbeispiele:* Folgende Verknüpfungsgebilde sind *keine* Gruppen.

*1)* Die Menge der natürlichen Zahlen bezüglich der Addition (es gibt kein neutrales Element).

*2)* Die Menge der nicht negativen ganzen Zahlen bezüglich der Addition (außer 0 besitzt kein Element ein Inverses).

*3)* Die Menge der rationalen Zahlen bezüglich der Multiplikation (0 besitzt kein Inverses).

*4)* Die Menge der ganzen Zahlen bezüglich der Multiplikation (außer 1 besitzt kein Element ein Inverses).

*5)* Die Menge der Achsenspiegelungen, die ein Quadrat in sich abbilden, bezüglich der Nacheinanderausführung als Verknüpfung (die Menge ist nicht abgeschlossen bezüglich der Verknüpfung; verknüpft man eine Achsenspiegelung mit sich selbst, so erhält man keine Achsenspiegelung).

*6)* Das durch die folgende Tafel beschriebene Verknüpfungsgebilde $(M, *)$ mit $M = \{a, b, c\}$

| ∗ | a | b | c |
|---|---|---|---|
| a | a | b | c |
| b | b | a | c |
| c | c | a | b |

ist keine Gruppe, da die Verknüpfung ∗ nicht assoziativ ist:

$$(b * c) * c \neq b * (c * c);$$
$$c * c \neq b * b;$$
$$b \neq a.$$

*7)* Die Potenzmenge $G = P(M)$ einer endlichen Menge $M$ bildet bezüglich der Durchschnittsbildung »∩« keine Gruppe. Zwar gilt: $G$ ist bezüglich ∩ abgeschlossen, die Durchschnittsbildung ist assoziativ (auch kommutativ), $(G, \cap)$ besitzt ein neutrales Element (die Menge $M$), aber außer $M$ besitzt kein Element ein Inverses.

Nach dieser Klärung der Gruppeneigenschaft führen wir noch einige nützliche Begriffe für Gruppen an.

Wie Modell *8b)* zeigt, kann es vorkommen, daß bei einer Gruppe $(G, *)$ G eine Teilmenge $T$ besitzt, die bezüglich ∗ wieder eine Gruppe bildet: man nennt in diesem Fall $(T, *)$ eine Untergruppe von $(G, *)$. So ist in Modell *8b)* die Menge der geraden ganzen Zahlen bezüglich der Addition eine Untergruppe der Gruppe $(Z, +)$. Diese Begriffsbildung ist sinnvoll, da nicht jede Teilmenge $T$ von $G$ bezüglich ∗ eine Untergruppe von $(G, *)$ ist (die Menge der ungeraden ganzen Zahlen ist z.B. bezüglich der Addition *keine* Untergruppe von $(Z, +)$, da diese Menge bezüglich der Addition kein Verknüpfungsgebilde ist).

**Definition:** Sei $(G, *)$ eine Gruppe und $T$ eine nicht leere Teilmenge von $G$. $(T, *)$ heißt *Untergruppe von* $(G, *)$ genau dann, wenn $(T, *)$ Gruppe ist.

Jede Gruppe hat zwei *triviale* Untergruppen: die Gruppe selbst und die Gruppe, deren Menge nur aus dem neutralen Element besteht.
In Modell *1)* auf S. 30 ist $(\{D_0, D_{180}\}, *)$ die einzige nicht triviale Untergruppe von $(G, *)$; im Modell *2)* besitzt $(G, *)$ folgende nicht triviale Untergruppen:

$$(\{D_0, D_{120}, D_{240}\}, *); \quad (\{S_a, D_0\}, *); \quad (\{S_b, D_0\}, *); \quad (\{S_c, D_0\}, *).$$

In Modell *4)* besitzt $(G, *)$ folgende nicht triviale Untergruppen:

$$(\{A, L\}, *); \quad (\{B, L\}, *); \quad (\{AB, L\}, *).$$

In Modell *7)* besitzt $(G, *)$ *keine* nicht trivialen Untergruppen.
Modell *8c)* zeigt, daß eine Gruppe unendlich viele Untergruppen besitzen kann: In der Gruppe $(Z, +)$ bilden die Vielfachen einer festen Zahl (Vervielfachung mit sich selbst mit ganzen Zahlen!) stets eine Untergruppe bezüglich $+$ von $(Z, +)$, z.B.:

$$(\{0, +2, -2, +4, -4, \ldots\}, +), \quad (\{0, +3, -3, +6, -6, \ldots\}, +).$$

In einer endlichen Gruppe $(G, *)$ kann man jedem von dem neutralen Element verschiedenen Element $g$ eine natürliche Zahl $m$ zuordnen: die kleinste Zahl $m$ mit der Eigenschaft

$$\underbrace{g * \ldots * g}_{m \text{ Glieder}} = g^m = n.$$

Diese Zahl erhält einen besonderen Namen.

**Definition:** Die *Ordnung eines* von $n$ verschiedenen *Elements* $g$ einer endlichen Gruppe ist die kleinste natürliche Zahl $m$ mit
$$g^m = \underbrace{g * \ldots * g}_{m \text{ Glieder}} = n.$$

In der Gruppe der Deckdrehungen des Quadrats (Modell *1)* auf S. 30) besitzen $D_{90}$ und $D_{270}$ die Ordnung 4, $D_{180}$ besitzt die Ordnung 2; im Modell *2)* besitzen $D_{120}$ und $D_{240}$ die Ordnung 3, jede Spiegelung die Ordnung 2; im Modell *4)* hat jedes Element die Ordnung 2; im Modell *7)* hat jedes Element die Ordnung 5.
Modell *1)* und Modell *2)* *unterscheiden* sich in einer *wesentlichen Eigenschaft*: im Modell *1)* ist es möglich, aus einem einzigen Element alle anderen Elemente der Gruppe zu *konstruieren*. So läßt sich aus $D_{90}$ durch wiederholte Verknüpfung mit sich selbst jedes andere Gruppenelement konstruieren: im Modell *2)* ist dies nicht möglich: Verknüpft man eine Drehung wiederholt mit sich selbst, so enthält man stets Drehungen (und keine Spiegelungen); verknüpft man eine Spiegelung wiederholt mit sich selbst, so erhält man nur das neutrale Element oder die Spiegelung selbst (und keine von $D_0$ verschiedene Drehung). Es sei darauf hingewiesen, daß im Modell *1)* derartige Elemente zwar existieren, daß aber nicht jedes Element diese Eigenschaft besitzt ($D_{180}$ besitzt sie nicht).
Nach diesen Bemerkungen ist es naheliegend, Gruppen besonders zu kennzeichnen, bei denen man aus *einem* Element alle anderen Elemente *konstruieren* kann.

**Definition:** Eine Gruppe $(G, *)$ heißt genau dann *zyklisch*, wenn es ein $a \in G$ gibt, so daß es zu jedem $g \in G$ ein $m \in Z$ gibt mit:

$$g = a^m.$$

Man nennt $a$ ein *erzeugendes Element* der zyklischen Gruppe.

Wie man in Modell *1)* erkennt, kann eine zyklische Gruppe mehrere erzeugende Elemente besitzen: $D_{90}$ und $D_{270}$ erzeugen die Gruppe. Aus der Definition geht nur hervor, daß eine zyklische Gruppe mindestens ein erzeugendes Element besitzt, jedoch nicht, daß jedes Element die Gruppe erzeugt.

Zu jeder natürlichen Zahl $n$ gibt es eine endliche zyklische Gruppe der Ordnung $n$. Man nehme die Gruppe der Deckdrehungen des regelmäßigen $n$-Ecks. Die Drehung um den Mittelpunkt des $n$-Ecks um $\left(\frac{360}{n}\right)^{\circ}$ ist ein erzeugendes Element für diese Gruppe.

Im folgenden Satz stellen wir einige elementare Eigenschaften von Gruppen zusammen, die wir als *Deduktionsübung* aus den Gruppenaxiomen herleiten:

**Satz:**   In einer Gruppe $(G, *)$ gilt:

*a)* Aus $a * b = c * b$ folgt   $a = c$   $(a, b, c \in G)$

(Rechtsstreichungsregel – Recht*skürzungsregel*, 1. Kürzungsregel).

Aus $b * a = b * c$ folgt   $a = c$   $(a, b, c \in G)$

(Linksstreichungsregel – Link*skürzungsregel*).

*b)* $(a * b)^I = b^I * a^I$   für alle $a, b \in G$;

*c)* $(a^I)^I = a$   für alle $a \in G$.

In *d)*, *e)* und *f)* werden Bedingungen angegeben, die die *Kommutativität* einer *Gruppe* erzwingen.

*d)* Aus $a^2 = n$ für alle $a \in G$ folgt, daß $(G, *)$ kommutativ ist.

*e)* Ist die Tafel von $(G, *)$ symmetrisch zur Nebendiagonale (Diagonale von »rechts oben« nach »links unten«), so ist $(G, *)$ kommutativ.

*f)* Ist $(G, *)$ zyklisch, so ist $(G, *)$ kommutativ.

*g)* Die Gleichungen $a * x = b$ und $y * a = b$ sind für alle $a, b \in G$ *eindeutig* nach $x$ und $y$ *lösbar*.

*h) Äquivalente Fassung der Untergruppeneigenschaft:*

Für eine nicht leere Teilmenge $U$ von $G$ sind die folgenden Eigenschaften paarweise äquivalent:

*A)* $(U, *)$ ist Untergruppe von $(G, *)$;

*B)* aus $a, b \in U$   folgt $(a * b^I) \in U$;

*C) 1)* aus $a, b \in U$ folgt $(a * b) \in U$ *und*

   *2)* aus $a \in U$   folgt $a^I \in U$.

Die Bedingungen *B)* und *C)* erleichtern das Nachprüfen, ob eine Teilmenge bezüglich der in der Gruppe definierten Verknüpfung eine Untergruppe ist.

*i)* Sind $(A, *)$ und $(B, *)$ Untergruppen einer Gruppe $(G, *)$, so ist $((A \cap B), *)$ Untergruppe von $(G, *)$. Die analoge Aussage für $((A \cup B), *)$ ist falsch!

*k)* Die Ordnung einer Untergruppe einer endlichen Gruppe ist Teiler der Ordnung dieser Gruppe *(Satz von Lagrange)*.

*l)* Die Ordnung eines Elements einer endlichen Gruppe ist Teiler der Gruppenordnung.

*Beweise: a)* Da $(G, *)$ Gruppe ist, existiert zu jedem Element $b \in G$ das Inverse $b^I \in G$. Also ergibt sich mit Hilfe des Assoziativgesetzes:

$$a * b = c * b;$$
$$(a * b) * b^I = (c * b) * b^I;$$
$$a * (b * b^I) = c * (b * b^I);$$
$$a * n = c * n;$$
$$a = c.$$

Der Nachweis der Linksstreichungsregel erfolgt analog und sei dem Leser überlassen.

*b)* Nach Definition des Inversen eines Elements gilt für $(a * b)^I$

$$(a * b)^I * (a * b) = n \quad \text{und} \quad (a * b) * (a * b)^I = n.$$

Folgende Schlußkette, die die Definition des neutralen Elements ($N$), des inversen Elements ($I$) eines Elements und die Assoziativität ($A$) der Verknüpfung $*$ benutzt, zeigt die Berechnung von $(a * b)^I$:

$$(a * b)^I * (a * b) = n;$$
$$[(a * b)^I * a] * b = n; \tag{A}$$
$$\{[(a * b)^I * a] * b\} * b^I = n * b^I;$$
$$[(a * b)^I * a] * [b * b^I] = b^I; \tag{A}$$
$$[(a * b)^I * a] * n = b^I; \tag{I}$$
$$(a * b)^I * a = b^I; \tag{N}$$
$$(a * b)^I * (a * a^I) = b^I * a^I;$$
$$(a * b)^I * n = b^I * a^I; \tag{I}$$
$$(a * b)^I = b^I * a^I. \tag{N}$$

Eine entsprechende Schlußkette für $(a * b) * (a * b)^I = n$ führt zum gleichen Resultat und sei dem Leser überlassen.

Wir bemerken, daß die *naheliegendere* Formel

$$(a * b)^I = a^I * b^I$$

zwar in kommutativen Gruppen gilt, im allgemeinen aber falsch ist.

Man verdeutliche sich an der Gruppe der Deckabbildungen eines gleichseitigen Dreiecks, daß nicht gilt:

$$(D_{120} * S_a)^I = (D_{120})^I * (S_a)^I = D_{240} * S_a.$$

*c)* Nach Definition von $a^I$ gilt:

$$a * a^I = a^I * a = n.$$

Hieraus folgt, daß $a$ das Inverse von $a^I$ ist, d.h. daß gilt: $a = (a^I)^I.$

*d)* Es ist zu zeigen, daß $g * h = h * g$ für alle $g, h \in G$ gilt. Wegen $a^2 = n$ für alle $a \in G$ gilt:

$$a = a^I.$$

Aus $(g * h)^2 = n$ folgt mit Hilfe von *b)*

$$(g * h) = (g * h)^I = h^I * g^I = h * g.$$

*e)* Siehe Figur auf S. 40.

Wieder ist zu zeigen, daß $(g * h) = (h * g)$ für alle $g, h \in G$ gilt.

Wir betrachten zwei Elemente $g, h \in G$ und ordnen ihnen über die Nebendiago-

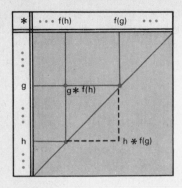

*Beweis der Kommutativität von $(G, *)$*

nale (Spiegelung an der Nebendiagonale) die Elemente $f(g)$ und $f(h)$ zu. Wegen der Symmetrie der Tafel zur Nebendiagonale gilt:

*1)*                    $g * f(h) = h * f(g)$

für alle $g, h \in G$.

Nach Ersetzung von $g$ durch $n$ bzw. $h$ durch $n$ erhält man

$$n * f(h) = h * f(n) = f(h).$$
$$g * f(n) = n * f(g) = f(g).$$

Dieses Resultat in *1)* eingesetzt, führt zu

$$g * (h * f(n)) = h * (g * f(n)).$$

Mittels der Assoziativität von $*$ und der Rechtsstreichungsregel ergibt sich die Behauptung:

$$(g * h) * f(n) = (h * g) * f(n)$$
$$g * h = h * g.$$

Im Anschluß an diesen Satz sei auf folgenden Zusammenhang zwischen der Symmetrie einer Gruppentafel zur Hauptdiagonale und zur Nebendiagonale und der Kommutativität einer Gruppe hingewiesen. In einer Gruppe $(G, *)$ bezeichne $(H)$ die Eigenschaft, daß die Tafel von $(G, *)$ zur Hauptdiagonale symmetrisch ist,

$(N)$ die Eigenschaft, daß die Tafel von $(G, *)$ zur Nebendiagonale symmetrisch ist,

$(K)$ die Eigenschaft der Kommutativität von $(G, *)$.

*Diagramm zur Kommutativität von $(H)$, $(N)$, $(K)$*

Im Diagramm bezeichnen die Pfeile, welche Eigenschaften aus welchen Eigenschaften hergeleitet werden können. $(X) \Rightarrow (Y)$ bedeutet: die Eigenschaft $(Y)$ kann aus $(X)$ hergeleitet werden. Die fehlenden Pfeile $(H) \Rightarrow (N)$ und $(K) \Rightarrow (N)$ dürfen nicht eingezeichnet werden, denn es gibt Gruppen, die zwar kommutativ sind, aber deren Tafel nicht zur Nebendiagonale symmetrisch ist und Gruppen, deren Tafel zur Hauptdiagonale symmetrisch ist, aber nicht zur Nebendiagonale: man nehme die Gruppe $(G, *)$ mit $G = \{0, 1, 2\}$ und $a * b =$ Rest von $[(a + b) : 3]$ für $a, b \in G$ mit dieser Tafel:

| * | 0 | 1 | 2 |
|---|---|---|---|
| 0 | 0 | 1 | 2 |
| 1 | 1 | 2 | 0 |
| 2 | 2 | 0 | 1 |

*f)* Es ist zu zeigen, daß $g * h = h * g$ für alle $g, h \in G$ gilt.

Da $(G, *)$ zyklisch ist, gibt es ein erzeugendes Element $z \in G$ und geeignete $n, m \in Z$ mit

$$g = z^n \text{ und } h = z^m.$$

Hieraus ergibt sich (unter Benutzung der Potenzregeln)

$$g * h = z^n * z^m = z^{n+m} = z^{m+n} = z^m * z^n = h * g.$$

*g)* Wir zeigen nur, daß

$$a * x = b$$

eindeutig nach $x$ für alle $a, b \in G$ lösbar ist und überlassen den Nachweis der eindeutigen Lösbarkeit von

$$x * a = b \quad \text{dem Leser.}$$

Der Satz behauptet
*a)* daß die Gleichung *lösbar* ist und
*b)* daß die Gleichung *genau eine Lösung* besitzt.

Zu *a)*: Es gilt:

$$a * x = b;$$
$$a^I * (a * x) = a^I * b;$$
$$(a^I * a) * x = a^I * b;$$
$$x = a^I * b;$$

womit gezeigt ist, daß das Element $(a^I * b) \in G$ Lösung ist.

Zu *b)* Angenommen, $a * x = b$ hätte die beiden Lösungen $x_1$ und $x_2$ mit $x_1 \neq x_2$. Dann gilt

$$a * x_1 = b \text{ und } a * x_2 = b,$$

was wegen der Transitivität der Gleichheitsrelation

$$a * x_1 = a * x_2$$

impliziert, woraus aufgrund der Linksstreichungsregel

$$x_1 = x_2$$

folgt, im Widerspruch zur Annahme $x_1 \neq x_2$.

*h)* Der zu beweisende Satz besagt, daß jede der Bedingungen (A), (B) und (C) die Untergruppeneigenschaft charakterisiert. Wir zeigen die Implikationen:

$$(A) \Rightarrow (B), \quad (B) \Rightarrow (C), \quad (C) \Rightarrow (A).$$

*1)* (A) $\Rightarrow$ (B)

Es sei $(U, *)$ eine Untergruppe von $(G, *)$. Dann liegt mit $a, b \in U$ auch $b^I$ und damit $a * b^I$, wegen der Gültigkeit der Gruppenaxiome in $U$.

*2)* (B) $\Rightarrow$ (C)

Wir setzen die Bedingung (B) als erfüllt voraus. Da $U$ nach Voraussetzung nicht leer ist, gibt es mindestens ein Element $u \in U$. Wegen (B) gilt mit $a = b = u$: $u * u^I = n \in U$; die Teilmenge $U$ enthält also das neutrale Element der Gruppe. Setzt man in (B) $a = n$, so folgt: mit $b \in U$ gilt auch $b^I \in U$, womit die 2. Behauptung der Bedingung (C) erfüllt ist. Zum Nachweis der 1. Behauptung von (C) überlegt man sich, daß mit $a, b \in U$ auch $b^I \in U$, also auch $a * (b^I)^I = (a * b) \in U$ gilt.

*3)* (C) $\Rightarrow$ (A)

Wir setzen die Bedingung (C) als erfüllt voraus und müssen die Gruppenaxiome für $(U, *)$ verifizieren. Da $U$ nicht leer ist, gibt es ein Element $u \in U$ und wegen (C 2) liegt $u^I$ auch in $U$, was wegen (C 1) $u * u^I = n \in U$ nach sich zieht. Somit ist die Abgeschlossenheit von $U$ bezüglich $*$, die Existenz eines neutralen Elements in $U$, die Existenz des inversen Elements zu jedem Element und die Assoziativität von $*$ ($*$ ist eine assoziative Verknüpfung, da $(G, *)$ eine Gruppe ist) bewiesen und alle Gruppeneigenschaften von $(U, *)$ sind gezeigt.

*i)* Zum Nachweis, daß $((A \cap B), *)$ Untergruppe ist, benutzen wir die Bedingung (B) aus *h)*: es genügt zu zeigen, daß mit $x, y \in (A \cap B)$ auch $x * y^I \in (A \cap B)$ gilt. Da $(A, *)$ und $(B, *)$ Untergruppen von $(G, *)$ sind, enthalten beide mindestens das neutrale Element $n$, sind also nicht leer. Aus $x, y \in (A \cap B)$ folgen die Elementbeziehungen:

$$x \in A, \; x \in B, \; y \in A \text{ und } y \in B.$$

Da $(A, *)$ Untergruppe ist, gilt: Aus $x, y \in A$ folgt $(x * y^I) \in A$.

Da $(B, *)$ Untergruppe ist, gilt: Aus $x, y \in B$ folgt $(x * y^I) \in B$, woraus sich $(x * y^I) \in (A \cap B)$ ergibt.

Am Beispiel der Gruppe der Deckabbildungen des gleichseitigen Dreiecks zeigen wir, daß im allgemeinen $(A \cup B, *)$ *keine* Untergruppe von $(G, *)$ ist, falls $(A, *)$ und $(B, *)$ Untergruppen von $(G, *)$ sind.

*Gegenbeispiel:* $(A, *) = (\{D_0, D_{120}, D_{240}\}, *)$    $(B, *) = (\{S_a, D_0\}, *)$.

Das Paar $(A \cup B, *) = (\{D_0, D_{120}, D_{240}, S_a\}, *)$ ist keine Untergruppe, da $(D_{120} * S_a)$ nicht in $A \cup B$ liegt.

*k)* Wir übergehen den Beweis dieses Satzes, wollen aber seine Nützlichkeit erläutern. Manchmal ist es hilfreich, bei einer gegebenen endlichen Gruppe alle Untergruppen zu kennen. Betrachten wir etwa die 8-elementige Gruppe der Deckabbildungen des Quadrats. Bekannt seien Untergruppen der Ordnung 2 und 4. Kann es eine Untergruppe der Ordnung 3 oder 5 geben? Der Satz von Lagrange sagt: *nein*, denn 3 und 5 sind keine Teiler von 8. *Mögliche* Ordnungen für Untergruppen sind nur die *Teiler* der Gruppenordnung. Der Satz von Lagrange verbietet also die Existenz gewisser Untergruppen (diejenigen Untergruppen, deren Ordnung *kein* Teiler der Gruppenordnung ist). Es sei jedoch vor der Fehlinterpretation des Satzes gewarnt, daß es zu jedem Teiler $t$ der Gruppenordnung auch eine Untergruppe der Ordnung $t$ gibt. Diese Aussage, die in einer gewissen Weise eine Umkehrung des Satzes von Lagrange darstellt, ist falsch (die 12-elementige Permutationsgruppe auf 4 Objekten hat nur Untergruppen der Ordnung 2, 3 und 4, jedoch keine Untergruppe der Ordnung 6). Abgeschwächte Aussagen in dieser Hinsicht enthalten die sogenannten *Sylow-Sätze*.

Mit Hilfe des Satzes von Lagrange kann man also gewisse Untergruppenordnungen ausschließen.

*l)* $(G, *)$ sei eine endliche Gruppe der Ordnung $k$ und $g \in G$ ein Element der Ordnung $s$, d.h. $s$ sei die kleinste natürliche Zahl, für die gilt: $g^s = \underbrace{g * \ldots * g}_{s \text{ Glieder}} = n$

Die Elemente $g^1, g^2, \ldots, g^s = n$ bilden eine zyklische Gruppe der Ordnung $s$, womit aus dem Satz von Lagrange die Behauptung folgt.

## Aufgaben

*9)* $M = \{f_1, f_2, f_3, f_4\}$ sei eine Menge von Abbildungen von $R\backslash\{0\}$ in sich mit
$$f_1 : x \to x; \quad f_2 : x \to -x; \quad f_3 : x \to \tfrac{1}{x}; \quad f_4 : x \to -\tfrac{1}{x};$$
und $*$ sei die Nacheinanderausführung von Abbildungen. Stellen Sie die Tafel von $(M, *)$ auf und prüfen Sie nach, ob $(M, *)$ eine kommutative Gruppe ist.

*10)* $M = \{f_1, f_2, f_3, f_4, f_5, f_6\}$ sei eine Menge von Abbildungen von $R\backslash\{0, 1\}$ in sich, und zwar
$$f_1 : x \to x, \quad f_2 : x \to \frac{1}{1-x}, \quad f_3 : x \to \frac{x-1}{x},$$
$$f_4 : x \to \tfrac{1}{x}, \quad f_5 : x \to \frac{x}{x-1}, \quad f_6 : x \to 1 - x.$$

Mit $*$ werde die Hintereinanderausführung von Abbildungen bezeichnet. Stellen Sie die Verknüpfungstafel für $(M, *)$ auf und prüfen Sie nach, ob $(M, *)$ eine Gruppe ist.

*11)* Zeigen Sie, daß die folgenden Verknüpfungsgebilde Gruppen sind:

*a)* $(\{1, 3, 5, 7\}, *)$ mit $a * b = $ Rest von $(a \cdot b) : 8$;

*b)* $(\{1, 5, 7, 11\}, *)$ mit $a * b = $ Rest von $(a \cdot b) : 12$;

*c)* $(\{a + b\sqrt{2}; \ a, b \in Q, \ a^2 + b^2 \neq 0\}, \cdot)$;

*d)* $(R\backslash\{0\}, *)$ mit $a * b = \dfrac{a \cdot b}{2}$;

*e)* $(\{2^n, \ n \in Z\}, \cdot)$. Was ändert sich, wenn man die Menge $Z$ durch $N$ ersetzt?

*12)* Bestimmen Sie die Menge $M$ aller Deckabbildungen eines echten Rechtecks (*kein* Quadrat) und prüfen Sie nach, ob $M$ bezüglich der Nacheinanderausführung eine Gruppe bildet. Stellen Sie die Verknüpfungstafel auf.

*13)* Bestimmen Sie die Menge $M$ aller Deckabbildungen eines Quadrats und prüfen Sie nach, ob $M$ bezüglich der Nacheinanderausführung als Verknüpfung eine Gruppe bildet. Stellen Sie die Verknüpfungstafel auf.

*14)* Geben Sie echte Untergruppen von $(Z, +)$ an, die
*a)* das Element 8 enthalten,
*b)* die Elemente 2 und 3 enthalten.

*15)* Geben Sie alle Untergruppen der Gruppe der Deckabbildungen des Quadrats bezüglich der Nacheinanderausführung als Verknüpfung an.

*16)* K sei ein Kreis mit Mittelpunkt M, G die Menge aller Spiegelungen an Geraden g durch M, und * sei die Hintereinanderausführung von Abbildungen (siehe Figur).

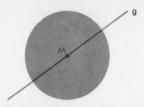

*a)*    Man beweise oder widerlege: $(G, *)$ ist eine Gruppe.

*b)*    Ist $(G, *)$ eine Gruppe, wenn G zusätzlich noch die Deckdrehungen des Kreises um M enthält?

*17)* Analog zu den Überlegungen für die Gewinnung des 4. Modells für Gruppen auf S. 33 bestimme man die Menge aller »kürzesten« Wörter, falls in der 2 Buchstaben-Sprache folgende abgeänderten Regeln gelten:

*1)* Die Buchstabenkombination AAA kann in einem Wort gestrichen werden, ohne die Bedeutung des Wortes zu ändern.

*2)* Die Buchstabenkombination BB kann in einem Wort gestrichen werden, ohne die Bedeutung des Wortes zu ändern.

*3)* Die Buchstabenkombination AB kann durch die Buchstabenkombination BA ersetzt werden und umgekehrt, ohne Änderung der Bedeutung des Wortes.

*18)* Geben Sie in der Gruppe der Deckdrehung des regelmäßigen Fünfecks alle erzeugenden Elemente an.

*19)* Ist die in Aufgabe *17)* beschriebene Gruppe zyklisch? Geben Sie gegebenenfalls alle erzeugenden Elemente an.

## Isomorphie von Gruppen

In diesem Abschnitt werden wir die endlichen Gruppen bis zur Ordnung 4 mit Hilfe des *Isomorphiebegriffs* klassifizieren, d.h. einen Überblick über die verschiedenen *Typen* von endlichen Gruppen bis zur Ordnung 4 geben.

Wir wollen den Begriff der Isomorphie zweier Gruppen zunächst an einem *Beispiel* erläutern. Im folgenden sind bereits bekannte Verknüpfungstafeln für Gruppen der Ordnung 4 zusammengestellt:

*1)* Gruppe der Restklassen modulo 4 (Modell 7 von S. 35).

|   | 0 | 1 | 2 | 3 |
|---|---|---|---|---|
| 0 | 0 | 1 | 2 | 3 |
| 1 | 1 | 2 | 3 | 0 |
| 2 | 2 | 3 | 0 | 1 |
| 3 | 3 | 0 | 1 | 2 |

*2)* Gruppe der Deckdrehungen des Quadrats (Modell 2 von S. 32):

|         | $D_0$     | $D_{90}$  | $D_{180}$ | $D_{270}$ |
|---------|-----------|-----------|-----------|-----------|
| $D_0$   | $D_0$     | $D_{90}$  | $D_{180}$ | $D_{270}$ |
| $D_{90}$| $D_{90}$  | $D_{180}$ | $D_{270}$ | $D_0$     |
| $D_{180}$| $D_{180}$| $D_{270}$ | $D_0$     | $D_{90}$  |
| $D_{270}$| $D_{270}$| $D_0$     | $D_{90}$  | $D_{180}$ |

*3)* Gruppe der Wörter der Kunstsprache (Modell 4 von S. 33).

|     | $L$  | $A$  | $B$  | $AB$ |
|-----|------|------|------|------|
| $L$ | $L$  | $A$  | $B$  | $AB$ |
| $A$ | $A$  | $L$  | $AB$ | $B$  |
| $B$ | $B$  | $AB$ | $L$  | $A$  |
| $AB$| $AB$ | $B$  | $A$  | $L$  |

*4)* Gruppe der Teilmengen einer zweielementigen Menge bezüglich der symmetrischen Differenz (Modell 5 von S. 34).

|          | $\emptyset$ | $\{a\}$    | $\{b\}$    | $\{a, b\}$ |
|----------|-------------|------------|------------|------------|
| $\emptyset$ | $\emptyset$ | $\{a\}$ | $\{b\}$ | $\{a, b\}$ |
| $\{a\}$  | $\{a\}$     | $\emptyset$ | $\{a, b\}$ | $\{b\}$  |
| $\{b\}$  | $\{b\}$     | $\{a, b\}$ | $\emptyset$ | $\{a\}$  |
| $\{a, b\}$ | $\{a, b\}$ | $\{b\}$   | $\{a\}$    | $\emptyset$ |

Allen vier Gruppen ist gemeinsam: jede Gruppe hat die Ordnung 4 und jede Gruppe ist kommutativ. Trotzdem *unterscheiden* sie sich jedoch in *wesentlichen* Eigenschaften: Jede der Gruppen aus *1)* und *2)* ist *zyklisch*, die Gruppen aus *3)* und *4)* sind *nicht zyklisch*: an der Tafel erkennt man sofort, daß bei *3)* und *4)* jedes Element die Ordnung 2 hat (in der Hauptdiagonale kommt nur das neutrale Element vor), so daß sich hier kein erzeugendes Element finden läßt. Außerdem hat jede der Gruppen aus *1)* und aus *2)* nur eine nicht triviale Untergruppe, die Gruppen aus *3)* und aus *4)* besitzen jedoch 3 nicht triviale Untergruppen.

Die angeführten Unterschiede resultieren nicht aus der inhaltlichen Bedeutung der Elemente der Gruppe, sondern aus der *Struktur* der Gruppe (siehe hierzu die Vorbemerkung zum Begriff »Algebraische Strukturen«): die Unterschiede zeigen sich formal in der Gruppentafel.

Man ist deshalb geneigt, die Gruppen *1)* und *2)* als sehr ähnlich anzusehen, ebenso die Gruppen aus *3)* und *4)*, nicht jedoch etwa die Gruppen aus *1)* und *3)* oder die Gruppen aus *2)* und *3)*. Wenn man sich näher mit diesen Gruppen beschäftigt, so merkt man, daß sich die Gruppen aus *1)* und *2)* und aus *3)* und *4)* bezüglich der Gesetzmäßigkeiten, die in ihnen gelten, *gleichartig* verhalten. Man möchte sie deshalb sogar als *gleich* ansehen, was jedoch wegen der inhaltlich verschiedenen Bedeutung der Objekte (Restklassen bzw. Deckdrehungen) nicht möglich ist.

Für die Präzisierung der eben beschriebenen Vorstellung der »Gleichheit« von *1)* und *2)* hat sich der Begriff der *Isomorphie zweier Gruppen* als brauchbar erwiesen, der auf dem Begriff der bijektiven Abbildung und des Homomorphismus aufbaut: im Falle von *1)* und *2)* existiert eine bijektive Abbildung der beiden Trägermengen, die das 1. Verknüpfungsgebilde auf das 2. Verknüpfungsgebilde *homomorph* (operationentreu) abbildet; im Falle von *2)* und *3)* gibt es zwar bijektive Abbildungen der Trägermengen aufeinander, jedoch bildet keine dieser bijektiven Abbildungen das 1. Verknüpfungsgebilde auf das 2. Verknüpfungsgebilde homomorph ab.

**Definition:** Die Gruppe $(H, \circ)$ heißt *isomorph zur* Gruppe $(G, *)$ [in Zeichen $(G, *) \cong (H, \circ)$] genau dann, wenn eine bijektive Abbildung $f$ von $G$ auf $H$ existiert, die ein Homomorphismus ist, d.h. für die gilt:

$$f(g_1 * g_2) = f(g_1) \circ f(g_2) \quad \text{für alle} \quad g_1, g_2 \in G.$$

Die Gruppe der Restklassen modulo 4 und die Gruppe der Deckdrehungen des Quadrats sind isomorph, weil die Abbildung $f$ mit

$$f(0) = D_0; \quad f(1) = D_{90}; \quad f(2) = D_{180}; \quad f(3) = D_{270}$$

eine bijektive *und* operationentreue (nachprüfen!) Abbildung ist. Die Eigenschaft der Operationentreue einer Abbildung ist, da sie eine »für alle«-Aussage darstellt, oft schwer zu verifizieren. Praktischer und mit der oben gegebenen Definition gleichwertig ist die Aussage: eine Gruppe ist genau dann zu einer anderen Gruppe isomorph, wenn ihre beiden Verknüpfungstafeln bei geschickter Anordnung der Elemente bis auf die Namen der Elemente übereinstimmen (siehe hierzu die Vorbemerkung zum Kapitel »Algebraische Strukturen«). Bei dieser Formulierung kommt der strukturelle Aspekt besonders deutlich zum Vorschein: wichtig sind nur die Eigenschaften, die die betrachteten Gruppen besitzen, nicht die inhaltliche Bedeutung der Trägermengen. Die Isomorphie zweier Gruppen kommt durch die Gleichheit der Strukturtafeln zum Ausdruck. Die Gruppe der Restklassen modulo 4 ist *nicht* isomorph zur Gruppe der Wörter der Kunstsprache, da es zwar bijektive Abbildungen der beiden Trägermengen aufeinander gibt, aber keine dieser Abbildungen operationentreu ist. Zum Beweis dieser Behauptung ist es notwendig, *alle* bijektiven Abbildungen der beiden Mengen auf Operationentreue zu untersuchen – was sehr zeitraubend und uninteressant ist. Die Ausführungen zum Kapitel operationentreue Abbildungen erleichtern jedoch diese Aufgabe: Im Satz von S. 28, Teil *a)* und *b)* wird gezeigt, daß für operationentreue Abbildungen $f$ gilt:

$$f(n) = n' \quad (n \text{ neutrales Element in } G,$$
$$n' \text{ neutrales Element in } H);$$

$$f(x^m) = [f(x)]^m \quad \text{für jedes } m \in N,$$

woraus folgt, daß die Ordnung eines Elements bei operationentreuen Abbildungen erhalten bleibt. In der Gruppe der Restklassen modulo 4 gibt es ein Element der Ordnung 4, in der Wörtergruppe jedoch nicht: also kann es keine homomorphe Abbildung zwischen diesen beiden Verknüpfungsgebilden geben. Dieser Beweis zeigt die Nützlichkeit allgemeiner Sätze.

*Bemerkung zur Sprechweise:* »$(G, *)$ und $(H, \circ)$ sind isomorphe Gruppen«. Die Relation »... ist isomorph zu ...« ist für jedes Paar endlicher Gruppen definiert: entweder die eine Gruppe ist isomorphes Bild der anderen oder dies ist nicht der Fall. Diese Relation $R$ auf der Menge aller endlichen Gruppen (wir beschränken uns hier auf endliche Gruppen, was jedoch nicht notwendig ist!)

hat interessante Eigenschaften: man kann zeigen, daß $R$ eine *Äquivalenzrelation* ist, also die

*a) Symmetrie* von $R$:

aus $(G, *) \cong (H, \circ)$ folgt $(H, \circ) \cong (G, *)$;

*b) Reflexivität* von $R$:

für alle $(G, *)$ gilt $(G, *) \cong (G, *)$ und

*c) Transitivität* von $R$:

aus $(G, *) \cong (G', \heartsuit)$ und $(G', \heartsuit) \cong (H, \circ)$
folgt $(G, *) \cong (H, \circ)$

nachweisen. Wir überlassen den Beweis dem Leser. Erst der Nachweis von *a)* erlaubt die Sprechweise »zwei Gruppen sind zueinander isomorph«.

Da bekanntlich jede Äquivalenzrelation $R$ auf einer Menge eine Klasseneinteilung von $M$ nach sich zieht, d.h. eine *Zerlegung* von $M$ in Teilmengen $M_1, \ldots, M_n$ mit

*1)* $M = M_1 \cup \ldots \cup M_n$;

*2)* $M_i \cap M_j = \emptyset$ für jedes $i \neq j$;

*3)* $M_i \neq \emptyset$ für jedes $i$ mit $1 \leq i \leq n$;

kann man auch im Falle der Relation »… ist isomorph zu …« nach den erzeugten Klassen fragen. In einer solchen Klasse werden alle zueinander isomorphe Gruppen und nur solche Gruppen liegen.

**Definition:** Die durch die Relation »… ist isomorph zu …« auf der Menge aller endlichen Gruppen erzeugten Klassen heißen *Isomorphietypen*.

Wir bestimmen nun die Isomorphietypen, die zu den Gruppenordnungen 1 bis 4 gehören, durch *Konstruktion* der entsprechenden *Strukturtafeln*; da Gruppen mit verschiedener Ordnung nicht isomorph sein können, genügt es, die Systematisierung nach der Gruppenordnung durchzuführen.

Bei der Aufstellung der Strukturtafeln benutzen wir die Tatsache, daß in jeder Zeile und in jeder Spalte der Strukturtafel jedes Gruppenelement genau einmal vorkommt (anderenfalls wäre der Satz von der eindeutigen Lösbarkeit der beiden Gleichungen $a * x = b$ und $y * a = b$ nach $x$ und $y$ verletzt). Diesen Sachverhalt wollen wir mit (E) kennzeichnen.

Im folgenden bezeichne $n$ das neutrale Element der Gruppe.

*a)* Die Ordnung der Gruppe $(G, *)$ sei 1.

Für $G = \{n\}$ hat die Strukturtafel notwendig die folgende Gestalt:

| $*$ | $n$ |
|---|---|
| $n$ | $n$ |

Alle Gruppen der Ordnung 1 sind isomorph (gehören zum gleichen Isomorphietyp).

*b)* Die Ordnung der Gruppe $(G, *)$ sei 2. Für $G = \{n, a\}$ ist die Tafel, weil $n$ neutrales Element ist, folgendermaßen zu beginnen:

| * | n | a |
|---|---|---|
| n | n | a |
| a | a | □ |

und wegen (E) notwendig mit $a * a = n$ fortzusetzen,

| * | n | a |
|---|---|---|
| n | n | a |
| a | a | n |

so daß sich auch hier nur eine Strukturtafel ergibt (alle Gruppen der Ordnung 2 sind isomorph, gehören also zum gleichen Isomorphietyp).

*c)* Die Ordnung der Gruppe $(G, *)$ sei 3.
Für $G = \{n, a, b\}$ ist die Tafel wie folgt anzufangen:

| * | n | a | b |
|---|---|---|---|
| n | n | a | b |
| a | a | □ | |
| b | b | | |

In das $(a * a)$ entsprechende Feld kann $n$, $a$ oder $b$ eingesetzt werden. Das Element $a$ verbietet sich wegen (E) – in der zweiten Zeile käme $a$ doppelt vor –, das Element $n$ verbietet sich, weil dann wegen (E) in der 3. Spalte das Element $b$ doppelt vorkäme. Somit ergibt sich notwendig (da $(\{n, a, b\}, *)$ Gruppe ist!) $a * a = b$:

| * | n | a | b |
|---|---|---|---|
| n | n | a | b |
| a | a | b | |
| b | b | | |

und (E) erzwingt die folgende eindeutige (!) Fortsetzung der Tabelle:

| * | n | a | b |
|---|---|---|---|
| n | n | a | b |
| a | a | b | n |
| b | b | n | a |

Alle Gruppen der Ordnung 3 sind isomorph, gehören zu einem Isomorphietyp.

*d)* Die Ordnung der Gruppe $(G, *)$ sei 4.
Für $G = \{n, a, b, c\}$ ist die Tafel wie folgt zu beginnen:

| * | n | a | b | c |
|---|---|---|---|---|
| n | n | a | b | c |
| a | a | | | |
| b | b | | | |
| c | c | | | |

Wir machen folgende Fallunterscheidung:

*1)* entweder jedes Element hat die Ordnung 2 oder

*2)* es gibt mindestens ein Element, das nicht die Ordnung 2 hat.

Wir diskutieren beide Fälle getrennt.

*Fall 1:* Die Fortsetzung der Tabelle hat dann folgendes Aussehen:

| * | n | a | b | c |
|---|---|---|---|---|
| n | n | a | b | c |
| a | a | n | □ | |
| b | b | | n | |
| c | c | | | n |

Wegen (E) ergibt sich für $(a * b)$ notwendig das Element $c$ (sonst käme $b$ in der 3. Spalte doppelt vor!), also:

| * | n | a | b | c |
|---|---|---|---|---|
| n | n | a | b | c |
| a | a | n | c | |
| b | b | | n | |
| c | c | | | n |

und (E) erzwingt die eindeutige Fortsetzung der Tabelle:

| * | n | a | b | c |
|---|---|---|---|---|
| n | n | a | b | c |
| a | a | n | c | b |
| b | b | c | n | a |
| c | c | b | a | n |

(1)

*Fall 2:* Für ein Element, das nicht die Ordnung 2 hat, folgt aus dem Satz auf S. 38 Teil *1)* notwendig, daß es die Ordnung 4 besitzt, was zeigt, daß in diesem Fall $(G, *)$ eine zyklische Gruppe ist. Eine zyklische Gruppe der Ordnung 4 hat (bis auf Bezeichnungsweise) notwendig die folgende Tafel:

| * | n | a | b | c |
|---|---|---|---|---|
| n | n | a | b | c |
| a | a | b | c | n |
| b | b | c | n | a |
| c | c | n | a | b |

(2)

Ohne Kenntnis des Satzes von S. 38 würde (E) folgende Fortsetzung der Tabelle erlauben:

| * | n | a | b | c |
|---|---|---|---|---|
| n | n | a | b | c |
| a | a | n | c | b |
| b | b | c | a | n |
| c | c | b | n | a |

| * | n | a | b | c |
|---|---|---|---|---|
| n | n | a | b | c |
| a | a | b | c | n |
| b | b | c | n | a |
| c | c | n | a | b |

| * | n | a | b | c |
|---|---|---|---|---|
| n | n | a | b | c |
| a | a | c | n | b |
| b | b | n | c | a |
| c | c | b | a | n |

Alle drei Tafeln enthalten die gleiche Information, denn Vertauschen von $b$ mit $a$ führt die linke Tabelle in die mittlere Tabelle über, Vertauschen von $b$ mit $c$ führt die mittlere Tabelle in die rechte Tabelle über, womit die Gleichwertigkeit der Tafeln gezeigt ist. Auch in diesem Falle erhält man die Tafel (2).

Damit ist gezeigt, daß es für $n = 4$ zwei *wesentlich verschiedene* Strukturtafeln, also zwei verschiedene Isomorphietypen gibt. Man nennt den durch (1) gekennzeichneten Typ die *Kleinsche Vierergruppe*, den in (2) gekennzeichneten Typ die *zyklische Gruppe der Ordnung 4*. Wegen der Vollständigkeit der Fallunterscheidung gibt es für $n = 4$ keine davon verschiedenen Isomorphietypen.
Die additive Gruppe der Restklassen modulo 4 und die Gruppe der Deckdrehung des Quadrats sind Beispiele für zyklische Gruppen, die Gruppe der Kunstwörter und die Gruppe der Teilmengen einer zweielementigen Menge bezüglich der symmetrischen Differenz sind Beispiele für die Kleinsche Vierergruppe.

Eine weitere Bestimmung der Isomorphietypen bei gegebener Gruppenordnung wird rasch kompliziert. Bis zur Gruppenordnung 10 haben wir die jeweilige Anzahl der Isomorphietypen in folgender Tabelle zusammengestellt:

| Gruppen-<br>ordnung | 1 2 3 4 5 6 7 8 9 10 |
|---|---|
| Anzahl der<br>Isomorphietypen | 1 1 1 2 1 2 1 5 2 2 |

Allgemein gilt: Ist die Ordnung einer endlichen Gruppe eine Primzahl, so ist diese Gruppe notwendig zyklisch.

## Ringe

In der Menge $Z$ der ganzen Zahlen gibt es zwei Verknüpfungen: die Addition »+« und die Multiplikation »·«. Bezüglich der Addition ist $Z$ eine kommutative (zyklische) Gruppe, bezüglich der Multiplikation ist $Z$ nur eine (kommutative) Halbgruppe: zwar existiert bezüglich der Multiplikation mit 1 ein neutrales Element, aber außer 1 und $-1$ besitzt kein Element aus $Z$ ein Inverses. Durch das *Distributivgesetz*

$$a(b + c) = a \cdot b + a \cdot c, \quad a, b, c \in Z$$

sind beide Verknüpfungen miteinander gekoppelt.
Bei den bisherigen Überlegungen wurden stets nur Mengen bezüglich *einer* in diesen Mengen definierten Verknüpfung betrachtet. Im folgenden wollen wir Mengen mit *zwei* Verknüpfungen untersuchen, die sich hinsichtlich ihrer Eigenschaften ähnlich wie die ganzen Zahlen bezüglich »+« und »·« verhalten. Derartige Strukturen heißen *Ringe*. Die verschiedenartigen Modelle aus der Schulmathematik für Ringe rechtfertigen die Einführung dieses Begriffs. Analog zu den Deduktionsübungen bei *Gruppen* werden wir auch für *Ringe* einfache Aussagen aus den Axiomen herleiten.

**Definition:** Es sei $G$ eine nichtleere Menge, und es seien $\oplus$ und $\odot$ zwei Verknüpfungen in $G$. Das Tripel $(G, \oplus, \odot)$ heißt *Ring*, wenn gilt:

*1)* $(G, \oplus)$ ist eine kommutative Gruppe.

*2)* Für alle $x, y, z \in G$ gilt:

$$x \odot (y \odot z) = (x \odot y) \odot z, \quad \text{d.h.} \quad \odot \text{ ist assoziativ.}$$

*3)* Für alle $x, y, z \in G$ gilt:

$$x \odot (y \oplus z) = (x \odot y) \oplus (x \odot z);$$
$$(x \oplus y) \odot z = (x \odot z) \oplus (y \odot z).$$

Die Zeichen $\oplus$ und $\odot$ für die beiden Verknüpfungen sollen an die Verknüpfungen »+« und »·« in $Z$ erinnern. Wie man an den Ringaxiomen erkennt, sind die beiden Verknüpfungen nicht gleichberechtigt: die Anforderungen an $\oplus$ sind wesentlich stärker als an $\odot$. Die Verknüpfung $\oplus$ ist kommutativ und assoziativ, bezüglich $\oplus$ gibt es ein neutrales Element, und jedes Element besitzt ein Inverses – von $\odot$ wird in *2)* nur die Assoziativität verlangt, und die Modelle zeigen, daß es Ringe gibt, in denen es bezüglich $\odot$ kein neutrales Element gibt, also auch nicht jedes Element bezüglich $\odot$ ein Inverses besitzt, und in denen $\odot$ nicht kommutativ ist. In Axiom *3)* werden die als Distributivgesetze (rechtsseitiges und linksseitiges *Distributivgesetz*) für Zahlen wohlbekannten Aussagen zusammengefaßt (da von $\odot$ die Kommutativität in den Axiomen nicht verlangt wird, sind beide Distributivgesetze sinnvolle Forderungen). *Beispiel:*

$$2 \cdot (3 + 4) = (2 \cdot 3) + (2 \cdot 4).$$

Vereinbart man – wie das üblich ist –, daß die Multiplikation enger als die Addition bindet (Punktrechnung geht vor Strichrechnung!), so lassen sich Klammern sparen:

$$2 \cdot (3 + 4) = 2 \cdot 3 + 2 \cdot 4.$$

Die Gültigkeit der Distributivgesetze ermöglicht das im Mathematikunterricht vertraute *Ausklammern* bzw. *Ausmultiplizieren* – je nachdem, ob man *3)* von rechts nach links (Ausklammern) oder von links nach rechts (Ausmultiplizieren) liest. Auch hier zeigt sich wieder, daß $+$ und $\cdot$ nicht vertauschbar sind: zwar gilt

$$2 \cdot (3 + 4) = 2 \cdot 3 + 2 \cdot 4$$

aber nicht

$$2 + (3 \cdot 4) = (2 + 3) \cdot (2 + 4).$$

**Modelle für Ringe**

Die folgenden Interpretationen der Grundbegriffe $G$, $\oplus$ und $\odot$ in den Ringaxiomen führen zu Modellen für Ringe. Wir überlassen dem Leser den Nachweis, daß die *Axiome 1)* bis *3)* mit dieser Interpretation wahre Aussagen sind:

*1)* $G = Z$ sei die Menge der ganzen Zahlen und $\oplus$ und $\odot$ die für ganze Zahlen bekannte Addition und Multiplikation. $(Z, +, \cdot)$ heißt der *Ring der ganzen Zahlen*. Ein Nachweis der Ringaxiome setzt eine genaue Kenntnis der Einführung der ganzen Zahlen und der Definition ihrer Addition und Multiplikation voraus ($\rightarrow$ Zahlen).

*2)* Sei $G = \{0, +2, -2, +4, -4, \ldots\}$ = Menge der geraden ganzen Zahlen und seien $\oplus$ und $\odot$ die bekannte Addition und Multiplikation für ganze Zahlen. $(G, +, \cdot)$ ist der Ring der geraden ganzen Zahlen.

*3)* Sei $G(z)$ die Menge der Vielfachen einer ganzen Zahl $z$ $(z \neq 0)$ und seien $\oplus$ und $\odot$ die für ganze Zahlen bekannte Addition und Multiplikation.
Der Ring $(G(z), +, \cdot)$ stimmt für $z = 2$ mit dem Ring aus dem Modell 2 überein. Es gilt $G(1) = Z$.
Während die bisher betrachteten Modelle Ringe mit unendlich vielen Elementen darstellen, geben wir in *4)* eine Beispielklasse für Ringe mit endlich vielen Elementen an *(endliche Ringe)*.
*4)* Für jede natürliche Zahl $n$ sei

$$G_n = \{0, 1, \ldots, n{-}1\} \text{ und es gelte für } a, b \in G_n:$$

$$a \oplus_n b = \text{Rest von } (a + b) : n$$

$$\text{und} \quad a \odot_n b = \text{Rest von } (a \cdot b) : n.$$

Da man $G_n$ auch als Menge der Reste, die bei Division einer natürlichen Zahl durch n auftreten können, ansehen kann, heißt $(G_n, \oplus_n, \odot_n)$ auch *Ring der Restklassen modulo n* (siehe hierzu Modell 7 von S. 35).
Für $n = 3$ und $n = 4$ ergeben sich folgende Tafeln:

| $\oplus_3$ | 0 | 1 | 2 |
|---|---|---|---|
| 0 | 0 | 1 | 2 |
| 1 | 1 | 2 | 0 |
| 2 | 2 | 0 | 1 |

| $\odot_3$ | 0 | 1 | 2 |
|---|---|---|---|
| 0 | 0 | 0 | 0 |
| 1 | 0 | 1 | 2 |
| 2 | 0 | 2 | 1 |

Ring $(G_3, \oplus_3, \odot_3)$

| $\oplus_4$ | 0 | 1 | 2 | 3 |
|---|---|---|---|---|
| 0 | 0 | 1 | 2 | 3 |
| 1 | 1 | 2 | 3 | 0 |
| 2 | 2 | 3 | 0 | 1 |
| 3 | 3 | 0 | 1 | 2 |

| $\odot_4$ | 0 | 1 | 2 | 3 |
|---|---|---|---|---|
| 0 | 0 | 0 | 0 | 0 |
| 1 | 0 | 1 | 2 | 3 |
| 2 | 0 | 2 | 0 | 2 |
| 3 | 0 | 3 | 2 | 1 |

Ring $(G_4, \oplus_4, \odot_4)$

*5)* $G$ sei die Menge aller $(2 \times 2)$-Matrizen, d.h. Objekten der Gestalt

$$\begin{pmatrix} a_{11} & a_{12} \\ a_{21} & a_{22} \end{pmatrix}$$

mit $a_{ij} \in R$. Sei $\oplus$ definiert durch:

$$\begin{pmatrix} a_{11} & a_{12} \\ a_{21} & a_{22} \end{pmatrix} \oplus \begin{pmatrix} b_{11} & b_{12} \\ b_{21} & b_{22} \end{pmatrix} = \begin{pmatrix} a_{11} + b_{11} & a_{12} + b_{12} \\ a_{21} + b_{21} & a_{22} + b_{22} \end{pmatrix}$$

und $\odot$ definiert durch:

$$\begin{pmatrix} a_{11} & a_{12} \\ a_{21} & a_{22} \end{pmatrix} \odot \begin{pmatrix} b_{11} & b_{12} \\ b_{21} & b_{22} \end{pmatrix} = \begin{pmatrix} a_{11}b_{11} + a_{12}b_{21} & a_{11}b_{12} + a_{12}b_{22} \\ a_{21}b_{11} + a_{22}b_{21} & a_{21}b_{12} + a_{22}b_{22} \end{pmatrix}.$$

Die Ringaxiome lassen sich mit Hilfe der Rechengesetze für reelle Zahlen verifizieren. Der Nachweis für die Assoziativität von $\odot$ ist mühevoll.
*6)* Sei $G$ die Menge aller stetigen reellwertigen Funktionen auf $R$; d.h., $G$ enthalte alle stetigen Funktionen, die die reellen Zahlen in sich abbilden. Für $f, g \in G$ sei definiert

$$(f \oplus g)(x) = f(x) + g(x), \quad \text{für alle } x \in R;$$
$$(f \odot g)(x) = f(x) \cdot g(x), \quad \text{für alle } x \in R.$$

*7)* Sei $M$ eine Menge und sei $G$ die Potenzmenge von $M$.
Für $A, B \in G$ sei definiert

$$A \oplus B = (A \cup B) \setminus (A \cap B);$$
$$A \odot B = A \cap B.$$

*8)* $(Q, +, \cdot)$ und $(R, +, \cdot)$ ,sind Modelle für Ringe, die beide über die Ring-axiome hinausgehende Eigenschaften besitzen. Beides sind Modelle für *Körper* (siehe nächster Abschnitt).

*9)* Sei $G = \{x; \ x = a + b \sqrt{-6} \text{ mit } a, b \in Z\}$ und seien $\oplus$ und $\odot$ definiert durch:

$$(a + b \sqrt{-6}) \oplus (c + d \sqrt{-6}) = (a + c) + (b + d) \sqrt{-6};$$
$$(a + b \sqrt{-6}) \odot (c + d \sqrt{-6}) = (ac - 6bd) + (ad + bc) \sqrt{-6}.$$

*Beispiel:*
$$(2 + 3 \sqrt{-6}) \oplus (1 - 4 \sqrt{-6}) = (3 + (-1) \sqrt{-6};$$
$$(2 + 3 \sqrt{-6}) \odot (1 - 4 \sqrt{-6}) = (74 - 5 \sqrt{-6}).$$

Für $b = 0$ ergibt sich der Ring $(Z, +, \cdot)$ aus Modell 1.

*Bemerkungen:* Aus jeder kommutativen Gruppe $(G, *)$ läßt sich auf sehr ein-fache Weise ein Ring konstruieren: man nehme für $\oplus$ die Verknüpfung $*$ und für $\odot$ definiere man für alle $g, h \in G$

$$g \odot h = n \quad (n \text{ neutrales Element von } (G, *)).$$

Der Leser verifiziere die Ringaxiome! Die so erzeugten Ringe sind natürlich nicht besonders interessant.

Zwei Beispiele mögen verdeutlichen, daß in den mit Ring bezeichneten Struk-turen Situationen auftreten können, die im Ring $(Z, +, \cdot)$ nicht möglich sind. Der Ring $(Z, +, \cdot)$ ist ein spezieller Ring mit zusätzlichen Eigenschaften.

*1)* Bekanntlich folgt aus der Tatsache, daß das Produkt zweier Zahlen $a$ und $b$ Null ist, daß $a$ oder $b$ Null ist.

Aus $a \cdot b = 0$ folgt $a = 0$ oder $b = 0$.

Diesen im Schulunterricht vertrauten Satz benutzt man oft mit Gewinn etwa beim Lösen von Gleichungen dritten Grades:

$$x^3 + 3x^2 + 2x = 0 \quad \text{bzw.}$$
$$x(x^2 + 3x + 2) = 0.$$

Hieraus ergibt sich $x = 0$ oder $x^2 + 3x + 2 = 0$, womit man die ursprüngliche Gleichung dritten Grades auf eine mit Hilfe des bekannten Lösungsalgorithmus behandelbare Gleichung zweiten Grades reduziert hat.

Daß dieser in $(Z, +, \cdot)$, $(Q, +, \cdot)$ und $(R, +, \cdot)$ wahre Satz jedoch keine *Folge* aus den Ringaxiomen ist, läßt sich im Modell 4 am Ring $(G_4, \oplus_4, \odot_4)$ erkennen. In diesem Ring kann aus

$$a \odot_4 b = 0 \quad (0 \text{ neutrales Element bzgl. der Addition})$$

nicht gefolgert werden, daß einer der beiden Faktoren 0 ist, wie man an dem Gegenbeispiel

$$a = b = 2 \quad (2 \odot_4 2 = 0, \text{ aber } 2 \neq 0)$$

erkennt. Hier kann also ein Produkt Null sein, ohne daß einer der Faktoren

Null ist. Diese Besonderheit hat zum Begriff des *Nullteilers* bzw. der *Nullteilerfreiheit* von Ringen geführt.

*2)* In $(Z, +, \cdot)$ läßt sich jede ganze Zahl so lange in Faktoren zerlegen, bis man auf *unzerlegbare Faktoren*, die sogenannten *Primfaktoren*, stößt. So läßt sich die Zahl 30 etwa zerlegen in $2 \cdot 15$ und $5 \cdot 6$. Ein weiterer Zerlegungsversuch führt in beiden Fällen zu $2 \cdot 3 \cdot 5$. Hierbei lassen sich die aufgetretenen Faktoren nicht mehr weiter aufspalten; natürlich kann man dafür auch

$$2 \cdot 3 \cdot 5 \cdot 1; \quad 1 \cdot 2 \cdot 3 \cdot 5 \cdot 1; \quad (-1) \cdot 2 \cdot 3 \cdot 5 \cdot (-1) \cdot 1 \text{ usw.}$$

schreiben, wir wollen jedoch bei der Zerlegung die sogenannten *Einheiten* $(+1)$ und $(-1)$ sowie die Reihenfolge außer acht lassen.

Die eben beschriebene Tatsache kann man als Satz formulieren: Jede ganze Zahl läßt sich bis auf Einheiten und Reihenfolge der Faktoren *eindeutig* als Produkt von Primfaktoren darstellen. Auch dieser Satz ist keine Folge aus den Ringaxiomen, wie man an dem Modell *9)* erkennt. Das Element $6 = 6 + 0 \cdot \sqrt{-6}$ hat die beiden folgenden Zerlegungen:

$$6 + 0 \cdot \sqrt{-6} = (2 + 0 \cdot \sqrt{-6}) \cdot (3 + 0 \cdot \sqrt{-6}), \quad \text{kürzer } 6 = 2 \cdot 3;$$

$$6 + 0 \cdot \sqrt{-6} = (0 + 1 \cdot \sqrt{-6}) \cdot (0 + (-1) \cdot \sqrt{-6}),$$

kürzer $6 = -\sqrt{-6} \cdot \sqrt{-6}$;

von der man zeigen kann, daß die Faktoren 2, 3 und $\sqrt{-6}$ nicht mehr weiter zerlegbar sind (wir übergehen diesen Beweis). In diesem Ring gibt es also Elemente, die *verschiedene Primfaktorzerlegungen* besitzen. Wir gehen auf die Frage der eindeutigen Zerlegbarkeit von Elementen in Primfaktoren nicht weiter ein.

Obwohl die Modelle *1)* bis *9)* Ringstruktur aufweisen, unterscheiden sie sich in interessanten Eigenschaften, die wir im folgenden definieren:

**Definition:** Der Ring $(G, \oplus, \odot)$ heißt *kommutativer Ring* genau dann, wenn $\odot$ eine kommutative Verknüpfung ist.

Die Eigenschaft der Kommutativität eines Ringes bezieht sich also auf die Verknüpfung $\odot$ – die Verknüpfung $\oplus$ ist per definitionem kommutativ. Alle angegebenen Modelle mit Ausnahme von Modell *5)* repräsentieren kommutative Ringe. Wegen

$$\begin{pmatrix} 1 & 1 \\ 0 & 0 \end{pmatrix} \odot \begin{pmatrix} 0 & 0 \\ 1 & 1 \end{pmatrix} = \begin{pmatrix} 1 & 1 \\ 0 & 0 \end{pmatrix}$$

$$\begin{pmatrix} 0 & 0 \\ 1 & 1 \end{pmatrix} \odot \begin{pmatrix} 1 & 1 \\ 0 & 0 \end{pmatrix} = \begin{pmatrix} 0 & 0 \\ 1 & 1 \end{pmatrix}$$

ist Modell *5)* kein kommutativer Ring.

**Definition:** Der Ring $(G, \oplus, \odot)$ heißt *Ring mit Eins* genau dann, wenn es ein Element $e \in G$ gibt mit

$$e \odot g = g \odot e = g \quad \text{für jedes } g \in G.$$

Modell *2)* ist kein Ring mit Eins ($G$ enthält nur gerade Zahlen), ebenso ergibt sich in der Modellklasse *3)* für $z \neq 1$ stets ein Ring ohne Eins. Alle übrigen Ringe sind Ringe mit Eins:

| Modell | Eins $e$ |
|--------|----------|
| 1 | 1 |
| 4 | 1 |
| 5 | $\begin{pmatrix} 1 & 0 \\ 0 & 1 \end{pmatrix}$ |
| 6 | $f(x) = 1$ |
| 7 | $M$ |
| 8 | 1 |
| 9 | $1 + 0 \cdot \sqrt{-6}$ |

Die oben beschriebene Situation, daß ein Produkt Null sein kann, ohne daß einer der Faktoren Null ist, wird in der folgenden Definition erfaßt:

**Definition:** In einem Ring $(G, \oplus, \odot)$ heißt ein Element $g \in G$ $(g \neq 0)$ *Nullteiler* genau dann, wenn ein $h \in G$ $(h \neq 0)$ existiert mit $g \odot h = 0$.
[Hierbei bezeichnet 0 das neutrale Element in $(G, \oplus)$.] Ein Ring heißt nullteilerfrei genau dann, wenn er keine Nullteiler besitzt.

Die Modelle *1), 2), 3), 7)* und *8)* stellen nullteilerfreie Ringe dar. In der Modellklasse *4)* existiert stets dann ein Nullteiler, wenn $n$ keine Primzahl ist.
Wir geben für $G_8$ alle Nullteiler an:

| Element | Nullteiler? | Grund |
|---------|-------------|-------|
| 0 | nein | |
| 1 | nein | |
| 2 | ja | $2 \odot_8 4 = 0$ |
| 3 | nein | |
| 4 | ja | $4 \odot_8 2 = 0$ |
| 5 | nein | |
| 6 | ja | $6 \odot_8 4 = 0$ |
| 7 | nein | |

Modell *5)* besitzt in $\begin{pmatrix} 1 & 0 \\ 0 & 0 \end{pmatrix}$ wegen

$$\begin{pmatrix} 1 & 0 \\ 0 & 0 \end{pmatrix} \odot \begin{pmatrix} 0 & 0 \\ 0 & 1 \end{pmatrix} = \begin{pmatrix} 0 & 0 \\ 0 & 0 \end{pmatrix}$$

einen Nullteiler (die Null ist die Matrix $\begin{pmatrix} 0 & 0 \\ 0 & 0 \end{pmatrix}$, von der die Matrizen $\begin{pmatrix} 1 & 0 \\ 0 & 0 \end{pmatrix}$ und $\begin{pmatrix} 0 & 0 \\ 0 & 1 \end{pmatrix}$ verschieden sind).

In Modell *6)* ist die Null die Funktion $h$ mit $h(x) = 0$ für jedes $x \in R$. Die von $h$ verschiedene Funktion $f$ (siehe folgende Figuren) ist wegen der Existenz der Funktion $g$ Nullteiler:

$$(f \odot g)(x) = 0 = h(x).$$

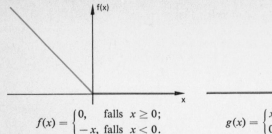 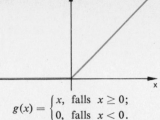

$$f(x) = \begin{cases} 0, & \text{falls } x \geq 0; \\ -x, & \text{falls } x < 0. \end{cases} \qquad g(x) = \begin{cases} x, & \text{falls } x \geq 0; \\ 0, & \text{falls } x < 0. \end{cases}$$

Im folgenden Satz stellen wir einige elementare Eigenschaften von Ringen, die als Rechenregeln für Zahlen wohlvertraut sind, zusammen und leiten sie als *Deduktionsübung* aus den Ringaxiomen her. Zur Vereinfachung schreiben wir jetzt für $\oplus$ und $\odot$ die Zeichen $+$ und $\cdot$

**Satz:** In einem Ring $(G, +, \cdot)$ gilt:

  *a)* $g \cdot 0 = 0$ und $0 \cdot g = 0$ für jedes $g \in G$.

  *b)* $g \cdot (-h) = -(g \cdot h)$ und $(-g) \cdot h = -(g \cdot h)$ für alle $g, h \in G$.

  *c)* $(-g) \cdot (-h) = g \cdot h$

  *d)* Die folgenden beiden Aussagen sind äquivalent:

      (A) $(G, +, \cdot)$ ist nullteilerfrei.

      (B) Aus $(g \neq 0$ und $g \cdot h = g \cdot f)$ folgt $h = f$ *(2. Kürzungsregel)*.

Hierbei ist 0 das neutrale Element bezüglich $+$ und $(-h)$ das Inverse von $h$ bezüglich $+$.

*Beweis: a)* Wir zeigen: $g \cdot 0 = 0$. Es gilt:

$0 = 0 + 0$         (0 ist neutrales Element bezüglich $+$);

$g \cdot 0 = g \cdot (0 + 0)$     (Multiplikation mit $g$ von links auf beiden Seiten);

$g \cdot 0 = g \cdot 0 + g \cdot 0$   (Distributivgesetz);

$0 = g \cdot 0$           (Addition des Inversen bezüglich $+$ von $g \cdot 0$ auf beiden Seiten).

Der Nachweis für $0 \cdot g = 0$ verläuft entsprechend.

*b)* Wir zeigen: $g \cdot (-h) = -(g \cdot h)$

$0 = 0$              (Satz von der Identität);

$g \cdot 0 = 0$          (Anwendung von *a)*);

$g \cdot (h + (-h)) = 0$   ($h$ und $(-h)$ sind invers zueinander);

$g \cdot h + g \cdot (-h) = 0$   (Distributivgesetz).

Die letzte Zeile besagt aber, daß $g \cdot (-h)$ das Inverse von $(g \cdot h)$ ist, also: $-(g \cdot h) = g \cdot (-h)$.

Der Leser beweise entsprechend die Aussage $(-g) \cdot h = -(g \cdot h)$.

*c)* $0 = 0$            (Satz von der Identität);

$h + (-h) = 0$       ($h$ und $(-h)$ sind invers zueinander);

$(-g)(h + (-h)) = (-g) \cdot 0 = 0$   (Multiplikation mit $(-g)$ von links auf beiden Seiten, Anwendung von *a)*);

$(-g) \cdot h + (-g) \cdot (-h) = 0$   (Distributivgesetz);

$-(g \cdot h) + (-g) \cdot (-h) = 0$   (Anwendung von *b)*).

Die letzte Zeile besagt, daß $(-g) \cdot (-h)$ das Inverse von $-(g \cdot h)$, also das Element $(g \cdot h)$ ist.

*Bemerkung:* Besitzt der Ring $(G, +, \cdot)$ eine Eins 1, so ist hiermit bewiesen, daß $(-1) \cdot (-1) = +1$ gilt.

*d)* Der Beweis zerfällt in zwei Teile

$$(A) \Rightarrow (B) \quad \text{und} \quad (B) \Rightarrow (A).$$

*1)* $(A) \Rightarrow (B)$:

Aus $g \cdot h = g \cdot f$ folgt $g \cdot h + [-(g \cdot f)] = 0$, was wegen *b)* aus Satz 6.1 auch als $g \cdot h + g(-f) = 0$ geschrieben werden kann. Die Anwendung des linksseitigen Distributivgesetzes liefert

$$g(h + (-f)) = 0.$$

Da $g$ von Null verschieden ist und wegen (A) der Ring nullteilerfrei ist, ergibt sich

$$h + (-f) = 0, \quad \text{also} \quad h = f.$$

*2)* $(B) \Rightarrow (A)$

Wir zeigen, daß aus $x \cdot y = 0$ mit $x \neq 0$ folgt, daß $y = 0$ gilt. Anwendung von *a)* des Satzes liefert: $x \cdot y = 0 = x \cdot 0$, woraus sich wegen (B) $y = 0$ ergibt, womit alles bewiesen ist.

*Bemerkung:* Die in (B) von Teil *d)* des Satzes als *2. Kürzungsregel* gekennzeichnete Aussage ist nicht zu verwechseln mit der *Kürzungsregel (Streichungsregel)* bei Gruppen: Die in (B) angeführte Aussage bezieht sich auf die Verknüpfung $\odot$ in Ringen, die als Kürzungsregel bei Gruppen angegebene Aussage bezieht sich auf die Verknüpfung $\oplus$!

## Aufgaben

*20)* Für alle $a, b \in Z$ seien $\oplus$ und $\odot$ definiert durch:

$$a \oplus b = a + b + 1;$$
$$a \odot b = a + b + ab.$$

Zeigen Sie: $(Z, \oplus, \odot)$ ist ein Ring. Bestimmen Sie die Null und die Eins des Ringes.

*21)* Für die Menge $S$ der Zahlenpaare $(x, y)$ mit $x, y \in Q$ sei definiert:

$(a, b) = (c, d)$ genau dann, wenn gilt $a = c$ *und* $b = d$;

$(a, b) \oplus (c, d) = (a + c, \quad b + d)$;

$(a, b) \odot (c, d) = (a \cdot c, \quad a \cdot d + b \cdot c)$.

Zeigen Sie: $(S, \oplus, \odot)$ ist ein kommutativer Ring mit Eins, der Nullteiler besitzt!

*22)* Geben Sie im Ring $(G_{12}, \oplus_{12}, \odot_{12})$ alle Nullteiler an.

*23)* Lösen Sie im Ring $(\{0, 1, 2, 3, 4, 5\}, \oplus_6, \odot_6)$ folgende Gleichungen (zur Abkürzung schreiben wir für die Ringverknüpfungen $+$ und $\cdot$):

*a)* $4 \cdot (x - 1) = 3 \cdot (x - 2)$, wobei $(x - 1) = (x + (-1))$ gesetzt wird;

*b)* $(x + 1) \cdot (x + 2) = 3$;

*c)* $2 \cdot (x^2 + 1) = 4$, wobei $x^2 = x \cdot x$ gesetzt wird;

*d)* $(x + 2) \cdot (x - 1) + 2 \cdot x^2 - 4 = 0$.

24) Lösen Sie im Ring der $(2 \times 2)$-Matrizen:

$$\begin{pmatrix} 1 & 2 \\ 1 & 3 \end{pmatrix} \begin{pmatrix} x_1 & x_2 \\ x_3 & x_4 \end{pmatrix} = \begin{pmatrix} 1 & 0 \\ 1 & 2 \end{pmatrix}.$$

25) Von einem Ring $(\{a, b, c, d\}, \oplus, \odot)$ sind die Additionstafel *(links)* vollständig, die Multiplikationstafel *(rechts)* teilweise bekannt:

| $\oplus$ | $a$ | $b$ | $c$ | $d$ | | $\odot$ | $a$ | $b$ | $c$ | $d$ |
|---|---|---|---|---|---|---|---|---|---|---|
| $a$ | $a$ | $b$ | $c$ | $d$ | | $a$ | $a$ | $a$ | $a$ | $a$ |
| $b$ | $b$ | $a$ | $d$ | $c$ | | $b$ | $a$ | $b$ | | |
| $c$ | $c$ | $d$ | $a$ | $b$ | | $c$ | $a$ | | | $c$ |
| $d$ | $d$ | $c$ | $b$ | $a$ | | $d$ | $a$ | $b$ | $c$ | |

*a)* Vervollständigen Sie die Multiplikationstafel!
   (Hinweis: Distributivgesetze benutzen!)

*b)* Ist der Ring kommutativ?

*c)* Geben Sie die Null und die Eins des Ringes an.

26) Im folgenden wird die Behauptung, daß alle Ringe $(G, +, \cdot)$ kommutativ sind, bewiesen, die wegen der Existenz des Modelles der $(2 \times 2)$-Matrizen (Modell 5 von S. 52) falsch ist. Kritisieren Sie den »Beweis« und geben Sie alle Fehler an.

$\quad a + b = b + a$    ($+$ ist kommutativ);

$\quad (a + b)^2 = (b + a)^2$    (Quadrieren);

$a^2 + 2ab + b^2 = b^2 + 2ba + a^2$    (Binomische Formel);

$\quad 2ab = 2ba$    (Da $(G, +)$ eine kommutative Gruppe ist, können $a^2$ und $b^2$ auf beiden Seiten gestrichen werden);

$\quad ab = ba$    (Division durch 2).

27) Kritisieren Sie den folgenden »Beweis«, der die Gleichheit $1 = 2$ zeigt:
*Behauptung:* $1 = 2$;

*Beweis:* $x^2 - y^2 = (x + y) \cdot (x - y)$    (Binomische Formel);

$\quad x^2 - x^2 = (x + x) \cdot (x - x)$    (Setze $x = y$);

$\quad x(x - x) = (x + x) \cdot (x - x)$    (Distributivgesetz);

$\quad\quad x = x + x$    (Setze $x = 1$);

$\quad\quad 1 = 1 + 1 = 2$.

28) In einem Ring $(G, +, \cdot)$ gelte: $g^2 = g$ für jedes $g \in G$. Zeigen Sie:

*1)* $g = -g$ für jedes $g \in G$

*2)* $(G, +, \cdot)$ ist kommutativ.

*Hinweis:* Betrachten Sie die Ausdrücke $(g + g)^2$ und $(g + h)^2$!

# Körper

Fast jeder Schüler der Sekundarstufe I ist in der Lage, die Gleichung
$$5(x + 1) = 8x - 2 \qquad (0)$$
nach $x$ aufzulösen. Die einzelnen Zwischenschritte bis zur Lösung könnten hierbei folgendermaßen aussehen:
$$5x + 5 = 8x - 2; \qquad (1)$$
$$3x = 7; \qquad (2)$$
$$x = \tfrac{7}{3}. \qquad (3)$$
Beim Übergang von (0) nach (1) wird auf der linken Seite das linksseitige Distributivgesetz angewandt, beim Übergang von (1) nach (2) wird »zusammengefaßt« – was algebraisch dem Rechnen in Gruppen und der Anwendung des linksseitigen Distributivgesetzes entspricht – und beim Übergang von (2) nach (3) wird »durch 3 dividiert«, d. h. mit dem multiplikativen Inversen von 3 multipliziert.
Da bei (0) offen ist, innerhalb welchen Zahlbereichs die Gleichung zu lösen ist – ob in der Menge der natürlichen Zahlen, der ganzen Zahlen, der rationalen Zahlen oder der reellen Zahlen – ist die Frage nach der Existenz von Lösungen für (0) ungeklärt. Innerhalb von $N$ ist (0) sicherlich nicht lösbar, da $\tfrac{7}{8}$ kein Element von $N$ ist (es gibt keine natürliche Zahl, die mit 3 multipliziert 7 ergibt).
Sieht man von der inhaltlichen Bedeutung der Zahlen ab und betrachtet nur die algebraische Struktur der Zahlbereiche, so sind die Übergänge von (0) nach (1) und von (1) nach (2) in einem *Ring* möglich, der Übergang von (2) nach (3) jedoch nicht, da ein Ring bezüglich der Multiplikation nicht notwendig eine Eins besitzt und damit nicht jedes Element ein Inverses hat – wie man am Modell $(Z, +, \cdot)$ erkennt.
Es gibt jedoch Zahlbereiche, in denen (0) eine (eindeutige) Lösung besitzt, z. B. die rationalen Zahlen. Dieser Zahlbereich ist ein Modell für einen *Körper*. Wir wollen uns in diesem Kapitel mit dieser Struktur beschäftigen, die mit Ring $(G, \oplus, \odot)$ bezeichnet ist, bei dem die von Null verschiedenen Elemente bezüglich $\odot$ eine Gruppe bilden. Ein Großteil der im Mathematikunterricht durchgeführten *Rechnungen* (mit rationalen und reellen Zahlen) ist aufgrund der Körperaxiome möglich.

**Definition:** Der Ring $(G, \oplus, \odot)$ heißt *Körper* genau dann, wenn $(G \backslash \{0\}, \odot)$ eine Gruppe ist.
$(G, \oplus, \odot)$ heißt *kommutativer Körper*, falls $\odot$ kommutativ ist.

### Modelle für Körper

Im folgenden interpretieren wir die Grundbegriffe $G$, $\oplus$ und $\odot$ der Körperaxiome und erhalten so Modelle für Körper. Der Leser mache sich klar, daß durch diese Interpretation der Grundbegriffe die Axiome wahre Aussagen werden.
*1)* Sei $G = Q$ die Menge der rationalen Zahlen und seinen $\oplus$ und $\odot$ die für rationale Zahlen übliche Addition und Multiplikation. $(Q, \oplus, \odot)$ heißt der *Körper der rationalen Zahlen*. Er ist ein kommutativer Körper.
*2)* Sei $G = R$ die Menge der reellen Zahlen und seien $\oplus$ und $\odot$ die für reelle Zahlen übliche Addition und Multiplikation. $(R, \oplus, \odot)$ heißt der *Körper der reellen Zahlen*. Er ist ebenso wie $(Q, \oplus, \odot)$ ein kommutativer Körper.

*3)* Sei $G$ die Menge der Zahlen der Gestalt $a + b\sqrt{2}$ mit $a, b \in Q$ und seien $\oplus$ und $\odot$ die für reelle Zahlen übliche Addition und Multiplikation. $(G, \oplus, \odot)$ ist ein kommutativer Körper, der einerseits den Körper der rationalen Zahlen enthält (setze $b = 0$!), andererseits ein echter Unterkörper der reellen Zahlen ist (da z.B. $\sqrt{3}$ nicht in $G$ liegt!). $(G, \oplus, \odot)$ ist ein *Zwischenkörper* der rationalen und der reellen Zahlen.

*4)* Sei $G = C$ die Menge der komplexen Zahlen, d.h. Objekte der Gestalt $a + b \cdot \mathrm{i}$ mit $a, b \in R$ ($x + y\mathrm{i} = u + v\mathrm{i}$ genau dann, wenn $x = u$ und $y = v$), und seien $\oplus$ und $\odot$ definiert durch

$$(a + b\mathrm{i}) \oplus (c + d\mathrm{i}) = (a + c) + (b + d)\mathrm{i};$$

$$(a + b\mathrm{i}) \odot (c + d\mathrm{i}) = (ac - bd) + (ad + bc)\mathrm{i}$$

mit $a, b, c, d \in R$.

$(C, \oplus, \odot)$ heißt der *Körper der komplexen Zahlen*. Er ist ein kommutativer Körper.

Während die Modelle *1)* bis *4)* stets unendlich viele Elemente enthalten, geben wir jetzt eine Modellklasse für *endliche Körper* an.

*5)* Sei $p$ eine Primzahl und sei $G = G_p$ die Menge der Restklassen modulo $p$. Der Ring $(G, \oplus, \odot) = (G_p, \oplus_p, \odot_p)$ – vergleiche Modell 4) von S. 52 bei Ringen – ist ein Körper. Da es unendlich viele Primzahlen gibt, gibt es auch unendlich viele endliche Körper. Alle diese Körper sind kommutativ. Alle Ringe $(G_n, \oplus_n, \odot_n)$ sind keine Körper, falls $n$ keine Primzahl ist. Vergleiche dazu das Beispiel 2 im Anschluß an Modell 6.

*6) Modell für einen nicht kommutativen Körper.* Da jeder endliche Körper kommutativ ist (wir beweisen diesen Satz nicht), besitzt ein nicht kommutatives Körpermodell – falls es existiert – unendliche viele Elemente. Wir geben ein derartiges Modell an:

Sei $G$ die Menge der $(2 \times 2)$-Matrizen über den komplexen Zahlen der folgenden Gestalt:

$$\begin{pmatrix} a & b \\ -\bar{b} & \bar{a} \end{pmatrix}$$

mit $a = x + y\mathrm{i}$, $b = u + v\mathrm{i}$, $\bar{a} = x - y\mathrm{i}$ und $\bar{b} = u - v\mathrm{i}$, wobei $x, y, u, v \in R$. Für $g, h \in G$ mit

$$g = \begin{pmatrix} a & b \\ -\bar{b} & \bar{a} \end{pmatrix} \qquad h = \begin{pmatrix} c & d \\ -\bar{d} & \bar{c} \end{pmatrix}$$

sei $\oplus$ und $\odot$ definiert durch:

$$g \oplus h = \begin{pmatrix} (a + c) & (b + d) \\ (-\bar{b} - \bar{d}) & (\bar{a} + \bar{c}) \end{pmatrix} = \begin{pmatrix} (a + c) & (b + d) \\ -\overline{(b + d)} & \overline{(a + c)} \end{pmatrix};$$

$$g \odot h = \begin{pmatrix} (ac - b\bar{d}) & (ad + b\bar{c}) \\ (-\bar{b}c - \bar{a}\bar{d}) & (-\bar{b}d + \bar{a}\bar{c}) \end{pmatrix} = \begin{pmatrix} (ac - b\bar{d}) & (ad + b\bar{c}) \\ -\overline{(ad + b\bar{c})} & \overline{(ac - b\bar{d})} \end{pmatrix}.$$

Damit ist gezeigt, daß die Menge $G$ bezüglich $\oplus$ und $\odot$ abgeschlossen ist. Der Leser verifiziere die Körperaxiome, insbesondere, daß jedes von $\begin{pmatrix} 0 & 0 \\ 0 & 0 \end{pmatrix}$ verschiedene Element ein Inverses besitzt.

Wegen

$$\begin{pmatrix} 1 & i \\ i & 1 \end{pmatrix} \odot \begin{pmatrix} (1+i) & 0 \\ 0 & (1-i) \end{pmatrix} = \begin{pmatrix} (1+i) & (1-i)\,i \\ (1+i)\,i & (1-i) \end{pmatrix} = s;$$

$$\begin{pmatrix} (1+i) & 0 \\ 0 & (1-i) \end{pmatrix} \odot \begin{pmatrix} 1 & i \\ i & 1 \end{pmatrix} = \begin{pmatrix} (1+i) & (1+i)\,i \\ (1-i)\,i & (1-i) \end{pmatrix} = t$$

und $s \neq t$ ist $(G, \oplus, \odot)$ ein *nicht kommutativer Körper*. In der mathematischen Literatur ist dieser Körper als *Quaternionenkörper* bekannt.

*Gegenbeispiele: 1)* $(Z, +, \cdot)$ ist kein Körper, da nicht jedes von Null verschiedene Element bezüglich »·« ein Inverses besitzt (die Gleichung $2 \cdot x = 1$ mit $x \in Z$ ist in $Z$ nicht lösbar).
*2)* $(G_6, \oplus_6, \odot_6)$ ist kein Körper, da es in diesem Ring Nullteiler gibt, womit die 2. Kürzungsregel verletzt ist (siehe hierzu Teil b) des folgenden Satzes).
Aus den Körperaxiomen deduzieren wir folgenden Satz (wir schreiben für $\oplus$ und $\odot$ vereinfachend $+$ und $\cdot$).

**Satz:** Für jeden Körper $(G, +, \cdot)$ gilt
   *a)* $G$ enthält mindestens zwei Elemente.
   *b)* $(G, +, \cdot)$ ist nullteilerfrei.

*Beweis: a)* Da $(G, +)$ eine Gruppe ist, enthält $G$ mindestens das bezüglich $+$ neutrale Element Null;
da $(G \backslash \{0\}, \cdot)$ ebenfalls eine Gruppe ist, existiert ein weiteres, von 0 verschiedenes Element, die Eins.
*b)* Wir führen den Beweis indirekt. Angenommen, es gäbe in $G$ Elemente $a$ und $b$ mit $a \neq 0 \neq b$ und $a \cdot b = 0$. Wegen der Gruppeneigenschaft von $(G \backslash \{0\}, \cdot)$ gibt es zu jedem $a \neq 0$ in $G$ das inverse Element $a^I$. Hieraus folgt

$$a^I \cdot (a \cdot b) = a^I \cdot 0.$$

Da $\cdot$ eine assoziative Verknüpfung ist, $a^I$ und $a$ zueinander invers sind und für Ringe $x \cdot 0 = 0$ für jedes $x \in G$ gilt, folgt hieraus

$$(a^I \cdot a) \cdot b = 0;$$
$$1 \cdot b = 0;$$
$$b = 0.$$

Dies ist aber ein Widerspruch zur Annahme $b \neq 0$. Also gibt es in einem Körper keine Nullteiler und es gilt für diese Struktur, daß ein Produkt genau dann Null ist, wenn mindestens einer der Faktoren Null ist.

Die im Schulunterricht als *binomische Formel* bekannte Aussage

$$(a + b)^2 = a^2 + 2ab + b^2 \tag{1}$$

hat zum Leidwesen vieler Schüler (besonders von Tertianern, die zum ersten Mal zu diesem Zeitpunkt im Mathematikunterricht damit konfrontiert werden), nicht die einfache Gestalt

$$(a + b)^2 = a^2 + b^2, \tag{2}$$

die sich leichter einprägen ließe. Schüler »vergessen« gerne den Term $2ab$ (vergleiche hierzu die Bemerkung zum Homomorphiebegriff im Abschnitt Operationentreue Abbildungen). Eine Umbenennung von $a$ in KLIM und von $b$ in BIM kann aufgrund der jetzt suggestiveren Form

## KLIM PLUS BIM IN KLAMMERN ZUM QUADRAT = KLIMQUADRAT PLUS 2 KLIMBIM PLUS BIMQUADRAT

den Erwerb von (1) erleichtern.

Nun haben Schüler mit (2) gar nicht so unrecht:

Würden sie nicht im Körper der rationalen Zahlen, sondern etwa im Körper $(G_2, \oplus_2, \odot_2)$ der Restklasse modulo 2 rechnen, so hätte die binomische Formel tatsächlich die Gestalt (2). Dies hat seinen Grund darin, daß in diesem Körper für jedes Element $g \in G$ gilt

$$2g(= g + g) = 0, \quad \text{also speziell} \quad 1 + 1 = 0,$$

eine Aussage, die im Körper der rationalen oder reellen Zahlen falsch ist. Dies führt zu folgender Begriffsbildung:

**Definition:** Ist $(G, +, \cdot)$ ein Körper und gibt es eine natürliche Zahl $n$ mit

$$\underbrace{1 + 1 + \cdots + 1}_{n \text{ Summanden}} = 0,$$

so heißt die kleinste Zahl $n$ mit dieser Eigenschaft die *Charakteristik des Körpers* $(G, +, \cdot)$. Gibt es keine natürliche Zahl mit dieser Eigenschaft, so heißt der Körper von der *Charakteristik 0*.

**Satz:**  Die von 0 verschiedene Charakteristik eines Körpers ist eine Primzahl.

*Beweis:* Wir führen den Beweis indirekt. Angenommen, ein Körper habe die Charakteristik $n$ mit $n = r \cdot s$ ($n$ keine Primzahl) und $r, s \neq 1$. Dann gilt aufgrund des Distributivgesetzes

$$\underbrace{(1 + 1 + \cdots + 1)}_{n = r \cdot s \text{ Summanden}} = \underbrace{(1 + 1 + \cdots + 1)}_{r \text{ Summanden}} \cdot \underbrace{(1 + 1 + \cdots + 1)}_{s \text{ Summanden}} = 0.$$

Wegen der Nullteilerfreiheit des Körpers ist mindestens einer der Faktoren Null. Dies steht im Widerspruch zur Aussage, daß $n$ die kleinste Zahl mit

$$\underbrace{(1 + \cdots + 1)}_{n \text{ Summanden}} = 0$$

ist. Wegen $r, s \neq 1$ gilt $r, s < n$. Also ist die Charakteristik notwendig eine Primzahl.

Ohne Beweis führen wir den folgenden Satz an:

**Satz:**  In einem Körper $(G, +, \cdot)$ der Charakteristik $p$ gilt:

$$(a + b)^p = a^p + b^p \quad \text{für alle} \quad a, b \in G;$$

$$\text{also} \quad (a + b)^2 = a^2 + b^2 \quad \text{für alle} \quad a, b \in G_2;$$

$$(a + b)^3 = a^3 + b^3 \quad \text{für alle} \quad a, b \in G_3.$$

Da sowohl der Körper der rationalen wie der Körper der reellen Zahlen die Charakteristik 0 besitzen, liefert dieser Satz in diesen Körpern keine Aussage. Der Körper der Restklasse modulo $p$ besitzt die Charakteristik $p$.

Zum Abschluß gehen wir noch auf eine spezielle Klasse eines Körpers ein, den sogenannten *angeordneten Körper*. Die Körper der rationalen und reellen Zahlen sind Modelle für derartige Körper.

**Definition:** Ein kommutativer Körper $(G, +, \cdot)$ heißt *angeordneter Körper* genau dann, wenn in $G$ eine transitive Relation »$<$« mit folgenden Eigenschaften existiert:

*1)* Für zwei Elemente $a, b \in G$ gilt *genau einer* der drei Fälle:
$$a < b \quad \text{oder} \quad a = b \quad \text{oder} \quad b < a.$$

*2)* Für alle $a, b, c \in G$ gilt:
aus $\qquad\qquad a < b \quad$ folgt $\quad (a + c) < (b + c)$.

*3)* Für alle $a, b, c \in G$ und $0 < c$ gilt:
aus $\qquad\qquad a < b \quad$ folgt $\quad a \cdot c < b \cdot c$.

*1)* besagt, daß je zwei Elemente miteinander *verglichen* werden können. Die Eigenschaften *2)* und *3)* kennzeichnen zusammen mit der Transitivität von $<$, welche Operationen beim »Rechnen mit Ungleichungen« legitim sind.
Sowohl der Körper der rationalen wie der Körper der reellen Zahlen besitzen die in *1)* bis *3)* geforderten Eigenschaften. An zwei Gegenbeispielen zeigen wir, daß sich nicht jeder Körper anordnen läßt.

**Satz:** *a)* Der Körper $(G_3, \oplus_3, \odot_3)$ der Restklassen modulo 3 läßt sich nicht anordnen (allgemein gilt: ein endlicher Körper kann nicht angeordnet werden).
*b)* Der Körper $(C, \oplus, \odot)$ der komplexen Zahlen läßt sich nicht anordnen.

*Beweis:* Wir führen den Beweis indirekt. Angenommen, es gäbe in den betrachteten Körpern eine Anordnung »$<$«.
*a)* Für die voneinander verschiedenen Elemente 0 und 2 in $G_3$ gilt wegen $2 \neq 0$ nach *1)* entweder

$$0 < 2 \qquad\qquad\qquad \text{(A)}$$

oder

$$2 < 0 \qquad\qquad\qquad \text{(B)}$$

Aus (A) ergibt sich durch Anwendung von *2)*, aus der Transitivität von $<$ und der Tatsache, daß die Charakteristik des Körpers 3 ist:

einerseits $\qquad\qquad 0 < 2;$
$\qquad\qquad\qquad\quad 2 < 2 + 2,$
also $\qquad\qquad\qquad 0 < 2 + 2$
und andererseits

$$2 + 2 < 2 + 2 + 2 = 0,$$
also $2 + 2 < 0$, was wegen *1)* ein Widerspruch ist.

Analog läßt sich aus (B) ein Widerspruch herleiten. Also existiert keine Anordnung im Körper der Restklassen modulo 3.
*b)* Wegen $i \neq 0$ (i imaginäre Einheit) gilt entweder

$$0 < i \qquad\qquad\qquad \text{(A)}$$

oder

$$i < 0 \qquad\qquad\qquad \text{(B)}$$

Im Falle (A) folgt mit Hilfe von *3)* aus $0 < i$ die Ungleichung

$$0 \cdot i < i \cdot i$$
$$0 < i^2$$
$$0 < -1, \quad \text{was ein Widerspruch ist.}$$

Im Falle (B) folgt aus $i < 0$ durch Anwendung von *3)* – wir benutzen hier den unbewiesenen (für rationale Zahlen jedoch wohlvertrauten Satz) für angeordnete Körper, daß aus $a < 0$ folgt, daß $0 < -a$ gilt – wegen $0 < -i$

$$i \cdot (-i) < 0 \cdot (-i)$$
$$-i^2 < 0$$
$$+1 < 0, \quad \text{was ein Widerspruch ist.}$$

Der Körper der komplexen Zahlen läßt sich also nicht anordnen.

### Aufgaben

*29)* Geben Sie im Körper $(G_7, \oplus_7, \odot_7)$ zu jedem von 0 verschiedenen Element bezüglich $\odot_7$ das Inverse an.

*30)* Geben Sie im Körper $(\{z; z = a + b\sqrt{5}, a, b \in Q\}, +, \cdot)$ das inverse Element von $(2 + 3\sqrt{5})$ bzgl. $\cdot$ an.
Beachten Sie, daß dieses Element die angegebene Gestalt haben muß.

*31)* Zeigen Sie: die Menge der Matrizen der Gestalt

$$\begin{pmatrix} a & 0 \\ 0 & a \end{pmatrix} \quad \text{mit } a \in Q$$

bildet bezüglich der Matrizenaddition und Matrizenmultiplikation einen Körper.

*32)* Zeigen Sie: ein endlicher nullteilerfreier kommutativer Ring mit Eins ist ein Körper.

*33)* Von einem Körper $(\{a, b\}, \oplus, \odot)$ seien die Verknüpfungstafeln teilweise bekannt:

| $\oplus$ | $a$ | $b$ |
|---|---|---|
| $a$ | $a$ | |
| $b$ | | |

| $\odot$ | $a$ | $b$ |
|---|---|---|
| $a$ | | |
| $b$ | | $b$ |

Vervollständigen Sie die Tafeln.

*34)* Nach einem Satz aus der Körpertheorie bilden die von Null verschiedenen Elemente bezüglich $\odot$ eine zyklische Gruppe. Geben Sie in $(G_5 \backslash \{0\}, \odot_5)$ ein erzeugendes Element an.

*35)* Leiten Sie ausführlich für den Körper $(Q, +, \cdot)$ die binomische Formel

$$(a + b)^2 = a^2 + 2ab + b^2$$

unter Angabe der benutzten Körperaxiome her.

# Verbände

Nicht alle im Mathematikunterricht der Sekundarstufe auftauchenden Strukturen lassen sich als Halbgruppen, Gruppen, Ringe oder Körper kennzeichnen. Wir verdeutlichen dies an zwei Beispielen, die wir mit Hilfe ihrer Diagramme untersuchen.

Es sei $P(G)$ die Potenzmenge der dreielementigen Menge $G = \{a, b, c\}$ und es sei $T(30)$ die Menge der Teiler der Zahl 30. In den folgenden Diagrammen sind die Elemente der Mengen $P(G)$ und $T(30)$ als Punkte dargestellt, die durch Strecken verbunden sind.

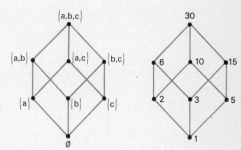

Links *Potenzmenge P(G) der dreielementigen Menge G{a, b, c};* rechts *die Menge T(30) der Teiler der Zahl 30*

Beschäftigt man sich mit diesen beiden Diagrammen genauer, so fällt auf, daß man den eingezeichneten Strecken eine Bedeutung geben kann. Sind zwei Punkte durch eine Strecke verbunden, so kann dies in der linken Figur so interpretiert werden, daß die untere Menge Teilmenge der höheren Menge ist. Nimmt man zu den Strecken *Streckenzüge (einschließlich ihrer Eckpunkte)* hinzu, die nur von unten nach oben verlaufen, so kann man die Figur als Träger der vollständigen Information über die *echte Teilmengenbeziehung* (Mengeninklusion) in $P(G)$ auffassen. Man erkennt nun leicht, daß die in der rechten Figur auftauchenden Strecken bzw. (von unten nach oben verlaufenden) Streckenzüge die *Teilerrelation* der zu den Strecken (Streckenzug)enden gehörenden Zahlen wiedergeben. Zum besseren Verständnis betrachten wir drei wichtige Teilfiguren der $P(G)$ und $T(30)$ zugeordneten Diagramme, wobei wir die entsprechenden Elemente mit $x$, $y$ und $z$ bezeichnen.

*Interpretation der ersten Teilfigur:*

In $P(G)$: $x$ ist echte Teilmenge von $y$, $y$ ist echte Teilmenge von $z$ und $x$ ist echte Teilmenge von $z$.

In $T(30)$: $x$ ist echter Teiler von $y$, $y$ ist echter Teiler von $z$ und $x$ ist echter Teiler von $z$.

*Interpretation der zweiten Teilfigur:*
In $P(G)$: $x$ ist Durchschnitt von $y$ und $z$.
In $T(30)$: $x$ ist größter gemeinsamer Teiler von $y$ und $z$.

*Interpretation der dritten Teilfigur:*
In $P(G)$: $z$ ist Vereinigung von $x$ und $y$.
In $T(30)$: $z$ ist kleinstes gemeinsames Vielfaches von $x$ und $y$.

Die beiden beschriebenen Konfigurationen können aufgefaßt werden als Darstellung von Verknüpfungen (neutrale Zeichen $\sqcap$ und $\sqcup$) in einer Menge $V$.
Für $V = P(G)$ handelt es sich um die bekannten Vereinigungs- und Durchschnittsbildungen für Mengen, für $V = T(30)$ um die Abbildungen »ggT« und »kgV«.
Bezüglich $\sqcap$ und $\sqcup$ erfüllt V Gesetzmäßigkeiten, die wir jetzt als *Verbandsaxiome* formulieren. $(P(G), \cup, \cap)$ heißt *Potenzmengenverband*, $(T(30), \text{ggT}, \text{kgV})$ heißt *Teilerverband* von 30.

**Definition:** Es sei $V$ eine Menge und es seien $\sqcup$ und $\sqcap$ (gelesen Kap und Käp) zwei Verknüpfungen in $V$. Das Tripel $(V, \sqcup, \sqcap)$ heißt *Verband* genau dann, wenn für alle $x, y, z \in V$ gilt:

*1)* $x \sqcup y = y \sqcup x$;           *2)* $x \sqcap y = y \sqcap x$;
*3)* $(x \sqcup y) \sqcup z = x \sqcup (y \sqcup z)$;    *4)* $(x \sqcap y) \sqcap z = x \sqcap (y \sqcap z)$;
*5)* $x \sqcup (x \sqcap y) = x$;         *6)* $x \sqcap (x \sqcup y) = x$.

In *1)* und *2)* wird die Kommutativität von $\sqcup$ und $\sqcap$, in *3)* und *4)* die Assoziativität von $\sqcup$ und $\sqcap$ postuliert. Die Axiome *5)* und *6)* heißen *Verschmelzungsgesetze (Absorptionsgesetze)*. Es fällt auf, daß die beiden Verknüpfungen vollständig gleichberechtigt sind. Ersetzt man in den Axiomen $\sqcup$ durch $\sqcap$ und $\sqcap$ durch $\sqcup$, so erhält man nach dieser Ersetzung erneut die Verbandsaxiome. Man nennt aus diesem Grunde diese Axiome *selbstdual*. Wir beschreiben diese Besonderheit in dem als *Dualitätsprinzip für Verbände* gekennzeichneten Satz auf S. 68.

**Modelle für Verbände**

Durch die folgende Interpretation der Grundbegriffe $V$, $\sqcup$ und $\sqcap$ in den Verbandsaxiomen erhalten wir Modelle für Verbände. Der Leser prüfe nach, daß die angegebenen Interpretationen die Axiome in wahre Aussagen überführen.
*1)* Sei $V = P(M)$ die Potenzmenge einer Menge $M$ und seien $\sqcup$ und $\sqcap$ die Operationen der Vereinigung $\cup$ und der Durchschnittsbildung $\cap$ für Mengen. Mit Hilfe von Sätzen der Mengenalgebra läßt sich verifizieren, daß $(P(M), \cup, \cap)$ ein Verband ist – der sogenannte *Potenzmengenverband* (siehe das einführende Beispiel mit $M = \{a, b, c\}$).
*2)* Sei $V = T(n)$ die Menge der Teiler einer natürlichen Zahl $n$ und seien $\sqcup$ und $\sqcap$ die Operationen des Bildens des kleinsten gemeinsamen Vielfachen (kgV) und des Bildens des größten gemeinsamen Teilers (ggT).

($T(n)$, kgV, ggT) ist ein Verband – der sogenannte *Teilerverband* (siehe das einführende Beispiel mit $n = 30$).

3) Sei $V = N$ die Menge der natürlichen Zahlen und seien $\sqcup$ und $\sqcap$ definiert wie in Modell *2)*.

4) Sei $V$ die Menge aller Untergruppen einer gegebenen Gruppe $(G, *)$ und seien $\sqcup$ und $\sqcap$ für $a, b \in V$ definiert durch $a \sqcup b =$ kleinste Untergruppe von $(G, *)$, die sowohl $a$ als auch $b$ enthält und $a \sqcap b =$ Durchschnitt der beiden Untergruppen $a$ und $b$. $(V, \sqcup, \sqcap)$ heißt der *Untergruppenverband* von $(G, *)$.

5) Sei $V = N$ die Menge der natürlichen Zahlen und seien $\sqcup$ und $\sqcap$ für $m, n \in N$ definiert durch

$$m \sqcup n = \text{Maximum von } m \text{ und } n;$$
$$m \sqcap n = \text{Minimum von } m \text{ und } n.$$

6) Sei $V = \{a, b, c, d, e\}$ und seien $\sqcup$ und $\sqcap$ durch das linke Hassediagramm festgelegt (siehe die Einführungsbeispiele zu diesem Kapitel – es bedeutet also $a \sqcup c = c$, $c \sqcup b = e$, $c \sqcap e = c$, $c \sqcap d = a$).

Links *Hassediagramm für V{a, b, c, d, e},*
*das kleinste gemeinsame Vielfache und den*
*größten gemeinsamen Teiler;* rechts *Hasse-*
*diagramm für einen distributiven Verband*

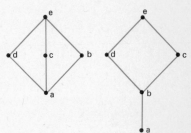

Die Diagramme auf S. 65 heißen die zu den betrachteten Verbänden ($P(\{a,b,c\})$, $\cup, \cap$) und ($T(30)$, kgV, ggT) gehörenden *Hassediagramme*. Jeder endliche Verband ($V, \sqcup, \sqcap$) mit nicht zu umfangreicher Menge $V$ läßt sich sehr überschaubar durch sein Hassediagramm darstellen, das eine andere Form der Verknüpfungstafeln für die beiden Verknüpfungen darstellt.

Als *Deduktionsübung* zeigen wir den folgenden Satz:

**Satz:**  In jedem Verband ($V, \sqcup, \sqcap$) gilt für alle $x, y \in V$:

    *a)* $x \sqcap x = x$;

    *b)* $x \sqcup x = x$;

    *c)* aus $x \sqcap y = x \sqcup y$ folgt $x = y$.

Bevor wir diesen Satz aus den Verbandsaxiomen herleiten, formulieren wir ihn in den Modellen ($P(G), \cup, \cap$) und ($T(n)$, kgV, ggT).

*a)* besagt: $A \cap A = A$ für jede Teilmenge $A$ von $G$, bzw. ggT $(x, x) = x$ für jede natürliche Zahl $x$;

*b)* besagt: $A \cup A = A$ für jede Teilmenge $A$ von $G$, bzw. kgV $(x, x) = x$ für jede natürliche Zahl $x$;

*c)* besagt: Aus $A \cap B = A \cup B$ für zwei Teilmengen $A$ und $B$ folgt $A = B$ bzw. aus ggT $(x, y) =$ kgV $(x, y)$ für zwei natürliche Zahlen folgt $x = y$.

Wie man sich leicht überlegt, sind die eben aufgeführten Aussagen wahre Aussagen in den konkreten Modellen.

*Beweis des Satzes: a)* Wegen *5)* gilt  $x \sqcap x = x \sqcap (x \sqcup (x \sqcap y))$.
Ersetzt man zur Abkürzung  $(x \sqcap y)$  durch  $z$, so gilt

$$x \sqcap x = x \sqcap (x \sqcup z),$$

woraus wegen *6)*  $x \sqcap x = x$  folgt, was zu zeigen war.
*b)* Wegen *6)* gilt

$$x \sqcup x = x \sqcup (x \sqcap (x \sqcup y)).$$

Ersetzt man zur Abkürzung  $(x \sqcup y)$  durch  $z$, so gilt

$$x \sqcup x = x \sqcup (x \sqcap z),$$

woraus wegen *5)*  $x \sqcup x = x$  folgt, was zu zeigen war.
*c)* Sei  $x \sqcap y = x \sqcup y$. Wir zeigen zunächst, daß gilt
$x \sqcup y = x$. Wegen *5)* gilt

$$x \sqcup (x \sqcap y) = x,$$

woraus nach Voraussetzung  $x \sqcup (x \sqcup y) = x$  folgt.
Anwendung von *3)* liefert  $(x \sqcup x) \sqcup y = x$,  was aufgrund des bereits bewiesenen Teiles *b)* des Satzes  $x \sqcup y = x$  impliziert.
Wir zeigen nun, daß auch

$$x \sqcap y = x$$

gilt.
Wegen *6)* gilt

$$x \sqcap (x \sqcup y) = x,$$

woraus nach Voraussetzung  $x \sqcap (x \sqcap y) = x$  folgt.
Anwendung von *4)* liefert

$$(x \sqcap x) \sqcap y = x,$$

was aufgrund des bereits bewiesenen Teiles  *a)* des Satzes  $x \sqcap y = x$  impliziert.
Damit ist die Behauptung *c)* des Satzes bewiesen.

Eine Analyse der Beweise zeigt, daß der Nachweis von *b)* formal die gleiche Struktur besitzt wie der Nachweis von *a)*, nur die als Beweisgründe benutzten Axiome *5)* und *6)* werden ausgetauscht – entsprechendes gilt für den Nachweis von *c)*.

Diese besondere Situation hat ihren Grund darin, daß die Axiome *1)* und *2)*, die Axiome *3)* und *4)* und die Axiome *5)* und *6)* jeweils ineinander übergehen, wenn man  $\sqcup$  durch  $\sqcap$  ersetzt und umgekehrt. Man nennt *2)* das Duale von *1)* [*1)* das Duale von *2)*], *5)* das Duale von *6)* [*6)* das Duale von *5)*] usw. Dies hat die erfreuliche Konsequenz – wie etwa beim Beweis von *b)* im Anschluß an den Nachweis von *a)* ersichtlich wurde – daß man mit jedem bewiesenen Satz über Verbände ohne zusätzlichen Beweis einen weiteren Satz – den sogenannten *dualen Satz  $\bar{S}$  zu S* – gewissermaßen »gratis« miterhält. Wir formulieren dies in folgendem Satz (den wir hier nicht beweisen):

**Satz**     *(Dualitätsprinzip für Verbände)*: Mit jedem Satz *S* über Verbände gilt auch der duale Satz  $\bar{S}$ , d.h. der Satz  $\bar{S}$ , den man aus *S* dadurch erhält, daß man  $\sqcup$  durch  $\sqcap$  und  $\sqcap$  durch  $\sqcup$  ersetzt.

*Beispiele:* Die zu  »$a \sqcup a = a$«  duale Aussage heißt  »$a \sqcap a = a$«; die zu »Aus

$a \rightharpoonup b = a$ folgt $a \sqcup b = b$« duale Aussage heißt: »Aus $a \sqcup b = a$ folgt $a \rightharpoonup b = b$«.

Von besonderem Interesse sind Verbände, die über die Verbandsaxiome hinausgehende Eigenschaften besitzen – die sogenannten *distributiven, komplementären* und *Booleschen Verbände*.

Wie man aus der Mengenalgebra weiß, gilt im Potenzmengenverband

$$(P(M), \cup, \cap) \quad \text{für alle} \quad A, B, C \in P(M):$$

$$(A \cup B) \cap C = (A \cap C) \cup (B \cap C)$$

und

$$(A \cap B) \cup C = (A \cup C) \cap (B \cup C).$$

Diese als *Distributivgesetze* bekannten Aussagen führen zu folgender Definition.

**Definition:** Der Verband $(V, \sqcup, \rightharpoonup)$ heißt *distributiver Verband* genau dann, wenn für alle $a, b, c \in V$ gilt:

7) $(a \sqcup b) \rightharpoonup c = (a \rightharpoonup c) \sqcup (b \rightharpoonup c)$ und

8) $(a \rightharpoonup b) \sqcup c = (a \sqcup c) \rightharpoonup (b \sqcup c)$.

Wegen der (hier nicht bewiesenen) Äquivalenz von 7) und 8) genügt es, *eine* der beiden Aussagen 7) und 8) zu postulieren. Insbesondere gilt auch in distributiven Verbänden das Dualitätsprinzip.

### Modelle für distributive Verbände

1) $(P(M), \cup, \cap)$ für jede Menge $M$;

2) $(T(12), \text{kgV}, \text{ggT})$;

3) der durch das rechte Hassediagramm auf S. 67 gekennzeichnete Verband.

Wir zeigen, daß nicht jeder Verband distributiv ist. Die Negation der Aussage »der Verband $(V, \sqcup, \rightharpoonup)$ ist distributiv« heißt: Es gibt mindestens ein Tripel $a, b, c$ von Elementen aus $V$ mit

$$(a \sqcup b) \rightharpoonup c \neq (a \rightharpoonup c) \sqcup (b \rightharpoonup c)$$

oder

$$(a \rightharpoonup b) \sqcup c \neq (a \sqcup c) \rightharpoonup (b \sqcup c).$$

### Modell eines nicht distributiven Verbandes

$(V, \sqcup, \rightharpoonup)$ sei durch das linke Hassediagramm gekennzeichnet.

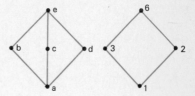

Links *Hassediagramm eines nicht distributiven Verbandes;*
rechts *Modell des komplementären Verbandes $(T(6), \text{kgV}, \text{ggT})$*

Wegen

$$(b \rightharpoonup c) \sqcup d = a \sqcup d = d;$$

$$(b \sqcup d) \rightharpoonup (c \sqcup d) = e \rightharpoonup e = e$$

und $d \neq e$ ist dieser Verband nicht distributiv.

Der distributive Verband $(P(M), \cup, \cap)$ hat eine weitere interessante, nicht zu jedem Verband gehörende Eigenschaft: mit $\emptyset$ und $M$ gibt es in $(P(M), \cup, \cap)$ so etwas wie ein kleinstes und ein größtes Element, und hinsichtlich dieser beiden Elemente gibt es die – mengenalgebraisch beweisbare – Aussage: Zu jedem $T \in P(M)$ existiert ein $T' \in P(M)$ mit

$$T \cup T' = M \quad und \quad T \cap T' = \emptyset.$$

Man nennt $T'$ das zu $T$ gehörende Komplement bzw. $T$ das zu $T'$ gehörende Komplement ($T$ und $T'$ heißen komplementär zueinander).

Diese Besonderheit kennzeichnen wir in folgender Definition:

**Definition:** Der Verband $(V, \sqcup, \sqcap)$ heißt *komplementärer Verband* genau dann, wenn gilt:

      *9)* Es gibt ein Element $n \in V$ *(Nullelement)* mit $n \sqcap a \,(= a \sqcap n) = n$ für jedes $a \in V$;

      *10)* es gibt ein Element $e \in V$ *(Einselement)* mit $e \sqcup a \,(= a \sqcup e) = e$ für jedes $a \in V$

      *11)* Zu jedem $a \in V$ existiert ein $\bar{a} \in V$ ($\bar{a}$ heißt Komplement von $a$) mit $a \sqcup \bar{a} = e$ und $a \sqcap \bar{a} = n$.

## Modelle für komplementäre Verbände

*1)* $(P(M), \cup, \cap)$. Das Nullelement ist die leere Menge, das Einselement ist die Menge $M$ und das zu $A \in P(M)$ gehörende Komplement ist die (mengentheoretische) Komplementärmenge von $A$.

*2)* $(T(6), \text{kgV}, \text{ggT})$. Das Nullelement ist die Zahl 1, das Einselement ist die Zahl 6 (siehe rechte der vorhergehenden Figuren). Die zu $x$ komplementären Elemente $\bar{x}$ sind der folgenden Tabelle zu entnehmen:

| $x$ | $\bar{x}$ |
|---|---|
| 1 | 6 |
| 2 | 3 |
| 3 | 2 |
| 6 | 1 |

*3)* Der zu dem folgenden linken Hassediagramm gehörende Verband. Das Nullelement ist $a$, das Einselement ist $f$. In diesem Verband gibt es zu einigen Elementen mehrere Komplemente:

| $x$ | $\bar{x}$ |
|---|---|
| $a$ | $f$ |
| $b$ | $c, d, e$ |
| $c$ | $b, d, e$ |
| $d$ | $b, c, e$ |
| $e$ | $b, c, d$ |
| $f$ | $a$ |

Links *Hassediagramm des komplementären Verbandes* $V\{a, b, c, d, e, f\}$; rechts *Modell eines nicht komplementären Verbandes*

Ohne Beweis erwähnen wir den Satz, daß in einem distributiven Verband zu jedem Element genau ein komplementäres Element existiert, falls es überhaupt ein komplementäres Element gibt. Man mache sich klar, daß das letzte Modell nicht distributiv ist.

### Modell eines nicht komplementären Verbandes

Der Verband mit dem rechten Hassediagramm besitzt zwar in $a$ ein Nullelement und in $c$ ein Einselement, aber $b$ besitzt kein Komplement.

Von besonderem Interesse sind die sogenannten Booleschen Verbände, die sowohl komplementär als auch distributiv sind, die sich innerhalb der Aussagenlogik und der Schaltalgebra als nützliches begriffliches Instrument erwiesen haben.

**Definition:** Der Verband $(V, \sqcup, \sqcap)$ heißt *Boolescher Verband* genau dann, wenn $(V, \sqcup, \sqcap)$ distributiv und komplementär ist.

### Modelle für Boolesche Verbände

*1)* $(P(M), \cup, \cap)$ für jede Menge $M$;

*2)* $(T(n), \text{kgV}, \text{ggT})$, wobei die natürliche Zahl $n$ in ihrer Primfaktorzerlegung Primzahlen nur in der 1. Potenz enthält.

Wir erwähnen noch – ohne näher darauf einzugehen – die Modelle des *Aussagenkalküls*, der *Ereignisalgebra* und der *Schaltalgebra*.

Als einfache *Deduktionsübung* leiten wir für Boolesche Verbände den folgenden Satz her.

**Satz:** In jedem Booleschen Verband $(V, \sqcup, \sqcap)$ gilt für alle $x, y \in V$:

$a)$ $\bar{n} = e, \quad \bar{e} = n$;

$b)$ $\overline{(\bar{x})} = x$;

$c)$ $\overline{(x \sqcup y)} = \bar{x} \sqcap \bar{y}, \quad \overline{(x \sqcap y)} = \bar{x} \sqcup \bar{y}$.

*Beweis:* Da in Booleschen Verbänden das Dualitätsprinzip gilt, genügt es, bei $a)$ und $c)$ nur die erste Aussage zu verifizieren.

$a)$ Nach *9)* und *10)* der Definition gilt $n \sqcap e = n$ und $e \sqcup n = e$. Wegen der Kommutativität gilt auch $e \sqcap n = n$ und $n \sqcup e = e$. Also ist $n$ Komplement von $e$ und umgekehrt.

$b)$ Aus der Definition des Komplements $\bar{x}$ eines Elementes $x$ folgt, daß sowohl $x$ als auch $\bar{\bar{x}}$ $(= \overline{(\bar{x})})$ Komplemente von $\bar{x}$ sind. Da es in jedem distributiven Verband höchstens ein Komplement gibt, ergibt sich $x = \overline{(\bar{x})}$.

$c)$ Wegen des Dualitätsprinzips genügt es, eine der beiden Beziehungen zu beweisen. Dies soll für die zweite geschehen. Wir zeigen zunächst: $(x \sqcap y) \sqcup (\bar{x} \sqcup \bar{y}) = e$.

$$(x \sqcap y) \sqcup (\bar{x} \sqcup \bar{y}) = [x \sqcup (\bar{x} \sqcup \bar{y})] \sqcap [y \sqcup (\bar{x} \sqcup \bar{y})]$$

(Anwendung des Distributivgesetzes *8)*)

$$= [(x \sqcup \bar{x}) \sqcup \bar{y}] \sqcap [(y \sqcup \bar{y}) \sqcup \bar{x}]$$

(wegen der Assoziativität und Kommutativität von $\sqcup$)

$$= (e \sqcup \bar{y}) \sqcap (e \sqcup \bar{x})$$

(weil $x, \bar{x}$ und $y, \bar{y}$ zueinander komplementäre Elemente sind)

$$= e \sqcap e = e.$$

(wegen der Definition der Eins).

Wir zeigen, daß auch $(x \dashv y) \dashv (\bar{x} \sqcup \bar{y}) = n$ gilt.

$$(x \dashv y) \dashv (\bar{x} \sqcup \bar{y}) = [(x \dashv y) \dashv \bar{x}] \sqcup [(x \dashv y) \dashv \bar{y}]$$

(Anwendung des Distributivgesetzes *7)*)

$$= [(x \dashv \bar{x}) \dashv y] \sqcup [x \dashv (y \dashv \bar{y})]$$

(wegen der Assoziativität und Kommutativität von $\dashv$)

$$= (n \dashv y) \sqcup (x \dashv n)$$

(weil $x$, $\bar{x}$ und $y$, $\bar{y}$ zueinander komplementäre Elemente sind)

$$= n \sqcup n = n.$$

Damit ist *c)* vollständig bewiesen.

Das Modell *1)* für Boolesche Verbände ist der Prototyp für endliche Boolesche Verbände. Man kann nämlich zeigen (was wir hier übergehen), daß es zu jedem endlichen Booleschen Verband $(V, \sqcup, \dashv)$ einen geeigneten Potenzmengenverband $(P(M), \cup, \cap)$ gibt, der zu $(V, \sqcup, \dashv)$ isomorph ist (d.h. es existiert eine bijektive Abbildung von $V$ auf $P(M)$, die bezüglich der beiden Verknüpfungen $\sqcup$ und $\dashv$ operationentreu ist). Man kennt also unter strukturellen Aspekten bereits alle endlichen Booleschen Verbände, wenn man alle endlichen Potenzmengenverbände kennt.

### Aufgaben

*36)* Stellen Sie das Hassediagramm von folgenden Verbänden auf:
  *a)* (T(60), kgV, ggT);
  *b)* Untergruppenverband der Gruppe der Deckabbildungen des Quadrats.

*37)* Stellen Sie die Verknüpfungstafeln für $\sqcup$ und $\dashv$ in den durch die folgenden zwei linken Hassediagramme gekennzeichneten Verbänden auf.

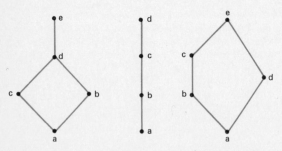

Links *zwei Figuren zur Aufgabe 37;* rechts *Figur zur Aufgabe 39*

*38)* Geben Sie die duale Aussage an von

$$(a \sqcup b) \dashv (b \dashv c) = a \dashv (b \sqcup a).$$

*39)* Zeigen Sie, daß der durch die rechte Figur gekennzeichnete Verband nicht distributiv ist.

*40)* Zeigen Sie, daß der Verband $(T(12), \text{kgV}, \text{ggT})$ nicht komplementär ist.

# Vektorräume

In der Physik verwendet man zur theoretischen Beschreibung physikalischer Zusammenhänge mit großem Gewinn sogenannte *Vektoren*. Eine vereinfachte Vorstellung von einem Vektor ist die, daß ein Vektor »so etwas wie ein *Pfeil*« ist, zu dem eine bestimmte Richtung und eine bestimmte Länge gehört (linke Figur). So können etwa physikalische Kräfte durch Vektoren beschrieben werden.

Da zwei Kräfte gleich sind, wenn sie in Richtung und Betrag (d.h. der an einer Federwaage aufgezeigten Pondzahl) übereinstimmen, bezeichnen die Pfeile $\vec{a}$ und $\vec{b}$ in der mittleren Figur die gleiche Kraft.

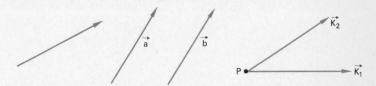

Links *graphische Darstellung eines Vektors; in der* Mitte *zwei in Betrag und Richtung übereinstimmende Vektoren;* rechts *zwei an einem Körper angreifende Kräfte, dargestellt durch die Vektoren* $\vec{K}_1$ *und* $\vec{K}_2$

Eine bestimmte Kraft kann demnach durch viele Pfeile dargestellt werden. Die Relation »... hat die gleiche Länge und die gleiche Richtung wie ...« in der Menge der Pfeile der Ebene ist eine Äquivalenzrelation und führt deshalb zu einer Klasseneinteilung, den sogenannten *Pfeilklassen*. In der Physik ist es üblich, eine solche Pfeilklasse als Vektor aufzufassen. Da es jedoch einfacher ist, mit Pfeilen als mit Pfeilklassen zu operieren, wählt man in jeder Klasse einen Pfeil als *Repräsentanten* aus und identifiziert diesen Repräsentanten (= Pfeil) mit dem Vektor.

Der Vorteil des Vektorbegriffs besteht u. a. darin, daß man mit Vektoren *rechnen* kann und diese Rechnung eine konkrete physikalische Bedeutung hat. Hierzu ein Beispiel:

Auf einen in $P$ frei beweglichen Körper mögen die Kräfte $\vec{K}_1$ und $\vec{K}_2$ ausgeübt werden (rechte Figur). Die Richtung, in die die Kräfte zeigen, und die Größe der Kräfte (d.h. diejenige Pondzahl, die an einer Federwaage angezeigt wird) seien durch die Pfeile $\vec{K}_1$ und $\vec{K}_2$ beschrieben. Mittels dieser Kräfte bewegt sich der Körper $P$ auf einer gewissen Bahn. Aus Erfahrung weiß man, daß der Körper durch Einwirkung einer *einzigen* Kraft $\vec{K}$ die gleiche Bahn durchläuft – $\vec{K}$ ersetzt gewissermaßen die gemeinsame Wirkung von $\vec{K}_1$ und $\vec{K}_2$. Man kann experimentell versuchen, die Kraft $\vec{K}$ zu bestimmen – was sich möglicherweise als sehr zeitraubend erweist. Weit weniger Mühe macht es, $\vec{K}$ theoretisch zu ermitteln: $\vec{K}$ berechnet sich als Diagonale im sog. *Kräfteparallelogramm* (linke Figur).

Sieht man von der inhaltlichen Bedeutung dieser Überlegung ab, so wird durch diese Vorschrift zwei Kräften eindeutig eine dritte Kraft zugeordnet:

$$\vec{K}_1 \oplus \vec{K}_2 = \vec{K}.$$

Die Vorschrift $\oplus$ ist eine Verknüpfung, die sogenannte *Vektoraddition*. Die konkrete Anweisung für $\vec{K}_1 \oplus \vec{K}_2$ lautet: Zeichne den Pfeil $\vec{K}_1$ und setze an die Pfeilspitze von $\vec{K}_1$ das Pfeilende von $\vec{K}_2$. Der Pfeil, der vom Pfeilende von $\vec{K}_1$ zur Spitze von $\vec{K}_2$ reicht, ist der $\vec{K}_1 \oplus \vec{K}_2$ repräsentierende Pfeil.

Links *Konstruktion des Kräfteparallelogramms zur Ermittlung der resultierenden Gesamtkraft $\vec{R}$;* rechts *Darstellung von Kraft und Gegenkraft*

Bezeichnet $\mathfrak{w}$ die Menge aller Kräfte, die an einem Punkt angreifen (einschließlich der Kraft $\vec{0}$ vom Betrage Null), so besitzt $(\mathfrak{w}, \oplus)$ die *Struktur einer kommutativen Gruppe*. Das neutrale Element ist die Kraft $\vec{0}$, das zu $\vec{a} \in \mathfrak{w}$ inverse Element ist die Gegenkraft $\vec{a}^I$ (rechte Figur).
Die Kräfte $\vec{a}$ und $\vec{a}^I$ »kompensieren« sich gegenseitig.
Aus Erfahrung weiß man, daß die Verknüpfung $\oplus$ sowohl kommutativ als auch assoziativ ist (linke bzw. rechte Figur).

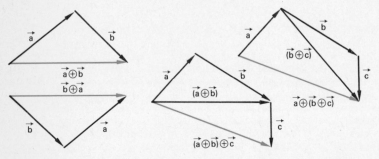

*Die Verknüpfung $\oplus$ ist sowohl kommutativ* (links) *als auch assoziativ* (rechts)

Wir kehren zu unserem physikalischen Beispiel zurück und fragen, wie sich die resultierende Kraft $\vec{K}$ ändert, wenn wir $\vec{K}_1$ so abändern, daß zwar die Richtung beibehalten wird, daß sich aber der Betrag der Kraft halbiert. Mit Hilfe des Kräfteparallelogramms ist $\vec{K}$ leicht zu bestimmen. Für die neue Kraft $\vec{K}_1{}'$ werden wir – was naheliegt – schreiben $\vec{K}_1{}' = \frac{1}{2} \odot \vec{K}_1$, wobei $\frac{1}{2} \odot \vec{K}_1$ diejenige Kraft $\vec{F}$ ist, für die gilt $\vec{F} \oplus \vec{F} = \vec{K}_1$.
Bei der hier auftauchenden Verknüpfung $\odot$, die im Gegensatz zur Vektoraddition $\oplus$ keine *innere* Verknüpfung ist, werden rationale Zahlen mit Vektoren verknüpft und das Resultat dieser Operation ergibt wieder einen Vektor ($\odot$ ist eine Abbildung von $Q \times \mathfrak{w}$ in $\mathfrak{w}$). Man nennt $\odot$ deshalb eine *äußere* Verknüpfung.
Wir führen ohne Beweis dem Physiker wohlvertraute *Rechenregeln für Vektoren* hinsichtlich der Verknüpfung $\oplus$ und $\odot$ an, wobei $r$ und $s$ rationale Zahlen, $\vec{a}$ und $\vec{b}$ Vektoren sind:

$$(r + s) \odot \vec{a} = (r \odot \vec{a}) \oplus (s \odot \vec{a});$$
$$r \odot (\vec{a} \oplus \vec{b}) = (r \odot \vec{a}) \oplus (r \odot \vec{b});$$
$$(r \cdot s) \odot \vec{a} = r \odot (s \odot \vec{a});$$
$$1 \odot \vec{a} = \vec{a}.$$

In den Rechenregeln tauchen 4 verschiedene Verknüpfungen auf, die auch durch verschiedene Zeichen kenntlich gemacht sind: die Verknüpfungen + und · bezeichnen die im Körper der reellen Zahlen definierte Addition und Multiplikation, $\oplus$ die Vektoraddition und $\odot$ die Verknüpfung von Vektoren mit Körperelementen – die sogenannte *S-Multiplikation* (= Skalarmultiplikation, man nennt die Körperelemente auch Skalare). Diese Skalarmultiplikation ist wohlunterschieden vom *Skalarprodukt*, das eine Abbildung von $\mathfrak{w} \times \mathfrak{w}$ in $Q$ darstellt und auf das wir hier nicht eingehen ($\to$ Geometrie, S. 332).

Die angeführten Rechenregeln und die in den Gruppenaxiomen von $(\mathfrak{w}, \oplus)$ enthaltenen Gesetzmäßigkeiten zeigen, daß das Rechnen mit Vektoren in einer sehr reichhaltigen Struktur stattfindet – dem sog. Vektorraum, mit dem wir uns in diesem Kapitel beschäftigen.

**Definition:** Sei $(\mathfrak{w}, \oplus)$ eine kommutative Gruppe, sei $(K, +, \cdot)$ ein Körper und sei $\odot$ eine Abbildung von $(K \times \mathfrak{w})$ in $\mathfrak{w}$. Das Gebilde $(K, \mathfrak{w}, +, \cdot, \oplus, \odot)$ heißt *Vektorraum* über $(K, +, \cdot)$, falls für alle $k, l \in K$ und $u, v \in \mathfrak{w}$ gilt:

1) $k \odot (u \oplus v) = (k \odot u) \oplus (k \odot v);$

2) $(k + l) \odot u = (k \odot u) \oplus (l \odot u);$

3) $(k \cdot l) \odot u = k \odot (l \odot u);$

4) $1 \odot u = u.$

Die Elemente von $\mathfrak{w}$ heißen *Vektoren*, die Elemente von $K$ heißen *Skalare*.
Für die in der Definition des Vektorraumes auftauchenden Verknüpfungen gilt:

die Verknüpfung $\oplus$ bildet $\mathfrak{w} \times \mathfrak{w}$ in $\mathfrak{w}$;

die Verknüpfung $\odot$ bildet $K \times \mathfrak{w}$ in $\mathfrak{w}$;

die Verknüpfung + bildet $K \times K$ in $K$;

die Verknüpfung · bildet $K \times K$ in $K$ ab.

Das Aufführen des »trivial« erscheinenden Axioms *4)* hat folgenden Grund: mit diesem Axiom werden die sogenannten Nullvektorräume ausgesondert, die man aus einer beliebigen kommutativen Gruppe und einem beliebigen Körper dadurch erhält, daß man die S-Multiplikation durch

$$k \odot u = \vec{0} \quad (\text{=neutrales Element in } (\mathfrak{w}, \oplus))$$

festlegt. Der Leser mache sich in dieser Interpretation die Gültigkeit von *1)* bis *3)* klar.
*Bemerkung:* Nach Definition ist ein Vektor festgelegt als ein Element in einer kommutativen Gruppe, die zusammen mit einem Körper einen Vektorraum bildet. Physiker benutzen den Vektorbegriff in einer ganz konkreten Bedeutung – nämlich als Pfeil oder Pfeilklasse. Wir werden im folgenden sehen, daß das physikalische Beispiel der Pfeilklassen der Ebene aus der Einführung zu diesem Kapitel ein *Modell* für einen Vektorraum darstellt. Da die Auffassung der Physiker weit verbreitet ist, ergibt sich die Schwierigkeit, daß die Frage »Was ist ein Vek-

tor?« von den meisten mit »ein Pfeil oder eine Pfeilklasse« beantwortet wird, während die korrekte Antwort »Ein Element eines Vektorraumes« lautet. Dies läßt sich vielleicht dadurch erklären, daß man zuerst mit einem Modell für einen Vektorraum konfrontiert wird (Modell der Pfeilklassen) und erst darauf mit der Struktur des Vektorraums. Auf die formal ähnliche Frage »Was ist ein Element einer Gruppe?« – wofür es übrigens keinen besonderen Namen gibt – würde niemand auf die Idee kommen zu sagen »Eine ganze Zahl« oder »Eine Drehung um 90°«, obwohl $(Z, +)$ und die Menge der Deckdrehungen des Quadrats bezüglich der Hintereinanderausführung Gruppen sind. Das Wort »Gruppe« taucht im allgemeinen zuerst im Zusammenhang mit den Axiomen für Gruppen auf – nicht bei den Modellen.

Wir werden den Ausdruck Vektor stets im Sinne unserer Definition als Element eines Vektorraumes auffassen, und die folgenden Modelle zeigen, daß Vektoren sehr wohl von Pfeilklassen verschieden sein können.

### Modelle für Vektorräume

Wir interpretieren die Grundbegriffe $\mathfrak{w}, \oplus, \odot, K, +$ und $\cdot$. Der Leser mache sich jeweils klar, daß die Axiome *1)* bis *4)* zusammen mit den Gruppenaxiomen für $(\mathfrak{w}, \oplus)$ in wahre Aussagen übergehen:

*1)* Sei $\mathfrak{w}$ die Menge der Translationen der Ebene, sei $\oplus$ die Nacheinanderausführung von Abbildungen, sei $(K, +, \cdot)$ der Körper der reellen Zahlen und sei $k \odot \vec{a}$ für $k \in K$ und $\vec{a} \in \mathfrak{w}$ als diejenige Translation gekennzeichnet, die die Richtung von $\vec{a}$ besitzt (falls $k > 0$; für $k < 0$ besitzt sie entgegengesetzte Richtung) und deren »Schublänge« das $k$-fache der »Schublänge« von $\vec{a}$ beträgt.

*2)* Sei $\mathfrak{w}$ die Menge der Pfeilklassen der Ebene (in einer Klasse liegen genau die Pfeile mit gleicher Länge und gleicher Richtung) und sei für zwei Pfeilklassen mit den Repräsentanten $\vec{a}$ und $\vec{b}$ deren Summe als diejenige Pfeilklasse, in der der Pfeil $(\vec{a} \oplus \vec{b})$ liegt (siehe linke Figur auf S. 74) erklärt, sei $(K, +, \cdot)$ der Körper der reellen Zahlen und sei die S-Multiplikation einer reellen Zahl mit einer Pfeilklasse (mit Repräsentanten $\vec{a}$) als diejenige Pfeilklasse erklärt, in der der Pfeil liegt, der die Richtung von $\vec{a}$ besitzt und dessen Länge das $k$-fache der Länge von $\vec{a}$ beträgt (falls $k > 0$; für $k < 0$ die entgegengesetzte Richtung von $\vec{a}$).

*3)* Sei $\mathfrak{w}$ die Menge der $n$-Tupel reeller Zahlen und sei für

$$\vec{a} = (a_1, ..., a_n) \quad \text{und} \quad \vec{b} = (b_1, ..., b_n)$$

mit $a_i, b_i \in R, i = 1, ..., n$, die Verknüpfung $\oplus$ durch

$$\vec{a} \oplus \vec{b} = (a_1 + b_1, ..., a_n + b_n)$$

festgelegt. $(K, +, \cdot)$ sei der Körper der reellen Zahlen und $\odot$ sei definiert durch

$$r \odot \vec{a} = r \odot (a_1, ..., a_n) = (ra_1, ..., ra_n) \quad \text{mit} \quad r \in R \text{ und } \vec{a} \in \mathfrak{w}.$$

Man nennt diesen Vektorraum den Raum der $n$-Tupel oder den arithmetischen Vektorraum (für $n = 2$ und $n = 3$ erhält man für $\mathfrak{w}$ die Menge der Punkte der Ebene bzw. die Menge der Punkte des Raumes).

*4)* Sei $\mathfrak{w}$ die Menge der $(2 \times 2)$-Matrizen, sei $\oplus$ die Matrizenaddition, sei $(K, +, \cdot)$ der Körper der reellen Zahlen und sei $\odot$ für $r \in K$ und $\vec{a} \in \mathfrak{w}$ definiert durch den Ausdruck

$$r \odot \vec{a} = r \odot \begin{pmatrix} a_{11} & a_{12} \\ a_{21} & a_{22} \end{pmatrix} = \begin{pmatrix} ra_{11} & ra_{12} \\ ra_{21} & ra_{22} \end{pmatrix}.$$

5) Sei $X$ eine nicht leere Menge und sei $(K, +, \cdot)$ ein beliebiger Körper. Sei $\mathfrak{w}$ die Menge aller Abbildungen von $X$ in $K$. Für $f, g \in \mathfrak{w}$, $r \in K$ und $x \in X$ sei

$$(f \oplus g)(x) = f(x) + g(x);$$
$$(r \odot f)(x) = r \cdot f(x).$$

6) Sei $\mathfrak{w}$ die Menge der Polynome n-ten Grades und sei für $\vec{a}, \vec{b} \in \mathfrak{w}$ die Abbildung $\oplus$ definiert durch

$$\vec{a} \oplus \vec{b} = (a_0 x^0 + a_1 x^1 + \ldots + a_n x^n) \oplus (b_0 x^0 + b_1 x^1 + \ldots + b_n x^n)$$
$$= ((a_0 + b_0) x^0 + (a_1 + b_1) x^1 + \ldots + (a_n + b_n) x^n) \quad \text{mit}$$
$$a_i, b_i \in R.$$

Sei $(K, +, \cdot)$ der Körper der reellen Zahlen und sei für $r \in K$ und $\vec{a} \in \mathfrak{w}$ die Abbildung $\odot$ definiert durch

$$r \odot \vec{a} = r \odot (a_0 x^0 + a_1 x^1 + \ldots + a_n x^n) = (ra_0 x^0 + ra_1 x^1 + \ldots + ra_n x^n).$$

7) Sei $(K, +, \cdot)$ ein Körper, sei $(\mathfrak{w}, \oplus) = (K, +)$ und stimme $\odot$ mit $\cdot$ überein.

Im folgenden stellen wir einige Begriffe zusammen, die sich bei einer vektoriellen Behandlung der analytischen Geometrie als nützlich erwiesen haben ($\rightarrow$ Geometrie).

**Definition:** Die Menge $\{\vec{a}_1, \ldots, \vec{a}_n\}$ der Vektoren $\vec{a}_1, \ldots, \vec{a}_n$ heißt *linear unabhängig* genau dann, wenn für alle $(r_1, \ldots, r_n) \in R^n$ gilt:

Aus $\qquad (r_1 \odot \vec{a}_1) \oplus \ldots \oplus (r_n \odot \vec{a}_n) = \vec{0}$

folgt $\qquad r_1 = \ldots = r_n = 0$.

Ist eine Menge von Vektoren nicht linear unabhängig, so heißt sie *linear abhängig*.

Man beachte, daß es zum Nachweis der Negation der linearen Unabhängigkeit einer Menge von Vektoren genügt, mindestens eine Zahl $r_i \neq 0$ mit $(r_1 \odot \vec{a}_1)$ $\oplus \ldots \oplus (r_i \odot \vec{a}_i) \oplus \ldots \oplus (r_n \cdot \vec{a}_n) = \vec{0}$ anzugeben.

*Beispiel:* In Modell 3 mit $n = 2$ ist die Menge $\{(1, 2), (2, 4)\}$ linear abhängig, weil aus

$$(r_1 \odot (1, 2)) \oplus (r_2 \odot (2, 4)) = (0, 0)$$

nicht notwendig folgt, daß $r_1 = r_2 = 0$ gilt, denn $r_1 = 2$ und $r_2 = -1$ erfüllen ebenfalls diese Bedingung. Dagegen ist die Menge $\{(1, 2), (2, 1)\}$ linear unabhängig, da aus

$$(r_1 \odot (1, 2)) \oplus (r_2 \odot (2, 1)) = (0, 0)$$

folgt: $\qquad (r_1, 2r_1) \oplus (2r_2, r_2) = (0, 0),$

was wegen $\qquad r_1 + 2r_2 = 0 \quad \text{und} \quad 2r_1 + r_2 = 0$

nur die Lösung $\qquad r_1 = r_2 = 0$

zuläßt. Dieses Beispiel weist auf einen Zusammenhang von linearer Abhängigkeit und der Lösbarkeit von Gleichungssystemen hin.

Wie man sich leicht veranschaulichen kann, läßt sich jeder Pfeil in der Ebene eindeutig aus zwei geeignet ausgewählten fest vorgegebenen Pfeilen darstellen. In der linken Figur läßt sich $\vec{a}$ aus $\vec{e}_1$ und $\vec{e}_2$ dadurch erhalten, daß man zu einem geeigneten Vielfachen von $\vec{e}_1$ ein geeignetes Vielfaches von $\vec{e}_2$ vektoriell addiert.

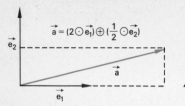 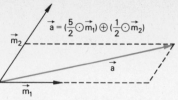

*Linearkombination von Vektoren*

Der Vektor $\vec{a}$ heißt Linearkombination der Vektoren $\vec{e}_1$ und $\vec{e}_2$. Es ist übrigens nicht notwendig, daß die beiden Pfeile $\vec{e}_1$ und $\vec{e}_2$ die gleiche Länge haben und senkrecht aufeinander stehen. Die Pfeile $\vec{m}_1$ und $\vec{m}_2$ in der rechten Figur erfüllen ebenfalls diese Forderung. Dies führt zu folgendem Begriff:

**Definition:** Ein Vektor $\vec{a}$ heißt *Linearkombination der Vektoren* $\vec{a}_1, \ldots, \vec{a}_n$ aus $\mathfrak{w}$ genau dann, wenn es Skalare $r_1, \ldots, r_n$ aus $K$ gibt mit

$$\vec{a} = (r_1 \odot \vec{a}_1) \oplus (r_2 \odot \vec{a}_2) \oplus \ldots \oplus (r_n \odot \vec{a}_n).$$

*Beispiel:* Im Modell 3 mit $n = 3$ ist der Vektor $(1, -2, 5)$ eine Linearkombination der Vektoren $(1, 1, 1)$, $(1, 2, 3)$ und $(2, -1, 1)$. Es gilt:

$$(1, -2, 5) = [-6 \odot (1, 1, 1)] \oplus [3 \odot (1, 2, 3)] \oplus [2 \odot (2, -1, 1)].$$

Der Vektorraum der Paare reeller Zahlen (Modell 3, $n = 2$) enthält überabzählbar unendlich viele Elemente. Jeder dieser Vektoren läßt sich (sogar eindeutig) als Linearkombination aus zwei geeigneten Vektoren, etwa $(0, 1)$ und $(1, 0)$ darstellen – man kann gewissermaßen auf die übrigen Vektoren verzichten, die sich aus $(0, 1)$ und $(1, 0)$ rekonstruieren lassen. Dies legt folgende Begriffsbildung nahe:

**Definition:** Die Menge $\{\vec{e}_1, \ldots, \vec{e}_n\}$ von Vektoren heißt *Basis* eines Vektorraums genau dann, wenn sich jeder Vektor als Linearkombination der Vektoren $\vec{e}_1, \ldots, \vec{e}_n$ darstellen läßt und die Menge $\{\vec{e}_1, \ldots, \vec{e}_n\}$ minimal mit dieser Eigenschaft ist (d.h. $n$ ist die kleinste natürliche Zahl mit dieser Eigenschaft). Die natürliche Zahl $n$ heißt *Dimension* des Vektorraumes.

*Beispiele:* In Modell 1 bilden etwa die beiden Translationen »Verschiebe um drei Einheiten nach oben« und »Verschiebe um fünf Einheiten nach links« eine Basis. In Modell 3 ($n = 2$) bilden $(2, 1)$ und $(-2, 3)$ eine Basis. In Modell 6 ($n = 2$) bildet die Polynommenge $\{1, x-1, x^2 - 2x + 1\}$ eine Basis.

Die angeführten Beispiele legen die Vermutung nahe, daß jeder Vektorraum eine Basis besitzt. Wir führen diesen (nicht trivialen!) Satz ohne Beweis an.

**Satz:**    Jeder Vektorraum besitzt eine Basis.

Wie man am Modell 3 für ($n = 2$) an den beiden Basen $\{(0, 1), (1, 0)\}$ und $\{(1, 1), (-1, 1)\}$ erkennt, kann es in einem Vektorraum mehrere Basen geben.
Aus diesem Grunde vermeidet man gern die Auszeichnung einer bestimmten Basis (weil sie nicht eindeutig bestimmt und deshalb willkürlich ist!). Nach Festlegung einer bestimmten Basis ist das sog. Rechnen mit Koordinaten möglich.

In diesem Fall läßt sich jeder Vektor *eindeutig* aus seinen Basisvektoren darstellen.

Als *Deduktionsübung* beweisen wir für Vektorräume den folgenden Satz.

**Satz:** In jedem Vektorraum $(K, \mathfrak{w}, +, \cdot, \oplus, \odot)$ gilt für alle $k \in K$ und $\vec{a} \in \mathfrak{w}$:

*a)* $k \odot \vec{0} = \vec{0}$   ($\vec{0}$ neutrales Element in $\mathfrak{w}$).

*b)* Aus $k \odot \vec{a} = \vec{0}$ folgt $k = 0$ oder $\vec{a} = \vec{0}$.

*c)* $\{\vec{0}\}$ ist linear abhängig.

*d)* Ist der Vektor $\vec{a}$ eine Linearkombination der Vektoren $\vec{a}_1, \ldots, \vec{a}_n$, so ist $\{\vec{a}, \vec{a}_1, \ldots, \vec{a}_n\}$ linear abhängig.

*e)* Ist $\{\vec{a}_1, \ldots, \vec{a}_n\}$ linear abhängig, so ist mindestens einer dieser Vektoren Linearkombination der übrigen.

*f)* Jeder Vektor läßt sich eindeutig als Linearkombination aus seinen Basisvektoren darstellen.

*Beweis: a)* $\vec{0} = \vec{0} \oplus \vec{0}$   ($\vec{0}$ ist neutrales Element in $\mathfrak{w}$ bezüglich $\oplus$).

$k \odot \vec{0} = k \odot (\vec{0} \oplus \vec{0})$ (S-Multiplikation mit k von links auf beiden Seiten ist eindeutig).

$k \odot \vec{0} = (k \odot \vec{0}) \oplus (k \odot \vec{0})$   (Axiom *1)*, Streichungsregel für Gruppen),

$\vec{0} = k \odot \vec{0}$

*b)* Unter der Voraussetzung $k \odot \vec{a} = \vec{0}$ und $k \neq 0$ werden wir $\vec{a} = \vec{0}$ herleiten. Wegen $k \neq 0$ existiert ein Element $k^I \in K$ mit $k^I \cdot k = 1$.

Aus                             $k \odot \vec{a} = \vec{0}$

ergibt sich bei S-Multiplikation mit $k^I$ von
links auf beiden Seiten $k^I \odot (k \odot \vec{a}) = k^I \odot \vec{0}$,
woraus wegen des bereits bewiesenen Teiles *a)* dieses Satzes und Axiom *3)*

$$(k^I \cdot k) \odot \vec{a} = \vec{0}$$

folgt.

Wegen $k^I \cdot k = 1$ und Axiom *4)* ergibt sich $\vec{a} = \vec{0}$.

*c)* Wegen $1 \odot \vec{0} = \vec{0}$ und $1 \neq 0$ ist $\{\vec{0}\}$ linear abhängig. (Es genügt also bereits einer, um abhängig zu sein!!).

*d)* Nach Voraussetzung gibt es Skalare $r_1, \ldots, r_n$ mit

$$\vec{a} = (r_1 \odot \vec{a}_1) \oplus \ldots \oplus (r_n \odot \vec{a}_n), \quad \text{woraus}$$

$$(r_1 \odot \vec{a}_1) \oplus \ldots \oplus (r_n \odot \vec{a}_n) \oplus (-\vec{a}) = \vec{0} \quad \text{folgt.}$$

In dieser Darstellung ist jedoch mindestens der letzte Koeffizient von Null verschieden ($-1 \neq 0$!). Also ist die Menge $\{\vec{a}_1, \ldots, \vec{a}_n\}$ linear abhängig.

*e)* Wegen der linearen Abhängigkeit von $\{\vec{a}_1, \ldots, \vec{a}_n\}$ gibt es Skalare $r_1, \ldots, r_n$, die nicht alle Null sein können mit

$$(r_1 \odot \vec{a}_1) \oplus \ldots \oplus (r_i \odot \vec{a}_i) \oplus \ldots \oplus (r_n \odot \vec{a}_n) = \vec{0}.$$

Ohne Beschränkung der Allgemeinheit nehmen wir an, daß etwa für den $i$-ten Skalar gilt

$$r_i \neq 0.$$

Deshalb gibt es in $K$ ein Element $(r_i)^I$ mit $(r_i)^I \cdot r_i = 1$ und es gilt weiter:

$$r_i \odot \vec{a}_i = [(-r_1) \odot \vec{a}_1] \oplus \ldots \oplus [(-r_n) \odot \vec{a}_n]$$

$$\vec{a}_i = [r_i{}^I \odot ((-r_1) \odot \vec{a}_1)] \oplus \ldots \oplus [r_i{}^I \odot ((-r_n) \odot \vec{a}_n)]$$

$$= [(r_i{}^I \cdot (-r_1)) \odot \vec{a}_1] \oplus \ldots \oplus [(r_i{}^I \cdot (-r_n)) \odot \vec{a}_n].$$

Die letzte Zeile besagt gerade, daß $\vec{a}$ Linearkombination der Vektoren $\vec{a}_1, \ldots, \vec{a}_n$ ist.

*f)* Sei $\{\vec{e}_1, \ldots, \vec{e}_n\}$ eine Basis des Vektorraumes. Wir führen den Beweis indirekt: Angenommen, es gäbe einen Vektor $\vec{a}$, der sich auf zwei verschiedene Arten als Linearkombination aus den Basisvektoren darstellen ließe. Dann gäbe es Skalare $r_1, \ldots, r_n$ und $s_1, \ldots, s_n$ in $K$ mit

$$\vec{a} = (r_1 \odot \vec{a}_1) \oplus \ldots \oplus (r_n \odot \vec{a}_n)$$

*und*
$$\vec{a} = (s_1 \odot \vec{a}_1) \oplus \ldots \oplus (s_n \odot \vec{a}_n),$$

wobei mindestens für einen geeigneten Index $i$ gilt $s_i \neq r_i$.

Hieraus folgt

$$(r_1 \odot \vec{e}_1) \oplus \ldots \oplus (r_n \odot \vec{e}_n) = (s_1 \odot \vec{e}_1) \oplus \ldots \oplus (s_n \odot \vec{e}_n),$$

woraus sich aus den Rechenregeln für $(\mathfrak{w}, \oplus)$ und wegen Axiom *2)*

$$[(r_1 + (-s_1)) \odot \vec{e}_1] \oplus \ldots + [(r_n + (-s_n)) \odot \vec{e}_n] = \vec{0}$$

ergibt. Wegen der linearen Unabhängigkeit von $\{\vec{e}_1, \ldots, \vec{e}_n\}$ folgt hieraus

$$r_i + (-s_i) = \vec{0}$$

oder $\qquad\qquad r_i = s_i \quad$ für alle $\; i = 1, \ldots, n,$

was im Widerspruch zur Annahme steht, daß es mindestens einen Index $i$ mit $r_i \neq s_i$ gibt. Also ist die Darstellung aus den Basisvektoren eindeutig.

### Aufgaben

*41)* $\{\vec{a}, \vec{b}, \vec{c}\}$ sei eine linear unabhängige Menge von Vektoren. Zeigen Sie: $\{\vec{a} \oplus \vec{b}, \vec{a} \oplus (-\vec{b}), \vec{a} \oplus (-2b) \oplus \vec{c}\}$ ist ebenfalls eine linear unabhängige Menge.

*42)* Zeigen Sie: Eine Menge $\{\vec{a}_1, \ldots, \vec{a}_n\}$ von Vektoren, die den Nullvektor enthält, ist eine linear abhängige Menge.

*43)* Sei $(\mathfrak{w}, \oplus)$ die additive Gruppe $(R, +)$ der reellen Zahlen, sei $(K, +, \cdot)$ der Körper der rationalen Zahlen und sei $\odot$ die Multiplikation für reelle Zahlen. Zeigen Sie: $\{\frac{3}{4}, \sqrt{2}\}$ ist linear unabhängig.

*44)* Geben Sie für den Vektorraum in Modell 3 $(n = 3)$ zwei verschiedene Basen an.

*45)* Zeigen Sie, daß in dem Vektorraum im Modell 3 $(n = 3)$ jeder Vektor als Linearkombination aus

$$(1, 2, 3), \quad (0, 1, 2) \quad \text{und} \quad (0, 0, 1)$$

darstellbar ist.

*46)* Schreiben Sie im Vektorraum im Modell 4 die Matrix $\begin{pmatrix} 3 & 1 \\ 1 & -1 \end{pmatrix}$ als Linearkombination der Matrizen

$$\begin{pmatrix} 1 & 1 \\ 1 & 0 \end{pmatrix}, \begin{pmatrix} 0 & 0 \\ 1 & 1 \end{pmatrix} \quad \text{und} \quad \begin{pmatrix} 0 & 2 \\ 0 & -1 \end{pmatrix}.$$

*47)* Zeigen Sie, daß in einem Vektorraum für jeden Skalar $r$ und jeden Vektor $\vec{a}$ gilt:

$$(-r) \odot \vec{a} = -(r \odot \vec{a}).$$

# Lösungen der Aufgaben

### Verknüpfungsgebilde

*1)* *a)* Verknüpfungsgebilde;
 *b)* Verknüpfungsgebilde;
 *c)* kein Verknüpfungsgebilde, da $2 * (-1) = 2^{-1} = \frac{1}{2} \notin Z$;
 *d)* kein Verknüpfungsgebilde, da $2 * 3 = -3 + 2 = -1 \notin N$;
 *e)* Verknüpfungsgebilde;
 *f)* kein Verknüpfungsgebilde, da zwei verschiedene Spiegelungen nicht durch eine Spiegelung ersetzbar sind.

*2)* *a)* Wegen $2 * 1 \neq 1 * 2$ nicht kommutativ und wegen $(2 * 3) * 4 \neq 2 * (3 * 4)$ nicht assoziativ;
 *b)* Wegen $(2 * 3) \neq (3 * 2)$ nicht kommutativ und wegen $(2 * 3) * 4 \neq 2 * (3 * 4)$ nicht assoziativ;
 *e)* Wegen $2 * 3 \neq 3 * 2$ nicht kommutativ; die Verknüpfung ist assoziativ.

*3)* *a)* Wegen $2 * 3 \neq 3 * 2$ nicht kommutativ, wegen $(2 * 3) * 4 \neq 2 * (3 * 4)$ nicht assoziativ;
 *b)* Wegen $a * b = b * a$ kommutativ; die Verknüpfung ist auch assoziativ;
 *c)* Die Verknüpfung ist kommutativ, aber wegen $(1 * 2) * 3 \neq 1 * (2 * 3)$ nicht assoziativ;
 *d)* Die Verknüpfung ist kommutativ und assoziativ.

*4)* Eine mögliche Antwort ist:
 *a)* $(N, *)$ mit $a * b = a + b$;
 *b)* $(R, *)$ mit $a * b = |a - b|$;
 *c)* $(N, *)$ mit $a * b = a$;
 *d)* $(Z, *)$ mit $a * b = a - b$.

*5)* *a)* kein neutrales Element; $\quad 0; \quad 0; \quad 1; \quad 1;$
 *b)* $(0,1)$;
 *c)* $-2$;
 *d)* $M, \emptyset$;
 *e)* $0$;
 *f)* $0$;
 *g)* Die linke Tafel besitzt kein neutrales Element, die mittlere Tafel besitzt 1, die rechte Tafel 2 als neutrales Element.

*6)* *a)* Es existiert kein neutrales Element;
 *b)* jedes von 1 verschiedene Element besitzt ein Inverses;
 *c)* jedes Element ist zu sich selbst invers.
 *d)* *1)* Das Verknüpfungsgebilde ist assoziativ, das neutrale Element ist 1, und nur 1 und 3 besitzen Inverse (linke Tafel).
 *2)* Wegen $4 * (2 * 3) \neq (4 * 2) * 3$ ist das Verknüpfungsgebilde nicht assoziativ; das neutrale Element ist 1, und jedes Element besitzt ein eindeutig bestimmtes Inverses (mittlere Tafel).
 *3)* Das Verknüpfungsgebilde ist assoziativ. Es existiert kein neutrales Element (rechte Tafel).

**Operationentreue Abbildungen**

7)  *a)* operationentreu;

   *b)* operationentreu;

   *c)* operationentreu;

   *d)* nicht operationentreu, da  $f(a + b) = 2(a + b) + 1 = 2a + 2b + 1$
   und  $f(a) + f(b) = (2a + 1) + (2b + 1) = 2a + 2b + 2$  (setze  $a = 3$
   und  $b = 4$);

   *e)* nicht operationentreu, da  $f(a + b) = 1$  und  $f(a) + f(b) = 1 + 1$
   (setze  $a = 2$  und  $b = 3$);

   *f)* operationentreu;

   *g)* nicht operationentreu, da  $f(a + b) = (a + b)^2$  und
   $f(a) + f(b) = a^2 + b^2$  (setze  $a = b = 1$);

   *h)* nicht operationentreu, da  $f(5 \cdot 7) = f(35) = -1$  und
   $f(5) \cdot f(7) = (-1) \cdot (-1) = (+1)$;

   *i)* operationentreu.

8)  *a)* nicht operationentreu, da  $f(1 * 2) \neq f(1) \circ f(2)$;

   *b)* nicht operationentreu, da  $f(1 * 2) \neq f(1) \circ f(2)$;

   *c)* nicht operationentreu, da  $f(1 * 2) \neq f(1) \circ f(2)$;

   *d)* nicht operationentreu, da  $f(1 * 2) \neq f(1) \circ f(2)$;

   *e)* operationentreu;

   *f)* nicht operationentreu, da  $f(2 * 3) \neq f(2) \circ f(3)$.

**Gruppen**

9)  $(M, *)$ ist eine kommutative Gruppe mit folgender Tafel:

| $*$ | $f_1$ | $f_2$ | $f_3$ | $f_4$ |
|---|---|---|---|---|
| $f_1$ | $f_1$ | $f_2$ | $f_3$ | $f_4$ |
| $f_2$ | $f_2$ | $f_1$ | $f_4$ | $f_3$ |
| $f_3$ | $f_3$ | $f_4$ | $f_1$ | $f_2$ |
| $f_4$ | $f_4$ | $f_3$ | $f_2$ | $f_1$ |

10)  $(M *)$ ist eine Gruppe mit folgender Tafel:

| $*$ | $f_1$ | $f_2$ | $f_3$ | $f_4$ | $f_5$ | $f_6$ |
|---|---|---|---|---|---|---|
| $f_1$ | $f_1$ | $f_2$ | $f_3$ | $f_4$ | $f_5$ | $f_6$ |
| $f_2$ | $f_2$ | $f_3$ | $f_1$ | $f_5$ | $f_6$ | $f_4$ |
| $f_3$ | $f_3$ | $f_1$ | $f_2$ | $f_6$ | $f_4$ | $f_5$ |
| $f_4$ | $f_4$ | $f_6$ | $f_5$ | $f_1$ | $f_3$ | $f_2$ |
| $f_5$ | $f_5$ | $f_4$ | $f_6$ | $f_2$ | $f_1$ | $f_3$ |
| $f_6$ | $f_6$ | $f_5$ | $f_4$ | $f_3$ | $f_2$ | $f_1$ |

11)  *a)* Gruppentafel für ($\{1, 3, 5, 7\}, *$):

| $*$ | 1 | 3 | 5 | 7 |
|---|---|---|---|---|
| 1 | 1 | 3 | 5 | 7 |
| 3 | 3 | 1 | 7 | 5 |
| 5 | 5 | 7 | 1 | 3 |
| 7 | 7 | 5 | 3 | 1 |

*b)* Gruppentafel für ($\{1, 5, 7, 11\}, *$)

| * | 1 | 5 | 7 | 11 |
|---|---|---|---|----|
| 1 | 1 | 5 | 7 | 11 |
| 5 | 5 | 1 | 11 | 7 |
| 7 | 7 | 11 | 1 | 5 |
| 11 | 11 | 7 | 5 | 1 |

*c)* Gruppe; *d)* Gruppe; *e)* Gruppe.

*e)* Bei der Ersetzung von $Z$ durch $N$ ist das Verknüpfungsgebilde ($\{2^n; n \in N\}, \cdot$) nur eine Halbgruppe ohne neutrales Element.

*12)* Ein Rechteck besitzt genau 4 Deckabbildungen (linke Figur):

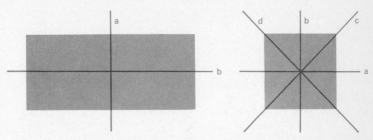

Links *Deckabbildungen eines Rechtecks;* rechts *Deckabbildungen eines Quadrats*

$D_0$ = Drehung um den Mittelpunkt um $0°$;
$D_{180}$ = Drehung um den Mittelpunkt um $180°$;
$S_a$ = Spiegelung an der Achse $a$;
$S_b$ = Spiegelung an der Achse $b$.

Die Gruppentafel hat folgende Gestalt:

| * | $D_0$ | $D_{180}$ | $S_a$ | $S_b$ |
|---|-------|-----------|-------|-------|
| $D_0$ | $D_0$ | $D_{180}$ | $S_a$ | $S_b$ |
| $D_{180}$ | $D_{180}$ | $D_0$ | $S_b$ | $S_a$ |
| $S_a$ | $S_a$ | $S_b$ | $D_0$ | $D_{180}$ |
| $S_b$ | $S_b$ | $S_a$ | $D_{180}$ | $D_0$ |

*13)* Ein Quadrat besitzt genau 8 Deckabbildungen (rechte Figur):
$D_0$ = Drehung um den Mittelpunkt um $0°$;
$D_{90}$ = Drehung um den Mittelpunkt um $90°$;
$D_{180}$ = Drehung um den Mittelpunkt um $180°$;
$D_{270}$ = Drehung um den Mittelpunkt um $270°$;
$S_a$ = Spiegelung an der Achse $a$;
$S_b$ = Spiegelung an der Achse $b$;
$S_c$ = Spiegelung an der Achse $c$;
$S_d$ = Spiegelung an der Achse $d$.

Die Gruppentafel hat folgende Gestalt:

| * | $D_0$ | $D_{90}$ | $D_{180}$ | $D_{270}$ | $S_a$ | $S_b$ | $S_c$ | $S_d$ |
|---|-------|----------|-----------|-----------|-------|-------|-------|-------|
| $D_0$ | $D_0$ | $D_{90}$ | $D_{180}$ | $D_{270}$ | $S_a$ | $S_b$ | $S_c$ | $S_d$ |
| $D_{90}$ | $D_{90}$ | $D_{180}$ | $D_{270}$ | $D_0$ | $S_d$ | $S_c$ | $S_a$ | $S_b$ |
| $D_{180}$ | $D_{180}$ | $D_{270}$ | $D_0$ | $D_{90}$ | $S_b$ | $S_a$ | $S_d$ | $S_c$ |
| $D_{270}$ | $D_{270}$ | $D_0$ | $D_{90}$ | $D_{180}$ | $S_c$ | $S_d$ | $S_b$ | $S_a$ |
| $S_a$ | $S_a$ | $S_c$ | $S_b$ | $S_d$ | $D_0$ | $D_{180}$ | $D_{90}$ | $D_{270}$ |
| $S_b$ | $S_b$ | $S_d$ | $S_a$ | $S_c$ | $D_{180}$ | $D_0$ | $D_{270}$ | $D_{90}$ |
| $S_c$ | $S_c$ | $S_b$ | $S_d$ | $S_a$ | $D_{270}$ | $D_{90}$ | $D_0$ | $D_{180}$ |
| $S_d$ | $S_d$ | $S_a$ | $S_c$ | $S_b$ | $D_{90}$ | $D_{270}$ | $D_{180}$ | $D_0$ |

14) a) $(U_1, +)$  mit  $U_1 = \{2^x, x \in Z\}$;
   $(U_2, +)$  mit  $U_2 = \{4^x, x \in Z\}$;
   $(U_3, +)$  mit  $U_3 = \{8^x, x \in Z\}$.

   b) Es gibt keine echte Untergruppe von $(Z, +)$, die die Elemente 2 und 3 enthält, da eine solche Gruppe wegen der Lösbarkeit der Gleichung $2 + x = 3$ das Element 1 enthielt und dadurch mit $(Z, +)$ identisch wäre.

15) Die folgenden Mengen $U_i$ mit $i = 1,\dots, 10$ sind Trägermengen für Untergruppen

   $U_1 = \{D_0\}$;
   $U_2 = \{D_0, D_{180}\}$;
   $U_3 = \}D_0, D_{90}, D_{180}, D_{270}\}$;
   $U_4 = \{D_0, S_a\}$;
   $U_5 = \{D_0, S_b\}$;
   $U_6 = \{D_0, S_c\}$;
   $U_7 = \{D_0, S_d\}$;
   $U_8 = \{D_0, D_{180}, S_a, S_b\}$;
   $U_9 = \{D_0, D_{180}, S_c, S_d\}$;
   $U_{10} = \{D_0, D_{90}, D_{180}, D_{270}, S_a, S_b, S_c, S_d\}$.

16) a) $(G, *)$ ist keine Gruppe, da das Produkt zweier verschiedener Spiegelungen keine Spiegelung ergibt.

   b) Durch Hinzunahme der Deckdrehungen wird $(G, *)$ eine Gruppe.

17) Die Menge der »kürzesten« Wörter enthält folgende Elemente: $L, A, AA, B,$ $AB, AAB$.

18) Jedes von $D_0$ verschiedene Element in dieser Gruppe ist erzeugendes Element.

19) Die Elemente $AB$ und $AAB$ erzeugen die Gruppe.

## Ringe

20) Durch Nachrechnen bestätigt man, daß
   a) $(Z, \oplus)$ eine kommutative Gruppe mit dem neutralen Element $-1$ ist, für die gilt:
$$\text{Inv } a = -(a + 2);$$

   b) $(Z, \odot)$ eine Halbgruppe ist und

*c)* die beiden Distributivgesetze gelten.

Die Ringnull ist das Element $-1$ und die Ringeins das Element $0$.

21) Durch Nachprüfen der Ringaxiome läßt sich unter Zuhilfenahme der Rechengesetze für rationale Zahlen zeigen, daß $(S, \oplus, \odot)$ ein kommutativer Ring ist, dessen Null das Element $(0, 0)$ und dessen Eins das Element $(1, 0)$ darstellt. Alle Elemente der Gestalt $(0, s)$ mit $s \in Q$ sind Nullteiler, denn es gilt:

$$(0, s) \odot (0, s) = (0, 0).$$

22) Nullteiler sind die Elemente $2, 3, 4, 6, 8, 9, 10$.

23) Die Lösungsmengen $L$ heißen:

    *a)* $L = \{4\}$;

    *b)* $L = \emptyset$;

    *c)* $L = \{1, 2, 4, 5\}$;

    *d)* $L = \{0, 3\}$.

24) $\begin{pmatrix} x_1 & x_2 \\ x_3 & x_4 \end{pmatrix} = \begin{pmatrix} 1 & -4 \\ 0 & 2 \end{pmatrix}$.

25) Die vollständige Multiplikationstafel lautet:

| $\odot$ | $a$ | $b$ | $c$ | $d$ |
|---|---|---|---|---|
| $a$ | $a$ | $a$ | $a$ | $a$ |
| $b$ | $a$ | $b$ | $a$ | $b$ |
| $c$ | $a$ | $a$ | $c$ | $c$ |
| $d$ | $a$ | $b$ | $c$ | $d$ |

Die Bestimmung von $d \odot d$ kann folgendermaßen geschehen:

$$d \odot d = d \odot (b \oplus c) = (d \odot b) \oplus (d \odot c) = b \oplus c = d.$$

Entsprechend lassen sich die übrigen Lücken in der Tafel schließen. Wegen der Symmetrie der Multiplikationstafel zur Hauptdiagonale ist der Ring kommutativ. Seine Null ist das Element $a$, seine Eins ist das Element $d$.

26) Der Beweis enthält zwei Fehler:

*1)* Im schematischen Anwenden der als Binomische Formel bekannten Aussage, bei deren Herleitung bereits das Kommutativgesetz der Multiplikation verwendet wird. Allein mit Hilfe der Ringaxiome läßt sich nur zeigen:

$$(a + b)^2 = (a + b)(a + b) = a(a + b) + b(a + b)$$
$$= a^2 + ab + ba + b^2.$$

Dieser Ausdruck kann nur zu $a^2 + 2ab + b^2$ vereinfacht werden, falls $ab = ba$ gilt. Dies ist jedoch gerade zu zeigen.

*2)* Da nicht jeder Ring eine Eins besitzt, ist die Inversenbildung (hier die Division durch 2) nicht immer möglich!

27) Der Fehler steckt beim Übergang von der 3. zur 4. Zeile: Die Division durch Null $(x - x)$ ist nicht statthaft, da Null kein Inverses bezüglich der Multiplikation besitzt (es gibt keine Zahl $x$ mit $0 \cdot x = 1$!). Der Ring müßte außerdem kommutativ sein, da ja sonst schon die Ausgangsbeziehung falsch wäre.

28) *1)* Aus $g + g = (g + g)^2 = g^2 + g^2 + g^2 + g^2 = g + g + g + g$ folgt

    $g + g = 0$     oder     $g = -g$.

*2)* Aus $g + h = (g + h)^2 = (g + h)(g + h) = g^2 + gh + hg + h^2$

$\quad\quad = g + gh + hg + h$ folgt

$\quad\quad gh + hg = 0$   oder   $gh = -hg$,   was wegen *1)*

$\quad\quad\quad gh = hg$   impliziert.

## Körper

*29)* Inv $1 = 1$;   Inv $2 = 4$;
Inv $3 = 5$;   Inv $4 = 2$;
Inv $5 = 3$;   Inv $6 = 6$.

*30)* Aus $(2 + 3\sqrt{5}) \cdot (x + y\sqrt{5}) = 1 + 0\sqrt{5} = 1$ folgt

$\quad\quad x = -\frac{2}{41}, y = \frac{3}{41}$;   Inv $(2 + 3\sqrt{5}) = \left(-\frac{2}{41} + \frac{3}{41} \cdot \sqrt{5}\right)$.

*31)* Mit Hilfe der Rechenregeln für rationale Zahlen lassen sich die Körper-axiome nachweisen.

*32)* Es ist zu zeigen, daß jedes von Null verschiedene Ringelement *a* ein Inverses besitzt, d.h., daß ein Element *b* existiert mit $a \cdot b = 1$.

Seien $0, 1, a_1, \ldots, a_n$ alle Elemente des endlichen kommutativen Ringes. Wir multiplizieren jedes Element mit *a* und erhalten die Elemente

$$0, a, aa_1, \ldots, aa_n.$$

Die Elemente $a, aa_1, \ldots, aa_n$ sind paarweise verschieden (denn wäre etwa $aa_i = aa_j$ für geeignete Indizes *i* und *j*, so würde $a_i = a_j$ folgen). Wegen der Nullteilerfreiheit des Ringes ist keines der Elemente $a, aa_1, \ldots, aa_n$ die Null des Ringes.

Die Menge $\{1, a_1, \ldots, a_n\}$ stimmt also mit der Menge $\{a, aa_1, \ldots, aa_n\}$ überein - nur die Reihenfolge kann verschieden sein. Hieraus folgt, daß entweder $a = 1$ gilt oder daß für einen geeigneten Index *i* gilt $aa_i = 1$. In beiden Fällen besitzt *a* ein Inverses.

*33)* Die beiden Tafeln haben folgende Gestalt:

| $\oplus$ | $a$ | $b$ |
|---|---|---|
| $a$ | $a$ | $b$ |
| $b$ | $b$ | $a$ |

| $\odot$ | $a$ | $b$ |
|---|---|---|
| $a$ | $a$ | $a$ |
| $b$ | $a$ | $b$ |

*34)* Das Element 3 erzeugt die Gruppe: $3^1 = 3, 3^2 = 4, 3^3 = 2, 3^4 = 1$.

*35)* Mit Hilfe des Distributivgesetzes erhält man:

$\quad\quad (a + b)^2 = (a + b)(a + b) = a(a + b) + b(a + b)$

$\quad\quad\quad\quad = (a^2 + ab) + (ba + b^2)$,

woraus sich wegen der Assoziativität der Addition
$a^2 + (ab + ba) + b^2$ ergibt. Der letzte Term kann mit Hilfe der Kommutativität der Multiplikation umgeformt werden zu $a^2 + 2ab + b^2$.

## Verbände

*36) a)* siehe linke Figur.

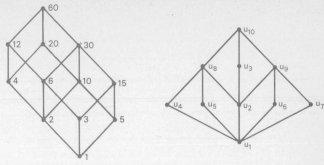

Links *Figur zur Lösung der Aufgabe 36a;* rechts *Figur zur Lösung der Aufgabe 36b*

*b)* Mit der bei der Lösung der Aufgabe eingeführten Bezeichnung ergibt sich das rechte Diagramm.

*37)* *1)* Für die erste Figur von links:

| $\sqcup$ | $a$ | $b$ | $c$ | $d$ | $e$ |
|---|---|---|---|---|---|
| $a$ | $a$ | $b$ | $c$ | $d$ | $e$ |
| $b$ | $b$ | $b$ | $d$ | $d$ | $e$ |
| $c$ | $c$ | $d$ | $c$ | $d$ | $e$ |
| $d$ | $d$ | $d$ | $d$ | $d$ | $e$ |
| $e$ | $e$ | $e$ | $e$ | $e$ | $e$ |

| $\sqcap$ | $a$ | $b$ | $c$ | $d$ | $e$ |
|---|---|---|---|---|---|
| $a$ | $a$ | $a$ | $a$ | $a$ | $a$ |
| $b$ | $a$ | $b$ | $a$ | $b$ | $b$ |
| $c$ | $a$ | $a$ | $c$ | $c$ | $c$ |
| $d$ | $a$ | $b$ | $c$ | $d$ | $d$ |
| $e$ | $a$ | $b$ | $c$ | $d$ | $e$ |

*2)* Für die zweite Figur von links:

| $\sqcup$ | $a$ | $b$ | $c$ | $d$ |
|---|---|---|---|---|
| $a$ | $a$ | $b$ | $c$ | $d$ |
| $b$ | $b$ | $b$ | $c$ | $d$ |
| $c$ | $c$ | $c$ | $c$ | $d$ |
| $d$ | $d$ | $d$ | $d$ | $d$ |

| $\sqcap$ | $a$ | $b$ | $c$ | $d$ |
|---|---|---|---|---|
| $a$ | $a$ | $a$ | $a$ | $a$ |
| $b$ | $a$ | $b$ | $b$ | $b$ |
| $c$ | $a$ | $b$ | $c$ | $c$ |
| $d$ | $a$ | $b$ | $c$ | $d$ |

*38)* $(a \sqcap b) \sqcup (b \sqcup c) = a \sqcup (b \sqcap a)$.

*39)* Es gilt $b \sqcup (c \sqcap d) = b \neq (b \sqcup c) \sqcap (b \sqcup d) = c$.

*40)* Das Element 2 besitzt kein Komplement.

## Vektorräume

*41)* Aus $[x \odot (\vec{a} \oplus \vec{b})] \oplus [y \odot (\vec{a} \oplus -\vec{b})] \oplus [z \odot (\vec{a} \oplus -2\vec{b} \oplus \vec{c})] = \vec{0}$ folgt

$$[(x + y + z) \odot \vec{a}] \oplus [(x - y - 2z) \odot \vec{b}] \oplus [z \odot \vec{c}] = \vec{0},$$

was wegen der linearen Unabhängigkeit von $\{\vec{a}, \vec{b}, \vec{c}\}$

$$x + y + \ z = 0;$$
$$x - y - 2z = 0;$$
$$z = 0$$

nach sich zieht, womit die lineare Unabhängigkeit der betrachteten Menge von Vektoren gezeigt ist.

42) Wegen $(1 \odot \vec{0}) \oplus (0 \odot \vec{a}_1) \oplus (0 \odot \vec{a}_2) \oplus \ldots \oplus (0 \odot \vec{a}_n) = \vec{0}$ ist die betrachtete Menge linear abhängig.

43) Aus $x \cdot \frac{3}{4} + y \cdot \sqrt{2} = 0$ folgt notwendig $x = y = 0$. Denn wäre etwa $y \neq 0$, so ergäbe sich $\sqrt{2} = -\frac{x}{y} \cdot \frac{3}{4}$, was im Widerspruch zur Irrationalität von $\sqrt{2}$ steht. Aus $x \neq 0$ folgt $y \neq 0$. Man beachte, daß $\{\frac{3}{4}, \sqrt{2}\}$ über dem Körper der *reellen* Zahlen linear abhängig ist, da etwa

$$\left(-\frac{4}{3}\right) \cdot \frac{3}{4} + 1 \cdot \frac{1}{\sqrt{2}} \cdot \sqrt{2} = 0$$

eine nicht triviale Darstellung der Null ist.

44) Mögliche Basen sind $\{(0, 0, 1), (0, 1, 0), (1, 0, 0)\}$ und $\{(2, 0, 0), (0, 2, 0), (0, 0, 2)\}$.

45) Es genügt zu zeigen, daß sich jeder Vektor $(\vec{a}, \vec{b}, \vec{c})$ als Linearkombination von $(1, 2, 3), (0, 1, 2)$ und $(0, 0, 1)$ schreiben läßt.
Sei $(a, b, c) = x(1, 2, 3) + y(0, 1, 2) + z(0, 0, 1)$. Die Zahlen $x, y$ und $z$ lassen sich bestimmen durch:

$$(a, b, c) = (x, 2x + y, 3x + 2y + z).$$

Dies führt auf das Gleichungssystem

$$z + 2y + 3x = c;$$
$$y + 2x = b;$$
$$x = a;$$

das durch $x = a, y = b - 2a$ und $z = c - 2b + a$ lösbar ist. Also läßt sich jeder Vektor aus den angegebenen drei Vektoren darstellen.

46) $\begin{pmatrix} 3 & 1 \\ 1 & -1 \end{pmatrix} = 3 \begin{pmatrix} 1 & 1 \\ 1 & 0 \end{pmatrix} - 2 \begin{pmatrix} 0 & 0 \\ 1 & 1 \end{pmatrix} - 1 \begin{pmatrix} 0 & 2 \\ 0 & -1 \end{pmatrix}.$

47) Aus $[r + (-r)] = 0$ ergibt sich

$$\vec{0} = 0 \odot \vec{u} = [r \oplus (-r)] \odot \vec{u}$$
$$= (r \odot \vec{u}) \oplus (-r) \odot \vec{u},$$

woraus    $- (r \odot \vec{u}) = (-r) \odot \vec{u}$ folgt.

*Horst Walter*

## Kapitel II   Zahlen

## Natürliche Zahlen

Man kann den ersten Kontakt eines Kindes mit Mathematik darin sehen, daß es den Zahlbegriff erwirbt und mit Zahlen rechnen und umgehen lernt. Gemeint ist hierbei ein Vertrautwerden mit dem, was wir üblicherweise mit

$$»1«, »2«, »3«, »4«, \dots$$

bezeichnen oder auch als

$$»I«, »II«, »III«, »IV«, \dots$$

schreiben, einschließlich den für die so gekennzeichneten Objekte definierten Verknüpfungen der Addition und der Multiplikation sowie der Kleinerrelation. Die Kenntnis des eben Beschriebenen wird allgemein durch »Aufgaben« der Gestalt

$$2 + 3 \; = \; ?;$$
$$6 \; \cdot \; 3 \; = \; ?;$$
$$2 \cdot (4 + 1) = \; ?;$$

gilt
$$3 < 6?;$$

geprüft und eine korrekte Beantwortung dieser Fragen läßt erhoffen, daß derjenige, der die richtige Antwort gegeben hat, »weiß«, was Zahlen sind und wie man mit ihnen rechnet.

Wir wollen hier nicht auf die Zulässigkeit einer solchen Annahme eingehen, sondern festhalten, daß es tatsächlich eine weit verbreitete Vorstellung von Mathematik ist, daß sich Mathematik in Rechnen mit Zahlen erschöpfe.

Unabhängig davon, ob diese Vorstellung zutrifft, wird auch ein Mathematiker zugeben, daß die Zahlen innerhalb der verschiedenen Gebiete der Mathematik eine fundamentale Rolle spielen und daß ein Eindringen in einige Gebiete der Mathematik ohne Kenntnis der Zahlen kaum möglich ist.

Aus diesem Grunde kann man sich nicht mit der vagen Hoffnung, jeder wüßte, was natürliche Zahlen sind und wie man mit ihnen rechnet, zufriedengeben, sondern man hat versucht, die Frage »Was sind Zahlen?« und »Wie sind Addition und Multiplikation für Zahlen festgelegt?« in einer wissenschaftlichen Ansprüchen genügenden Form zu beantworten – auch wenn es die Meinung gibt, die natürlichen Zahlen seien etwas intuitiv Gegebenes und bedürften keiner Erörterung.

In einem axiomatischen Aufbau des Zahlsystems ist das, was wir *natürliche Zahlen* nennen, durch die sogenannten *Peanoaxiome* gekennzeichnet:

**Definition:** Sei $M$ eine Menge, sei $a$ ein bestimmtes Element und sei $f$ eine Abbildung von $M$ in $M \setminus \{a\}$ mit:

*1)* $a \in M$;

*2)* für jedes $m \in M$ gilt $f(m) \in M$;

*3)* für jedes $m \in M$ gilt $f(m) \neq a$;

*4)* aus $f(m) = f(n)$ folgt $m = n$, für jedes $m, n \in M$;

*5)* für jede Teilmenge $T$ von $M$ gilt: wenn $T$ das Element $a$ enthält und *T* mit jedem Element *t* auch das Element $f(t)$ enthält, dann ist *T* bereits die Menge *M*.

Eine Menge *M*, die den Axiomen *1)* bis *5)* genügt, heißt *Menge von natürlichen Zahlen*.

Jede Interpretation der Grundbegriffe *M*, *a* und *f* (siehe hierzu die Ausführungen in Abschnitt 1, Algebraische Strukturen), die die Axiome *1)* bis *5)* in wahre Aussagen überführt, erlaubt es, *M* als Menge von natürlichen Zahlen zu bezeichnen. Man kann zeigen – was wir hier übergehen – daß die Peanoaxiome *monomorph* sind, d.h., daß alle Modelle isomorph sind. Erst dieser Satz erlaubt, von *den* natürlichen Zahlen zu sprechen: es gibt im wesentlichen (bis auf Isomorphie) nur ein Modell.

Der Leser kann nun nachprüfen, ob seine Vorstellung von natürlichen Zahlen legitim sind, d.h., ob seine Vorstellungen sich mit den in *1)* bis *5)* geforderten Eigenschaften decken.

Mit $M = N = \{1, 2, \ldots\}$, $a = 1$ und der Abbildung *f* als $f(x) = x + 1$ gehen die Peanoaxiome über in die vertrautere Darstellung:

*1)'* $1 \in N$;

*2)'* $(n + 1) \in N$    für jedes    $n \in N$;

*3)'* $n + 1 \neq 1$    für jedes    $n \in N$;

*4)'* aus $m + 1 = n + 1$ folgt $m = n$; $m, n \in N$;

*5)'* für jede Teilmenge *T* von *N* gilt: Wenn 1 in *T* liegt und mit *t* auch $(t + 1)$ in *T* liegt, so gilt $T = N$.

Vermutlich werden die Vorstellungen der meisten Leser von natürlichen Zahlen so geartet sein, daß *1)'* bis *5)'* wahre Aussagen sind.

### Modelle für natürliche Zahlen

Durch Interpretation der Grundbegriffe *M*, *a* und *f* in den Peanoaxiomen erhält man Modelle für die natürlichen Zahlen. Der Leser prüfe nach, daß mit den angegebenen Interpretationen die Axiome *1)* bis *5)* in wahre Aussagen übergehen.

*1)* Man denke sich eine unendlich lange Schnur, auf der Perlen *A, B, C, D, …* der Reihe nach in gleichen Abständen aufgereiht sind. Sei *M* = Menge aller Perlen der Schnur, sei *a* die Perle *A* und sei die Abbildung *f* festgelegt durch: für jede Perle *D* sei $f(P)$ diejenige Perle, die als nächste rechts von *P* liegt (der Pfeil in der Figur soll andeuten, daß die Perlen bzw. Punkte fortgesetzt eingezeichnet zu denken sind).

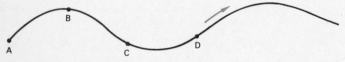

*Abbildung einer Perlenschnur*

*2)* Man denke sich einen Strahl mit Anfangspunkt $E_1$, rechts von $E_1$ auf dem Strahl einen zweiten Punkt $E_2$, rechts davon einen Punkt $E_3$, der von $E_2$ genauso weit entfernt ist wie $E_2$ von $E_1$, rechts von $E_3$ einen Punkt $E_4$, der von $E_3$ genauso weit entfernt ist wie $E_2$ von $E_1$, usw. Sei $M$ die Menge aller so konstruierbaren Punkte, sei $a$ der Punkt $E_1$ und sei $f$ definiert durch: für jeden Punkt $P$ sei $f(P)$ der nächste rechts von $P$ liegende Punkt.

*Strahl mit Anfangspunkt $E_1$, auf dem in gleichen Abständen Punkte $E_2$, $E_3$, $E_4$, ..., $E_n$ liegen*

3) Wir skizzieren kurz das aus der Mengenlehre bekannte *Kardinalzahlmodell* und verweisen zum genaueren Studium dieses vielen Mathematiklehrgängen für die Grundschule zugrunde liegenden Modells auf die Literatur zum Aufbau des Zahlensystems: Ausgehend von einem – hier nicht näher präzisierten – genügend umfangreichen System $\mathfrak{M}$ von endlichen Mengen erhält man mittels der Äquivalenzrelation »... ist bijektiv abbildbar auf ...« auf $\mathfrak{M}$ eine Klasseneinteilung. Sei $M$ die Menge aller so erzeugten Klassen, sei $a$ diejenige Klasse, in der die leere Menge liegt, und sei $f$ diejenige Abbildung, die einer Klasse mit der repräsentierenden Menge $A$ diejenige Klasse zuordnet, in der die Menge $B$ liegt, die genau ein Element mehr als $A$ besitzt. Mit dieser Interpretation sind die Peanoaxiome beweisbare Aussagen – wenn auch der Nachweis von *5)* mühevoll ist.

Das Peanoaxiom *5)* – auch *Induktionsaxiom* genannt – ist unter den Axiomen für einen deduktiven Aufbau der natürlichen Zahlen das weitreichendste: es macht darüber Aussagen, wann eine Menge von natürlichen Zahlen die Menge *aller* natürlichen Zahlen ist. Dies ist bereits dann der Fall, wenn die Menge die Zahl 1 und mit jeder Zahl auch die »folgende« Zahl enthält. Wir veranschaulichen dieses Axiom an einem *Beispiel*:
Auf einem Gleis stehe ein Zug mit endlich oder unendlich vielen Waggons. Es sei bekannt:
*1)* Wenn ein Waggon einen Stoß von links (der vom Ankoppeln einer Lokomotive herrühren mag) erhält, dann erhält auch der rechts stehende Waggon einen Stoß.
*2)* Der erste Waggon erhält einen Stoß von links.

Gleis

*Beispiel zum Induktionsaxiom*

Unter diesen Voraussetzungen leuchtet unmittelbar ein, daß dann *jeder* Waggon einen Stoß erhält.
Aus dem Peanoaxiom *5)* läßt sich das sogenannte *Prinzip der vollständigen Induktion* herleiten, das zum Nachweis von Sätzen, in denen natürliche Zahlen als Variable auftauchen, dienen kann. Wir verdeutlichen dies an einer bekannten Aussage.

**Satz:** Für jede natürliche Zahl $n$ gilt:
Die Summe der ersten $n$ natürlichen Zahlen ist $\frac{1}{2} n \cdot (n + 1)$:
$$(A) \quad 1 + 2 + \cdots + n = \frac{1}{2} \cdot n \cdot (n + 1).$$

*Beweis:* Wir betrachten die Menge $T$ von natürlichen Zahlen, die (A) in eine wahre Aussage überführen, und wollen $T = N$ nachweisen. Dazu zeigen wir in (V), daß 1 in $T$ liegt und in (S), daß mit $k$ auch $(k + 1)$ in $T$ liegt.

(V) $1 \in T$: Ersetzung von $n$ durch 1 in (A) führt wegen $1 = \frac{1}{2} \cdot 1 \, (1 + 1)$ (A) in eine wahre Aussage über.

(S) Wenn $k \in T$, so auch $(k + 1) \in T$. Wegen $k \in T$ gilt:
$$1 + \cdots + k = \tfrac{1}{2} \cdot k \cdot (k + 1);$$
Addition von $(k + 1)$ auf beiden Seiten ergibt
$$1 + \cdots + k + (k + 1) = \tfrac{1}{2} \cdot k \cdot (k + 1) + (k + 1),$$
woraus
$$1 + \cdots + (k + 1) \quad = (\tfrac{1}{2} \cdot k + 1) \cdot (k + 1) = \tfrac{1}{2} (k + 1)(k + 2)$$
folgt, was beweist, daß (A) auch für $n = (k + 1)$ gilt, also $(k + 1)$ in $T$ liegt. (V) heißt die *Induktionsverankerung*, (S) der *Induktionsschritt*.

Es fällt auf, daß in den Peanoaxiomen weder die Addition noch die Multiplikation noch die Kleinerrelation für natürliche Zahlen auftauchen – also keine Grundbegriffe sind. Bei einer Theorie der natürlichen Zahlen, in der aus den Peanoaxiomen alle Gesetzmäßigkeiten über natürliche Zahlen hergeleitet werden, lassen sich mittels des Rekursionssatzes die Addition und die Multiplikation von natürlichen Zahlen rekursiv definieren. Wir gehen hierauf nicht ein. Sobald die Addition $+$ auf diese Weise gekennzeichnet ist, kann man die Kleinerrelation »$<$« für natürliche Zahlen festlegen durch

$m < n$ gilt genau dann, wenn es eine natürliche Zahl $k$ gibt mit

$$m + k = n.$$

Im folgenden Satz, der sich aus den Peanoaxiomen herleiten läßt, sind die natürlichen Zahlen $(N, +, \cdot, <)$ strukturell charakterisiert. *1)* bis *4)* enthalten alle für das Rechnen mit natürlichen Zahlen notwendigen Informationen.

**Satz:**  Für $(N, +, \cdot, <)$ gilt:

*1)* $(N, +)$ ist eine kommutative reguläre Halbgruppe (die Regularität einer Halbgruppe besagt, daß in ihr die Streichungsregel gilt).

*2)* $(N, \cdot)$ ist eine kommutative reguläre Halbgruppe mit 1 als neutralem Element.

*3)* Für alle $a, b, c \in N$ gilt:
$$a \cdot (b + c) = ab + ac \quad \text{(Distributivgesetz).}$$

*4)* Bezüglich der strengen Ordnungsrelation $<$ in $N$ gilt:

*a)* Für $a, b, c \in N$ gilt: Aus $a < b$ folgt
$$(a + c) < (b + c) \quad \text{und} \quad (a \cdot c) < (b \cdot c)$$
(Monotoniegesetz der Addition und der Multiplikation).

*b)* 1 ist kleinstes Element in $N$.

*c)* $N$ hat kein größtes Element.

*d)* Jede nichtleere Teilmenge von $N$ besitzt ein kleinstes Element.

**Aufgaben**

*1)* Man beweise mit Hilfe des Prinzips der vollständigen Induktion, daß für jede natürliche Zahl $n$ gilt:

*a)* 3 teilt $(n^3 - n)$;

*b)* die Ableitung der Funktion $x \to x^n$ heißt

$$x \to n \cdot x^{n-1};$$

*c)* die Summe der ersten $n$ ungeraden Zahlen ist $n^2$;

*d)* die Ebene wird durch $n$ in der Ebene liegende Geraden in mindestens $(n + 1)$ Teile zerlegt.

2) In der Zahlentheorie sucht man seit langem nach einem »Primzahlautomaten«, d.h. nach einer »Formel«, die für jede natürliche Zahl eine Primzahl liefert und durch die auch alle Primzahlen erhältlich sind. Man mache sich klar, daß der Term

$$n^2 + n + 41$$

zwar für die ersten 6 natürlichen Zahlen Primzahlen liefert, daß es jedoch auch Ersetzungen von $n$ gibt, die nicht auf Primzahlen führen.

## Die ganzen Zahlen

Unter der Menge $Z$ der ganzen Zahlen versteht man die Menge der Zahlen, die wir im allgemeinen mit

$$»+ 1«, »- 1«, »+ 2«, »- 2«, \ldots$$

bezeichnen. Die Einführung dieser Zahlen kann etwa das Bedürfnis, *alle* Gleichungen der Gestalt

$$a + x = b \quad \text{mit} \quad a, b \in N$$

zu lösen, nahelegen (nur im Fall $a < b$ ist diese Gleichung mit natürlichen Zahlen erfüllbar) oder die Fortsetzung von Skalen »über den Nullpunkt hinaus« (Thermometer, Höhenangaben).

Während man bei den natürlichen Zahlen sowohl den axiomatischen Standpunkt (natürliche Zahlen sind das, was den Peanoaxiomen genügt) oder den Standpunkt Kroneckers einnehmen kann, nach dem sie intuitiv gegeben oder »vom lieben Gott gemacht« sind und deshalb eine Klärung durch den Menschen (Mathematiker) nicht benötigen, ist bei den ganzen Zahlen die allgemeine Auffassung die, daß man diese Zahlen mit Hilfe der natürlichen Zahlen (als kommutative, reguläre Halbgruppe $(N, +)$) konstruieren kann: Hier handelt es sich eindeutig um Menschenwerk.

Da das hierbei benutzte Konstruktionsverfahren nicht nur zur Einführung der ganzen Zahlen geeignet ist, formulieren wir es allgemein.

**Satz:**  Jede kommutative, reguläre Halbgruppe $(H, *)$ läßt sich zu einer Gruppe $(G, \circ)$ erweitern, d.h. einer Gruppe $(G, \circ)$ zuordnen, in der es eine Unterstruktur $(U, \circ)$ gibt, die zu $(H, *)$ isomorph ist (eine Halbgruppe heißt genau dann regulär, wenn die Streichungsregel gilt).

*Beweis:* Der Beweis wird in vier Schritten durchgeführt:

*1)* Definition der Menge $G$;

*2)* Definition der Verknüpfung $\circ$;

*3)* Nachweis, daß $(G, \circ)$ eine kommutative Gruppe ist;

*4)* Angabe der Unterstruktur $(U, \circ)$ von $(G, \circ)$ und einer bijektiven operationentreuen Abbildung $f$ von $(H, *)$ auf $(U, \circ)$.

*1)* Definition der Menge $G$: Wir betrachten die Menge $M = H \times H$ der Paare von Elementen aus $H$ und definieren mittels der Verknüpfung $*$ in $M$ eine Relation $\sim$

$$(a, b) \sim (c, d) \quad \leftrightarrow \quad a * d = c * b$$

für $a, b, c, d \in H$. Man kann nachprüfen – was wir hier übergehen –, daß die Relation $\sim$ eine Äquivalenzrelation ist, die zu einer Klasseneinteilung von $M$ führt. Für die $(a, b)$ enthaltende Klasse $\overline{(a, b)}$ gilt:

$$\overline{(a, b)} = \{(x, y); \quad (x, y) \sim (a, b)\}.$$

Die Menge aller Klassen nennen wir $G$.

*2)* Definition der Verknüpfung $\circ$: Für zwei Klassen $\overline{(a, b)}$ und $\overline{(c, d)}$ aus $G$ definieren wir mittels

$$\overline{(a, b)} \circ \overline{(c, d)} = \overline{(a * c, \quad b * d)}$$

eine Verknüpfung $\circ$, die $G \times G$ in $G$ abbildet. Wir übergehen hier den notwendigen Nachweis, daß diese Verknüpfung sinnvoll ist, d.h., daß sie unabhängig von der Auswahl der Repräsentanten für Klassen ist.

*3)* Nachweis, daß $(G, \circ)$ eine kommutative Gruppe ist. Wie die Definition der Verknüpfung $\circ$ zeigt, ist die Menge $G$ der Klassen hinsichtlich $\circ$ abgeschlossen. Die Kommutativität und Assoziativität von $\circ$ folgt aus der Kommutativität und Assoziativität von $*$. Wir zeigen nur die Kommutativität von $\circ$:

$$\overline{(a, b)} \circ \overline{(c, d)} = \overline{(a * c, b * d)} = \overline{(c * a, d * b)} = \overline{(c, d)} \circ \overline{(a, b)}.$$

Man rechnet leicht nach, daß die Klasse $\overline{(a, a)}$ neutrales Element in $G$ ist und daß für das zu $(a, b)$ inverse Element $\overline{(a, b)}^I$ gilt:

$$\overline{(a, b)}^I = \overline{(b, a)}$$

*4)* Angabe einer Unterstruktur $(U, \circ)$ von $(G, \circ)$ und einer bijektiven operationentreuen Abbildung $f$ von $(H, *)$ auf $(U, \circ)$.

Sei $U = \{\overline{(x, y)}; \quad \overline{(x, y)} = \overline{(x * c, x)} \quad$ mit $\quad x, c \in H\}$ und sei die Abbildung $f$ für $g, h \in H$ definiert durch

$$f(h) = \overline{(h * g, g)}.$$

*a)* Die so definierte Abbildung $f$ ist injektiv:

Aus $h_1 \neq h_2$ folgt $f(h_1) \neq f(h_2)$. Wäre $f(h_1) = f(h_2)$, so würde aus $\overline{(h_1 * g, g)} = \overline{(h_2 * g, g)}$ folgen

$$(h_1 * g, g) \sim (h_2 * g, g);$$

$$h_1 = h_2.$$

Man überlege sich, daß $f$ auch surjektiv ist.

*b)* Die Abbildung $f$ ist operationentreu:

$$f(h_1 * h_2) = f(h_1) \circ f(h_2).$$

Es gilt:
$$\begin{aligned} f(h_1 * h_2) &= \overline{((h_1 * h_2) * g, g)} \\ &= \overline{(h_1 * h_2 * g * g, g * g)} \\ &= \overline{(h_1 * g, g)} \circ \overline{(h_2 * g, g)} = f(h_1) \circ f(h_2). \end{aligned}$$

Damit ist der Beweis vollständig.

Mit Hilfe dieses Satzes ist es nun leicht, die Menge der ganzen Zahlen einzuführen. Wir gehen aus von der kommutativen, regulären Halbgruppe $(N, +)$ und wenden das im vorhergehenden Satz beschriebene Erweiterungsverfahren auf diese Halbgruppe an. Die für Paare natürlicher Zahlen definierte Relation $\sim$ wird interpretiert durch

$$(a, b) \sim (c, d) \quad \leftrightarrow \quad a + d = b + c.$$

Man nennt diese Relation auch »differenzengleich«, da zwei Paare genau dann in Relation zueinander stehen, wenn jeweils die (hier nicht definierte!) Differenz der ersten und der zweiten Zahl $(a - b$ bzw. $c - d)$ für beide Elemente übereinstimmen.

Die Menge der Klassen der durch $\sim$ erzeugten Klasseneinteilung ist die *Menge Z der ganzen Zahlen*, die Addition $\oplus$ von ganzen Zahlen ist durch die im Beweisschritt 2 des Satzes von S. 93 definierte Verknüpfung $\circ$ von Klassen gekennzeichnet.

**Definition:** Die durch Erweiterung der Halbgruppe $(N, +)$ eindeutig bestimmte kommutative Gruppe $(Z, \oplus)$ heißt *additive Gruppe der ganzen Zahlen*.

Es ist üblich, die Elemente von $Z$ mit $\quad 0, + 1, - 1, + 2, - 2, \ldots$ zu bezeichnen, wobei gilt:

$$\begin{aligned}
0 &= \{(x, y); \quad (x, y) \sim (1,1)\}; \\
+ 1 &= \{(x, y); \quad (x, y) \sim (2,1)\}; \\
+ 2 &= \{(x, y); \quad (x, y) \sim (3,1)\}; \\
- 1 &= \{(x, y); \quad (x, y) \sim (1,2)\}; \\
- 2 &= \{(x, y); \quad (x, y) \sim (1,3)\} \quad \text{usw.}
\end{aligned}$$

Die für ganze Zahlen bekannte Multiplikation – hier mit $\odot$ bezeichnet – führen wir mittels

$$\overline{(a, b)} \odot \overline{(c, d)} = \overline{(a \cdot c + b \cdot d, \; a \cdot d + b \cdot c)}$$

ein, wobei $\cdot$ die in der Halbgruppe $(N, \cdot)$ definierte Verknüpfung ist. Die obige Definition ist wegen der (hier nicht verifizierten) Unabhängigkeit von der Auswahl der Repräsentanten sinnvoll.

In $Z$ definieren wir eine Kleinerrelation $\oslash$ für verschiedene Klassen $\overline{(a, b)}$ und $\overline{(c, d)}$:

$$\overline{(a, b)} \oslash \overline{(c, d)} \quad \text{genau dann, wenn} \quad (a + d) < (b + c).$$

Die ganze Zahl $\overline{(a, b)}$ heißt in diesem Falle *kleiner* als die ganze Zahl $\overline{(c, d)}$. Die Klasse $\overline{(a, b)}$ heißt *positiv*, falls $\overline{(x, x)} \oslash \overline{(a, b)}$ für alle $x \in N$ gilt.

Auch hier übergehen wir den Nachweis der Unabhängigkeit der Auswahl der Repräsentanten bei dieser Definition. Die strukturelle Kennzeichnung von $(Z, \oplus, \odot, \oslash)$ beschreiben wir in folgendem Satz, den wir nicht beweisen.

**Satz:**   $(Z, \oplus, \odot)$ ist ein kommutativer Ring mit Eins, der keine Nullteiler besitzt. Für die strenge Ordnungsrelation $\oslash$ gilt für alle $a, b, c \in Z$:

*1)* Aus $a \oslash b$ folgt $(a \oplus c) \oslash (b \oplus c)$;

*2)* aus $a \oslash b$ folgt $(a \odot c) \oslash (b \odot c)$ falls $c$ positiv ist;

*3)* $Z$ besitzt weder ein kleinstes noch ein größtes Element.

Die Ausführungen zeigen, daß man ausgehend von den natürlichen Zahlen die ganzen Zahlen konstruieren kann, d.h. nur mit Hilfe der $(N, +, \cdot, <)$ kennzeichnenden Gesetzmäßigkeiten die Elemente von $Z$ einschließlich der für sie definierten Verknüpfungen $\oplus$ und $\odot$ sowie der Kleinerrelation $\ominus$ konstruieren und die in obigem Satz enthaltenen Aussagen beweisen kann.

**Ein nützliches Modell für $Z$**

Man kann sich $Z$ auch geometrisch veranschaulichen als Menge von Punkten auf einer Geraden in der folgenden Anordnung:

*Modell der ganzen Zahlen*

Nach Auszeichnung des mit 0 bezeichneten Punktes auf der Geraden $g$ trägt man nach beiden Seiten wiederholt Strecken einer festen Länge von 0 aus ab, bezeichnet die dadurch entstehenden rechts von 0 liegenden Punkte der Reihe nach mit

$$+ 1, \quad + 2, \quad \ldots,$$

die links von 0 liegenden Punkte der Reihe nach mit

$$- 1, \quad - 2, \quad \ldots.$$

Die Menge der so entstehenden Punkte ist ein Modell für die Menge $Z$. Auch die Addition, die Multiplikation und die Kleinerrelation für ganze Zahlen erlaubt eine einfache geometrische Interpretation, die man dem Abschnitt über reelle Zahlen entnehmen kann.

## Die rationalen Zahlen

Es hat sich für die Mathematik zur Behandlung bestimmter konkreter Situationen als sinnvoll erwiesen, neben den natürlichen Zahlen und den ganzen Zahlen noch weitere Zahlen einzuführen, die als *rationale Zahlen* oder *Bruchzahlen* bekannt sind, und von denen uns einige unter der Bezeichnung

$$»+ \tfrac{1}{2}«, \quad »+ \tfrac{4}{3}«, \quad »- \tfrac{6}{7}« \quad \text{vertraut sind.}$$

Sowohl der Wunsch, alle Gleichungen der Gestalt

$$a \cdot x = b \quad \text{mit } a, b \in N$$

eindeutig nach $x$ zu lösen (also einen Zahlbereich zu schaffen, in dem dies möglich ist), als auch das Bestreben, Strecken zu messen – d.h. miteinander zu vergleichen – kann die Einführung dieses Zahlbereichs motivieren.

Wir werden die rationalen Zahlen aus den ganzen Zahlen konstruieren, indem wir den Satz von S. 93 auf die kommutative, reguläre Halbgruppe $(Z \backslash \{0\}, \odot)$ anwenden.

Sei also $(H, *) = (Z \backslash \{0\}, \odot)$ und sei $M = Z \times (Z \backslash \{0\})$. Wir betrachten nur Paare von ganzen Zahlen, bei denen die 2. Komponente von Null 0 verschieden ist (0 ist neutrales Element in der Gruppe $(Z, \oplus)$). Für den Leser mag es eine Erleichterung sein, etwa die Bruchzahl mit der Bezeichnung $\tfrac{3}{4}$ als $(3,4)$ zu schreiben –

die folgenden Ausführungen werden dann wohlbekannte Aussagen der Bruchrechnung.

Die Relation $\sim$ in der Menge der Paare sei interpretiert durch

$$(a, b) \sim (c, d) \leftrightarrow (a \odot d) = (c \odot b) \quad \text{mit} \quad a, c \in Z; \quad b, d \in Z\backslash\{0\}.$$

Man nennt diese Relation »quotientengleich«, weil zwei Paare genau dann in Relation zueinander stehen, wenn der (für ganze Zahlen $a$, $b$ mit $b \neq 0$ bisher nicht definierte) Quotient aus erster und zweiter Komponente bei beiden übereinstimmt. Die Menge $G$ der Klassen von Paaren, die durch diese Äquivalenzrelation erzeugt werden, heißt *Menge der rationalen Zahlen* und die nach dem erwähnten Satz mittels

$$\overline{(a, b)} \odot \overline{(c, d)} = \overline{(a \odot c, \ b \odot d)}$$

eindeutig bestimmte Gruppe heißt multiplikative Gruppe $(Q, \odot)$ der rationalen Zahlen.

**Definition:** Die durch Erweiterung der kommutativen, regulären Halbgruppe $(Z\backslash\{0\}, \odot)$ eindeutig bestimmte Gruppe $(Q, \odot)$ heißt *multiplikative Gruppe der rationalen Zahlen.*

In der Menge $Q$ führen wir eine Addition $\boxplus$ und eine Kleinerrelation $\boxslash$ ein durch

$$\overline{(a, b)} \boxplus \overline{(c, d)} = \overline{((a \odot d) \oplus (b \odot c), \ b \odot d)};$$
$$\text{für alle} \quad a, c \in Z \text{ und } b, d \in Z\backslash\{0\};$$
$$\overline{(a, b)} \boxslash \overline{(c, d)} \leftrightarrow (a \odot d) \oslash (b \odot c);$$
$$\text{für alle} \quad a, c \in Z \text{ und } b, d \in N.$$

Wir erwähnen ohne Beweis, daß die Definitionen von $\boxplus$, $\odot$ und $\boxslash$ sinnvoll sind, d.h. unabhängig von der Auswahl der Repräsentanten.

Die strukturelle Kennzeichnung von $(Q, \boxplus, \odot, \boxslash)$ fassen wir in folgendem (hier nicht bewiesenen) Satz zusammen:

**Satz:**     Für $(Q, \boxplus, \odot, \boxslash)$ gilt:

*1)* $(Q, \boxplus, \odot)$ ist ein kommutativer Körper.

*2)* Bezüglich der strengen Ordnungsrelation $\boxslash$ in $Q$ gilt:

*a)* Für $a, b, c \in Q$ gilt: Aus $a \boxslash b$ folgt $(a \boxplus c) \boxslash (b \boxplus c)$ und $(a \odot c) \boxslash (b \odot c)$, falls $0 \boxslash c$;

*b)* $Q$ besitzt weder ein größtes noch ein kleinstes Element;

*c)* zu $a, b \in Q$ $(a \neq b)$ existiert ein $m \in Q$ mit $a \boxslash m \boxslash b$.

Der Inhalt des Satzes zeigt, daß die Forderung des Permanenzprinzips erfüllt ist: die in $(Z, \oplus, \odot, \oslash)$ geltenden Aussagen sind auf $(Q, \boxplus, \odot, \boxslash)$ übertragbar.

### Ein Modell für die rationalen Zahlen

Ebenso wie die natürlichen Zahlen und die ganzen Zahlen lassen sich auch die rationalen Zahlen geometrisch darstellen. Wie bereits gezeigt, kann man die natürlichen Zahlen darstellen als gewisse Punkte auf einem Zahlenstrahl, der sich zu einer Geraden erweitern läßt, auf der gewisse Punkte die ganzen Zahlen markieren – vergleiche hierzu die früher gegebenen Konstruktionsbeschreibungen auf den S. 90 und 96.

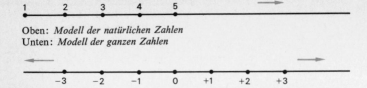

Oben: *Modell der natürlichen Zahlen*
Unten: *Modell der ganzen Zahlen*

Die rationalen Zahlen lassen sich als gewisse Punkte auf einer Geraden $g$ interpretieren, jedoch werden hierdurch nicht alle Punkte der Geraden $g$ erschöpft. Es gibt auf $g$ Punkte, denen keine rationale Zahl entspricht. In der folgenden Abbildung geben wir die Lage der Punkte an, die zu den mit $+\frac{1}{2}$, $+\frac{5}{2}$ und $-\frac{3}{2}$ bezeichneten rationalen Zahlen gehören. In der folgenden Figur sind bereits die den ganzen Zahlen entsprechenden Punkte eingezeichnet, und wir identifizieren hierbei die ganze Zahl $+1$ mit der rationalen Zahl $+\frac{1}{1}$, $+\frac{2}{1}$ mit 2, $+\frac{3}{1}$ mit 3 usw.

*Modell der rationalen Zahlen*

Der die rationale Zahl $+\frac{4}{5}$ beschreibende Punkt $P$ wird durch folgende Konstruktion bestimmt, die sich leicht für alle rationalen Zahlen verallgemeinern läßt: man wähle auf einer Geraden $g$ zwei mit $O$ und $E$ bezeichnete Punkte aus, die die rationale Zahl 0 und $+1$ repräsentieren (linke Figur).

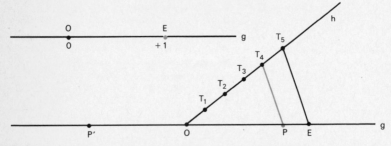

Links: *Zwei Punkte O und E bezeichnen die rationalen Zahlen 0 und + 1;*
rechts *Konstruktion der rationalen Zahlen* $+\frac{4}{5}$ *(Punkt P) und* $-\frac{4}{5}$ *(Punkt P')*

Auf einer durch 0 laufenden, von $g$ verschiedenen Geraden $h$ wähle man einen Punkt $T_1$ aus und trage die Strecke $\overline{0T_1}$ auf $h$ von 0 aus insgesamt 5mal nach einer Richtung ab. Die entstehenden Streckenpunkte benennen wir mit $T_1, \ldots, T_5$. Man verbinde $T_5$ mit $E$ und zeichne durch $T_4$ die Parallele zu $T_5E$. Der Schnittpunkt $P$ der Parallele mit der Geraden $g$ kennzeichnet die rationale Zahl $+\frac{4}{5}$. Der die mit $-\frac{4}{5}$ bezeichnende rationale Zahl darstellende Punkt $P'$ ist das Spiegelbild von $P$ bei der Punktspiegelung an 0 (rechte Figur). Wir zeigen in der Figur, daß es auf $g$ Punkte gibt, denen keine rationale Zahl entspricht.

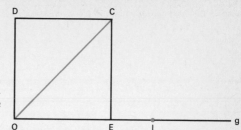

*Ein Punkt auf der Zahlengeraden g, der keiner rationalen Zahl entspricht*

Die Diagonale $\overline{OC}$ im Quadrat $OECD$ (mit $OE$ auf $g$) hat die Länge $\sqrt{2}$, falls $\overline{OE}$ die Länge 1 besitzt (Satz des Pythagoras). Sei $I$ der Schnittpunkt des Kreises um 0 mit dem Radius $OC$ mit $g$. $I$ stellt wegen der Irrationalität von $\sqrt{2}$ einen Punkt auf $g$ dar, der keiner rationalen Zahl entspricht.

Die Addition ⊞ und die Multiplikation ⊡ für rationale Zahlen lassen sich ebenso wie die Kleinerrelation ⊴ aus dem geometrischen Modell für $(Z, ⊞, ⊙, ⊗)$ übertragen. Wir kommen auf dieses Modell im folgenden Kapitel zurück.

## Die reellen Zahlen

Obwohl es verschiedene Methoden gibt – bekannt unter den Namen *Intervallschachtelung*, *Dedekindsche Schnitte* und *Ring der rationalen Fundamentalfolgen modulo den Nullfolgen* –, die *reellen Zahlen R* aus den rationalen Zahlen zu *konstruieren* (einschließlich der Addition $(+)$ und Multiplikation $(\cdot)$ sowie der Kleinerrelation $(<)$), werden wir uns hier auf einen pragmatischen Standpunkt stellen und nur ein *Modell* für reelle Zahlen angeben: Reelle Zahlen sind die Punkte einer Geraden.

Sei $g$ eine Gerade der Ebene und sei $R$ die Menge aller auf $g$ gelegenen Punkte. Da diese Menge überabzählbar viele Elemente besitzt, können wir die Elemente von $R$ nicht in einer Zeichnung wiedergeben. Wir können uns jedoch alle Punkte von $g$ *denken*. Auf $g$ wählen wir einen bestimmten Punkt aus und nennen ihn 0 (linke Figur).

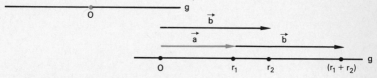

Links *der Nullpunkt der Zahlengeraden g;*
rechts *Definition der Addition als Konstruktion auf dem Zahlenstrahl*

**Definition einer Addition $(+)$ für Elemente aus $R$**

Seien $r_1, r_2 \in R$ und sei $\vec{a}$ der Pfeil, der von 0 nach $r_1$ zeigt, $\vec{b}$ der Pfeil, der von 0 nach $r_2$ zeigt. Die *Summe* $r_1 + r_2$ ist derjenige Punkt auf $g$, den man durch folgende Konstruktion erhält: Man trage $\vec{a}$ von 0 aus ab und setze das Pfeilende von $\vec{b}$ an die Spitze von $\vec{a}$. Der Punkt, auf den die Spitze von $\vec{b}$ zeigt, ist die Summe $r_1 + r_2$. Es läßt sich zeigen, daß $(R, +)$ eine kommutative Gruppe ist (rechte Figur S. 99).

**Definition einer Multiplikation ($\cdot$) für Elemente aus $R$:**

Wir legen eine zu $g$ senkrechte Gerade $h$ durch 0 und zeichnen auf $h$ einen zweiten Punkt 1 (linke Figur) aus. Die Gerade $h$ enthält wie die Gerade $g$ alle Elemente von $R$ – wir können uns $h$ als die durch 0 um 90° entgegen dem Uhrzeigersinn gedrehte Gerade $g$ vorstellen. Das *Produkt* $r_1 \cdot r_2$ ist folgender Konstruktion (rechte Figur) zu entnehmen: Wir markieren $r_1$ auf $g$ und $r_2$ auf $h$, verbinden $r_1$ mit 1 und ziehen durch $r_2$ die Parallele zu dieser Verbindungsgeraden. Der Schnitt-

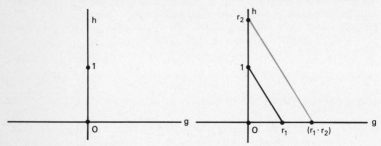

*Definition einer Multiplikation auf dem Zahlenstrahl*

punkt dieser Parallelen mit $g$ soll das Produkt $r_1 \cdot r_2$ sein. Aus geometrischen Überlegungen folgt, daß $(R \setminus \{0\}, \cdot)$ eine kommutative Gruppe ist und daß auch das Distributivgesetz

$$a \cdot (b + c) = a \cdot b + a \cdot c$$

für alle Elemente $a, b, c \in R$ erfüllt ist.

Der Nachweis dafür, daß $(R, +, \cdot)$ tatsächlich ein Körper ist, erfordert nichttriviale geometrische Sätze. Zum Nachweis der Kommutativität und Assoziativität von $\cdot$ benötigt man die als Schließungssätze bekannten Sätze von Desargues und Pappus.

**Definition einer Kleinerrelation ($<$) für Elemente aus $R$:**

Für $r_1, r_2 \in R$ gilt: $r_1 < r_2$ genau dann, wenn $r_1$ links von $r_2$ liegt (hierbei wird vorausgesetzt, daß der Leser weiß, was »links« bedeutet – wissen Sie es?!). Ohne Beweis fassen wir die Eigenschaften des so definierten Gebildes $(R, +, \cdot, <)$ zusammen.

*Definition einer Kleinerrelation auf dem Zahlenstrahl*

**Satz:** Für $(R, +, \cdot, <)$ gilt:

*1)* $(R, +, \cdot)$ ist ein kommutativer Körper;

*2)* bezüglich der strengen Ordnungsrelation $<$ in $R$ gilt:

*a)* Für alle $a, b, c \in R$ gilt: Aus $a < b$ folgt $(a + c) < (b + c)$ und $(a \cdot c) < (b \cdot c)$, falls $0 < c$;

*b)* $R$ hat weder ein kleinstes noch ein größtes Element;

*c)* Zu $a, b \in R$ $(a \neq b)$ existiert ein $m \in Q$ mit

$$a < m < b$$

*d)* $R$ ist *vollständig*, d.h. jede nach oben (nach unten) beschränkte Menge von Elementen aus $R$ besitzt eine kleinste obere (größte untere) Schranke.

$(R, +, \cdot, <)$ heißt *angeordneter Körper der reellen Zahlen.*

Hinsichtlich ihrer algebraischen Struktur unterscheiden sich die rationalen und die reellen Zahlen voneinander nicht: beides sind kommutative Körper. Hinsichtlich ihrer Ordnungsrelation ergeben sich jedoch Unterschiede: in $Q$ kann es Teilmengen geben, die nach oben beschränkt sind, zu denen es jedoch keine kleinste obere Schranke gibt. Die Menge der rationalen Zahlen, deren Quadrat kleiner als 3 ist, ist eine solche Menge. Ein Nachweis der Vollständigkeit von $R$ würde eine genaue Analyse dieses Begriffes voraussetzen. Wir verweisen hierzu auf die Literatur zum Aufbau des Zahlensystems.

## Die komplexen Zahlen

Obwohl sich im Körper $R$ der reellen Zahlen alle Gleichungen der Gestalt

$$a + x = b \qquad a, b \in R;$$
$$a \cdot x = b \qquad a, b \in R, \quad a \neq 0;$$
$$x^n = a \qquad a \in R, \quad a \text{ positiv, } n \in N;$$

mit $x \in R$ lösen lassen, kann man formal Gleichungen bilden, die in $R$ keine Lösung erlauben, etwa

$$x^2 + 1 = 0 \qquad\qquad\qquad\qquad \text{(A)}$$

Wir wollen hier nicht auf die Frage eingehen, ob es konkrete Situationen gibt, deren mathematische Beschreibung auf eine derartige Gleichung führt, sondern diese Gleichung als gegeben betrachten und uns die Frage nach der Existenz eines Zahlbereichs stellen, in dem (A) lösbar ist.

Es ist den Mathematikern gelungen, einen derartigen Bereich zu konstruieren und für dessen Elemente eine Addition und eine Multiplikation einzuführen. Hinsichtlich dieser beiden Operationen verhält sich dieser Bereich wie die reellen Zahlen: es gelten alle Körperaxiome einschließlich der Kommutativität der Multiplikation. Die für reelle Zahlen bekannte Kleinerrelation läßt sich jedoch nicht auf diesen Bereich übertragen – der Körper der komplexen Zahlen erlaubt keine Anordnung.

Wir beschreiben kurz diesen Zahlbereich: Sei $C$ die Menge aller Paare reeller Zahlen

$$C = \{(a, b); \quad a, b \in R\},$$

wobei die Gleichheit zweier Paare festgelegt ist durch

$$(a, b) = (c, d) \leftrightarrow a = c \quad \text{und} \quad b = d,$$

und sei für zwei Paare eine Addition $\oplus$ und eine Multiplikation $\odot$ festgelegt durch

$$(a, b) \oplus (c, d) = (a + c, \ b + d);$$
$$(a, b) \odot (c, d) = (ac - bd, \ ad + bc);$$

für alle $\qquad\qquad a, b, c, d \in R.$

Es ist eine nützliche Übungsaufgabe nachzuprüfen, daß $(C, \oplus, \odot)$ ein kommutativer Körper ist. Dieser Körper heißt *Körper der komplexen Zahlen*.

$(C, \oplus, \odot)$ enthält einen zu $(R, +, \cdot)$ isomorphen Unterkörper, den Körper $(\{(a, 0); \ a \in R\}, \oplus, \odot)$ – die Abbildung $f(a) = (a, 0)$ für jedes $a \in R$ ist ein Isomorphismus von $(R, +, \cdot)$ in $(C, \oplus, \odot)$. Dadurch ist die Forderung des Permanenzprinzips erfüllt.

Wegen $\qquad\qquad (0,1)^2 = (0,1) \odot (0,1) = (-1,0)$

und der Identifizierung von $(-1,0)$ mit der reellen Zahl $(-1)$ ist $(0,1)$ eine Lösung der der Gleichung (A) entsprechenden Gleichung

$$x^2 \oplus (1,0) = (0,0).$$

Da bereits die Menge der reellen Zahlen der Menge aller Punkte einer Geraden in der Ebene entspricht, ist auf einer Geraden für diese neuen Zahlen kein Platz mehr. Trotzdem erlauben auch sie eine geometrische Darstellung: jeder komplexen Zahl $(a, b)$ läßt sich eindeutig ein Punkt der affinen Ebene zuordnen, und umgekehrt läßt sich jedem Punkt der affinen Ebene eindeutig eine komplexe Zahl zuordnen, wenn man in der Ebene zwei senkrecht aufeinanderstehende Geraden $g$ und $h$ auszeichnet, die beide die Menge der reellen Zahlen darstellen (Gaußsche Zahlenebene).

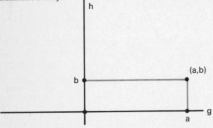

*Darstellung einer komplexen Zahl in der Gaußschen Zahlenebene*

In der Literatur ist es üblich, die Menge $C$ der komplexen Zahlen auch als die Menge der Objekte der Gestalt

$$a + bi \quad \text{mit} \quad a, b \in R$$

aufzufassen und die Verknüpfungen $\oplus$ und $\odot$ in $C$ als

$$(a + bi) \oplus (c + di) = (a + c) + (b + d)i$$

bzw. $\qquad (a + bi) \odot (c + di) = (ac - bd) + (ad + bc)i$

zu definieren, wobei $i = 0 + 1i$ *imaginäre Einheit* heißt und dem Zahlenpaar $(0,1)$ entspricht. In dieser Darstellung heißt $a$ *Realteil* und $b$ *Imaginärteil* der komplexen Zahl $(a + bi)$.

Die Brauchbarkeit des Begriffs der komplexen Zahl zeigt sich u. a. darin, daß nicht nur – wie gezeigt – die Gleichung $x^2 + 1 = 0$ eine Lösung besitzt, sondern jedes Polynom von positivem Grad mit komplexen Koeffizienten eine Lösung hat.

Die Nützlichkeit der komplexen Zahlen bei der theoretischen Darstellung physikalischer Probleme können wir nur erwähnen.

## Lösungen der Aufgaben

*1)*  *a)* Für $n = 1$ gilt die Behauptung, denn 3 teilt 0, da ja $3 \cdot 0 = 0$ ist.

(S) Es gelte: 3 teilt $k^3 - k$;

zu zeigen:  3 teilt $(k + 1)^3 - (k + 1)$;

wegen $(k + 1)^3 - (k + 1) = k^3 + 3k^2 + 3k + 1 - k - 1$
$= (k^3 - k) + 3(k^2 + k)$

teilt 3 auch $(k + 1)^3 - (k + 1)$, da der erste Summand nach Voraussetzung durch 3 teilbar ist und der zweite Summand den Faktor 3 enthält.

*b)* Für $n = 1$ gilt die Behauptung (die Gerade $x \to x$ hat den Anstieg 1!).

(S) Es gelte: $(x^k)' = k \cdot x^{k-1}$;

zu zeigen:  $(x^{k+1})' = (k + 1) \cdot x^k$;

Mit Hilfe der Produktregel und den Potenzgesetzen erhält man:

$$(x^{k+1})' = (x^k \cdot x)' = x^k \cdot x' + (x^k)' \cdot x,$$

woraus wegen $x' = 1$ und nach Induktionsvoraussetzung folgt:

$$(x^{k+1})' = x^k \cdot 1 + k \cdot x^{k-1} \cdot x = x^k + k \cdot x^k$$
$$= (k + 1) \cdot x^k.$$

*c)* Für $n = 1$ gilt die Behauptung.

Es bezeichne $S_k$ die Summe der ersten $k$ ungeraden Zahlen

$$S_k = 1 + 3 + 5 + \cdots + (2k - 1).$$

(S) Es gelte: $S_k = k^2$;

zu zeigen:  $S_{k+1} = (k + 1)^2$

wegen $S_{k+1} = S_k + (2k + 1) = k^2 + (2k + 1) = (k + 1)^2$

ist die Behauptung bewiesen.

*d)* Für $n = 1$ gilt die Behauptung, da eine Gerade die Ebene in mindestens zwei Teile teilt.

(S) Es gelte: $k$ Geraden zerlegen die Ebene in mindestens $(k + 1)$ Teile;

zu zeigen:  $(k + 1)$ Geraden zerlegen die Ebene in mindestens $(k + 2)$ Teile.

Wir betrachten eine Menge mit $(k + 1)$ Geraden und entfernen eine Gerade daraus. Die verbleibenden $k$ Geraden teilen die Ebene nach Voraussetzung in $(k + 1)$ Teile. Nimmt man die entfernte Gerade wieder hinzu, so teilt sie mindestens eines dieser Teile in zwei Teile, so daß sich mindestens $(k + 1) + 1 = k + 2$ Teile ergeben, womit die Behauptung bewiesen ist.

*2)*  Die Ersetzung von $n$ durch 41 führt wegen

$$41^2 + 41 + 41 = 41 (41 + 1 + 1) = 41 \cdot 43$$

nicht auf eine Primzahl. Ebenso ergibt sich bei Ersetzung von $n = 40$ keine Primzahl. Für alle natürlichen Zahlen, die kleiner oder gleich 39 sind, ergeben sich stets Primzahlen.

*Horst Walter*

# Kapitel III   Analysis

## Grundlagen

*Vorbemerkung:* Dieser erste Abschnitt ist im wesentlichen den reellen Zahlen gewidmet. Es werden Axiome, Definitionen und Sätze zusammengestellt bzw. erläutert, die später für die Beweisführung oder zur Verständigung dienen. Gemäß der Zielsetzung des Buches streben wir dabei keine axiomatisch-deduzierende Darstellung an.

### Gebrauch der üblichen Schreib- und Sprechweisen der Mengenlehre

*Beispiele:* $2 \in N$; $\{1, \frac{1}{2}\} \not\subset N$; $\{1,2\} \cap \{3,4\} = \emptyset$;
$\{x \mid x \in N$ und $x$ ist ein Teiler von $12\} = \{1, 2, 3, 4, 6, 12\}$.
Sprechweisen wie »Sei $a$ eine Zahl ungleich Null ...« sollen abkürzend darauf hinweisen, daß »$a$« eine Variable ist, für die Zahlen ungleich Null einzusetzen sind.

### Sicherheit beim Rechnen mit Zahlen und Termen

*Beispiele:* Umgang mit Klammerausdrücken, wie etwa
$$(a + b)^2 = a^2 + 2ab + b^2; \quad 3a + 6ab + 9a^2 = 3a(1 + 2b + 3a);$$
Auflösen von linearen Gleichungen, ...
Die entsprechenden Regeln folgen aus den Körpergesetzen, die im ersten Teil des Buches ausführlich behandelt wurden.

### Anordnung und elementare Ungleichungen

Weit häufiger als in der Elementarmathematik benutzt man in der Analysis Ungleichungen. Die grundlegenden Beziehungen stellen den Zusammenhang her zwischen der Ordnungsstruktur der Zahlen und der Addition bzw. der Multiplikation. Im einzelnen wird gefordert:
*1) Anordnung:*
Wenn $a \neq b$ ist, gilt entweder $a > b$ oder $b > a$.
Veranschaulicht man die Zahlen wie üblich durch Punkte auf der Zahlengeraden, dann bedeutet $a > b$, daß der zur Zahl $a$ gehörige Punkt rechts von dem Punkt liegt, der $b$ markiert.

$(+1) > (-2)$
$(-2) > (-5)$

*Figur zum Axiom der Anordnung*

Gleichwertig mit $a > b$ ist $b < a$;
man schreibt: $a > b \Leftrightarrow b < a$.
*2) Transitivität:*
Wenn $a > b$ und $b > c$, so gilt $a > c$.
*3) Monotonie:*

*3a)* Wenn $a > b$, so gilt $a + c > b + c$ für beliebige $c \in R$.

*3b)* Wenn $a > b$ und $c > 0$, so gilt $a \cdot c > b \cdot c$.

Zur Übung beweisen wir einige einfache Folgerungen; die weiteren Beispiele und Aufgaben sollten von weniger Geübten sehr sorgfältig studiert werden!

*Beispiel 1:* Wenn $a > 0$, dann ist $-a < 0$.

*Beweis:* Aus $a > 0$ folgt wegen *3a)* $a + (-a) > 0 + (-a)$, also $0 > (-a)$, das heißt aber $(-a) < 0$.

*Beispiel 2:* Wenn $a > b$, dann ist $-a < -b$.

*Beweis:* Aus $a > b$ folgt wegen *3a)* $a - a > b - a$, $0 > b - a$. Nochmals *3a)* ergibt $0 - b > b - a - b$; $-b > -a$ oder $-a < -b$.

*Beispiel 3:* Wenn $a > b > 0$, dann ist $0 < \frac{1}{a} < \frac{1}{b}$.

*Beweis:* Aus $a > 0$ folgt $\frac{1}{a} > 0$. (Wieso?) Ebenso gilt $\frac{1}{b} > 0$. Wegen *3b)* hat man $a \cdot \frac{1}{a} > b \cdot \frac{1}{a}$, $1 > \frac{b}{a}$; $1 \cdot \frac{1}{b} > \frac{b}{a} \cdot \frac{1}{b}$, $\frac{1}{b} > \frac{1}{a}$ oder $0 < \frac{1}{a} < \frac{1}{b}$.

Mit entsprechenden Schlüssen beweise man die folgenden sehr häufig gebrauchten Beziehungen:

Wenn $a > b$ und $c < 0$, dann ist $a \cdot c < b \cdot c$.

Wenn $0 < a < b$ und $0 < c < d$, dann ist $ac < bd$.

*Beispiel 4:* Zu lösen sei die Ungleichung $5 - x < 10 + 3x$. Kurznotation: $5 - x - 3x < 10$; $-4x < 5$; $x > -\frac{5}{4}$.

*Beispiel 5:* Zu lösen sei die Ungleichung $\dfrac{x + 3}{x - 3} > 2$. Hier ist eine Fallunterscheidung zu machen.

*a)* Sei $x - 3 > 0$. Dann soll gelten $x + 3 > 2(x - 3), \ldots, 9 > x$. Also insgesamt $3 < x < 9$.

*b)* Falls $x - 3 < 0$, dann $x + 3 < 2(x - 3), \ldots, 9 < x$.

Die Bedingungen $x - 3 < 0$ und $9 < x$ können nicht gleichzeitig erfüllt werden, d.h. im Fall *b)* ist die Lösungsmenge leer. Da der Fall $x = 3$ ausscheidet, wird die Ungleichung gelöst durch alle $x$ mit $3 < x < 9$.

Sehr oft begegnen wir der Relation $a \leq b$ (lies »a kleiner oder gleich b«). Die entsprechenden Regeln entnimmt man dem folgenden Abschnitt.

## Absolutbetrag

Man definiert $\qquad |a| = \begin{cases} a, \text{ wenn } a \geq 0 \\ -a, \text{ wenn } a < 0 \end{cases}$

(gelesen »Betrag von a«).

Auf der Zahlengerade entspricht $|a|$ dem Abstand des Nullpunktes von dem Punkt, der die Zahl $a$ markiert.

$$|+2| = +2$$
$$|-5| = +5$$

*Der Absolutbetrag einer Zahl*

Man erkennt, daß für eine beliebige positive Zahl $\varepsilon$ und für reelle $x$ die folgenden Ungleichungen äquivalent sind

*1)* $\qquad\qquad |x| < \varepsilon \quad \leftrightarrow -\varepsilon < x < +\varepsilon$.

Wir geben zwei weitere grundlegende Regeln für den Umgang mit dem Absolutbetrag an:

*2)* $\qquad\qquad |a \cdot b| = |a| \cdot |b|$

*3)* $\qquad\qquad |a + b| \leq |a| + |b|$.

Der Nachweis von *2)* gelingt durch Fallunterscheidung über das Vorzeichen von $a \cdot b$. Die dritte Beziehung heißt *Dreiecksungleichung*; zum Beweis beachten wir

$$- |a| \leq a \leq |a|.$$

Ebenso ist $\qquad\qquad - |b| \leq b \leq |b|$.

Demnach gilt $\qquad - (|a| + |b|) \leq a + b \leq |a| + |b|$

Gemäß *1)* bedeutet das $\quad |a + b| \leq |a| + |b|$.

## Intervalle und Umgebungen; Häufungspunkte

Jedes zusammenhängende Teilstück der Zahlengerade, das mehr als einen Punkt enthält, veranschaulicht ein Intervall. In der analytischen Fassung unterscheidet man zwei Fälle:

*1) Endliche Intervalle:* Unter der Bedingung $a < b$ verabreden wir folgende Sprech- und Schreibweisen:

Abgeschlossenes Intervall: $\quad [a; b] = \{x \,|\, a \leq x \leq b\}$;

halboffene Intervalle: $\qquad [a; b[ = \{x \,|\, a \leq x < b\}$;

$\qquad\qquad\qquad\qquad\qquad\; ]a; b] = \{x \,|\, a < x \leq b\}$;

offenes Intervall: $\qquad\qquad ]a; b[ = \{x \,|\, a < x < b\}$.

Die positive Zahl $b - a$ heißt bei allen vier Unterfällen Länge des Intervalls.

*2) Unendliche Intervalle:* Intervall-Länge nicht definiert.

$$[a; \infty \,[ = \{x \,|\, a \leq x\} \qquad ] - \infty; a] = \{x \,|\, a \geq x\}.$$

Die Menge aller Zahlen ist ebenfalls ein unendliches Intervall. Zugehörige Schreibfigur $] - \infty; \infty\,[$.

*3)* Als $\varepsilon$-Umgebung (»Epsilon-Umgebung«) einer Zahl $a$ bezeichnet man das offene Intervall $]a - \varepsilon; a + \varepsilon\,[$.

Dabei steht $\varepsilon$ für eine beliebige positive Zahl.

Notation: $\qquad\qquad U_\varepsilon(a) = \{x \,|\, a - \varepsilon < x < a + \varepsilon\}$.

Der Leser überzeuge sich davon, daß diese Punktmenge auch wie folgt beschrieben werden kann:

$$U_\varepsilon(a) = \{x \,|\, |x - a| < \varepsilon\}.$$

Allgemeiner bezeichnet man jedes endliche, offene Intervall, das $a$ enthält, als Umgebung von $a$. Mit $a_1 < a < a_2$ ist dann

$$U(a) = \{x \,|\, a_1 < x < a_2\}.$$

Gelegentlich muß aus einer Umgebung von $a$ das Element $a$ selbst ausgeschlossen werden; die so entstehende Punktmenge heißt punktierte Umgebung von $a$. Mit $a_1 < a < a_2$ erhält man

$$U^*(a) = \{x \,|\, a_1 < x < a \quad \text{oder} \quad a < x < a_2\}.$$

*Punktierte Umgebung* (links), *symmetrische und unsymmetrische Umgebung einer Zahl* (Mitte bzw. rechts)

*4) Häufungspunkte:* Wenn $M$ eine nichtleere Menge reeller Zahlen ist, heißt $a$ genau dann Häufungspunkt von $M$, wenn in jeder Umgebung von $a$ mindestens ein Punkt aus $M$ liegt, der von $a$ verschieden ist.

*Beispiel:* Die Häufungspunkte einer punktierten Umgebung $U^*$ sind der ausgeschlossene Punkt, alle Elemente von $U^*$ und die Randpunkte des Intervalls.

## Obere und untere Schranken

Eine nichtleere Teilmenge $M$ der reellen Zahlen heißt genau dann *beschränkt nach oben*, wenn es eine Zahl $s$ gibt, so daß

$s \geq m$ für alle $m$ aus $M$. $s$ heißt obere Schranke von $M$.

Ist $s$ obere Schranke von $M$, dann ist naturgemäß jede Zahl $s_1$ mit $s_1 > s$ obere Schranke von $M$.

*Beispiel:* $M = R^- = \{x \,|\, x < 0\}$.

Die Zahl Null und jede positive Zahl sind obere Schranken von $M$.

Die Zahl Null ist unter allen oberen Schranken von $R^-$ die kleinste. Man nennt sie deshalb kleinste obere Schranke von $R^-$ oder auch Supremum von $R^-$, abgekürzt $\sup R^-$.

**Definition:** Es sei $S$ die Menge der oberen Schranken einer nichtleeren, nach oben beschränkten Menge $M$. Genau dann, wenn es in $S$ ein kleinstes Element $\sigma$ gibt, heißt $\sigma$ *kleinste obere Schranke* von $M$ oder auch *Supremum* von $M$.

Schreibweise: $\sigma = \sup M$.

Das Supremum wird auch obere Grenze von $M$ genannt. Die Zahl $\sigma$ erfüllt dann folgende Bedingungen:

*1)* Für alle $m$ aus $M$ gilt $m \leq \sigma$.

*2)* Wenn $s' < \sigma$, dann gibt es mindestens ein $m \in M$ mit $s' < m$.

*1)* bedeutet, daß $\sigma$ obere Schranke von $M$ ist;

*2)* besagt, daß jede Zahl, die kleiner als $\sigma$ ist, keine obere Schranke von $M$ ist.

Die folgenden Begriffe gewinnt man durch Symmetrisieren aus den vorhergehenden.

Es sei $M \subset R$, $M \neq \emptyset$. $M$ heißt genau dann *nach unten beschränkt*, wenn es eine Zahl $t$ gibt, so daß

$$t \leq m \text{ für beliebiges } m \in M.$$

$t$ heißt untere Schranke von $M$.

Genau dann, wenn es in der Menge $T$ der unteren Schranken von $M$ ein größtes Element $\tau$ gibt, heißt $\tau$ *größte untere Schranke* von $M$ oder auch *Infimum* von $M$.

Schreibweise: $\tau = \inf M$.

Für $\tau$ gilt:

*1)* Für alle $m \in M$ ist $m \geq \tau$;

*2)* Wenn $t' > \tau$, dann gibt es mindestens ein $m \in M$ mit $t' > m$.

## Lückenlosigkeit der reellen Zahlen

Für die folgende Erörterung betrachten wir die Menge $Q^+$ der positiven rationalen Zahlen und bilden die Teilmengen

und
$$A = \{a \,|\, a \in Q^+ \quad \text{und} \quad a^2 < 2\}$$

$$B = \{b \,|\, b \in Q^+ \quad \text{und} \quad b^2 > 2\}.$$

Beide Mengen sind gewiß nicht leer; $1 \in A$, $2 \in B$. Für beliebige $a \in A$ und $b \in B$ gilt nach Definition $a^2 < 2$, $2 < b^2$, d.h. $a^2 < b^2$. Da außerdem $0 < a, b$, muß $a < b$ sein.

Demnach ist die Menge $A$ nach oben beschränkt, jedes $b$ ist obere Schranke. Ebenso ist die Menge $B$ nach unten beschränkt, jedes $a$ ist untere Schranke.

Auf S. 99 wurde gezeigt, daß es keine rationale Zahl gibt, deren Quadrat gleich 2 ist. Daher ist die Menge $B$ gleichzeitig die Menge $S$ der oberen Schranken von $A$ ($A$ nichtleer und beschränkt nach oben). Es gibt aber unter den oberen Schranken von $A$ – d.h. den Elementen von $B$ – kein kleinstes Element. Mit anderen Worten:

Wir haben eine Menge $A$, die nichtleer und nach oben beschränkt ist, ohne daß es sup $A$ gibt (betrachtet wird $Q^+$!).

*Beweis:*

konkretes Beispiel:

$b_1 = 2$, $b_1 \in B$;

$\frac{2}{b_1} = 1 = a_1$, $a_1 \in A$;

Wir bilden:

$\frac{1}{2}(2 + 1) = \frac{3}{2} = \beta_2$;

Es ist $\frac{9}{4} > 2$,

also: $\beta_2 \in B$, $\beta_2 < b_1$.

Außerdem sei

$\alpha_2 = 2 : \beta_2$,

also: $\alpha_2 = \frac{4}{3}$.

Es wird

$\alpha_2^2 = \frac{16}{9} < 2$.

Also $\alpha_2 \in A$ mit $a_1 < \alpha_2$.

In der numerischen Mathematik benutzt man dieses Verfahren oft zur näherungsweisen Berechnung von Quadratwurzeln (Algorithmus von Heron). (vergleiche Aufgabe 6)

allgemeine Notation:

Es sei $b_1$ beliebig aus $B$, dann liegt $\frac{2}{b_1} = a_1$ in $A$; man hat $4 = (a_1 b_1)^2 = a_1^2 \cdot b_1^2$. Da $b_1^2 > 2$, wird $4 > 2a_1^2$, also $a_1^2 < 2$, $a_1 \in A$.

Nun bildet man

$\beta_2 = \frac{1}{2}(a_1 + b_1)$. Nach Aufg. 1 g gilt $a_1 < \beta_2 < b_1$. In der Aufgabe 2 wird gezeigt, daß

$$\frac{(a_1 + b_1)^2}{4} > a_1 b_1,$$

wenn $a_1 \neq b_1$. In unserem Falle ist $a_1 \cdot b_1 = 2$; also $\beta_2^2 > 2$, $\beta_2 \in B$ mit $\beta_2 < b_1$.

Man zeigt entsprechend, daß $\alpha_2 = \dfrac{2}{\beta_2}$ zu $A$ gehört und daß $\alpha_2$ größer ist als $a_1$

Wir veranschaulichen den betrachteten Sachverhalt auf der Zahlengeraden:

*Darstellung von* sup $A = \sqrt{2} =$ inf $B$

Im Bereich der rationalen Zahlen gibt es Lücken. Wegen der Lücke an der Stelle $\sqrt{2}$ gab es kein Supremum für die Menge $A$ (und kein Infimum für die Menge $B$). Durch die irrationale Zahl $\sqrt{2}$ läßt sich die aufgewiesene Lücke schließen; es gilt dann: sup $A = \sqrt{2} =$ inf $B$.

Auf S. 99 wurde angenommen, daß die reellen Zahlen »lückenlos« auf der Zahlengerade liegen. Wenn man den Begriff der Lückenlosigkeit analytisch faßt, kann bewiesen werden, daß jede nichtleere, nach oben beschränkte Teilmenge reeller Zahlen ein wohlbestimmtes Supremum besitzt. Dieser Satz von der Existenz des Supremums hat für die Analysis entscheidendes Gewicht. Von der Anschauung her erscheint es plausibel; ein Beweis wird hier nicht geführt.

**Aufgaben**

*1)* Beweisen oder widerlegen Sie die folgenden Behauptungen:

*a)* Aus $A \cup B = A$ folgt $B = \emptyset$;

*b)* Aus $A \cap B = A$ folgt $A \subseteq B$; } für beliebige Mengen $A, B$.

*c)* $A \cup (B \cap A) = A$;

*d)* $\dfrac{a}{b} = \dfrac{b}{a} \Leftrightarrow a = b$

*e)* Aus $(a + b)^3 = a^3 + b^3$ folgt $a = 0$ oder $b = 0$;

*f)* Wenn $0 \le a < b$, dann ist $a^2 < b^2$;

*g)* Wenn $a < b$, dann gilt $a < \dfrac{a+b}{2} < b$;  $\quad a, b, x \in R.$

*h)* Wenn $a^2 > b^2$, dann ist $a > b$;

*i)* Aus $(x - 1) \cdot (x - 3) > 0$ folgt $x > 3$;

*j)* $||a|| = |a|$;  *k)* $|a - b| = |b - a|$;

*l)* $(a + |a|)(a - |a|) = 0$.

*m)* Der Durchschnitt von zwei Intervallen ist stets ein Intervall.

*n)* Der Durchschnitt von zwei Intervallen ist niemals ein Intervall.

*o)* Es gelte $\emptyset \ne M_1$; $M_1$ sei echte Teilmenge einer nach oben beschränkten Zahlenmenge $M_2$.
Behauptung: Es existiert sup $M_1$; es gilt sup $M_1 <$ sup $M_2$.

*p)* Es seien $M_1$ und $M_2$ zwei nichtleere, nach oben beschränkte Zahlenmengen. Man betrachte

$$M = M_1 \oplus M_2 = \{m_1 + m_2 \mid m_1 \in M_1, m_2 \in M_2\}$$

Behauptung: $M$ ist nach oben beschränkt. Außerdem gilt:

$$\text{sup } M \le \text{sup } M_1 + \text{sup } M_2$$

*2)* Es sei $0 < a \le b$. Man bezeichnet

$\dfrac{a+b}{2}$ als arithmetisches Mittel $A(a, b)$,

$\sqrt{ab}$ als geometrisches Mittel $G(a, b)$ und

$\dfrac{2ab}{a+b}$ als harmonisches Mittel $H(a, b)$. Zeigen Sie, daß die folgende Kette

von Ungleichungen gilt

$$a \le H(a, b) \le G(a, b) \le A(a, b) \le b.$$

Wann gilt das Gleichheitszeichen? Hinweis: $(a + b)^2 - 4ab = (a - b)^2 \ge 0$

*3)* Lösen Sie die folgenden Ungleichungen:

    *a)* $18 (2x - 3) - 11 (4x + 3) < 2 (x - 50)$;

    *b)* $(x - 1)(x - 2)(x - 3) > 0$;

    *c)* $x^2 - 5x + 4 \geq 0$;

    *d)* $3^x > 9$;

    *e)* $\dfrac{2}{x-1} + \dfrac{1}{x+1} > 0$.

*4)* Beweisen Sie die folgenden Beziehungen für beliebige Zahlen $a, b, c \in R$:

$$|a + b + c| \leq |a| + |b| + |c| \, ;$$
$$|a + b| \geq |a| - |b| \, ; \qquad |a + b| \geq |b| - |a|;$$
$$|a - b| \leq |a| + |b|; \qquad |a - b| \geq |a| - |b|.$$

*5)* Lösen Sie die folgenden Gleichungen beziehungsweise Ungleichungen:

$$|5 - x| = 3; \qquad |x - 5| < 3;$$
$$0 < |x + 4| \leq 1; \qquad |x| + x < 2.$$
$$\left| \frac{x+1}{x+2} \right| < 1;$$

*6)* Im Abschnitt Lückenlosigkeit der reellen Zahlen wurde ein Verfahren angedeutet, $\sqrt{2}$ näherungsweise zu bestimmen (»Einschachtelungs-Verfahren«; siehe auch Aufgabe 2). Es war

$$a_1 = 1; \qquad b_1 = 2;$$
$$a_2 = \tfrac{4}{3}; \qquad b_2 = \tfrac{3}{2}.$$

Berechnen Sie $a_3, b_3, a_4$ und $b_4$.

# Funktionen

### Reelle Funktionen als Zuordnungen

Der Abschnitt soll unvermittelt mit einer Definition des Funktionsbegriffes beginnen, da angenommen wird, daß der Leser durch vorausgegangenen Unterricht (bzw. Lektüre) bereits entsprechend vorbereitet ist.

**Definition:** Gegeben sei eine nichtleere Menge $D$ von reellen Zahlen. Eine *reelle Funktion f* ordnet jeder Zahl $x \in D$ eine und nur eine Zahl $f(x)$ aus $R$ zu. Man bezeichnet $D$ als den *Definitionsbereich* der Funktion $f$; die Menge $W = \{f(x) \mid x \in D\}$ heißt der *Wertevorrat* oder auch *Bildbereich* der Funktion. Die Zahl $f(x)$ heißt *Funktionswert* von $f$ an der Stelle $x$.

Mit der symbolischen Schreibweise $f: D \underset{f}{\to} W$ soll angedeutet werden, daß die Menge $D$ durch $f$ auf die Menge $W$ »abgebildet« wird. Man schreibt in diesem Zusammenhang abkürzend: $W = f(D)$. Wenn $M$ eine Teilmenge von $D$ ist, soll $f(M)$ die zugehörige Bildmenge bezeichnen, also $f(M) = \{f(x) \mid x \in M\}$.

Eine reelle Funktion wird bestimmt durch den Definitionsbereich $D$ und durch genaue Angaben über die Zuordnung $x \to f(x)$ für alle $x \in D$. In der Regel wird diese Zuordnung durch einen Funktionsterm oder durch eine Aussageform beschrieben. An elementaren Beispielen läßt sich zeigen, welche Forderungen die Definition des Funktionsbegriffes enthält. Außerdem gebrauchen wir dabei einige der üblichen Sprech- und Schreibweisen.

Es sei $D = \{-1, 0, +1\}$. Die Zuordnung $x \to f(x)$ soll durch »Pfeildiagramme« markiert werden.

*Beispiel 1:* keine Funktion!

Die Null hat »zwei Bilder«; gefordert wird ein und nur ein $f(x)$ für jedes $x \in D$.

*Beispiel 2:* Funktion!

Formale Notation:

$$f: x \to 1, \quad x \in D$$

oder auch $\qquad\qquad f: f(x) = 1, \quad x \in D.$

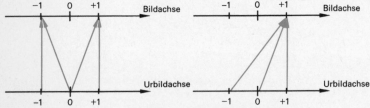

Links *Figur zum Beispiel 1): Die Zuordnung stellt keine Funktion dar;*
rechts *Figur zum Beispiel 2): Die Zuordnung ist eine Funktion*

Vielfach gibt man nur den Funktionsterm an, schreibt also $f(x) = 1, \quad x \in D$.

*Beispiel 3:* keine Funktion!

$f(0)$ ist nicht erklärt.

Für die Menge $\qquad\qquad D_2 = \{-1, +1\}$

hätte man eine funktionale Zuordnung

$$g: z \to z, \quad z \in D_2$$

oder auch $\qquad\qquad g: g(z) = z, \quad z \in D_2$

(Wechsel in der Bezeichnung, da diese willkürlich ist).

*Beispiel 4:* Funktion!

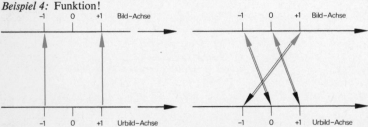

Links *Figur zum Beispiel 3): Die Zuordnung stellt keine Funktion dar;*
rechts *Figur zum Beispiel 4): Die Zuordnung ist eine Funktion*

Im Gegensatz zu *2)* vermitteln Pfeile in der umgekehrten Richtung eine eindeutige Abbildung von *W* auf *D*.
Wir haben das Beispiel einer umkehrbaren oder eineindeutigen Funktion.

### Graphische Darstellung von Funktionen

Schon das letzte Beispiel macht deutlich, daß Pfeildiagramme nur begrenzt verwendbar sind. Bei verwickelteren Zuordnungen  $x \to f(x)$  oder bei nicht endlichen Definitionsmengen geht die Übersicht verloren. Die übliche graphische Darstellung von Funktionen ist jedoch eng mit dem Pfeildiagramm verwandt. Man hat ja lediglich die beiden Zahlengeraden senkrecht zueinander angeordnet und das Augenmerk auf den Punkt $P(x; y)$ gerichtet, wobei die *y*-Koordinate durch  $y = f(x)$  festgelegt wird.
Für die Beispiele *2)* und *4)* ergibt das folgende Darstellungen (die punktierten Linien vermitteln das Pfeildiagramm):

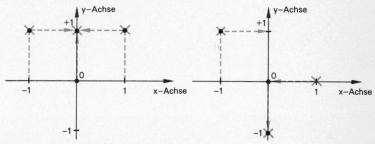

Links *graphische Darstellung des Beispiels 2)* ;
rechts *graphische Darstellung des Beispiels 4)*

Wenn wir zu einer Funktion übergehen, deren Definitionsmenge ein Intervall ist. sieht das Diagramm anders aus. Man hat jetzt nicht mehr nur endlich viele, diskret liegende Punkte, sondern eine unendliche Punktmenge, die in vielen Fällen geometrisch beschreibbar ist.
*Beispiel 5:*  $D_5 = [-1; +1]$     $f_5 : x \to 2x, \quad x \in D_5$.
Alle Punkte mit den Koordinaten  $(x; f(x))$  liegen auf der Geraden durch $P_1$ und $P_2$ (linke Figur). Jeder Punkt der Strecke  $\overline{P_1 P_2}$  gehört zur Punktmenge $\{P(x; f(x)) \mid x \in D_5\}$.
Die Strecke  $\overline{P_1 P_2}$  heißt *Graph* der Funktion $f_5$.
Für den allgemeinen Fall gilt die folgende

**Definition:** Es sei *f* eine reelle Funktion mit dem Definitionsbereich $D, f \colon D \underset{f}{\to} W$.

Legt man ein rechtwinkliges Koordinatensystem zugrunde, dann heißt die Punktmenge  $\{P(x; y) \mid y = f(x), \quad x \in D\}$ 
*Graph der Funktion f.*

Wegen der engen Beziehung zwischen einer Funktion und ihrem Graphen wird letzterer manchmal sogar mit der Funktion identifiziert.
Ein kräftiges Gegenbeispiel soll deshalb verdeutlichen, daß die Darstellungskraft

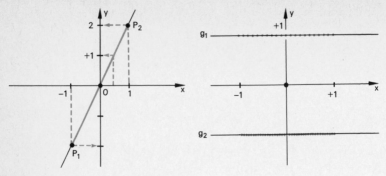

Links *graphische Darstellung des Beispiels 5);*
rechts *Skizze zur Funktion $f_6$ (vgl. Text)*

von Graphen beschränkt ist. Es sei $D_6 = [-1; +1]$; die Zuordnung $x \rightarrow f_6(x)$
wird durch folgende Vorschrift festgelegt

$$f_6(x) = 1, \qquad \text{wenn } x \text{ rational}$$
$$f_6(x) = -1, \qquad \text{wenn } x \text{ irrational}$$

(es besteht keinerlei Verstoß gegen die Ausgangsdefinition!)

Will man den Graphen dieser Funktion $f_6$ zeichnen, so liegen unendlich viele
Punkte auf der Gerade $g_1$, aber auch unendlich viele Punkte auf der Gerade $g_2$.
Andererseits gibt es sowohl auf $g_1$ wie auch auf $g_2$ unendlich viele Punkte, die
nicht zum Graphen von $f_6$ gehören (rechte Figur).

*Beispiele*

*1)* Der Leser sollte vertraut sein mit den *linearen Funktionen*. Sie haben die
Form $l$: $x \rightarrow mx + b$, $x \in R$; $m$ und $b$ sind reelle Formvariable. Der zugehörige
Graph ist eine Gerade, die festgelegt wird durch

$$l(0) = b$$

und
$$m = \tan \alpha = \frac{l(x_2) - l(x_1)}{x_2 - x_1}.$$

$$x \rightarrow -x + 2, \quad x \in R.$$

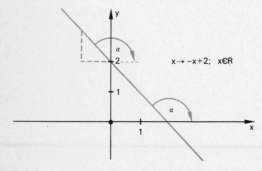

$x \rightarrow -x+2;\quad x \in R$

*Zu den linearen
Funktionen*

*2) Quadratische Funktionen* sind von der Form

$$q: x \to ax^2 + bx + c; \quad a \neq 0, \; x \in R$$

mit den Formvariablen $a$, $b$ und $c$.

Der zugehörige Graph entsteht durch Verschieben und Strecken (bzw. Stauchen) aus der »Normalparabel«, die als Graph der Funktion $q_n: x \to x^2$ wohlbekannt ist.

*3)* In den folgenden Diagrammen sind die Graphen einiger *Potenzfunktionen* skizziert.

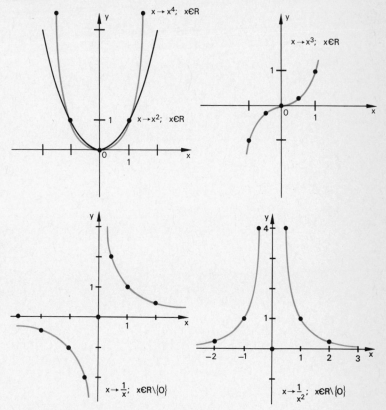

## Trigonometrische Funktionen

Im Schulbereich werden die trigonometrischen Funktionen definiert durch Längenverhältnisse am Einheitskreis oder am rechtwinkligen Dreieck (mit anschließender Fortsetzung für nichtspitze Winkel). Mit den folgenden Figuren erinnern wir an die Grundbeziehungen; weitergehende Formeln entnehme man einer Formelsammlung.

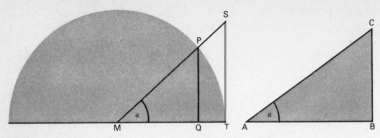

*Die trigonometrischen Funktionen*

$$\sin\alpha = \frac{l(\overline{PQ})}{l(\overline{MP})}; \quad \cos\alpha = \frac{l(\overline{MQ})}{l(\overline{MP})}; \quad \tan\alpha = \frac{l(\overline{ST})}{l(\overline{MT})} = \frac{\sin\alpha}{\cos\alpha};$$

$$\sin\alpha = \frac{l(\overline{BC})}{l(\overline{AC})} = \frac{\text{Länge der Gegenkathete}}{\text{Länge der Hypothenuse}}.$$

Der numerische Zugang erfolgt über Tabellen (Logarithmentafel) oder über Funktionsleitern (Rechenstab) bzw. über Taschenrechner.

Als Beispiel skizzieren wir den Graphen der Sinusfunktion,
$\sin: x \to \sin x, x \in R$.

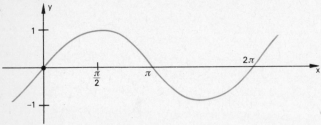

*Der Graph der Sinusfunktion*

Man achte auf die Einteilung der $x$-Achse; wie immer in solchem Zusammenhang werden Winkel im Bogenmaß angegeben; für die Umrechnung ins Gradmaß gilt die Proportion $\hat{\alpha}: \alpha° = 2\pi : 360°$.

## Spezielle Treppenfunktionen

Eine Funktion heißt genau dann Treppenfunktion, wenn ihr Definitionsbereich in endlich viele Intervalle (oder einzelne Punkte) zerlegt werden kann, auf denen die Funktion jeweils konstante Werte annimmt.

Wir geben drei wichtige Beispiele.

*1) Vorzeichen-Funktion* (linke Figur):

$$\text{sign}: \text{sign}\,x = \begin{cases} -1, & \text{wenn } x < 0 \\ = 0, & \text{wenn } x = 0 \\ +1, & \text{wenn } x > 0. \end{cases}$$

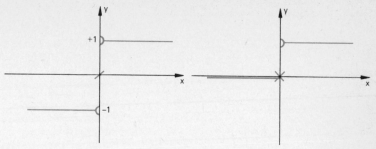

Links *die Vorzeichenfunktion;* rechts *die Heaviside-Funktion*

*2) Heaviside-Funktion* (rechte Figur):

$$H: \quad H(x) = \begin{cases} 0, & \text{wenn } x \leq 0 \\ 1, & \text{wenn } x > 0. \end{cases}$$

*3) Gaußklammer-Funktion*: Man definiert: Für $x \in R$ ist $[x]$ die größte ganze Zahl, die kleiner oder gleich $x$ ist, (gelesen »$x$ in Gaußklammer« oder »Gaußklammer von $x$«). Es gilt also für beliebige ganze Zahlen $z \in Z$

$$[x] = z \Leftrightarrow z \leq x < z + 1.$$

Man erhält demnach folgenden Graphen für die Funktion $g$:

$$x \to [x], \quad x \in R.$$

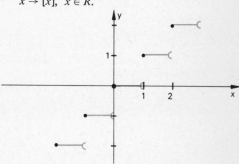

*Die Gaußklammer-Funktion*

Der Punkt markiert den Funktionswert, der Halbkreis den Ausschluß des Endpunktes. Für jedes endliche Intervall ist $x \to [x]$ eine Treppenfunktion.

## Zweite Definition des Funktionsbegriffes

Wir überlegen uns, daß eine ebene Punktmenge genau dann der Graph einer Funktion ist, wenn jede Parallele zur $y$-Achse mit der Punktmenge höchstens einen Punkt gemeinsam hat. Durch die analytische Fassung dieser Bemerkung kommt man zu einer Definition des Funktionsbegriffes, bei der das Wort »Zuordnung« nicht mehr benötigt wird. Die Charakterisierung erfolgt statt dessen durch mengentheoretische Umschreibung; sie erfreut sich daher neuerdings zunehmender Beliebtheit.

**Definition:** Gegeben seien zwei nichtleere Mengen $A$ und $B$ von reellen Zahlen. Eine *reelle Funktion f* ist eine Menge von geordneten Paaren reeller Zahlen $f = \{(x; y) \mid x \in A \wedge y \in B\}$ mit folgender Eigenschaft: Wenn $(x_1; y_1)$ und $(x_1; y_2)$ zu $f$ gehören, folgt $y_1 = y_2$.

Der Definitionsbereich der Funktion $f$ ist die Menge aller Zahlen $x$, für die es eine Zahl $y$ gibt, so daß $(x; y)$ in $f$ liegt. Wenn $x_1$ zu $f$ gehört, gibt es eine eindeutig bestimmte Zahl $y_1$, so daß $(x_1; y_1)$ in $f$ liegt. Dies $y_1$ ist der Funktionswert von $f$ an der Stelle $x_1$.

Diese Betrachtungsweise von Funktionen kann auch im Sinne einer Wertetabelle gedeutet werden: Die Zahlen aus dem Definitionsbereich $D$ werden jeweils mit dem zugehörigen Funktionswert zu Zahlenpaaren zusammengefaßt. Die Gesamtheit aller Zahlenpaare macht die Funktion aus.

Man erkennt, daß die graphische Darstellung einer Funktion der Deutung als Paarmenge oder als Zuordnung gerecht wird.

### Beziehungen zwischen Funktionen

*Gleichheit von Funktionen.* Zwei Funktionen $f$ und $g$ sind genau dann gleich, wenn die Definitionsbereiche gleich sind und wenn $f(x) = g(x)$ für alle $x \in D$ gilt. Wir betonen nochmals, daß bei unserer Schreibweise $f(x) = g(x)$ die Gleichheit der Funktionswerte *an einer Stelle* fordert, während $f = g$ die *Übereinstimmung der Paarmengen* beinhaltet.

*Beispiel a):*
$$f\colon x \to x, \qquad x \in R;$$
$$g\colon x \to x^2, \qquad x \in R.$$

Es ist $f(0) = g(0) = 0$ und $f(1) = g(1) = 1$, aber $f \neq g$.

b) $f\colon x \to 1, \ x \in R; \quad g\colon x \to (\sin x)^2 + (\cos x)^2, \ x \in R.$
$f = g$, da $(\sin x)^2 + (\cos x)^2 = 1$ für alle $x \in R$.

*Einschränkung und Fortsetzung.* Gegeben sei eine Funktion $f$ mit dem Definitionsbereich $D$, $f\colon D \underset{f}{\to} W$. Wenn $D_1$ eine nichtleere Teilmenge von $D$ ist, bezeichnet man als die Einschränkung (oder Restriktion) von $f$ auf $D_1$ die Funktion $f_1$, für die gilt

$$f_1(x) = f(x), \qquad x \in D_1.$$

Symbolisch: $\qquad\qquad f_1\colon D_1 \underset{f}{\to} W_1.$

Dieser Zusammenhang soll jetzt »von der anderen Seite her« dargestellt werden. Betrachtet wird eine Funktion $f$ mit dem Definitionsbereich $D_f$, $f\colon D_f \to W_f$.

Eine Funktion $\varphi$ heißt Fortsetzung von $f$, wenn folgende Bedingungen gelten:
*1)* Der Definitionsbereich $D_\varphi$ der Funktion $\varphi$ enthält den Definitionsbereich $D_f$, $D_f \subset D_\varphi$
*2)* Auf dem Definitionsbereich $D_f$ gilt

$$f(x) = \varphi(x), \qquad x \in D_f.$$

*Fehlerwarnung:* Nach Vorgabe von $\emptyset \neq D_1 \subset D$ ist die Restriktion $f_1$ eindeutig festgelegt; der Übergang zu Fortsetzungen von $f$ läßt noch viele Möglichkeiten offen.

*Beispiel:* $f\colon x \to x, \ x \in [0; 4]; \quad D_1 = \{0, 1, 2, 3, 4\}$. Der Graph von $f_1$ ist rot markiert.

$$D_\varphi = R; \quad \varphi: x \to x, \; x \in R;$$

$$D_{\overline{\varphi}} = R; \quad \overline{\varphi}: \begin{cases} \overline{\varphi}(x) = 0, & x < 0; \\ \overline{\varphi}(x) = x, & 0 \leq x \leq 4; \\ \overline{\varphi}(x) = 4, & x > 4. \end{cases}$$

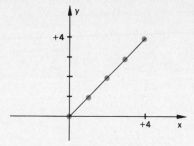 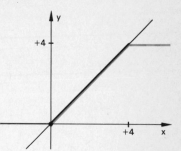

Links *Einschränkung einer Funktion;*
rechts *Zwei Fortsetzungen einer Funktion*

*Algebraische Verknüpfungen.* Wenn $f$ und $g$ zwei Funktionen sind, deren Definitionsbereich $D_f$ und $D_g$ einen nichtleeren Durchschnitt $D$ haben, wird ihre Summe $f + g$ wie folgt definiert

$$f + g: \; x \to f(x) + g(x), \; x \in D.$$

Anders geschrieben

$$f + g: \; (f + g)(x) = f(x) + g(x), \; x \in D.$$

Das Produkt $f \cdot g$ und der Quotient $\dfrac{f}{g}$ werden entsprechend eingeführt

$$f \cdot g: \; x \to f(x) \cdot g(x), \; x \in D$$

bzw.

$$\frac{f}{g}: x \to \frac{f(x)}{g(x)}, x \in D \setminus \{x \mid g(x) = 0\}.$$

Beim Quotienten ist darauf zu achten, daß durch Bilden der Differenzmenge nur die Stellen im Definitionsbereich bleiben, an denen die Funktion $g$ Werte ungleich Null hat. Naturgemäß muß $D \setminus \{x \mid g(x) = 0\} \neq \emptyset$ sein.

*Verkettung.* Die folgende wichtige Definition soll durch ein Beispiel und die zugehörigen Pfeildiagramme vorbereitet werden.

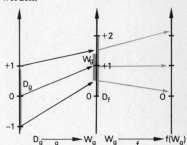

*Graphische Darstellung der Verkettung
zweier Funktionen*

Es sei                g: $x \to \frac{1}{2}x + 1$,     $x \in [-1; +1]$;

außerdem              f: $x \to x^2$,       $x \in [0; 4]$.

Es ist $W_g = [0,5; 1,5] \subset D_f$; es gibt also zu jedem $g(x) \in W_g$ das Bild vermöge der Funktion $f$, so daß man eine Zuordnungskette erhält.

$$x \underset{g}{\to} \frac{1}{2}x + 1 \underset{f}{\to} (\frac{1}{2}x + 1)^2.$$

Nach Auflösen der Klammer

$$x \to \frac{1}{4}x^2 + x + 1.$$

Diese Zuordnung wird als *Verkettung* oder *Komposition* der Funktionen $f$ und $g$ bezeichnet. Schreibweise:

$$f \circ g: \quad x \to (\frac{1}{2}x + 1)^2, \quad x \in D_g.$$

Man erkennt, daß es wesentlich auf die Reihenfolge bei der Verkettung ankommt. Bei unserer Wahl der Definitionsbereiche für $f$ und $g$ könnte $g \circ f$ nicht gebildet werden, da $f(D_f) = [0; 16) \not\subset D_g$.

Die Festsetzungen $f: x \to x^2$, $x \in R$ und $g: x \to \frac{1}{2}x + 1$, $x \in R$ führen zu folgenden Verkettungen

$$f \circ g: \quad x \to \frac{1}{4}x^2 + x + 1,$$

und            $g \circ f: \quad x \to \frac{1}{2}x^2 + 1$,     also $f \circ g \neq g \circ f$.

**Definition**  *für den allgemeinen Fall:* Betrachtet werden zwei Funktionen $f$ und $g$ mit den Definitionsbereichen $D_f$ und $D_g$. Wenn $W_g = g(D_g)$ eine Teilmenge von $D_f$ ist, wird die *Verkettung* $f \circ g$ beider Funktionen definiert durch die Vorschrift

$$f \circ g: \quad x \to f(g(x)), \quad x \in D_g.$$

Reduziertes Pfeildiagramm: $x \underset{g}{\to} g(x) \underset{f}{\to} f(g(x))$; d.h.:

$$x \underset{f \circ g}{\longrightarrow} f(g(x)).$$

Durch wiederholtes Verknüpfen oder Verketten lassen sich eine große Anzahl von Funktionen aus wenigen Grundfunktionen erzeugen. Wir werden zeigen, daß man außerdem auch wesentliche Eigenschaften der zusammengesetzten Funktionen auf die Eigenschaften der Grundfunktionen zurückführen kann.

## Polynomfunktionen; Horner-Schema

*1)* In Theorie und Praxis begegnet man häufig Funktionen des folgenden Typs

$$p_2: \quad p_2(x) = x^2 - 2x + 1, \quad x \in R$$

oder           $p_3: x \to 4x^3 - x$,     $x \in R$.

Die allgemeine Form solcher Funktionen wird beschrieben durch

$$p_n: \quad x \to a_n x^n + a_{n-1} x^{n-1} + \cdots + a_1 x + a_0; \quad a_n \neq 0, \quad x \in R.$$

Die natürliche Zahl $n$ heißt *Grad der Polynomfunktion.* Für die Formvariablen $a_n, a_{n-1}, \ldots, a_0$ werden reelle Zahlen eingesetzt; diese Zahlen heißen *Koeffizienten* der Polynomfunktion.

Unsere Beispiele sind demnach Polynomfunktionen vom Grade zwei bzw. vom Grade drei. Man erkennt, daß die linearen Funktionen besonders einfache Polynomfunktionen sind. Umgekehrt läßt sich zeigen, daß die Polynomfunktionen durch Verketten und Verknüpfen aus linearen Funktionen zu erzeugen sind.

*2)* Zur Bestimmung der Funktionswerte von Polynomfunktionen gibt es ein übersichtliches Rechenverfahren, das *Horner-Schema*. Wir wollen es an einem Beispiel entwickeln.

Betrachtet werde $\quad p_3: \ x \to 4x^3 + 3x^2 + 2x + 1, \quad x \in R$

Zu berechnen sei $\quad p_3(2), \quad p_3(1), \quad p_3(-0{,}5), \dots$

Es ist $\quad 4x^3 + 3x^2 + 2x + 1 = 1 + x \cdot (2 + 3x + 4x^2)$
$$= 1 + x \cdot (2 + x(3 + 4x)),$$

Also $\quad 4x^3 + 3x^2 + 2x + 1 = ((4x + 3)\, x + 2)\, x + 1.$

Diese Äquivalenzumformung wird folgendermaßen in ein Rechenschema umgesetzt:

$$
\begin{array}{r|cccc}
 & 4 & 3 & 2 & 1 \\
\hline
2 & 0 & 8 & 22 & 48 \\
 & 4 & 11 & 24 & 49
\end{array}
$$

$p_3(2) = 49.$

In der ersten Zeile stehen die Koeffizienten der betrachteten Polynomfunktion. Die herausgesetzte Zahl 2 gibt die Stelle an, für die der Funktionswert berechnet werden soll. Der Algorithmus beginnt mit dem Übertragen des führenden Koeffizienten 4 in die dritte Zeile. Danach wird in der Richtung des Pfeiles mit dem vorgesetzten Wert multipliziert und dann in der Spalte addiert. Dieses Verfahren ist bis zur letzten Spalte fortzusetzen. Man verfolge, wie die einzelnen Zwischenergebnisse mit der oben gegebenen Darstellung korrespondieren. So ist etwa $24 = (4 \cdot 2 + 3) \cdot 2 + 2, \ \dots,$ also schließlich

$$49 = p_3(2).$$

Zur Übung berechnen wir einige weitere Werte.

$$
\begin{array}{r|cccc}
 & 4 & 3 & 2 & 1 \\
\hline
1 & 0 & 4 & 7 & 9 \\
 & 4 & 7 & 9 & 10
\end{array}
\qquad
\begin{array}{r|cccc}
 & 4 & 3 & 2 & 1 \\
\hline
-0{,}5 & 0 & -2 & -0{,}5 & -0{,}75 \\
 & 4 & 1 & 1{,}5 & 0{,}25
\end{array}
$$

$\quad\quad p_3(1) = 10 \qquad\qquad\qquad p_3(-0{,}5) = 0{,}25$

$$
\begin{array}{r|cccc}
 & 4 & 3 & 2 & 1 \\
\hline
0{,}1 & 0 & 0{,}4 & 0{,}34 & 0{,}234 \\
 & 4 & 3{,}4 & 2{,}34 & 1{,}234
\end{array}
$$

$\quad\quad p_3(0{,}1) = 1{,}234$

Jeder Funktionswert kommt durch drei Multiplikationen und drei Additionen zustande; bei herkömmlicher Rechnung sind dagegen neun Elementaroperationen nötig.

Der hier entwickelte Algorithmus kann bei beliebigen Polynomfunktionen angewendet werden. Es liegt auf der Hand, daß das Horner-Schema bei Polynomfunktionen höheren Grades die Berechnung der numerischen Werte wesentlich vereinfacht – im EDV-Bereich also nennenswert verbilligt.

*3)* Durch weiteres Betrachten unseres Beispiels soll die Einsatzmöglichkeit des Verfahrens in einem anderen Zusammenhang gezeigt werden.

Zu $$p_3\colon\ x \to 4x^3 + 3x^2 + 2x + 1,\quad x \in R$$
liefert das Rechenschema

|   | 4 | 3 | 2 | 1 |
|---|---|---|---|---|
| 2 | 0 | 8 | 22 | 48 |
|   | 4 | 11 | 24 | 49 |

den Funktionswert an der Stelle 2, $p_3(2) = 49$.

Das Bildungsgesetz der Zahlen des Horner-Schemas ermöglicht die folgende Umformung:

$$
\begin{aligned}
4x^3 + 3x^2 + 2x + 1 &= 4x^3 + 11x^2 - 8x^2 + 24x - 22x + 49 - 48;\\
&= 4x^3 + 11x^2 + 24x - (8x^2 + 22x + 48) + 49;\\
&= x(4x^2 + 11x + 24) - 2(4x^2 + 11x + 24) + 49;\\
&= (x - 2)(4x^2 + 11x + 24) + 49. \qquad\qquad (1)
\end{aligned}
$$

Anders geschrieben:

$$p_3(x) = p_3(2) + (x - 2) \cdot p_2(x). \qquad\qquad (1^*)$$

Setzt man das Verfahren fort, so erhält man entsprechend

$$4x^2 + 11x + 24 = (x - 2)(4x + 19) + 62, \qquad\qquad (2)$$

wobei die Koeffizienten 4, 19 und 62 wiederum in einem Horner-Schema stehen,

|   | 4 | 11 | 24 |
|---|---|---|---|
| 2 | 0 | 8 | 38 |
|   | 4 | 19 | 62 |

Ein letzter Schritt führt zu

$$4x + 19 = 4(x - 2) + 27. \qquad\qquad (3)$$

Das zugehörige Horner-Schema wird der Systematik wegen hingeschrieben – die Aufspaltung ergibt sich ja auch unmittelbar.

|   | 4 | 19 |
|---|---|---|
| 2 | 0 | 8 |
|   | 4 | 27 |

Setzt man die Darstellungen *2)* und *3)* in *1)* ein, so folgt nach elementarer Umformung

$$4x^3 + 3x^2 + 2x + 1 = 49 + 62(x - 2) + 27(x - 2)^2 + 4(x - 2)^3$$

In etwas allgemeinerer Schreibweise

$$p_3(x) = p_3(2) + b_1 \cdot (x - 2) + b_2 \cdot (x - 2)^2 + b_3 \cdot (x - 2)^3.$$

Man sagt »Die Polynomfunktion $p_3$ wurde nach Potenzen von $(x - 2)$ entwickelt«. Die Koeffizienten dieser Entwicklung können im Horner-Schema sehr rasch und übersichtlich bestimmt werden.

Wir schreiben die Entwicklung von $p_3$ nach Potenzen von $x - 1$ auf:

$$
\begin{array}{c|cccc}
 & 4 & 3 & 2 & 1 \\
\hline
1 & 0 & 4 & 7 & 9 \\
 & 4 & 7 & 9 & \underline{10} \\
1 & 0 & 4 & 11 & \\
 & 4 & 11 & \underline{20} & \\
1 & 0 & 4 & & \\
 & 4 & \underline{15} & & \\
1 & 0 & & & \\
 & \underline{4} & & &
\end{array}
$$

$p_3 : x \rightarrow 4x^3 + 3x^2 + 2x + 1;$

$p_3(x) = (x - 1) \cdot (4x^2 + 7x + 9) + 10;$

$10 = p_3\,(1);$

$4x^2 + 7x + 9 = (x - 1)(4x + 11) + 20;$

$20 = b'_1;$

$4x + 11 = (x - 1) \cdot 4 + 15;$

$15 = b'_2.$

$4 = b'_3$

$p_3(x) = 4x^3 + 3x^2 + 2x + 1 = 10 + 20\,(x - 1) + 15\,(x - 1)^2 + 4\,(x-1)^3.$

Diese Entwicklung kann dazu dienen, näherungsweise Funktionswerte an Stellen zu bestimmen, die nahe bei eins liegen. So ist zum Beispiel

$$p_3(1,1) = 10 + 20 \cdot 0,1 + 15 \cdot 0,01 + 4 \cdot 10^{-3}$$

$$\approx 12,15. \quad \text{Für } x = 1,01 \text{ erhält man}$$

$$p_3(1,01) = 10 + 20 \cdot 10^{-2} + 15 \cdot 10^{-4} + 4 \cdot 10^{-6}$$

$$\approx 10,2 \quad (\text{»Lineare Approximation«}).$$

### Eigenschaften von Funktionen

*Symmetrie-Eigenschaften.* Eine Funktion $f$ heißt genau dann *gerade*, wenn $f(x) = f(-x)$ für alle $x \in D$ gilt.
*Beispiel:* $f : x \rightarrow x^2$.
Der Graph einer geraden Funktion ist achsensymmetrisch zur $y$-Achse.
Eine Funktion $g$ heißt genau dann *ungerade*, wenn $g(x) = -g(-x)$ für alle $x \in D$ gilt.
*Beispiel:* $g : x \rightarrow x^3$.
Der Graph einer ungeraden Funktion ist punktsymmetrisch in bezug auf den Ursprung des Koordinatensystems.

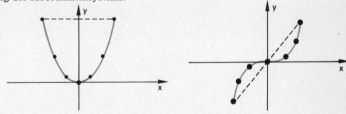

Links: *Eine gerade Funktion ist achsensymmetrisch zur y-Achse;* rechts: *eine ungerade Funktion ist punktsymmetrisch zum Ursprung des Koordinatensystems*

*Beschränkung:* Eine Funktion $f$ heißt genau dann *beschränkt nach oben*, wenn es eine Zahl $s$ gibt, so daß $f(x) \le s$ für alle $x \in D$.
Entsprechend heißt eine Funktion $g$ genau dann *beschränkt nach unten*, wenn es eine Zahl $t$ gibt, so daß $g(x) \ge t$ für alle $x \in D$. Eine Funktion $h$ heißt genau dann *beschränkt*, wenn sie nach oben und nach unten beschränkt ist. Es gibt dann eine Zahl $st$, so daß $|f(x)| \le st$ für alle $x \in D$.
Eine Funktion heißt genau dann nichtnegativ, wenn Null eine untere Schranke der Funktion ist.

*Monotonie.* Eine Funktion $f$ heißt genau dann *strikt monoton steigend in einem Intervall* $[a; b]$ ihres Definitionsbereiches $D_f$, wenn $f(x_1) < f(x_2)$ für alle $x_1, x_2$ mit $a \le x_1 < x_2 \le b$.

Die Funktion heißt genau dann *strikt monoton steigend*, wenn $f(x_1) < f(x_2)$ für alle $x_1 < x_2 \in D_f$.

Entsprechend heißt eine Funktion $g$ *strikt monoton fallend* genau dann, wenn $g(x_1) > g(x_2)$ für alle $x_1 < x_2 \in D_g$.

Wird nur gefordert, daß $f(x_1) \le f(x_2)$ für $x_1 < x_2 \in D$, dann nennt man $f$ monoton steigend im weiteren Sinne.

*Beispiele:* Die Funktion $f : x \to x^3, x \in R$ ist strikt monoton steigend.

Die Funktion $g : x \to x^2, x \in R$ ist strikt monoton fallend im Intervall $]-\infty; 0]$; sie ist strikt monoton steigend in $[0; \infty[$. Die Heaviside-Funktion ist monoton steigend im weiteren Sinne, ebenso die Gaußklammer-Funktion.

*Periodizität.* Eine Funktion $f$ heißt genau dann *periodisch*, wenn es eine Zahl $p \neq 0$ gibt, so daß $f(x) = f(x + p)$ für alle $x \in D$.

*Beispiel:* $\sin : x \to \sin x$ mit $\sin x = \sin(x + 2\pi)$.

**Aufgaben**

7) Es sei $M_1 = \{-1, 0, +1\}$, $M_2 = \{0, 1\}$.

   a) Wie viele Funktionen $f : M_1 \underset{f}{\to} M_2$ gibt es?

   b) Bestimmen Sie die Anzahl aller Funktionen $g : M_1 \underset{g}{\to} M_1$.

8) Welche der folgenden Graphen stellen Funktionen $x \to f(x)$ auf dem Intervall $[-2; +2]$ dar? Geben Sie Zuordnungsterme an, wenn es sich um Funktionen handelt.

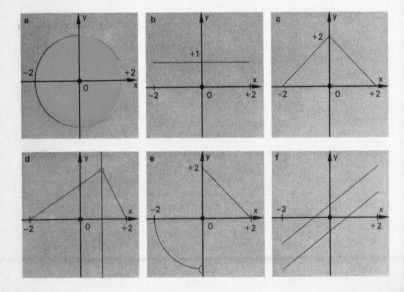

*9)* Welche der folgenden Vorschriften definieren eine Funktion $f : x \to f(x)$ für $x \in [-2; +2]$? Zeichnen Sie in jedem Falle den zugehörigen Graphen.

*a)* $|x| + y = 1$;    *b)*  $x + |y| = 1$;
*c)* $|x| + |y| = 1$;    *d)*  $[x] + y = 1$;
*e)*  $x + [y] = 1$;    *f)*  $x^2 + y^2 = 0$.

*10)* Skizzieren Sie die Graphen der folgenden Funktionen; der Definitionsbereich sei jeweils das Intervall $[-2; +2]$.

*a)*  $x \to 2x - 1$;    *b)*  $x \to -2x - 1$;    *c)*  $x \to 2x + 1$;
*d)*  $x \to x^2 + 2$;    *e)*  $x \to -x^2 + 2$;    *f)*  $x \to 2x^2$;
*g)*  $x \to (x + 2)^2$;    *h)*  $x \to x^2 + 2x$;    *i)*  $x \to x^2 + 2x + 2$.

*11)* Skizzieren Sie die Graphen der folgenden Funktionen im Intervall $[-2; +2]$. Welche Eigenschaften haben die Funktionen im Definitionsbereich $R$?

*a)*  $x \to |x^2 - 1|$;    *b)*  $x \to 2^{|x|}$;    *c)*  $x \to (x - [x])^2$.

*12)* Welche der folgenden Paarmengen sind reelle Funktionen?

*a)*  $\{(1; 1), (2; 1), (3; 0), (4; 0), (5; 1)\}$.
*b)*  $\{(1; 1), (\pi; 2), (\sqrt{2}; 3), (0; 4)\ (1; 5)\}$;
*c)*  $\{(1; 0), 2; 1), (3; \pi), 4; a)\}$;
*d)*  $\{(n; p(n)) \mid n \in N \setminus \{1\}$ und $p(n) =$ Anzahl der Primzahlen $\leq n\}$.

*13)* $f, g$ und $h$ seien reelle Funktionen mit dem Definitionsbereich $R$. Beweisen oder widerlegen Sie die folgenden Behauptungen.

*a)*  $(f \circ g) \circ h = f \circ (g \circ h)$;
*b)*  Es gibt eine Funktion $e : x \to e(x), x \in R$, so daß $f \circ e = e \circ f = f$.
*c)*  $(f + g) \circ h = f \circ h + g \circ h$;
*d)*  $f \circ (g + h) = f \circ g + f \circ h$.

*14)* Es sei $f$ eine reelle Funktion mit dem Definitionsbereich $R$. Beschreiben Sie, wie der Graph der Funktion $g$ jeweils aus dem Graphen der Funktion $f$ hervorgeht, wenn $g$ wie folgt definiert ist. Zeichnen Sie entsprechende Skizzen.

*a)*  $g(x) = f(x) + a$;    *b)*  $g(x) = a \cdot f(x)$;
*c)*  $g(x) = f(|x|)$;    *d)*  $g(x) = |f(x)|$.
*e)*  $g(x) = f(x + 1)$.

*15)* Berechnen Sie die Funktionswerte der nachfolgend definierten Funktion efun für $x = 0; 0, 1; 0, 2; \ldots 0, 9; 1, 0$.

$$\text{efun:} \quad x \to x^3 + 3x^2 + 6x + 6, x \in [0; 1].$$

(Wer einen entsprechenden Rechenstab oder eine entsprechende Rechentafel besitzt, kann sich davon überzeugen, daß in diesem Bereich die Werte der Funktion $e: x \to e^x$ angenähert werden durch $\frac{1}{6}$ efun $x$).

*16)* Wenn $f: x \to f(x), x \in R$ und $g: x \to g(x), x \in R$ jeweils gerade Funktionen sind, dann ist auch $f + g$ eine gerade Funktion. Beweisen Sie diesen Satz. Formulieren und beweisen Sie entsprechende Sätze über algebraische Verknüpfung bzw. Verkettung von geraden und ungeraden Funktionen.

## Grenzwert und Stetigkeit

*Vorbemerkung:* Grenzwert und Stetigkeit sind grundlegende Begriffe der Analysis. Aus der breiten Skala möglicher Darstellungen soll im folgenden ein Weg skizziert werden, der relativ rasch zur Differentiation und Integration führt, die Grundlegung aber nicht ausläßt. Deshalb wird in diesem Abschnitt 3 der Grenzwert von Funktionen ohne Bezug auf konvergente Folgen erklärt. Wenn der Leser durch den Gang seines Unterrichts gehalten ist, zuerst die Konvergenz von Folgen und dann erst das Grenzwertverhalten von Funktionen zu studieren, kann der Abschnitt über Folgen und Reihen nach vorn gezogen werden.

### Weitere Beispiele von Funktionen

Um bei den folgenden Betrachtungen einen größeren Vorrat an Beispielen zu haben, sollen zunächst noch zwei Funktionen betrachtet werden.

*a)*  $\qquad\qquad f: x \to \sin \frac{1}{x}, D = R \setminus \{0\}.$

Die Funktion ist ungerade; es genügt, sie für $x > 0$ zu untersuchen. $f$ wird durch Verketten der Sinusfunktion mit der Funktion $u : x \to \frac{1}{x}, x \neq 0$ gebildet. Daher skizziert man zunächst beide Graphen.

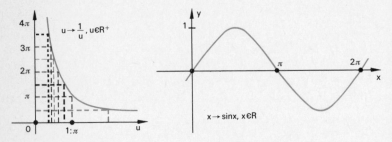

Links *Graph der Funktion* $u \to \frac{1}{u}$ *; rechts* *Graph der Sinusfunktion*

An den Stellen $\pi, 2\pi, 3\pi, \dots$ nimmt die Sinusfunktion jeweils den Wert Null an (Fachbezeichnung »Nullstelle«). Nun wird $u(x) = \pi$ bzw. $2\pi$ bzw. $3\pi \dots$, wenn $x = \frac{1}{\pi}$ bzw. $\frac{1}{2\pi}$ bzw. $\frac{1}{3\pi}, \dots$ ist. Das bedeutet zunächst, daß die Funktion $f$ rechts von $\frac{1}{\pi}$ nur noch positiven Funktionswert hat. Eigenartig ist jedoch das Verhalten der Funktion $f$ in der Nähe der Stelle $x = 0$. Da $f(x) = 0$ ist für alle $x = \frac{1}{n \cdot \pi}, n \in N$, findet man in jeder Umgebung der Null beliebig viele Nullstellen von $f$.

Die Funktion $x \to \sin x$ hat ihre Maximalwerte – nämlich 1 – an den Stellen $\frac{\pi}{2}, \frac{5\pi}{2}, \frac{9\pi}{2}, \dots$ Diese Werte werden von der Funktion $u$ angenommen für

$x = \dfrac{2}{\pi}, \dfrac{2}{5\pi}, \dfrac{2}{9\pi}, \ldots$ Damit kennt man alle Stellen, an denen $f$ jeweils den Maximalwert annimmt; es liegen in jeder Umgebung der Null unendlich viele Einsstellen von $f$. Durch entsprechende Überlegung findet man die Minimalstellen von $f$ bei $x = \dfrac{2}{3\pi}, \dfrac{2}{7\pi}, \dfrac{2}{11\pi}, \ldots$

Da $f$ abschnittsweise monoton ist und an jeder Nullstelle das Vorzeichen wechselt, kommt allmählich ein Überblick zustande. Zum Anlegen einer Skizze wird man den Maßstab auf der $y$-Achse stark überhöhen; trotzdem ist die Darstellung sehr schwierig. Noch in jeder Umgebung der Stelle $x = 0$ liegen beliebig viele Maximalstellen, Nullstellen und Stellen, an denen die Funktion $f$ den Wert $-1$ annimmt.

Die verbindenden Kurvenbogen rücken schließlich so dicht aneinander, daß keine zeichnerische Darstellung mehr möglich ist.

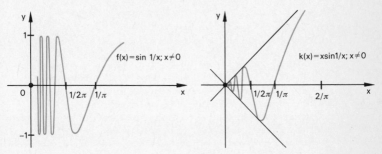

Links *Graph der Funktion* $f : x \to \sin \frac{1}{x}$; rechts *Graph der Funktion* $k : x \to x \sin \frac{1}{x}$

*b)* $\qquad\qquad\qquad k : x \to x \cdot \sin \frac{1}{x}, \quad D = R \setminus \{0\}.$

Die Untersuchung verläuft ähnlich wie beim Beispiel *a)*. $x \to k(x)$ ist eine gerade Funktion und hat dieselben Nullstellen wie $f$. Wo $f$ die Werte $\pm 1$ annahm, hat $k$ die Funktionswerte $\pm x$; die entsprechenden Punkte des Graphen von $k$ liegen demnach auf den Winkelhalbierenden. Aus diesen Einsichten läßt sich eine Skizze entwerfen. Dabei ist noch unklar, wo die Funktion ihr Monotonieverhalten ändert. Für diesen Paragraphen sind solche Fragen aber noch nicht vordringlich.

Ebenso wie im Beispiel *a)* versagt die zeichnerische Darstellung in der Nachbarschaft des Nullpunktes.

### Geometrische Betrachtungen zum Grenzwert-Begriff

Die Funktionen $f$ und $k$ des vorigen Abschnittes wurden vorgestellt, weil sie in der Nähe des Nullpunktes fundamentale Unterschiede aufweisen und daher die Forderungen der Grenzwert-Definition sehr deutlich demonstrieren. Bis jetzt sieht man freilich eher die Gemeinsamkeiten: Beide Funktionen sind für $x = 0$ nicht definiert; für beide versagt die anschauliche Darstellung. Bei der Funktion $k$

liegen jedoch die Funktionswerte »dicht« bei der Null oder »dicht beieinander«, während sie bei *f* zwischen $(-1)$ und $(+1)$ schwanken.

Genauer: Legt man bei der Funktion *k* einen Streifen beliebiger Breite parallel zur *x*-Achse, dann ist es möglich, einen Streifen in der *y*-Richtung anzugeben, so daß der Graph der Funktion in diesem Bereich ganz innerhalb des entstehenden Rechtecks bleibt.

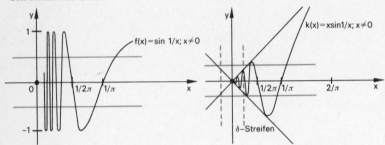

*Die Funktion f hat keinen Grenzwert an der Stelle Null* (links); *die Funktion k hat an der Stelle Null den Grenzwert Null* (rechts)

Bei der Funktion *f* gibt es kein derartiges Rechteck, sobald der Streifen in der *x*-Richtung eine Breite kleiner als zwei hat. Es liegen ja in jeder Umgebung der Stelle $x = 0$ immer noch unendlich viele Einsstellen der Funktion.

Man sagt: Die Funktion *f* hat an der Stelle Null keinen Grenzwert. Hingegen hat die Funktion *k* an der Stelle Null den Grenzwert Null.

Wir betrachten weitere Beispiele, ehe wir die allgemeine Definition des Grenzwert-Begriffes aufschreiben.

*1)* Bei der Vorzeichen-Funktion ist wiederum das Verhalten am Nullpunkt interessant.

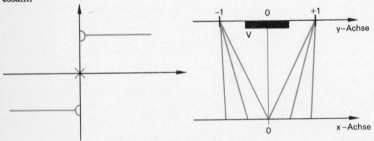

Links *Graph der Vorzeichenfunktion;* rechts *zugehöriges Pfeildiagramm*

Zeichnet man Parallelen zur *x*-Achse, so daß die Streifenbreite kleiner als zwei ist, wird es wegen der Stufenhöhe dieser Treppenfunktion keinen Streifen parallel zur *y*-Achse geben, so daß der Graph der Funktion innerhalb des entstehenden Rechtecks liegt. Das zugehörige Pfeildiagramm legt eine andere Deutung dieses Sachverhaltes nahe.

Wenn auf der *y*-Achse zur Zahl 0 eine symmetrische Umgebung *V* vorgegeben wird, deren Länge kleiner als 2 ist, gibt es keine Umgebung *U* der Zahl Null, so daß sign *U* ⊂ *V* wäre.

An jeder Stelle ungleich Null ist ein Grenzwert vorhanden; er ist (+ 1) für *x* > 0 und (− 1), wenn *x* < 0 gewählt wurde.

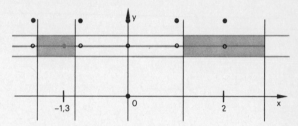

*Zum Grenzverhalten einer Funktion
(vergleiche Text)*

2) Betrachtet werde *f*: $\begin{cases} x \to 2, & \text{wenn } x \text{ ganzzahlig ist;} \\ x \to 1, & \text{wenn } x \text{ nicht ganzzahlig ist.} \end{cases}$

Offenbar sind zwei Fälle zu unterscheiden.

*α)* Ganzzahliges *x*, etwa *x* = 2. Wenn ein Streifen beliebiger Breite um die Gerade *y* = 1 gelegt wird, ist es möglich, um die Stelle zwei einen Streifen parallel zur *y*-Achse abzugrenzen, so daß alle Funktionswerte innerhalb des entstehenden Rechtecks liegen, wenn *f*(2) selbst nicht mitbetrachtet wird.

*β)* Nichtganzzahliges *x*, etwa *x* = − 1, 3. Bei beliebig vorgegebenen Streifen parallel zu *y* = 1 gibt es stets einen Streifen in der *x*-Richtung, so daß ein zusammenhängendes Stück des Graphen ganz im entstehenden Rechteck liegt.

Die Pfeildiagramme sollen die Situation vollends verdeutlichen:

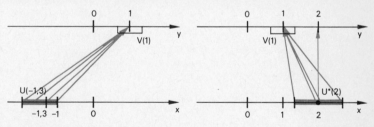

*Pfeildiagramme zu der vorhergehenden Figur*

*V* sei eine beliebige Umgebung der Zahl 1 auf der Bildachse.

Es gibt Umgebungen | Für die punktierte Umgebung *U*\*(2)
*U*(− 1, 3), so daß | gilt

$$f(U) \subset V.$$ | $$f(U^*) \subset V.$$

**Analytische Fassung des Grenzwert-Begriffes**

Die Beispiele des vorigen Abschnitts sollten das Grenzwert-Verhalten von Funktionen geometrisch darstellen. Wir fassen die Beobachtungen zu einer Definition zusammen, die nahe bei der geometrischen Beschreibung steht. $a$ sei ein Häufungspunkt von $D$.

**Definition:** Eine Funktion $f : x \to f(x)$, $x \in D$ hat *an der Stelle a den Grenzwert g* genau dann, wenn es zu jeder Umgebung $V$ von $g$ eine punktierte Umgebung $U^*(a)$ gibt, so daß $f(x) \in V$ für jedes $x \in U^*(a)$.

Kürzer gefaßt: Zu jedem $V(g)$ gibt es ein $U^*(a)$, so daß $f(U^*) \subset V$.

Die betrachtete Stelle $a$ soll ein Häufungspunkt von $D$ sein, damit in jeder Umgebung von $a$ Punkte aus $D$ liegen; nur so kann das Grenzwertverhalten der Funktion $f$ durch Nachbarwerte charakterisiert werden.

Es wird nicht verlangt, daß $a$ im Definitionsbereich der Funktion $f$ liegt; wenn $a$ zu $D$ gehört, wird $f(a)$ von der Betrachtung ausgeschlossen. Relevant ist lediglich das Verhalten in der punktierten Umgebung von $a$.

Für die Rechnung betrachtet man in der Regel symmetrische Umgebungen. Dabei ist es üblich, die Länge des Intervalls $V(g)$ durch $2\varepsilon$ zu beschreiben. Es gilt demnach

$$V(g) = \{ y \mid g - \varepsilon < y < g + \varepsilon \}$$

oder

$$V(g) = \{ y \mid |y - g| < \varepsilon \}$$

Fachwort: $\varepsilon$-Umgebung.

Entsprechend erhält man die punktierte $\delta$-Umgebung von $a$:

$$U^*(a) = \{ x \mid 0 < |x - a| < \delta \}$$

oder

$$U^*(a) = \{ x \mid a - \delta < x < a \lor a < x < a + \delta \}.$$

Mit diesen Bezeichnungen läßt sich die gegebene Definition anders formulieren: $a$ sei ein Häufungspunkt von $D$. Eine Funktion $f : x \to f(x)$, $x \in D$ hat an der Stelle $a$ dann und nur dann den Grenzwert $g$, wenn es zu jeder positiven Zahl $\varepsilon$ eine Zahl $\delta > 0$ gibt, so daß $|f(x) - g| < \varepsilon$ für alle $x$ mit $0 < |x - a| < \delta$.

Anmerkung: Die $\varepsilon$-$\delta$-Fassung des Grenzwertverhaltens ist charakteristisch für reelle (bzw. komplexe) Funktionen; die Definition durch Umgebungen kann für sehr allgemeine Stetigkeitsbetrachtungen übernommen werden.

Nachweis der Äquivalenz: *1)* Aus der Umgebungs-Definition wird die $\varepsilon$-$\delta$-Aussage abgeleitet: Zu beliebigem $\varepsilon > 0$ wähle man $V(g) = ]g - \varepsilon; g + \varepsilon[$. Nach Voraussetzung gibt es dann $U^*(a)$ mit $f(U^*) \subset V$, das heißt $|f(x) - g| < \varepsilon$ für alle $x \in U^*(a)$. Nun ist $U^*(a) = \{ x \mid a_1 < x < a \lor a < x < a_2 \}$; daher setzt man $\delta = $ Minimum $(a - a_1, a_2 - a)$. Die dadurch bestimmte punktierte $\delta$-Umgebung von $a$ liegt innerhalb der Umgebung $U^*(a)$ und es gilt $|f(x) - g| < \varepsilon$ für alle $x$ mit $0 < |x - a| < \delta$.

*2)* Es gelte umgekehrt die $\varepsilon$-$\delta$-Aussage. Ist dann $V = ]b_1; b_2[$ eine beliebige Umgebung von $g$, so setze man $\varepsilon = \text{Min}(g - b_1, b_2 - g)$. Zu diesem $\varepsilon > 0$ gibt es nach Voraussetzung eine punktierte $\delta$-Umgebung von $a$, so daß

$$|f(x) - g| < \varepsilon \quad \text{für alle } a \text{ mit} \quad 0 < |x - a| < \delta.$$

Betrachtet man die punktierte $\delta$-Umgebung als spezielle Umgebung $U^*(a)$, wird die Grenzwertforderung erfüllt.

Wenn eine Funktion $f$ an der Stelle $a$ den Grenzwert $g$ hat, schreiben wir

$$g = \lim_a f,$$

gelesen »$g$ ist Grenzwert der Funktion $f$ an der Stelle $a$« oder kürzer »$g$ ist Grenzwert von $f$ bei $a$.«

Da diese Notation nur wenig verbreitet ist, wird in diesem Buch auch die konventionelle Schreibweise benutzt,

$$g = \lim_{x \to a} f(x)$$

(»$g$ ist Grenzwert für $f(x)$, wenn $x$ gegen $a$ strebt«).

Über Vorzüge oder Schwächen der verschiedenen Ausdrucksweisen kann hier nicht weiter diskutiert werden. Nur soviel ist zu sagen, daß der tiefgestellte Teil der zweiten Schreibfigur nichts zu tun hat mit einer funktionalen Zuordnung im Sinne des Abschnitts über reelle Funktionen als Zuordnungen. Es wird vielmehr das Pfeil-Zeichen in zweierlei Bedeutung verwendet.

### Sätze über Grenzwerte

In der Folge werden einige Sätze über Grenzwerte vorbewiesen; diese Beispiele sollen eine Vorstellung von der Beweismethodik vermitteln. Der Rahmen dieses Buches würde jedoch gesprengt, wenn man alle Sätze in voller Strenge erschließen wollte. Das gilt erst recht für spätere Abschnitte.

**Satz 1:** Eine Funktion $f$ kann an einer Stelle $a$ nur einen Grenzwert $g$ haben.

*Indirekter Beweis:* Seien $g_1$ und $g_2$ verschiedene Grenzwerte an der Stelle $a$. Demnach wäre $|g_2 - g_1| > 0$. Nach dem $\varepsilon$-$\delta$-Kriterium muß es zu jedem $\varepsilon > 0$ ein $\delta$ geben, so daß $|f(x) - g| < \varepsilon$ für alle $x$ mit $0 < |x - a| < \delta$. Wir wählen $\dfrac{g_2 - g_1}{2}$ als $\varepsilon$ und erhalten möglicherweise zwei verschieden breite Streifen in der $y$-Richtung, nämlich $\delta_1$, so daß $|g_1 - f(x)| < \dfrac{|g_1 - g_2|}{2}$ für alle $x$ mit $0 < |x - a| < \delta_1$ und $\delta_2$, so daß $|g_2 - f(x)| < \dfrac{|g_1 - g_2|}{2}$ für alle $x$ mit $0 < |x - a| < \delta_2$. Nimmt man $\delta$ als Minimum von $\delta_1$ und $\delta_2$, dann muß für alle $x$ mit $0 < |x - a| < \delta$ gelten:

$$|g_2 - g_1| = |g_2 - f(x) + f(x) - g_1| \leq |g_2 - f(x)| + |f(x) - g_1|$$

(letzteres nach der Dreiecksungleichung).

Also $|g_2 - g_1| < \dfrac{|g_1 - g_2|}{2} + \dfrac{|g_1 - g_2|}{2} = |g_1 - g_2|$. Widerspruch!

**Satz 2:** Wenn $f$ an der Stelle $a$ den Grenzwert $g$ hat, ist $f$ in einer punktierten Umgebung $U^*(a)$ beschränkt.

*Beweis:* Wir legen um die Gerade $y = g$ einen Streifen der Breite zwei. Nach dem $\varepsilon$-$\delta$-Kriterium muß es eine punktierte Umgebung $U^*(a)$ geben, so daß

$$g - 1 < f(x) < g + 1 \qquad \text{für alle } x \text{ aus } U^*(a),$$

also ist $f$ in dieser Umgebung beschränkt nach oben und nach unten.

**Satz 3:** Wenn $\lim_a f_1 = g_1$ und $\lim_a f_2 = g_2$, dann ist $\lim_a (f_1 + f_2) = g_1 + g_2$. Konventionell geschrieben:

Wenn $\lim\limits_{x \to a} f_1(x) = g_1$ und $\lim\limits_{x \to a} f_2(x) = g_2$, dann ist

$$\lim\limits_{x \to a} (f_1 + f_2)(x) = g_1 + g_2.$$

*Beweis:* Es ist zu zeigen, daß es zu beliebigem $\varepsilon > 0$ ein $\delta$ gibt, so daß $|(f_1 + f_2)(x) - (g_1 + g_2)| < \varepsilon$ für alle $x$ mit $0 < |x - a| < \delta$.

Da $f_1$ an der Stelle $a$ den Grenzwert $g_1$ hat, kann man verlangen, daß $|f_1(x) - g_1| < \frac{1}{2}\varepsilon$ ist, wenn nur $0 < |x - a| < \delta_1$ gilt. Entsprechend gibt es ein $\delta_2$, so daß $|f_2(x) - g_2| < \frac{\varepsilon}{2}$ für alle $x$ mit $0 < |x - a| < \delta_2$.

Setzt man $\delta = \text{Min}(\delta_1, \delta_2)$, so wird

$|(f_1 + f_2)(x) - (g_1 + g_2)| = |f_1(x) + f_2(x) - (g_1 + g_2)|$
$= |f_1(x) - g_1 + f_2(x) - g_2| \leq |f_1(x) - g_1| + |f_2(x_2) - g_2| < \frac{\varepsilon}{2} + \frac{\varepsilon}{2} = \varepsilon$

für alle $x$ mit $0 < |x - a| < \delta$.

**Satz 4:**    Wenn $\lim\limits_{a} f_1 = g_1$ und $\lim\limits_{a} f_2 = g_2$, dann ist $\lim\limits_{a} (f_1 \cdot f_2) = g_1 \cdot g_2$.

Oder auch: Wenn $\lim\limits_{x \to a} f_1(x) = g_1$ und $\lim\limits_{x \to a} f_2(x) = g_2$, dann ist

$\lim\limits_{x \to a} (f_1 \cdot f_2)(x) = g_1 \cdot g_2$.

Der Beweis dieses Satzes erfordert bereits einige Fertigkeit in der »Epsilontik«. Es ist zu zeigen, daß es zu jedem $\varepsilon > \delta$ eine punktierte $\delta$-Umgebung von $a$ gibt, so daß

$|(f_1 \cdot f_2)(x) - g_1 \cdot g_2| < \varepsilon$ für alle $x$ mit $0 < |x - a| < \delta$.

Nun ist

$|(f_1 \cdot f_2)(x) - g_1 \cdot g_2| = |f_1(x) \cdot f_2(x) - g_1 \cdot g_2|$
$$= |f_1(x) \cdot f_2(x) - g_1 \cdot f_2(x) + g_1 \cdot f_2(x) - g_1 \cdot g_2|$$
$$= |f_2(x) \cdot (f_1(x) - g_1) + g_1 \cdot (f_2(x) - g_2)|$$
$$\leq |f_2(x)| \cdot |f_1(x) - g_1| + |g_1| \cdot |f_2(x) - g_2|.$$

Nach *Satz 2* gibt es eine punktierte $\delta_1$-Umgebung von $a$, so daß dort $f_2(x)$ beschränkt ist, $|f_2(x)| \leq st$ für alle $x$ mit $0 < |x - a| < \delta_1$. Weiterhin gibt es ein $\delta_2$, so daß $|f_1(x) - g_1| < \dfrac{\varepsilon}{2st}$ für alle $x$ mit $0 < |x - a| < \delta_2$.

Dabei darf $st \neq 0$ angenommen werden; ebenso $g_1 \neq 0$. Schließlich muß $\delta_3$ existieren, so daß $|f_2(x) - g_2| < \dfrac{\varepsilon}{2|g_1|}$ für alle $0 < |x - a| < \delta_3$. Setzt man $\delta = \text{Min}(\delta_1, \delta_2, \delta_3)$, so gilt

$$|(f_1 \cdot f_2)(x) - g_1 \cdot g_2| < st \cdot \frac{\varepsilon}{2st} + |g_1| \cdot \frac{\varepsilon}{2|g_1|} = \varepsilon$$

in der punktierten $\delta$-Umgebung von $a$.

In ähnlicher Weise beweist man den

**Satz 5:**    Ist $\lim\limits_{a} f_1 = g_1$ und $\lim\limits_{a} f_2 = g_2$, $g_2 \neq 0$, so gilt
$\lim\limits_{a} (f_1 : f_2) = g_1 : g_2$.

Als letztes soll noch rechnerisch nachgewiesen werden, daß die Funktion $h : x \to x \cdot \sin\frac{1}{x}$, $x \in R\backslash\{0\}$ an der Stelle Null den Grenzwert Null hat. Es ist $|x \cdot \sin\frac{1}{x} - 0| = |x| \cdot |\sin\frac{1}{x}| \leq |x| \cdot 1$, und also wird $|h(x)| < \varepsilon$, wenn nur $0 < |x| < \delta = \varepsilon$ ist.

Weitere Aussagen über Grenzwerte von Funktionen findet man in den folgenden Aufgaben.

**Aufgaben**

*17)* Es sei $f: x \to \frac{1}{x}$, $x \in R \backslash \{0\}$

    *a)* Zeigen Sie, daß $\lim\limits_{2} f = \frac{1}{2}$. Bestimmen Sie eine Zahl $\delta$ so, daß

$$|f(x) - \tfrac{1}{2}| < 10^{-3} \text{ für alle } 0 < |x - 2| < \delta.$$

    *b)* Zeigen Sie, daß $\lim\limits_{0} f$ nicht existiert.

*18)* Es sei $f: x \to f(x)$ eine Funktion mit dem Definitionsbereich $R^+$. Man definiert: »$\lim\limits_{\infty} f = g \Leftrightarrow$ Zu jedem $\varepsilon > 0$ gibt es eine Zahl $z$ so, daß $|f(x) - g| < \varepsilon$ für alle $x$, die größer sind als $z$.«
Untersuchen Sie, ob $\lim\limits_{\infty} f$ für die folgenden Funktionen existiert

    *a)* $f: x \to \dfrac{1}{x}$, $x \in R^+$;      *b)* $f: x \to \sin x$, $x \in R^+$;

    *c)* $f: x \to \dfrac{x+1}{x}$, $x \in R^+$;    *d)* $f: x \to \dfrac{\sin x}{x}$, $x \in R^+$.

    *e)* Welche Verallgemeinerung läßt Aufgabe *d)* zu?

*19)* Beweisen oder widerlegen Sie die Behauptungen

    *a)* Wenn sowohl $\lim\limits_{a} f$ als auch $\lim\limits_{a} g$ nicht vorhanden sind, dann ist auch $\lim\limits_{a} (f + g)$ nicht vorhanden.

    *b)* Wenn $\lim\limits_{a} f$ vorhanden ist und $\lim\limits_{a} g$ nicht vorhanden ist, dann ist $\lim\limits_{a} (f + g)$ nicht vorhanden.

    *c)* Wenn $\lim\limits_{a} f$ und $\lim\limits_{a} (f \cdot g)$ vorhanden sind, dann gibt es auch $\lim\limits_{a} g$.

*20)* Es seien $f$ und $g$ Funktionen mit dem gemeinsamen Definitionsbereich $D$. Beweisen oder widerlegen Sie die folgenden Behauptungen:

    *a)* Wenn $f(x) < g(x)$, $x \in D$ und wenn $\lim\limits_{a} g$ vorhanden ist, dann gibt es auch $\lim\limits_{a} f$.

    *b)* Es gilt $\lim\limits_{a} f < \lim\limits_{a} g$.

*21)* *a)* Sichert die folgende Bedingung den Grenzwert $g$ einer Funktion $f$ an der Stelle $a$? »Zu jedem $\delta > 0$ gibt es eine Zahl $\varepsilon > 0$, so daß $|f(x) - g| < \varepsilon$ für alle $0 < |x - a| < \delta$.«

    *b)* Geben Sie eine Bedingung dafür an, daß die Zahl $g$ nicht Grenzwert der Funktion $f$ an der Stelle $a$ ist.

**Stetigkeit an einer Stelle**

Wenn eine Funktion $f: x \to f(x)$, $x \in D$ an einer Stelle $a$ den Grenzwert $g$ hat, können folgende Fälle unterschieden werden:

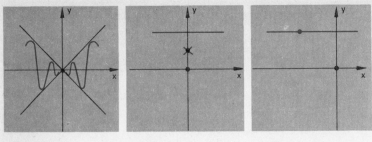

$a \notin D$,  d.h.

$f(a)$ nicht definiert;

$a \in D$,

$f(a) \neq \lim_{a} f$;

$a \in D$

$f(a) = \lim_{a} f$.

Im folgenden wird gezeigt, daß das Zusammenfallen von Grenzwert und Funktionswert viele Eigenschaften nach sich zieht, insbesondere dann, wenn diese Übereinstimmung für alle Zahlen eines Intervalls gesichert ist.

**Definition:** Eine Funktion $f$ heißt genau dann *stetig* an einer Stelle $a$, wenn $a$ zum Definitionsbereich der Funktion $f$ gehört, wenn $\lim f$ vorhanden ist und wenn $f(a)$ übereinstimmt mit $\lim f$. 

Es muß also gelten    $f(a) = \lim_{a} f$.

Wenn an einer Stelle $a$ des Definitionsbereiches einer Funktion $f$ entweder $\lim f$ nicht vorhanden ist oder wenn $\lim f \neq f(a)$ ist, heißt $f$ unstetig bei $a$.

Diese Definition erfaßt demnach ebenso wie die Grenzwertdefinition zunächst nur lokale Eigenschaften der Funktion $f$. Man erkennt, wie die Forderungen für Grenzwert und Stetigkeit zusammenhängen: Für das Grenzwertverhalten ist $f(a)$ unerheblich; bei der Stetigkeit muß $f(a)$ mitbetrachtet werden.

*Umgebungskriterium:* Eine Funktion $f$ ist dann und nur dann stetig an einer Stelle $a$ ihres Definitionsbereiches, wenn es zu jeder Umgebung $V(f(a))$ eine Umgebung $U(a)$ gibt, so daß $f(U(a)) \subset V(f(a))$.

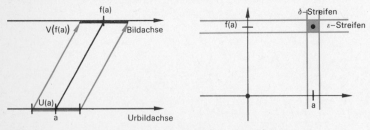

Links *Figur zum Umgebungskriterium;* rechts *Figur zum ε-δ-Kriterium*

Das *ε-δ-Kriterium* lautet entsprechend: Eine Funktion $f$ ist dann und nur dann stetig an einer Stelle $a$ ihres Definitionsbereiches, wenn es zu jedem $\varepsilon > 0$ ein $\delta > 0$ gibt, so daß $|f(x) - f(a)| < \varepsilon$ für alle $x$ mit $|x - a| < \delta$.

Den Sätzen über Grenzwerte entsprechen Sätze über Stetigkeit. So gilt für algebraische Verknüpfungen der

**Satz 6:**  Wenn die Funktionen $f_1$ und $f_2$ stetig sind an der Stelle $a$, dann sind auch $f_1 + f_2$ und $f_1 \cdot f_2$ stetig bei $a$.

Ist außerdem $f_2(a) \neq 0$, so ist auch $f_1 : f_2$ stetig an der Stelle $a$.

Über die Verkettung stetiger Funktionen gilt der

**Satz 7:**  Wenn die Funktion $g : x \to g(x)$ stetig ist an der Stelle $a$ und wenn die Funktion $f : u \to f(u)$ stetig ist an der Stelle $g(a)$, dann ist die Funktion $f \circ g : x \to f(g(x))$ stetig an der Stelle $a$.

*Beweis:*  Da die Funktion $f : u \to f(u)$ stetig ist an der Stelle $g(a)$ ihres Definitionsbereiches, gibt es zu jeder Umgebung $V$ von $f(g(a))$ eine Umgebung $U_1(g(a))$, so daß $f(U_1) \subset V$. Da außerdem die Funktion $x \to g(x)$ stetig ist bei $a$, muß es zu dieser Umgebung $U_1(g(a))$ eine Umgebung $U(a)$ geben, so daß $g(U) \subset U_1$. Insgesamt gilt also $f(g(U)) \subset f(U_1) \subset V(f(g(a)))$ und das ist gerade die Stetigkeitsaussage. Die beiden folgenden Sätze können als Überleitung zum nächsten Abschnitt angesehen werden.

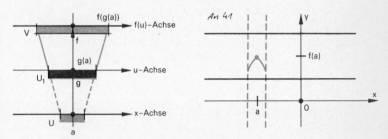

Links *Figur zum Beweis des Satzes 7;* rechts *Figur zum Beweis des Satzes 8*

**Satz 8:**  Wenn die Funktion $f$ bei $a$ stetig ist und wenn $f(a) > 0$ ist, gibt es eine ganze Umgebung von $a$, in der $f$ nur positive Funktionswerte annimmt. Entsprechendes gilt, wenn $f(a) < 0$ ist.

*Beweis:*  Nach Voraussetzung ist $f(a) > 0$ also $0 < \dfrac{f(a)}{2}$. Nimmt man diesen letzten Wert als halbe Streifenbreite in der $x$-Richtung, muß es einen zugehörigen $\delta$-Streifen geben, so daß der Graph von $f$ völlig in dem entstehenden Rechteck verläuft. Das heißt aber, daß alle Funktionswerte in der betreffenden $\delta$-Umgebung größer sind als $\frac{1}{2} \cdot f(a)$, also sind sie gewiß positiv.

Entsprechend beweist man den

**Satz 9:**  Wenn die Funktion $f$ bei $a$ stetig ist, gibt es eine ganze Umgebung von $a$, in der $f$ beschränkt ist nach oben und nach unten.

### Stetigkeit im abgeschlossenen Intervall

Die vorangegangenen Betrachtungen über Grenzwert und Stetigkeit bezogen sich auf lokales Verhalten; sie brachten Aussagen über einzelne Stellen oder einzelne

Umgebungen. Die folgenden Sätze enthalten weitreichende Folgerungen für Funktionen, die in einem Intervall stetig sind.

**Definition:** Eine Funktion $f: x \to f(x)$, $x \in D$ heißt *stetig in einem offenen Intervall* $]a; b[$, wenn sie an jeder Stelle dieses Intervalls stetig ist.

Eine Funktion $f$ heißt *(schlechthin) stetig*, wenn sie an allen Stellen ihres Definitionsbereiches stetig ist.

Man sieht leicht, daß die Funktion $e: x \to x$, $x \in R$ an jeder Stelle ihres Definitionsbereiches stetig ist. Nach den Sätzen des vorangegangenen Abschnitts sind daher auch alle Polynomfunktionen schlechthin stetig. Die Stetigkeit vieler trigonometrischer Funktionen folgt aus der Stetigkeit der Funktion $\sin: x \to \sin x$, $x \in R$.

Für die Stetigkeit einer Funktion in dem *abgeschlossenen Intervall* $[a; b]$ wird gefordert, daß $f$ stetig ist in $]a; b[$ und daß überdies eine Fortsetzungsfunktion $\varphi$ der Funktion $f$ stetig ist in $a$ bzw. $b$. Dabei soll gelten

$$\varphi: \begin{cases} x \to f(a) & \text{für } a - 1 \leq x \leq a; \\ x \to f(x) & \text{für } a \leq x \leq b; \\ x \to f(b) & \text{für } b \leq x \leq b + 1. \end{cases}$$

*Beispiele:* Das erste Diagramm verdeutlicht, wie die Fortsetzungsfunktion $\varphi$ gebildet wird. Das zweite Diagramm zeigt die Vorzeichenfunktion; sie ist stetig im offenen Intervall $]0; 1[$, aber nicht stetig in $[0; 1]$. Das dritte Diagramm zeigt die Heaviside-Funktion.

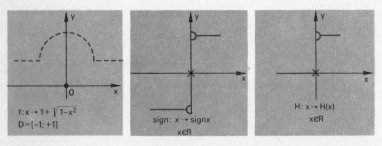

Links *Figur zur Bildung der Fortsetzungsfunktion $\varphi$;* Mitte *Figur zur Stetigkeit der Vorzeichenfunktion;* rechts *Figur zur Stetigkeit der Heaviside-Funktion*

Wir formulieren jetzt den sogenannten *Nullstellensatz* für stetige Funktionen.

**Satz 10:**    Wenn eine Funktion $f: x \to f(x)$ stetig ist in einem abgeschlossenen Intervall $[a; b]$ und wenn $f(a) < 0 < f(b)$ gilt, dann gibt es mindestens ein $x$ aus $[a; b]$, so daß $f(x) = 0$.

Von der Anschauung her ist diese Aussage naheliegend; ein analytischer Nachweis gelingt jedoch nur, wenn man auf die Forderung der Lückenlosigkeit der reellen Zahlen zurückgreift.

*Beweis zu Satz 10:* Die Funktion $f$ genüge den Voraussetzungen des Satzes; es sei also $f$ stetig in $[a; b]$; $f(a) < 0$ und $f(b) > 0$.

Wir betrachten die Menge

$$A = \{x \mid a \leq x \leq b \text{ und } f \text{ ist negativ im Intervall } [a; x]\}.$$

Da $f(a) < 0$, gibt es eine Umgebung von $a$, so daß dort $f$ kleiner ist als Null (Satz 8 des vorigen Abschnitts). Demnach ist $A \neq \emptyset$. Nach Konstruktion ist die Menge $A$ nach oben beschränkt. Da die reellen Zahlen lückenlos sind, existiert eine (und nur eine) kleinste obere Schranke $\sigma$ der Menge $A$. Für diese Zahl wird gezeigt: $f(\sigma) = 0$.

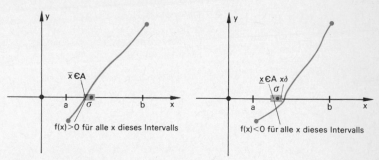

*Figuren zum Beweis des Satzes 10*

*1)* Wäre $f(\sigma) > 0$, dann müßte es nach Satz 8 des vorigen Abschnitts eine ganze $\delta$-Umgebung von $\sigma$ geben, so daß $f(x) > 0$ wäre für alle $x$ mit $\sigma - \delta \leq x \leq \sigma + \delta$. Da $\sigma$ kleinste obere Schranke der Menge $A$ ist, müssen in jeder Umgebung von $\sigma$ Elemente aus $A$ liegen. Es gibt also eine Zahl $\bar{x}$ mit $\bar{x} \in A$ und $\sigma - \delta < \bar{x} < \sigma$. Nach der Konstruktion von $A$ muß gelten $f(\bar{x}) < 0$. Da $\bar{x}$ in der $\delta$-Umgebung von $\sigma$ liegt, müßte andererseits gelten $f(\bar{x}) > 0$. Widerspruch! $f(\sigma)$ kann nicht größer als Null sein.

*2)* Angenommen, $f(\sigma)$ wäre kleiner als Null. Dann gibt es wiederum nach Satz 8 eine ganze $\delta$-Umgebung von $\sigma$, so daß $f(x) < 0$ für alle $x$ mit $\sigma - \delta < x < \sigma + \delta$. Weil $\sigma$ kleinste obere Schranke von $A$ ist, muß es eine Zahl $\underline{x} \in A$ geben mit $\sigma - \delta < \underline{x} < \sigma$.

Nach Konstruktion von $A$ ist $f$ negativ im Intervall $[a; \underline{x}]$. Wenn $x_\delta$ eine Zahl ist mit $\sigma < x_\delta < \sigma + \delta$, dann wäre $f$ negativ im Intervall $[\underline{x}; x_\delta]$; $[\underline{x}; x_\delta]$ liegt in der $\delta$-Umgebung von $\sigma$, in der $f$ negativ ist.

Somit wäre $f$ negativ im Intervall $[a; x_\delta]$, das heißt, $x_\delta$ müßte zu $A$ gehören. Das ist aber ein Widerspruch, da $x_\delta > \sigma$ wäre, während $\sigma$ kleinste obere Schranke von $A$ ist. Demnach kann $f(\sigma)$ nicht kleiner als Null sein.

Aus den Beweisschritten *1)* und *2)* folgt also $f(\sigma) = 0$. Als unmittelbare Folgerung läßt sich der *Zwischenwertsatz* herleiten:

**Satz 11:**  Wenn die Funktion $f$ im Intervall $[a; b]$ stetig ist und $f(a) < c < f(b)$ gilt, dann gibt es mindestens ein $x$ aus $[a; b]$, so daß $f(x) = c$.

Zum Beweis betrachten wir die stetige Funktion $g : g(x) = f(x) - c$, $x \in D_f$, für die der Nullstellensatz gilt. Der nächste fundamentale Satz betrifft die *Beschränkung* stetiger Funktionen:

**Satz 12:**  Wenn die Funktion $f$ im abgeschlossenen Intervall $[a; b]$ stetig ist, ist $f$ dort nach oben beschränkt. Entsprechendes gilt für die Beschränkung nach unten.

Der Beweis dieses Satzes verläuft analog zu dem des Nullstellensatzes. Man betrachtet die Menge $A = \{x \mid a \leq x \leq b$ und $f$ ist nach oben beschränkt in $[a; x]\}$.

Aus der Lückenlosigkeit der reellen Zahlen und aus Satz 9 erhielte man einen Widerspruch, wenn $f$ in $[a; b]$ unbeschränkt wäre.

Abschließend geben wir den *Satz vom Maximum* stetiger Funktionen an:

**Satz 13:**  Wenn die Funktion $f$ im abgeschlossenen Intervall $[a; b]$ stetig ist, gibt es eine Zahl $x_{max}$ aus $[a; b]$, so daß $f(x_{max}) \geq f(x)$ für alle $x \in [a; b]$. Entsprechendes gilt für das Minimum.

Zum Beweis dieses Satzes benutzt man wiederum die Lückenlosigkeit der reellen Zahlen und außerdem den vorhergehenden Satz über die Beschränkung stetiger Funktionen.

Durch drei Gegenbeispiele soll belegt werden, daß an den Voraussetzungen zu den Sätzen dieses Abschnittes nichts gelockert werden darf.

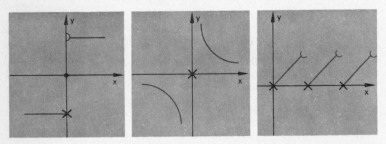

Links *Figur zum Gegenbeispiel 1;* Mitte *Figur zum Gegenbeispiel 2;* rechts *Figur zum Gegenbeispiel 3*

*Beispiel 1:* $f: \begin{cases} x \to -1, & \text{wenn } x \leq 0 \\ x \to +1, & \text{wenn } x > 0 \end{cases}$. Diese Funktion ist nur an einer Stelle unstetig, hat aber keine Nullstelle.

*Beispiel 2:* $g: \begin{cases} 0 \to 0 \\ x \to \frac{1}{x}, & x \in R\setminus\{0\} \end{cases}$. $g$ ist nicht stetig in $[0; 1]$, aber stetig in $]0; 1]$. Die Funktion ist nicht beschränkt im Intervall $[0; 1]$.

*Beispiel 3:* $h: x \to x - [x]$, $x \in R^{+}$. $h$ ist stetig in $]0; 1[$, aber nicht stetig in $[0; 1]$. Es gibt kein $x_{max}$, so daß $h(x_{max}) \geq h(x)$ für alle $x \in [0; 1]$.

**Aufgaben**

22) Zeigen Sie, daß die folgenden Funktionen in ihrem Definitionsbereich schlechthin stetig sind.

   *a)* $x \to |x|$, $x \in R$;       *b)* $x \to \frac{1}{x}$, $x \in R\setminus\{0\}$;

   *c)* $x \to \sin x$, $x \in R$.

Hinweis zu *c)*   $\sin\alpha - \sin\beta = 2 \cdot \sin\dfrac{\alpha - \beta}{2} \cdot \cos\dfrac{\alpha + \beta}{2}$ .

*23)* Geben Sie eine Funktion an, die an keiner Stelle ihres Definitionsbereiches *R* stetig ist.

*24)* Bestimmen Sie den größtmöglichen Definitionsbereich für die folgenden Funktionen. Können diese Funktionen jeweils auf *R* fortgesetzt werden, so daß die Fortsetzungsfunktion stetig ist?

$a)$   $f_1 : x \to \dfrac{x^2 - 4}{x - 2}$ ;   $b)$   $f_2 : x \to \dfrac{|x|}{x}$ ;

$c)$   $f_3 : x \to \dfrac{x \sin\frac{1}{x}}{x}$ ;   $d)$   $f_4 : x \to \dfrac{x^3 - 1}{x - 1}$ .

*25)* Die Funktion $f : x \to f(x)$ sei stetig in $[a; b]$. Zeigen Sie, daß *f* zu einer stetigen Funktion $\varphi$ mit dem Definitionsbereich *R* fortgesetzt werden kann. Ist $\varphi$ durch die Forderungen eindeutig bestimmt? Ist die stetige Fortsetzbarkeit gesichert, wenn *f* stetig ist in $]a; b[$?

*26)* Beweisen oder widerlegen Sie die folgenden Behauptungen:

  *a)* Wenn die Funktion *f* stetig ist im Intervall $[a; b]$ und wenn *f* dort höchstens endlich viele Werte annimmt, dann ist *f* konstant in $[a; b]$.

  *b)* Wenn die Funktionen *f* und *g* stetig sind in $[a; b]$ und wenn $f(a) < g(a)$, $f(b) > g(b)$ ist, dann gibt es ein *x* in $[a; b]$ mit $f(x) = g(x)$.

*27)* Untersuchen Sie, ob die folgenden Funktionen in den angegebenen Bereichen beschränkt sind nach oben bzw. nach unten und ob es Stellen $x_{max}$ bzw. $x_{min}$ gibt.

  $a)$  $x \to x^2$, $x \in \,]-1; +1[$;   $b)$  $x \to x^2$, $x \in R$;

  $c)$  $x \to x + \frac{1}{x}$, $0 < |x| < 2$;   $d)$  $x \to [x]$, $x \in [-2; +2]$.

# Differenzierbarkeit

### Tangentenproblem

In der Elementargeometrie hat der Leser sicherlich von der Kreistangente gehört. Sie steht im »Berührungspunkt« *P* senkrecht auf dem zugehörigen Kreisradius $\overline{PM}$. Wenn ein Punkt *T* auf der Tangente *t* liegt und von *P* verschieden ist, gilt $l(\overline{TM}) > l(\overline{PM})$, das heißt, *T* liegt nicht auf dem Kreis (zum Beweis betrachtet man das rechtwinklige Dreieck *MPT*, in dem die Hypotenuse größer sein muß als jede Kathete). Jede Gerade, die durch *P* geht und von *t* verschieden ist, schneidet den Kreis in einem weiteren Punkt *Q*, ist also Sekante in bezug auf den Kreis.

Da der Kreis sehr spezielle Eigenschaften hat, ist kaum zu erwarten, daß man bei beliebigen Kurven die Tangenten ebenfalls so leicht durch geometrische Bedingungen kennzeichnen kann. Schon beim Betrachten der Graphen von stetigen Funktionen stößt man auf Schwierigkeiten.

Im ersten Diagramm gibt es dem Augenschein nach an jeder Stelle des Graphen eine Gerade, die man »Tangente« nennen könnte. Die zweite Skizze läßt es fragwürdig erscheinen, ob der Tangentenbegriff im Zusammenhang mit geradlinigen

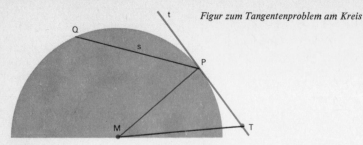

*Figur zum Tangentenproblem am Kreis*

Kurvenstücken überhaupt sinnvoll gebraucht werden kann; überdies ist die Stelle (0; 1) sicherlich kritisch, da es dort unendlich viele Geraden gibt, die mit dem Graphen von g nur diesen einen Punkt gemeinsam haben. Beim dritten Graphen ist man wohl vollends ratlos, wie im Nullpunkt eine Tangentenrichtung ausgezeichnet werden soll. Offenbar ist es nötig, nach analytischen Kennzeichnungen des Tangentenbegriffes zu suchen.

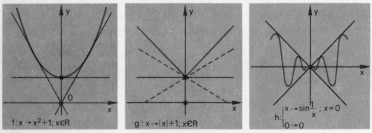

*Figuren zum Tangentenproblem bei verschiedenen Funktionen*

Wir betrachten dazu den Graphen der Funktion $f: x \to x^2$, $x \in R$. Es ist unser Ziel, für einen Punkt $P_1$ dieser Kurve Steigung und Verlauf einer Tangente analytisch festzulegen.

Es sei $P_1(2; 4)$. Wählen wir einen weiteren Punkt $Q(x; x^2)$ auf der Parabel, $Q \neq P_1$, so wird durch die Punkte $P_1$ und $Q$ eine Sekante $s$ bestimmt.

Die Gerade $s$ ist Graph einer linearen Funktion $l: x \to mx + n$. Die zugehörige Geradensteigung $m$ kann aus den Koordinaten der Punkte $P_1$ und $Q$ errechnet werden. Wenn $\sigma$ den Steigungswinkel der Sekante bezeichnet, erhält man:

$$\tan \sigma = \frac{l(x) - l(2)}{x-2}$$

oder $\qquad \tan \sigma = \frac{f(x) - f(2)}{x-2} = \frac{x^2 - 4}{x-2} = \frac{(x + 2)(x - 2)}{x-2}.$

Da $Q \neq P_1$ sein soll, gilt $x - 2 \neq 0$. Demnach kann der Ausdruck für $\tan \sigma$ vereinfacht werden; es ist

$$\tan \sigma = x + 2, \quad x \neq 2.$$

Die Funktion $\tan \sigma : x \to x + 2$, $x \in R \setminus \{2\}$ ordnet allen Parabelsekanten durch den Punkt $(2; 4)$ die zugehörigen Sekantensteigungen zu. Der Wertevorrat der Funktion ist $R \setminus \{4\}$.

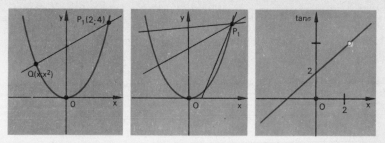

Links *und* Mitte *der Übergang von der Sekante zur Tangente bei der Funktion f: x → x²;* rechts *Graph der Sekantensteigungsfunktion die zum Punkt P₁(2; 4) von f gehört*

Man erkennt sofort, daß $\lim(x \to x + 2) = 4$ ist; herkömmlich geschrieben
$\lim_{x \to 2} (x + 2) = 4$.

Andererseits gibt es in der Menge aller Geraden durch $P_1$ (2; 4) genau zwei Geraden, die nicht Sekanten an die Parabel sind:

*1)* Die Gerade, die zur *y*-Achse parallel läuft; es erscheint wenig sinnvoll, diese Gerade als Tangente zu bezeichnen.

*2)* Die Gerade mit der Steigung $m_1 = 4$. Wir nennen diese Gerade die *Tangente* in $P_1$; sie ist dadurch gekennzeichnet, daß ihre Steigung $4 = \tan \tau$ der Grenzwert der Steigungen der Sekanten durch $P_1$ ist. Es gilt also

$$4 = \tan \tau = \lim_{2}(x \to x + 2)$$

oder anders geschrieben $4 = \tan \tau = \lim_{x \to 2}(x + 2)$.

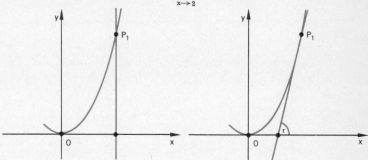

*Es gibt zwei Geraden durch P₁ (2; 4), die nicht Sekante sind: die Parallele zur y-Achse durch P₁* (links) *und die Gerade mit der Steigerung m₁ = 4, die Tangente* (rechts)

Es war also möglich, durch Betrachten der Sekantensteigungsfunktion für den Punkt $P_1$ (2; 4) der Normalparabel eine Gerade als Tangente zu definieren. Diese Tangente hat mit der Parabel keinen weiteren Punkt gemeinsam. Man sagt deshalb, sie »berühre« die Parabel im Punkt $P_1$; im Gegensatz dazu wird die Kurve von den Sekanten in zwei Punkten »geschnitten«. Um die Einsicht in diesen fundamentalen Prozeß zu vertiefen, betrachten wir einen anderen Punkt *P* auf der Parabel; die Koordinaten seien nunmehr *a* und $a^2$, also $P(a; a^2)$. Wir wählen einen zweiten Punkt $Q(x; x^2)$ auf der Parabel, $Q \neq P$ – mithin $x \neq a$. Die Sekante $s$ durch die Punkte $P$ und $Q$ bestimmt eine lineare Funktion $l : x \to mx + n$. Wie oben erhält man die zugehörige Sekantensteigung $\tan \sigma$; es ist

$$\tan \sigma = \frac{l(x) - l(a)}{x - a} = \frac{f(x) - f(a)}{x - a}$$

$$= \frac{x^2 - a^2}{x - a} = \frac{(x + a)(x - a)}{x - a}.$$

Da $P \neq Q$ vorausgesetzt wurde, gilt $x - a \neq 0$; demnach wird

$$\tan \sigma = x + a.$$

Diese Sekantensteigungsfunktion ist definiert für $x \in R \backslash \{a\}$, ihr Wertevorrat ist $R \backslash \{2a\}$.

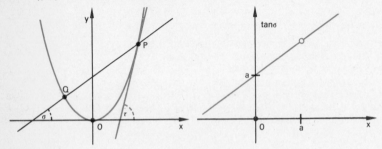

*Zur Tangentensteigung im Punkt $P(a; a^2)$ der reellen Funktion $f : x \to x^2$*

Man erkennt die völlige Analogie zur ersten Betrachtung. Es ist

$$\lim_{a}(x \to x + a) = 2a \quad \text{oder} \quad \lim_{x \to a}(x + a) = 2a.$$

In der Menge aller Geraden durch den Punkt $P(a; a^2)$ gibt es genau zwei Geraden, die nicht Sekanten sind. Zunächst wird wiederum die Parallele zur $y$-Achse aus der Betrachtung ausgeschlossen. Es bleibt die Gerade mit der Steigung $2a$; sie wird als Tangente im Punkt $P(a; a^2)$ definiert. Ihr Steigungsmaß $\tan \tau$ ist der Grenzwert für die Steigungen der Sekanten durch $P(a; a^2)$:

$$\tan \tau = 2a = \lim_{a}(x \to x + a) \quad \text{oder} \quad \tan \tau = 2a = \lim_{x \to a}(x + a).$$

Für den Koordinatenursprung bedeutet das insbesondere, daß die $x$-Achse die Tangente in diesem Punkt bildet.

Wie man die analytischen Zusammenhänge in eine geometrische Tangentenkonstruktion umsetzen kann, zeigt die Aufgabe 28. Abschließend sollen die Funktionen des Eingangsbeispiels an einigen Stellen nach dem eben entwickelten Verfahren untersucht werden.

Es war $g : x \to |x| + 1$, $x \in R$. Wir betrachten die »Knickstelle«, also $P_1(0; 1)$. Wenn $Q \neq P_1$ ist, erhält man

$$\tan \sigma = \frac{|x|}{x} \quad \text{also} \quad \begin{aligned} \tan \sigma &= 1, \quad x > 0 \\ \tan \sigma &= -1, \quad x < 0. \end{aligned}$$

Es ist für unsere Betrachtungen unerheblich, daß die Sekanten durch $P_1$ und $Q$

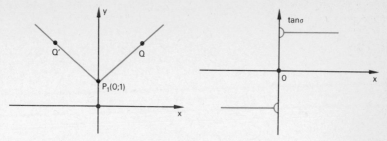

*Die Funktion g : x → |x| + 1* (links) *und ihre Tangenten* (rechts)

teilweise mit einem Stück des Graphen von *g* zusammenfallen. Das Interesse gilt der Sekantensteigungsfunktion. Sie ist definiert für $x \in R \backslash \{0\}$; der Wertevorrat ist $\{-1; +1\}$. Man erkennt, daß

$$\lim_{0}(x \to \tfrac{|x|}{x}) \quad \text{oder} \quad \lim_{x \to 0} \tfrac{|x|}{x}$$

nicht existiert. Deshalb wird dem Graphen der Funktion $g : x \to |x| + 1$ im Nullpunkt *keine Tangente* zugeschrieben. Die anderen Stellen dieser Funktion werden in Aufgabe 29 untersucht.

$$\text{Zu betrachten bleibt} \quad h : \begin{cases} x \to x \cdot \sin\tfrac{1}{x}, & x \neq 0 \\ 0 \to 0. \end{cases}$$

Wir studieren das Verhalten der Sekantensteigungen im Nullpunkt, also $P_1(0; 0)$. Man nimmt wiederum $Q \neq P_1$ und erhält für die Sekantensteigungen folgenden Ausdruck

$$\tan \sigma = \frac{x \cdot \sin\tfrac{1}{x}}{x} = \sin\tfrac{1}{x}, \quad \text{da} \quad x \neq 0.$$

Die Sekantensteigungsfunktion zu $P_1$ hat keinen Grenzwert für die Stelle 0; deshalb kann dem Graphen der Funktion *h* im Nullpunkt keine Tangente zugeschrieben werden.

## Ableitungsfunktion

Im vorigen Abschnitt wurde die Frage nach der Tangente in einem Kurvenpunkt analytisch erfaßt. In der Folge soll ein Kalkül entwickelt werden, der unabhängig von der geometrischen Betrachtungsweise anwendbar ist.

Bei der Funktion $f : x \to x^2$, $x \in R$ konnte im Punkt $P_1(2; 4)$ eine Tangente definiert werden, indem die Steigung $\tan \tau$ dieser Tangente gleichgesetzt wurde dem vorhandenen Grenzwert der Sekantensteigungen durch $P_1$

$$\tan \tau = \lim_{2}(x \to \tan \sigma) = 4.$$

Der Term $\dfrac{f(x) - f(2)}{x - 2}$ gab für $x \neq 2$ die Steigung einer Sekante durch $P_1$ an.

Dieser Term heißt auch Differenzenquotient von *f* an der Stelle 2. Entsprechend bezeichnet man die Funktion $x \to \dfrac{f(x) - f(2)}{x - 2}$, $x \in R \backslash \{2\}$ als die Differenzen-

quotientenfunktion von *f* an der Stelle 2. Der an der Stelle 2 vorhandene Grenzwert der Differenzenquotientenfunktion wird Differentialquotient von $f$ an der Stelle 2 genannt. Eine andere Fachbezeichnung für denselben Begriff ist Ableitung von $f$ an der Stelle 2.

Wir stellen die Redeweisen und ihre geometrischen Entsprechungen in einer Tabelle zusammen:

$$f: x \to x^2, \quad x \in R; \quad P_1(2;4); \quad Q(x;x^2) \neq P_1(2;4)$$

| | | |
|---|---|---|
| $\dfrac{f(x) - f(2)}{x - 2}, \; x \neq 2$ | Differenzenquotient von $f$ an der Stelle 2 | Steigung einer Sekante durch $P_1$; |
| $x \to \dfrac{x^2 - 4}{x - 2}, \; x \neq 2$ | Differenzenquotienten-funktion von $f$ an der Stelle 2 | Sekantensteigungsfunktion von $f$ an der Stelle 2; |
| $4 = \lim\limits_{2}(x \to x + 2)$ | Differentialquotient von $f$ an der Stelle 2 | Steigung der Tangente in $P_1$; |
| $4 = \lim\limits_{x \to 2}(x + 2)$ | Ableitung von $f$ an der Stelle 2 | Grenzwert der Steigungen der Sekanten durch $P_1$. |

$$4 = \lim\limits_{2} \tan \sigma$$

Man schreibt $4 = f'(2)$; gelesen »Vier gleich $f$ Strich von zwei« oder »Vier gleich $f$ Strich an der Stelle 2«. Für einen beliebigen Punkt $P(a; a^2)$ auf dem Graphen von $f: x \to x^2, \quad x \in R$ sind die Redeweisen entsprechend abzuändern. So ist zum Beispiel die Ableitung von $f$ an der Stelle $a$ gleich $2a$, in Zeichen $f'(a) = 2a = \lim\limits_{a}(x \to x + a)$.

Fassen wir alle geordneten Paare $(a; 2a), \quad a \in R$ zu einer Menge zusammen, erhalten wir die Funktion

$$\{(a; 2a), \quad a \in R\} = \{(a; \lim\limits_{a}(x \to x + a)), \quad a \in R\}.$$

Diese Funktion heißt *Ableitungsfunktion $f'$* der Funktion $f$. Die Funktionswerte von $f'$ geben die Ableitungswerte von $f$ an jeder Stelle $a$ des Definitionsbereiches $R$ an. Da $f' = \{(a; 2a), \; a \in R\} = \{(x; 2x), \; x \in R\}$ ist, kann man den Zusammenhang wie folgt notieren:

Die Funktion $f: x \to x^2, \quad x \in R$ hat die Ableitungsfunktion $f': x \to 2x, \quad x \in R$.

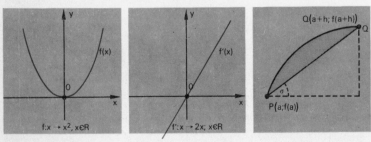

Links *die Funktion $f: x \to x^2$*; Mitte *ihre Ableitungsfunktion*; rechts *Bild zum Differenzenquotienten*

Bei der Übertragung der Begriffe auf beliebige Funktionen verwenden wir lediglich eine etwas abgeänderte Bezeichnungsweise; vom Inhalt her ist alles Wesentliche bereits in den Beispielen enthalten.

Es sei $f : x \to f(x)$, $x \in D$ eine beliebige reelle Funktion. Wenn $a$ und $a + h$ zu $D$ gehören, gibt der Term

$$\frac{f(a + h) - f(a)}{h}$$

für jedes $h \neq 0$ einen Differenzenquotienten von $f$ an der Stelle $a$ an. Am Graph der Funktion $f$ ist das also die Steigung einer Sekante durch die Punkte $P(a; f(a))$ und $Q(a + h; f(a + h))$.

Die Differenzenquotientenfunktion $h \to \dfrac{f(a + h) - f(a)}{h}$, die zur Stelle $a$ gehört, hat den Definitionsbereich $D \cap (R \setminus \{0\})$. Die folgenden Definitionen sind grundlegend für das ganze Kapitel.

**Definition:** Die Funktion $f : x \to f(x)$ heißt genau dann differenzierbar an der Stelle $a$, wenn $\lim_{0} \left( h \to \dfrac{f(a + h) - f(a)}{h} \right)$ existiert. Der Grenzwert (und nur dieser) wird durch $f'(a)$ bezeichnet; es ist also

$$f'(a) = \lim_{0} \left( h \to \frac{f(a + h) - f(a)}{h} \right).$$

Bei der üblichen Schreibweise wird gefordert, daß $f'(a) = \lim_{h \to 0} \dfrac{f(a + h) - f(a)}{h}$ existiert.

**Definition:** Eine Funktion $f$ heißt genau dann differenzierbar in einem Intervall, wenn sie an jeder Stelle dieses Intervalles differenzierbar ist.

Eine Funktion heißt (schlechthin) differenzierbar genau dann, wenn sie in ihrem gesamten Definitionsbereich differenzierbar ist.

Wenn eine Funktion $f : x \to f(x)$ an der Stelle $a$ differenzierbar ist, heißt die Gerade durch den Punkt $P(a; f(a))$ mit der Steigung $\tan \tau = f'(a)$ die *Tangente* in $P(a; f(a))$ an den Graphen von $f$.

Die Menge $\left\{ (a; f'(a)) \, | \, a \in D \wedge f'(a) = \lim_{0} \left( h \to \dfrac{f(a + h) - f(a)}{h} \right) \right\}$

oder auch $\left\{ (a; f'(a)) \, | \, a \in D \wedge f'(a) = \lim_{h \to 0} \dfrac{f(a + h) - f(a)}{h} \right\}$ ist

eine Funktion $f' : a \to f'(a)$, $a \in D_{f'}$.

$f'$ heißt *Ableitungsfunktion* von $f$ oder auch Differentialquotientenfunktion von $f$.

Der Definitionsbereich $D_{f'}$ von $f'$ ist Teilmenge des Definitionsbereiches von $f$. Wenn die Funktion $f$ schlechthin differenzierbar ist, gilt $D_{f'} = D$.

Nach der Definition geben die Werte der Ableitungsfunktion $f'$ jeweils das Steigungsmaß der Tangenten an den Graphen von $f$ an:

$$f'(a) = \tan \tau(a).$$

*Beispiel:* Es sei $e : x \to x$, $x \in R$. Als Differenzenquotientenfunktion erhält man an der Stelle $a \in R$

$$h \to \frac{a + h - a}{h}, \text{ also } h \to 1, \ h \neq 0.$$

Demnach ist $f'(a) = \lim_{0} (h \to 1) = 1$ oder $f'(a) = \lim_{h \to 0} 1 = 1$.

Dieser Zusammenhang gilt für alle $a \in R$. Mithin ist $e : x \to x, x \in R$ schlechthin differenzierbar. Die Ableitungsfunktion $e'$ ist die Menge aller Paare $(a; 1)$, $a \in R$, also $e' = \{(a; 1), \ a \in R\}$. Dafür kann man schreiben $e' : a \to 1, \ a \in R$ oder auch $e' : x \to 1, \ x \in R$.

Ergebnis: Die Funktion $e : x \to x, \ x \in R$ ist schlechthin differenzierbar; sie hat die Ableitungsfunktion $e' : x \to 1, \ x \in R$.

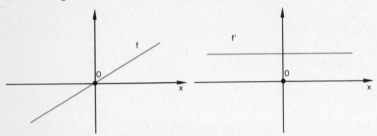

*Die Funktion $e : x \to x$ und ihre Ableitungsfunktion*

Man erkennt, daß in diesem Falle der Graph der Funktion für jeden seiner Punkte gleichzeitig auch Tangente ist. Weitere Beispiele und Regeln folgen im übernächsten Abschnitt.

### Andere Zugänge zur Differentialrechnung

*Geschwindigkeit und Beschleunigung bei geradliniger Bewegung.* In Physik und Technik untersucht man häufig geradlinige Bewegungen: Ein Meßwagen rollt auf einer Fahrbahn, Körper fallen oder werden senkrecht geworfen, Autos fahren auf gerader, ebener Straße. In allen diesen Fällen kann die Bewegung beschrieben werden durch ein Weg-Zeit-Diagramm. Dabei ist es üblich, den Buchstaben $t$ als Variable für die Zeit und den Buchstaben $s$ als Variable für den Weg zu verwenden.

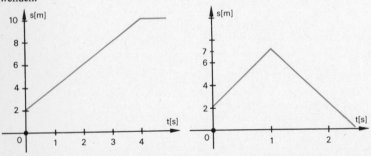

*Zwei s-t-Diagramme für die geradlinige gleichförmige Bewegung eines Körpers*

Das erste Diagramm erfaßt eine Bewegung, die zur Zeit $t = 0$ s an der Stelle $s = 2$ m beginnt. Der Körper kommt innerhalb von 4 s bis zur Stelle $s = 10$ m und bleibt dann dort (relativ zu seiner Umgebung) in Ruhe. Die zweite Bewegung ist komplizierter. Nach Ablauf einer Sekunde kehrt der Körper seine Bewegungsrichtung um; zur Zeit $t = 2$ s passiert er seinen Ausgangspunkt; 0,4 s später erreicht er die Marke $s = 0$ m. Es ist naheliegend, bei Bewegungen nach der Geschwindigkeit zu fragen. Die vorgelegten Beispiele lassen sich dadurch charakterisieren, daß es Bewegungsabschnitte gibt, bei denen in gleichen Zeitintervallen gleiche Wegstrecken zurückgelegt werden. Anders gewendet: Die Quotienten $\dfrac{\Delta s}{\Delta t}$ sind abschnittsweise konstant. Man nennt den Quotienten die *Geschwindigkeit der gleichförmigen Bewegung.* Im ersten Diagramm ist für $0$ s $< t < 4$ s die Geschwindigkeit $2\,\dfrac{\text{m}}{\text{s}}$, danach ist $v = 0\,\dfrac{\text{m}}{\text{s}}$.

Beim zweiten Beispiel bewegt sich der Körper zunächst mit $v = 5\,\dfrac{\text{m}}{\text{s}}$ in der positiven $s$-Richtung. Nach der Umkehr, die durch einen (elastischen) Stoß an eine Wand bewirkt werden mag, beträgt die Geschwindigkeit $-\,5\,\dfrac{\text{m}}{\text{s}}$.

Die beiden nächsten Diagramme markieren zwei geradlinige, aber nichtgleichförmige Bewegungen.

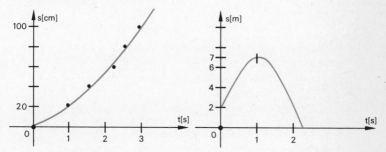

*Zwei s-t-Diagramme für geradlinige aber nicht gleichförmige Bewegung eines Körpers*

Hier ist die Frage nach der Geschwindigkeit nicht ohne weiteres zu beantworten. Realisiert man den ersten Bewegungsablauf etwa durch Kugeln in einer geneigten Rinne, so fällt die Ungleichförmigkeit auf; die Kugeln rollen langsam an und werden offenbar immer schneller. Für quantitative Aussagen bestimmt man an einer festen Stelle $s_1$, das heißt zu einer bestimmten Zeit $t_1$, die Quotienten

$$\frac{\Delta s}{\Delta t} = \frac{s - s_1}{t - t_1}.$$

Diese Quotienten heißen Intervallgeschwindigkeiten zum Zeitpunkt $t_1$.

Man erkennt, daß die Messung von Intervallgeschwindigkeiten analog ist zur Bestimmung von Sekantensteigungen oder zur Berechnung von Differenzenquotienten. Wir geben daher nur das Ergebnis der kinematischen Erörterung an:

Die *Momentangeschwindigkeit* $v(t_1)$ in einem Zeitpunkt $t_1$ ist Grenzwert der Intervallgeschwindigkeitsfunktion, die zum Zeitpunkt $t_1$ gehört.

Wenn das Weg-Zeit-Diagramm Graph einer Funktion $f: t \to f(t)$ ist, dann erhält man das Geschwindigkeits-Zeit-Diagramm als Graph der Ableitungsfunktion

$$v: t \to f'(t).$$

Entsprechende Betrachtungen führen zum Begriff der Beschleunigung: Die *Momentanbeschleunigung* $a(t_1)$ in einem Zeitpunkt $t_1$ ist der Grenzwert von Intervallbeschleunigungen

$$\frac{v(t) - v(t_1)}{t - t_1} = \frac{\Delta v}{\Delta t},$$

die zum Zeitpunkt $t_1$ gehören.

Wenn das Geschwindigkeits-Zeit-Diagramm Graph einer Funktion $v: t \to v(t)$ ist, erhält man das Beschleunigungs-Zeit-Diagramm als Graph der Ableitungsfunktion $a$,

$$a: t \to v'(t).$$

In der Physik wird dieser Zusammenhang meist kürzer bezeichnet:

Weg-Zeit-Gesetz:                    $s = f(t)$
Geschwindigkeits-Zeit-Gesetz:    $v = f'(t)$
Beschleunigungs-Zeit-Gesetz      $a = v'(t)$
oder noch kürzer    $v = \dot{s}$    und    $a = \dot{v} = \ddot{s}$.

*Beispiel:* Beim freien Fall gilt $s = 0,5 \, g \cdot t^2$. Dabei ist $g \approx 10 \text{ m/s}^2$ (Fallbeschleunigung). Man erhält

$$v = gt \quad \text{und} \quad a = g.$$

*Lineare Approximation.* Es wurde gezeigt, daß jede Polynomfunktion

$$p_n: x \to a_n x^n + a_{n-1} \cdot x^{n-1} + \cdots + a_1 x + a_0, \quad x \in R$$

für beliebige $a \in R$ dargestellt werden kann in der Form

$$p_n(x) = p_n(a) + (x - a) \cdot p_{n-1}(x).$$

Die Koeffizienten des Polynoms $p_{n-1}$ ergaben sich aus dem Horner-Schema der Funktion $p_n$; als Polynomfunktion ist $p_{n-1}$ schlechthin stetig.

Neuerdings nimmt man diesen Sachverhalt häufig als Ausgangspunkt für die Differentialrechnung. Bei einer beliebigen Funktion $f: x \to f(x)$, $x \in D$ wird gefordert, daß es eine Funktion $f_1$ gibt, die den folgenden Bedingungen genügt:

1) Es gilt $f(x) = f(a) + (x - a) \cdot f_1(x)$, $x \in D$.
2) Die Funktion $f_1: x \to f_1(x)$ ist stetig an der Stelle $a$.

Wenn beide Bedingungen erfüllt sind, nennt man die Funktion $f$ differenzierbar an der Stelle $a$; $f_1(a)$ ist der Wert der Ableitungsfunktion $f'$ an der Stelle $a$.

Betrachtet man die Funktion $g: x \to f(a) + (x - a) \cdot f_1(a)$, so erhält man eine lineare Approximation von $f(x)$ in folgendem Sinne:

Es ist                    $f(x) = f(a) + (x - a) \cdot f_1(x);$
                         $g(x) = f(a) + (x - a) \cdot f_1(a).$

Mithin gilt:    $|f(x) - g(x)| = |x - a| \cdot |f_1(x) - f_1(a)|.$

Da $f_1$ stetig ist bei $a$, kann man vorschreiben, daß $|f_1(x) - f_1(a)|$ kleiner wird als jede positive Zahl $\varepsilon$. Demnach ist $|f(x) - g(x)|$ kleiner als $|x - a| \cdot \varepsilon$ für alle $x$ aus einer Umgebung $U(a)$.

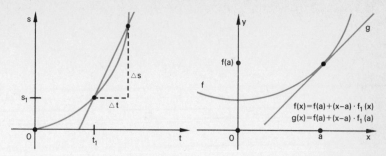

Links *Bestimmung der Intervallgeschwindigkeit eines Körpers bei der geradlinigen nicht gleichförmigen Bewegung;* rechts *Figur zur linearen Approximation*

Es läßt sich zeigen, daß bei gegebener Funktion $f$ höchstens eine Funktion $f_1$ existiert, die den Forderungen *1)* und *2)* genügt.

Da die Funktion $x \to f_1(x)$ nichts anderes darstellt als die Differenzenquotientenfunktion von $f$ an der Stelle $a$, macht man sich klar, daß der Graph der linearen Funktion $g: x \to f(a) + (x - a) f_1(a)$ die Tangente im Punkte $P(a; f(a))$ an den Graphen von $f$ ist.

Gerade der zuletzt skizzierte Weg macht deutlich, daß für die Differenzierbarkeit wohlbestimmte Forderungen zu erfüllen sind und daß es in keiner Weise darum geht, einen Quotienten der Form $\frac{0}{0}$ zu bestimmen.

### Aufgaben

28) Zeigen Sie, daß für $a \neq 0$ die Tangente $t$ im Punkte $P(a; a^2)$ einer Normalparabel gezeichnet werden kann, indem man $P(a; a^2)$ verbindet mit $R(0; -a^2)$. Geben Sie die lineare Funktion an, deren Graph durch die Tangente $t$ dargestellt wird.

29) Zeigen Sie, daß die Funktion $f: x \to |x| + 1$ differenzierbar ist für alle $x \neq 0$.

30) Untersuchen Sie die Differenzierbarkeit der Funktion sign: $x \to \text{sign}\, x$.

31) Für den freien Fall gilt $s = \dfrac{g}{2} \cdot t^2$, $g \approx 10 \text{ m s}^{-2}$.

*a)* Welche Geschwindigkeit hat ein Körper, wenn er 50 m gefallen ist?

*b)* Nach welcher Fallstrecke ist die Geschwindigkeit halb so groß wie bei Frage *a)*?

*c)* Zwei Körper werden aus derselben Höhe nacheinander losgelassen. Verändert sich ihr Abstand während des Fallens?

32) *a)* Betrachtet werde die Funktion $f: x \to x^2 - 2x + 3$.

Bestimmen Sie jeweils die Funktion $f_1: x \to f_1(x)$,

für die gilt $f(x) = f(a) + (x - a) \cdot f_1(x)$, wenn für $a = +1$ oder $+2$ oder $-2$ eingesetzt wird.

*b)* Erfüllen Sie die entsprechende Forderung für die Funktion $g: x \to x^3$ an einer (beliebigen) Stelle $a$.

**Sätze und Beispiele zur Differentiation**

*Differenzierbarkeit und Stetigkeit.* Bereits in den Eingangsbeispielen wurde gezeigt, daß eine stetige Funktion nicht differenzierbar sein muß; $x \to |x|$ ist überall stetig, aber in $P_1(0; 0)$ nicht differenzierbar. Der folgende Satz zeigt, daß die Stetigkeit einer Funktion aus der Differenzierbarkeit folgt; für unstetige Funktionen gibt es keine Ableitungsfunktion.

**Satz 1:**    Wenn die Funktion $f: x \to f(x)$ an einer Stelle $a$ ihres Definitionsbereiches differenzierbar ist, dann ist $f$ dort stetig.

*Beweis:* Wenn $f$ differenzierbar ist bei $a$, existiert gemäß Definition

$\lim\limits_{h \to 0} \dfrac{f(a + h) - f(a)}{h}$. Nach den Sätzen über das Rechnen mit Grenzwerten gilt nun

$$[\lim\limits_{h \to 0}(f(a + h) - f(a)] = \lim\limits_{h \to 0}\left[\frac{f(a + h) - f(a)}{h} \cdot h\right]$$

$$= \lim\limits_{h \to 0} \frac{f(a + h) - f(a)}{h} \cdot \lim\limits_{h \to 0} h = f'(a) \cdot 0 = 0.$$

Die Beziehung $\lim\limits_{h \to 0} [(f(a + h) - f(a))] = 0$    oder

$$0 = \lim\limits_{0} [h \to (f(a + h) - f(a))]$$

ist aber äquivalent zur Stetigkeitsforderung.

Definiert man die Differenzierbarkeit durch lineare Approximation, kann der Beweis ohne Schreibarbeit geführt werden: Wenn $f(x)$ darstellbar ist in der Form

$$f(x) = f(a) + (x - a) \cdot f_1(x)$$

mit der in $a$ stetigen Funktion $f_1$, dann folgt aus den Sätzen über die Verknüpfung stetiger Funktionen sofort die Stetigkeit von $f$ an der Stelle $a$.

*Elementare Differentiationsregeln.* Der Beweis der folgenden Ableitungsregeln gelingt ohne Kunstgriffe durch Betrachten der Differenzenquotientenfunktionen. Der Leser schreibe die entsprechenden Umformungen auf und zeichne Figuren, die den jeweiligen Sachverhalt illustrieren.

**Satz 2:**    Die Funktion $f: x \to c$ hat die Ableitungsfunktion $f': x \to 0$.

**Satz 3:**    Wenn die Funktion $f: x \to f(x)$, $x \in D$ differenzierbar ist, dann ist auch die Funktion $g: x \to f(x) + c, c \in R$ differenzierbar und es gilt $g'(x) = f'(x)$, $x \in D$. Kurzform $(f + c)' = f'$.

**Satz 4:**    Wenn die Funktion $f: x \to f(x)$, $x \in D$ differenzierbar ist, dann ist auch die Funktion $g: x \to c \cdot f(x)$, $c \in R$ differenzierbar und es gilt $g'(x) = c \cdot f'(x)$, $x \in D$.
Kurzform $(c \cdot f)' = cf'$.

*Höhere Ableitungen.* Eine Funktion $f$ sei differenzierbar in ihrem Definitionsbereich $D$; wie üblich bezeichne $f'$ die Ableitungsfunktion von $f$. Wenn nun auch $f'$

differenzierbar ist, bezeichnet man die zu $f'$ gehörige Ableitungsfunktion durch $f''$ (gelesen »$f$ zwei Strich«, auch »zweite Ableitung von $f$«).

In entsprechender Weise werden auch die weiteren Ableitungsfunktionen eingeführt und bezeichnet.

*Beispiel:*   $f : x \to x^2, x \in R;$     $f' : x \to 2x, x \in R;$
$f'' : x \to 2, x \in R;$     $f''' : x \to 0, x \in R.$

*Differentiation bei algebraischen Verknüpfungen.*

**Satz 5:**   Wenn die Funktionen $f : x \to f(x)$ und $g : x \to g(x)$ im gemeinsamen Definitionsbereich $D$ differenzierbar sind, dann ist auch die Funktion $\varphi : x \to f(x) + g(x)$ differenzierbar und es gilt
$\varphi'(x) = f'(x) + g'(x).$
Kurzfassung: $(f + g)' = f' + g'.$
Wir bezeichnen diesen Satz auch als *Summenregel.*

*Beweis:* Zu betrachten ist die Differenzenquotientenfunktion von $\varphi$ an einer Stelle $a$ aus $D$. Also für $h \neq 0, a + h \in D$:

$$h \to \frac{\varphi(a + h) - \varphi(a)}{h} = \frac{(f + g)(a + h) - (f + g)(a)}{h};$$

$$h \to \frac{f(a + h) + g(a + h) - f(a) - g(a)}{h}$$

$$= \frac{f(a + h) - f(a)}{h} + \frac{g(a + h) - g(a)}{h}.$$

Nach den Sätzen über Grenzwerte von Funktionen erhält man daraus
$\varphi'(a) = f'(a) + g'(a).$

Als Vorbereitung der Produktregel beweisen wir den folgenden Satz:

**Satz 6:**   Wenn die Funktion $f : x \to f(x)$ differenzierbar ist in $D$, dann ist auch die Funktion $\varphi : x \to x \cdot f(x)$ differenzierbar in $D$ und es gilt
$\varphi'(x) = f(x) + x f'(x).$

*Beweis:*   Zu betrachten ist   $h \to \dfrac{\varphi(a + h) - \varphi(a)}{h}$

Also   $h \to \dfrac{(a + h) \cdot f(a + h) - a \cdot f(a)}{h}$

$$= \frac{a \cdot f(a + h) + h \cdot f(a + h) - a f(a)}{h}.$$

Da $h \neq 0$ vorgesetzt wird, bleibt als Differenzenquotientenfunktion

$$h \to \left[ f(a + h) + a \cdot \frac{f(a + h) - f(a)}{h} \right].$$

Wegen der Stetigkeit von $f$ an der Stelle $a$ erhält man als Grenzwert dieser Differenzenquotientenfunktion

$$\varphi'(a) = f(a) + a \cdot f'(a).$$

Der letzte Satz gestattet es, eine Ableitungsregel anzugeben für die Potenzfunktion mit natürlichem Exponenten.

**Satz 7:**   Die Funktion $f: x \to x^n$, $x \in R$, $n \in N$ hat die Ableitungsfunktion
$f': x \to n \cdot x^{n-1}$, $x \in R$.

Den Beweis führen wir durch vollständige Induktion.

I) Die Regel ist verankert für $n = 1, 2$.

II) Schluß von $n$ auf $(n + 1)$: Zur Funktion $f_n: x \to x^n$ gehöre die Ableitungsfunktion $f'_n: x \to n \cdot x^{n-1}$.

Nun ist $f_{n+1}: x \to x^{n+1} = x \cdot x^n$. Das rechts stehende Produkt kann nach dem Satz 6 und gemäß der Induktionsannahme differenziert werden. Man erhält

$$f'_{n+1} = x^n + x \cdot n \cdot x^{n-1}$$
$$= x^n(1 + n).$$

Damit ist gezeigt, daß die Potenzregel für den Exponenten $n + 1$ gilt, wenn sie für den Exponenten $n$ richtig war. Aus *I)* und *II)* folgt somit die Gültigkeit der Differentiationsregel für alle Potenzfunktionen, deren Exponenten natürliche Zahlen sind. Aus der Summenregel und Satz 3 folgt dann überdies die Differenzierbarkeit für alle Polynomfunktionen.

**Satz 8**   *(Produktregel)*: Wenn die Funktionen $f: x \to f(x)$ und $g: x \to g(x)$ im gemeinsamen Definitionsbereich $D$ differenzierbar sind, dann ist auch die Produktfunktion $\varphi: x \to f(x) \cdot g(x)$ differenzierbar und es gilt

$$\varphi'(x) = f(x) \cdot g'(x) + f'(x) \cdot g(x)$$

Kurzfassung:   $(f \cdot g)' = f \cdot g' + f' \cdot g$.

Der Beweis gelingt durch kunstgerechte Addition der Zahl Null zum Differenzenquotienten. Es ist

$$\tan \sigma_\varphi = \frac{(f \cdot g)(a + h) - (f \cdot g)(a)}{h}$$

$$= \frac{f(a + h) \cdot g(a + h) - f(a) \cdot g(a)}{h}$$

$$= \frac{f(a + h) \cdot g(a + h) - f(a + h) \cdot g(a) + f(a + h) \cdot g(a) - f(a) \cdot g(a)}{h}$$

$$= f(a + h)\frac{g(a + h) - g(a)}{h} + g(a)\frac{f(a + h) - f(a)}{h}.$$

Durch diese Umformung gelingt es, die Differenzenquotienten der Funktionen $f$ bzw. $g$ an der Stelle $a$ in die Rechnung zu bringen. Nach mehrmaligem Rückgriff auf Sätze über Grenzwerte und Stetigkeit erhält man daraus

$$\varphi'(a) = f(a) \cdot g'(a) + f'(a) \cdot g(a).$$

**Satz 9**   *(Reziprokenregel)*: Wenn die Funktion $f: x \to f(x)$ in einem Bereich differenzierbar und ungleich Null ist, dann ist auch die Funktion

$\varphi: x \to \dfrac{1}{f(x)}$ dort differenzierbar und es gilt $\varphi'(x) = \dfrac{-f'(x)}{(f(x))^2}$.

Kurzfassung: $\left(\dfrac{1}{f}\right)' = \dfrac{-f'}{f^2}$.

Zu betrachten sind die Differenzquotienten der Funktion $\varphi$ an einer Stelle $a$; also

$$\tan \sigma_\varphi = \frac{\varphi(a + h) - \varphi(a)}{h}$$

$$= \frac{\dfrac{1}{f(a + h)} - \dfrac{1}{f(a)}}{h} = \frac{f(a) - f(a + h)}{h \cdot [f(a + h) \cdot f(a)]}$$

$$= - \frac{f(a + h) - f(a)}{h} \cdot \frac{1}{f(a) \cdot f(a + h)} .$$

Durch wiederholtes Anwenden der Grenzwertsätze folgt daraus

$$\varphi'(a) = -f'(a) \cdot \frac{1}{(f(a))^2} .$$

Aufgrund der Reziprokenregel können die Potenzfunktionen differenziert werden, deren Exponenten negative ganze Zahlen sind. Es sei $\varphi : x \to x^{-n}$, $x \in R \setminus \{0\}$, $n \in N$. Mithin ist $\varphi(x) = \dfrac{1}{x^n}$, $x \neq 0$. Gemäß der Reziprokenregel erhält man

$$\varphi'(x) = \frac{-n \cdot x^{n-1}}{(x^n)^2} = \frac{-n \cdot x^{n-1}}{x^{2n}} = \frac{-n}{x^{n+1}} = -n \cdot x^{-n-1} .$$

Wir vergleichen dieses Ergebnis mit der Regel über die Differentiation von Potenzen mit natürlichen Exponenten:

$$f : x \to x^n, \ x \in R, \ n \in N; \quad \varphi : x \to x^{-n}, \ x \in R \setminus \{0\}, \ n \in N;$$
$$f' : x \to n \cdot x^{n-1}; \qquad \varphi' : x \to -n \cdot x^{-n-1} .$$

Läßt man einmal die Verschiedenheit der Definitionsbereiche außer acht, können Potenzen mit ganzzahligen Exponenten nach einer Regel differenziert werden.

**Satz 10:** Die Funktion $\psi : x \to x^z$, $z \in Z$ hat in ihrem Definitionsbereich die Ableitungsfunktion $\psi' : x \to z \cdot x^{z-1}$.
Kurzform: $(x^z)' = z \cdot x^{z-1}$.

Die letzte Schreibweise darf nur dann verwendet werden, wenn kein Zweifel besteht, daß sich der Ableitungsprozeß auf die Variable $x$ bezieht!
Die Kombination der Reziproken- und Produktregel ergibt schließlich die Quotientenregel:

**Satz 11** *(Quotientenregel)*: Wenn die Funktion $f : x \to f(x)$, $x \in D$ differenzierbar ist und wenn die Funktion $g : x \to g(x)$, $x \in D$ differenzierbar und ungleich Null ist, dann ist auch die Quotientenfunktion

$\varphi : x \to \dfrac{f(x)}{g(x)}$ differenzierbar und es gilt

$$\varphi'(x) = \frac{g(x) \, f'(x) - f(x) \, g'(x)}{(g(x))^2}$$

Kurzfassung: $\left(\dfrac{f}{g}\right)' = \dfrac{g \cdot f' - f \cdot g'}{g^2} .$

Der Beweis wird dem Leser als Übung empfohlen.

*Die Differentiation der Sinusfunktion.* Wir bestimmen die Ableitungsfunktion zu $f: x \to \sin x$, $x \in R$ in zwei Schritten. Zunächst wird die Tangentensteigung im Punkte $P_1(0; 0)$ ermittelt; aus dem Resultat gewinnt man $f'(a)$, $a \neq 0$.

*1)* Am Anfang steht wie üblich ein Differenzenquotient. Für $Q(x; \sin x)$, $x \neq 0$ erhält man $\tan \sigma = \dfrac{\sin x}{x}$, $x \neq 0$.

Es ist also zu untersuchen, ob die Funktion $x \to \dfrac{\sin x}{x}$, $x \neq 0$ einen Grenzwert an der Stelle 0 hat. Man erkennt, daß die Funktion $x \to \dfrac{\sin x}{x}$ gerade ist; es genügt also, positive Werte für $x$ zu betrachten. Zur Orientierung stellen wir eine kleine Tabelle zusammen.

| $x$ | $\dfrac{\pi}{3}$ | $\dfrac{\pi}{6}$ | $\dfrac{\pi}{18}$ | $\dfrac{\pi}{180}$ | (Bogenmaß!) |
|---|---|---|---|---|---|
| $\sin x$ | $\frac{1}{2}\sqrt{3}$ | $\frac{1}{2}$ | $0{,}174$ | $0{,}0175$ | |
| $\dfrac{\sin x}{x}$ | $0{,}827$ | $0{,}955$ | $0{,}995$ | $0{,}999$ | (Rechenstab-genauigkeit) |

Die Werte lassen erwarten, daß $\lim\limits_{0} \left( x \to \dfrac{\sin x}{x} \right) = 1$ ist. Zum Beweis betrachten wir die Abb. auf S. 116. Dort gilt für

$$0 < x < \frac{\pi}{4} \text{ (Bogenmaß)}$$

$$\sin x = \frac{l\,(\overline{PQ})}{l\,(\overline{MP})} \qquad \cos x = \frac{l\,(\overline{MQ})}{l\,(\overline{MP})}$$

$$\tan x = \frac{\sin x}{\cos x} = \frac{l\,(\overline{ST})}{l\,(\overline{MT})}.$$

Außerdem vergleichen wir die Flächeninhalte der Dreiecke $MPQ$ bzw. $MST$ mit dem Inhalt des Kreissektors $MPT$.

Es gilt offenbar Fläche $(MPQ) <$ Fläche $(MPT) <$ Fläche $(MST)$

Also $\qquad \frac{1}{2} r^2 \cdot \cos x \cdot \sin x < \frac{1}{2} r^2 \cdot x < \frac{1}{2} r^2 \cdot \tan x,$

$$\cos x \cdot \sin x < x < \frac{\sin x}{\cos x}$$

oder $\qquad\qquad \cos x < \dfrac{x}{\sin x} < \dfrac{1}{\cos x}.$

Eine letzte Umformung ergibt

$$\frac{1}{\cos x} > \frac{\sin x}{x} > \cos x.$$

Da die cos-Funktion im Intervall $0 \leq x \leq \dfrac{\pi}{4}$ monoton fällt, muß die Funktion

$x \to \dfrac{1}{\cos x}$ dort monoton steigen. Die Stetigkeit beider Funktionen und die Gleichheit der Funktionswerte an der Stelle Null sichert das Vorhandensein des Grenzwertes von $x \to \dfrac{\sin x}{x}$ an der Stelle 0. Es ist $\lim\limits_{0}\left(x \to \dfrac{\sin x}{x}\right) = 1$; das heißt die Funktion $f: x \to \sin x$ hat an der Stelle Null die Ableitung $f'(0) = 1$.

2) Zu einem Punkt $P(a; \sin a)$ wählen wir einen Punkt $Q$, $Q \neq P$, $Q(a + h; \sin(a + h))$. Als Differenzenquotient erhalten wir dann

$$\tan \sigma = \frac{\sin(a + h) - \sin a}{h}, \quad h \neq 0.$$

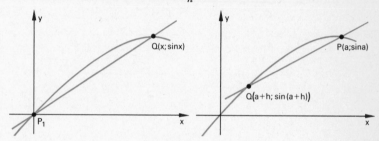

Links *Figur zur Ableitung der Sinusfunktion im Punkt $P_1(0; 0)$*; rechts *Figur zur Ableitung der Sinusfunktion in einem beliebigen Punkt*

Aus einer Formelsammlung entnehmen wir die Beziehung

$$\sin \alpha - \sin \beta = 2 \sin \frac{\alpha - \beta}{2} \cos \frac{\alpha + \beta}{2}.$$

Somit wird $\quad \tan \sigma = \dfrac{2 \cdot \sin \dfrac{h}{2} \cdot \cos \dfrac{2a + h}{2}}{h} = \dfrac{\sin \dfrac{h}{2}}{\dfrac{h}{2}} \cdot \cos \dfrac{2a + h}{2}.$

In *1)* wurde gezeigt, daß $\lim\limits_{0}\left(h \to \dfrac{\sin x}{x}\right) = 1$ ist. Demnach ist auch

$\lim\limits_{0}\left(h \to \dfrac{\sin \dfrac{h}{2}}{\dfrac{h}{2}}\right) = 1.$ Wegen der Stetigkeit der cos-Funktion gilt

$$\lim\limits_{0}\left(h \to \cos \frac{2a + h}{2}\right) = \cos a.$$

Nach dem Satz über den Grenzwert einer Produktfunktion gilt daher

$$\lim\limits_{0}\left(h \to \frac{\sin \dfrac{h}{2}}{\dfrac{h}{2}} \cdot \cos \frac{2a + h}{2}\right) = 1 \cdot \cos a.$$

Das heißt aber: Bei der Funktion $f: x \to \sin x$, $x \in R$ gilt $f'(a) = \cos a$. Anders geschrieben:

**Satz 12:**    Die Funktion    $f: x \to \sin x$,    $x \in R$    ist differenzierbar und es gilt $f': x \to \cos x$.

*Die Kettenregel.* Sehr häufig begegnet man Verkettungen von Funktionen; daher ist es geboten, ihre Differenzierbarkeit zu untersuchen. Wir beginnen mit zwei wichtigen Sonderfällen; danach folgt die allgemeine Regel.

*1)* $\varphi: x \to (x + 2)^2$, $x \in R$. Da $(x + 2)^2 = x^2 + 4x + 4$ ist, kann die Funktion $\varphi$ als Polynomfunktion ohne weiteres differenziert werden. Man erhält $\varphi': x \to 2x + 4$.

Die Zuordnung $x \to (x + 2)^2$ mag aber auch angesehen werden als Verkettung der Funktionen $g: x \to x + 2$ und $q: u \to u^2$. Damit werden die Funktionen $q$ und $g$ zu $q \circ g$ verkettet durch die Festsetzung $q \circ g: x \to q(g(x))$, also $x \to q(x + 2) = (x + 2)^2$.

Im Koordinatensystem ist dieser Zusammenhang besonders einfach zu deuten; er entspricht einer Parallelverschiebung der Graphen von $q: x \to x^2$ und $\varphi: x \to (x + 2)^2$.

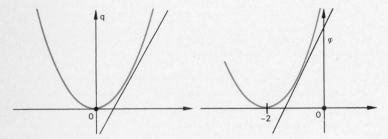

*Figuren zur Verkettung von Funktionen*

Nun geben die Werte der Ableitungsfunktion $q'$ an, welches Steigungsmaß die Tangenten an den Graphen von $q$ haben. Da bei einer Parallelverschiebung des Graphen von $q$ in Richtung der $x$-Achse (oder in der Gegenrichtung) die Winkel der Tangenten gegen die $x$-Achse nicht geändert werden, muß der Graph von $\varphi'$ aus dem Graphen von $q'$ ebenfalls durch Parallelverschiebung um 2 Einheiten auf der $x$-Achse hervorgehen.

Es ist $\qquad\qquad\qquad\qquad q': x \to 2x$

Demnach erhält man $\qquad\qquad \varphi': x \to 2(x + 2)$.

Wir übertragen den geometrisch beschriebenen Sachverhalt in die analytische Notation und betrachten gleichzeitig Funktionen $\varphi$ der Form $\varphi: x \to f(x + c)$.

Es sei also $\varphi$ entstanden durch Verkettung der Funktionen $g: x \to x + c$ und $f: u \to f(u)$, $u \in R$; dabei werde vorausgesetzt, daß die Funktion $f$ überall differenzierbar ist.

Wie oben gehen die Graphen von $f: x \to f(x)$ und $\varphi: x \to f(x + c)$ durch Parallelverschiebung auseinander hervor. Formal können wir das beschreiben

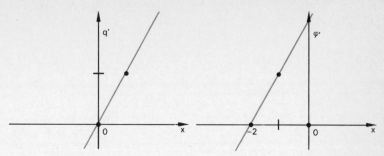

Links *Ableitungsfunktion* $q'$ *von* $q$; rechts *Ableitungsfunktion* $\varphi'$ *von* $\varphi$

durch eine Koordinatentransformation

$$\bar{x} = x + c.$$

Betrachten wir den Differenzenquotienten von $\varphi$ an einer Stelle $a$, so erhalten wir für $h \neq 0$

$$\tan \sigma_\varphi = \frac{\varphi(a + h) - \varphi(a)}{h} = \frac{f(a + c + h) - f(a + c)}{h} = \frac{f(\bar{a} + h) - f(\bar{a})}{h}.$$

Nach Voraussetzung existiert

$$\lim_0 \left( h \to \frac{f(\bar{a} + h) - f(\bar{a})}{h} \right) = f'(\bar{a}) = f'(a + c).$$

Das heißt aber, daß die Funktion $\varphi$ an jeder Stelle differenzierbar ist. Dabei gilt

$$\varphi'(x) = f'(x + c).$$

Betrachtet man insbesondere die Funktionen vom Typ

$$\varphi : x \to \sin(x + \alpha),$$

dann wird $\qquad \varphi' : x \to \cos(x + \alpha).$

Im Sonderfall $\alpha = \frac{\pi}{2}$ gilt $\sin(x + \frac{\pi}{2}) = \cos x$. Außerdem ist $\cos(x + \frac{\pi}{2})$ $= -\sin x$. Demnach gilt für die cos-Funktion folgende Ableitungsregel:

**Satz 13:** Zur Funktion $\cos : x \to \cos x$ gehört die Ableitungsfunktion
$\cos' : x \to -\sin x.$

2) Zur Funktion $\varphi : x \to \sin 2x$, $x \in R$ können wir die Ableitungsfunktion $\varphi'$ ebenfalls auf mehreren Wegen ermitteln. Gemäß Formelsammlung gilt $\sin 2x = 2 \cdot \sin x \cdot \cos x$. Demnach ist $\varphi$ nach der Produktregel zu differenzieren. Man erhält

$$\varphi'(x) = 2 \cdot [\sin x \cdot (-\sin x) + \cos x \cdot \cos x]$$
$$= 2 \cdot (\cos^2 x - \sin^2 x).$$

Eine weitere trigonometrische Umformung ergibt schließlich

$$\varphi'(x) = 2 \cdot \cos 2x.$$

Andererseits kann $\varphi : x \to \sin 2x$, $x \in R$ durch Verketten der Funktionen $\sin : u \to \sin u$; $u \in R$ und $g : x \to 2x$ dargestellt werden.

$$\sin \circ g : x \to \sin(g(x)) = \sin 2x, \quad x \in R.$$

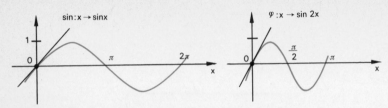

*Vergleich der Graphen von sin x* (links) *und sin 2x* (rechts)

Beim Vergleich der Graphen von $\sin : x \to \sin x$ und $x \to \sin 2x$ erkennt man, daß die Kurven durch Verkürzung bzw. Streckung in der $x$-Richtung auseinander hervorgehen. Dabei werden die Steigungen der Tangenten – gemessen durch den Tangenswert des Winkels $\tau$ – verdoppelt (bzw. halbiert). Dies kann aus der Figur begründet werden; es läßt sich aber auch rechnerisch belegen.

Zwischenergebnis:   Zu     $\varphi : x \to \sin 2x$

gehört                   $\varphi' : x \to 2\cos 2x$.

Wir beweisen den erwähnten Zusammenhang sogleich für einen etwas allgemeineren Fall. Es sei $f : x \to f(x)$ eine in $R$ differenzierbare Funktion, außerdem bezeichne $g : x \to cx$, $x \in R$ eine lineare Funktion mit dem Formparameter $c \neq 0$.

Wir verketten die Funktionen $f$ und $g$, bilden also

$$\varphi = f \circ g : x \to f(g(x)) = f(cx), \quad x \in R.$$

Für den Differenzenquotienten der Funktion $\varphi$ an einer Stelle $a$ erhalten wir

$$\tan \sigma_\varphi = \frac{\varphi(a+h) - \varphi(a)}{h}, \quad h \neq 0$$

$$= \frac{f(c(a+h)) - f(ca)}{h} = c\,\frac{f(ca+ch) - f(ca)}{c \cdot h}.$$

Ersetzt man $c \cdot h$ durch $\overline{h}$, dann ist der Differenzenquotient von $\varphi$ an der Stelle $a$ gegeben durch

$$\tan \sigma_\varphi = c\,\frac{f(ca+\overline{h}) - f(ca)}{\overline{h}}, \quad \overline{h} \neq 0.$$

Der Term $\dfrac{f(ca+\overline{h}) - f(ca)}{\overline{h}}$ beschreibt aber gerade den Differenzenquotienten

der Funktion $f$ an der Stelle $c \cdot a$. Nach der Voraussetzung über die Differenzierbarkeit der Funktion $f$ existiert

$$\lim_0\left(\overline{h} \to \frac{f(ca+\overline{h}) - f(ca)}{\overline{h}}\right) = f'(ca)$$

und daher auch $\varphi'(a) = \lim_0\left(h \to c \cdot \frac{f(ca+\overline{h}) - f(ca)}{\overline{h}}\right) = c \cdot f'(ca)$.

Damit ist bewiesen: Wenn die Funktion $f : x \to f(x)$, $x \in R$ differenzierbar ist, dann ist auch die Funktion $\varphi : x \to f(cx)$, $x \in R$, differenzierbar und es gilt $\varphi'(x) = c \cdot f'(cx)$. (Warum darf man die Einschränkung $c \neq 0$ weglassen?)

*3)* Die bisherigen Ergebnisse gestatten es, aus der Differenzierbarkeit einer Funktion $f: x \to f(x)$, $x \in R$ zu schließen auf die Differenzierbarkeit der Funktion $\varphi: x \to f(ax + b)$. Außerdem ist es möglich, die Verwandtschaft der Ableitungsfunktionen $f'$ und $\varphi'$ unmittelbar geometrisch zu deuten.

Wir behandeln jetzt den allgemeinen Fall der Verkettung zweier Funktionen, geben aber lediglich eine Beweisskizze für die Kettenregel.

Es sei $g: x \to g(x)$ differenzierbar in einem Bereich $D_g$, außerdem sei $f: u \to f(u)$ differenzierbar in einem Bereich $D_f \supset g(D_g)$. Betrachtet wird

$$\varphi = f \circ g : x \to f(g(x)), \quad x \in D_g.$$

Will man die Differenzierbarkeit von $\varphi$ untersuchen, ist der Differenzenquotient an einer Stelle $a$ zu betrachten.

$$\tan \sigma_\varphi = \frac{\varphi(a + h) - \varphi(a)}{h} = \frac{f(g(a + h)) - f(g(a))}{h}, \quad h \neq 0.$$

Wenn $g(a + h) - g(a) \neq 0$ ist, kann $\tan \sigma$ umgeformt werden zu

$$\tan \sigma_\varphi = \frac{f(g(a + h)) - f(g(a))}{g(a + h) - g(a)} \cdot \frac{g(a + h) - g(a)}{h}.$$

Der Term $\dfrac{g(a + h) - g(a)}{h}$ ist Differenzenquotient der Funktion $g$ an der Stelle $a$. Nach Voraussetzung existiert

$$\lim_0 \left( h \to \frac{g(a + h) - g(a))}{h} \right) = g'(a).$$

Der Term $\dfrac{f(g(a + h)) - f(g(a))}{g(a + h) - g(a)}$ läßt sich anders schreiben, wenn man $g(a) = b$ und $g(a + h) = b + k$ setzt. Man erhält dann

$$\frac{f(g(a + h)) - f(g(a))}{g(a + h) - g(a)} = \frac{f(b + k) - f(b)}{k}.$$

Der letzte Bruch ist aber Differenzenquotient der Funktion $f$ an der Stelle $b = g(a)$. Da $f$ differenzierbar ist, existiert

$$\lim_0 \left( k \to \frac{f(b + k) - f(b)}{k} \right) = f'(b) = f'(g(a)).$$

Beachtet man schließlich die Stetigkeit der Funktion $f$ an der Stelle $b = g(a)$, dann folgt die Differenzierbarkeit der Funktion $\varphi$ an der Stelle $a$. Es ist

$$\lim_0 \left( h \to \frac{\varphi(a + h) - \varphi(a)}{h} \right) = f'(g(a)) \cdot g'(a),$$

also $\qquad\qquad\qquad \varphi'(a) = f'(g(a)) \cdot g'(a).$

**Satz 14:** Wenn die Funktion $g : x \to g(x)$ differenzierbar ist in einem Bereich $D_g$ und wenn die Funktion $f: u \to f(u)$ differenzierbar ist in einem Bereich $D_f \supset g(D_g)$, dann ist auch die Funktion $\varphi : x \to f(g(x))$ differenzierbar in dem Bereich $D_g$. Für die Ableitungsfunktion $\varphi'$ gilt $\varphi'(x) = f'(g(x)) \cdot g'(x)$. Diese Formel wird als *Kettenregel* bezeichnet.

Die Kurzfassung $(f \circ g)' = f' \cdot g'$ ist einprägsam für das Auge; es fehlt jedoch der Hinweis darauf, daß die Funktionswerte auf der rechten Seite an verschiedenen Stellen zu bilden sind.

Unser Beweisabriß enthält die Voraussetzung $g(a + h) - g(a) \neq 0$. Die Kettenregel gilt auch, wenn $g(a + h) - g(a) = 0$ ist. Wir übergehen jedoch den zugehörigen Beweis; wird die Differentiation über lineare Approximation erklärt, ist die Fallunterscheidung übrigens nicht nötig.

*Beispiele zur Kettenregel.*

*1)* $\varphi : x \to (\sin x)^2$ oder auch $x \to \sin^2 x$. Verkettet werden die Funktionen $g : x \to \sin x$ und $f : u \to u^2$. Man bildet $g' : x \to \cos x$ und $f' : u \to 2u$. Damit erhält man $\varphi'(x) = 2 \cdot \sin x \cos x$, was auch aus der Produktregel folgt.

*2)* $\varphi : x \to \sin(x^2)$. Jetzt werden die Funktionen $g : x \to x^2$ und $f : u \to \sin u$ verkettet. Es ist $g' : x \to 2x$ und $f' : u \to \cos u$; also wird

$$\varphi'(x) = \cos(x^2) \cdot 2x$$

oder $\qquad\qquad \varphi' : x \to 2x \cdot \cos(x^2).$

*3)* $\varphi : x \to \sin(\sin x)$: Hier wird die Funktion $g : x \to \sin x$ mit sich selbst verkettet. Man findet

$$\varphi'(x) = (\cos(\sin x)) \cdot \cos x.$$

*4)* $\varphi : x \to (x + \sin x)^2$. Jetzt ist $g : x + \sin x$; $g' : x \to 1 + \cos x$, außerdem $f : u \to u^2$; $f' : u \to 2u$. Also gilt

$$\varphi'(x) = 2(x + \sin x) \cdot (1 + \cos x).$$

**Aufgaben**

*33)* Bestimmen Sie zu den folgenden Funktionen jeweils die zugehörige Ableitungsfunktion.

a) $f : x \to mx + n$;

e) $f : x \to x^2 + 2x + 3 + \dfrac{4}{x}$, $x \neq 0$;

b) $f : x \to 3x^2 + 4x + 5$;

f) $g : x \to \dfrac{ax + b}{cx + d}$, $cx + d \neq 0$;

c) $f : x \to x \cdot \sin x$;

g) $f : x \to \dfrac{x^2 - 1}{x^2 + 1}$;

d) $f : x \to x^2 \cos x + x(\cos x)^2$;

h) $f : x \to \tan x = \dfrac{\sin x}{\cos x}$,

$x \neq \dfrac{\pi}{2}(2n - 1)$.

*34)* Differenzieren Sie mit Hilfe der Kettenregel die folgenden Funktionen

a) $f : x \to \sin\dfrac{1}{x}$, $x \neq 0$;

b) $f : x \to \sin(1 + x^2)$;

c) $f : x \to 1 + \sin(x^2)$;

d) $f : x \to \sin(1 + x^n)$ $\Big\}$

e) $f : x \to (\sin(1 + x))^n$ $\Big\}$ $\quad n \in N$;

f) $g : t \to a \cdot \cos(\alpha t + \beta)$.

*35)* Als Schnittwinkel zweier Kurven bezeichnet man bei gegebenen Voraussetzungen den Winkel, den die Tangenten im Schnittpunkt bilden.

*a)* Welche Schnittwinkel haben die Graphen der Funktionen
$$f: x \to x^2 \quad \text{und} \quad g: x \to x?$$

*b)* Bestimmen Sie $a$ so, daß sich die Graphen der Funktionen $f: x \to ax^2$ und $g: x \to 1 - \dfrac{x^2}{a}$, $a \neq 0$ rechtwinklig schneiden.

*36)* Welche Koeffizientenbedingung muß bestehen, damit Funktionen der Form
$$x \to x^3 + ax^2 + bx + c$$

*a)* in keinem Punkt, *b)* in einem Punkt, *c)* in zwei Punkten waagrechte Tangenten besitzen?

*37)* Beweisen oder widerlegen Sie die folgenden Behauptungen
*a)* Wenn die Funktion $f$ differenzierbar ist an der Stelle $a$, dann ist auch $|f|$ differenzierbar an der Stelle $a$.

*b)* Wenn die Funktion $f$ differenzierbar ist in ihrem Definitionsbereich $D$, dann ist die Funktion $f'$ dort stetig.

*c)* Wenn die Funktion $f + g$ differenzierbar ist an der Stelle $a$, dann sind auch die Funktionen $f$ und $g$ differenzierbar an der Stelle $a$.

*d)* Wenn die Funktionen $f_1, f_2, \ldots, f_n$ differenzierbar sind an der Stelle $a$, dann ist auch die Funktion $\varphi = f_1 f_2 \cdots f_n$ an dieser Stelle differenzierbar.

## Maxima und Minima bei differenzierbaren Funktionen

Der folgende Abschnitt soll zeigen, daß die Differentialrechnung mehr leistet als zu einer gegebenen Funktion $f$ deren Ableitungsfunktion $f'$ zu bestimmen. In wesentlichen Teilen geht es geradezu darum, Eigenschaften von $f$ zu begründen aus Informationen über $f'$.

*Extremalstellen und stationäre Stellen von Funktionen.* Der Begriff Maximalstelle einer Funktion wurde bereits beiläufig benutzt. Er soll hier nochmals zusammen mit anderen Definitionen formuliert werden.

**Definition:** Wenn $f: x \to f(x)$ eine reelle Funktion mit dem Definitionsbereich $D$ ist, heißt $x_{\max}$ genau dann Maximalstelle von $f$ im Intervall $[a; b] \in D$, wenn $f(x_{\max}) \geq f(x)$ für alle $x \in [a; b]$.
Entsprechende Festsetzungen gelten für Minimalstellen.
Durch den Begriff Extremstellen werden die Maximalstellen und Minimalstellen einer Funktion zusammengefaßt. $x_m$ heißt relative Maximalstelle von $f$ genau dann, wenn es eine Umgebung $U(x_m)$ gibt, so daß $f(x_m) \geq f(x)$ für alle $x \in U(x_m)$.

Alle diese Begriffe können bei beliebigen Funktionen verwendet werden. Wir wollen sie jetzt für differenzierbare Funktionen in Beziehung bringen zu deren Ableitungsfunktionen.

**Satz 15:** Es sei $f: x \to f(x)$ eine reelle Funktion in $]a; b[$. Wenn $x_{\text{extr}}$ Extremstelle von $f$ in $]a; b[$ ist und wenn $f$ differenzierbar ist an der Stelle $x_{\text{extr}}$, dann gilt $f'(x_{\text{extr}}) = 0$.

Zum Beweis greifen wir zurück auf die Definition der Ableitung der Funktion $f$ an einer Stelle $a$.

$$f'(x_{\text{extr}}) = \lim_{0} \left[ h \to \frac{f(x_{\text{extr}} + h) - f(x_{\text{extr}})}{h} \right]$$

oder auch $\quad f'(x_{\text{extr}}) = \lim_{h \to 0} \left( \frac{f(x_{\text{extr}} + h) - f(x_{\text{extr}})}{h} \right).$

*Minimum und Maximum einer Funktion*

Betrachten wir eine Minimalstelle $x_{\min}$, so ist der Zähler des Differenzenquotienten von $f$ an der Stelle $x_{\min}$ stets $\geq 0$, solange $x_{\min} + h$ im Intervall von $]a; b[$ liegt. Infolgedessen ist der Differenzenquotient $\tan \sigma_f$ nicht negativ für $h > 0$; weiterhin ist $\tan \sigma_f \leq 0$ für $h < 0$. Da $f'(x_{\min})$ Grenzwert der Differenzenquotientenfunktion ist, muß $f'(x_{\min}) = 0$ sein.

In aller Entschiedenheit wird darauf hingewiesen, daß Satz 15 nicht umkehrbar ist.

Gegenbeispiel: Die Funktion $f: x \to x^3, \; x \in R.$

Es gilt $f'(0) = 0$; trotzdem ist $f$ strikt monoton steigend im ganzen Definitionsbereich.

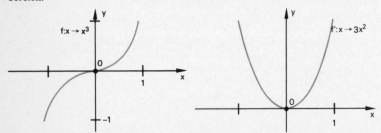

Links *Graph der Funktion f: $x \to x^3$; rechts der Graph der Ableitungsfunktion f': $x \to 3x^2$*

Man nennt die Stellen einer Funktion $f$, an denen die Ableitungsfunktion den Wert Null hat, *stationäre Stellen* von $f$. Bei der Bestimmung der Extremstellen einer Funktion $f$ im Intervall $[a; b]$, hat man die stationären Stellen von $f$ zu untersuchen; außerdem müssen die Randstellen betrachtet werden, an denen die sogenannten Randextreme liegen können. Schließlich sind alle diejenigen Stellen zu betrachten, an denen $f$ nicht differenzierbar ist.

*Satz von Rolle; Mittelwertsatz der Differentialrechnung.* Die beiden nächsten

Sätze sind von der geometrischen Veranschaulichung her unmittelbar einleuchtend. Zu ihrem analytischen Beweis braucht man jedoch die fundamentalen Sätze über Stetigkeit im abgeschlossenen Intervall.

**Satz 16:**    Wenn die Funktion $f: x \to f(x)$ im abgeschlossenen Intervall $[a; b]$ stetig und im offenen Intervall $]a; b[$ differenzierbar ist und wenn $f(a) = f(b)$ gilt, dann gibt es mindestens eine stationäre Stelle in $]a; b[$ *(Satz von Rolle)*.

Geometrisch gewendet: Wenn der Graph einer in $[a; b]$ stetigen und in $]a; b[$ differenzierbaren Funktion durch eine Sekante in Richtung der $x$-Achse begrenzt werden kann, dann gibt es eine Tangente in dieser Richtung, deren Berührungsabszisse zwischen $a$ und $b$ liegt.

Ein Beispiel und ein Gegenbeispiel werden in den Skizzen dargestellt.

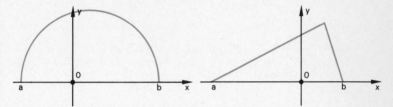

*Figuren zum Satz von Rolle*, links *Beispiel*, rechts *Gegenbeispiel*

Zum Beweis benutzen wir den Satz vom Maximum.

Da $f$ stetig ist in $[a; b]$, gibt es eine Stelle $x_{\max}$, so daß $f(x_{\max}) \geq f(x)$ für alle $x \in [a; b]$. Wir unterscheiden zwei Fälle.

*a)*    $x_{\max}$ liegt im Inneren des Intervalls $[a; b]$. Dann sind die Voraussetzungen des Satzes 15 erfüllt; es gibt eine Stelle $x_{st} \in [a; b]$ mit $f'(x_{st}) = 0$.

*b)*    $x_{\max}$ liegt am Rande von $[a; b]$. Dann gibt es entweder eine Minimalstelle von $f$ im Inneren des Intervalls, so daß wiederum der Satz 15 angezogen werden kann. Liegt dagegen die Minimalstelle am Rand von $[a; b]$, so sind wegen:

$f(a) = f(b)$ die Extremwerte gleich; das heißt, die Funktion $f$ hat konstante Funktionswerte. Dann ist $f$ für jedes $x$ aus dem Intervall stationär.

Obwohl der nachfolgende Mittelwertsatz durch einen Kunstgriff sehr leicht auf den Satz von Rolle zurückgeführt werden kann, ist er doch der Ausgangspunkt für sehr viele Betrachtungen der Differentialrechnung.

**Satz 17:**    (Mittelwertsatz der Differentialrechnung): Wenn die Funktion $f: x \to f(x)$ im abgeschlossenen Intervall $[a; b]$ stetig und im offenen Intervall $]a; b[$ differenzierbar ist, dann gibt es eine Zahl $x_1 \in ]a; b[$, so daß

$$f'(x_1) = \frac{f(b) - f(a)}{b - a}.$$

In der geometrischen Deutung besagt der Mittelwertsatz, daß es bei einer vorgegebenen Sekantenrichtung eine parallele Tangente gibt, deren Berührungspunkt auf dem Graphen zwischen den Schnittpunkten der Sekante liegt. Sehr anschaulich ist auch die kinematische Einkleidung: Wenn ein Fahrzeug in einer Stunde 100 km zurückgelegt hat, dann muß es mindestens einen Zeitpunkt gegeben haben, in dem die Momentangeschwindigkeit genau 100 km/h betrug.

Beweis des Mittelwertsatzes. Die Hilfsfunktion

$$h : x \to f(x) - \frac{f(b) - f(a)}{b - a} (x - a)$$

erfüllt die Voraussetzungen des Satzes von Rolle. Durch die algebraische Verknüpfung entsprechender Funktionen wird die Stetigkeit von $h$ in $[a; b]$ bzw. die Differenzierbarkeit in $]a; b[$ gewährleistet. Außerdem ist $h(a) = f(a) = h(b)$. Nach Satz 15 gibt es also $x_{st} \in ]a; b[$, so daß $h'(x_{st}) = 0$. Es ist aber

$$h'(x) = f'(x) - \frac{f(b) - f(a)}{b - a} \cdot 1$$

Also gilt
$$0 = f'(x_{st}) - \frac{f(b) - f(a)}{b - a}.$$

Der Mittelwertsatz wird häufig in etwas geänderter Schreibweise wiedergegeben. Man notiert

$$f(b) = f(a) + (b - a) \cdot f'(x_1) \quad \text{mit} \quad a < x_1 < b,$$

oder
$$f(b) = f(a) + (b - a) \cdot f'(a + \vartheta (b - a))$$

mit einer Zahl $0 < \vartheta < 1$. Durch Umbenennen der Variablen kommt es zu der Form

$$f(x + h) = f(x) + h \cdot f'(x + \vartheta h), \quad 0 < \vartheta < 1.$$

Zum Abschluß dieses Abschnitts formulieren wir zwei Sätze, die der Leser aus dem Mittelwertsatz herleiten mag.

**Satz 18:** Wenn für die differenzierbare Funktion $f : x \to f(x)$ im Intervall $[a; b]$ gilt $f'(x) = 0$, dann ist $f$ dort eine Konstantfunktion, $f(x) = c$, $x \in [a; b]$.

**Satz 19:** Wenn für zwei differenzierbare Funktionen $f$ und $g$ die Ableitungsfunktionen in einem Intervall $[a; b]$ gleich sind, dann gilt $f(x) = g(x) + c$ für alle $x$ dieses Intervalls.
Kurzform: Wenn $f' = g'$, dann $f = g + c$.

*Steigen und Fallen von Funktionen; Kriterien für Extremstellen.* Das Steigen bzw. Fallen von Funktionen wurde bereits definiert. Wir setzten fest:
Eine Funktion $f : x \to f(x)$ heißt genau dann strikt monoton steigend im Intervall $[a; b]$ ihres Definitionsbereiches $D$, wenn $f(x_1) < f(x_2)$ für alle $x_1, x_2$ mit $a \leq x_1 < x_2 \leq b$. Wir können diese Eigenschaft einer Funktion $f$ jetzt durch Aussagen über ihre Ableitungsfunktion $f'$ begründen.

**Satz 20:** Wenn bei einer differenzierbaren Funktion $f : x \to f(x)$ die Ableitungsfunktion $f'$ in einem Intervall $[a; b]$ nur positive Werte hat, dann ist $f$ in diesem Intervall strikt monoton steigend.

Zum Beweis benutzen wir den Mittelwertsatz. Es seien $a_1, b_1$ zwei beliebige Stellen aus $[a; b]$ mit $b_1 > a_1$. Nach Satz 17 gilt

$$\frac{f(b_1) - f(a_1)}{b_1 - a_1} = f'(x_z) \quad \text{für ein } x_z \text{ mit} \quad a_1 < x_z < b_1.$$

Da $f'(x_z) > 0$ vorausgesetzt wurde, muß $f(b_1) > f(a_1)$ sein. Genau das ist aber zu beweisen.

In entsprechender Weise erhält man den

**Satz 21:**    Wenn bei einer differenzierbaren Funktion $f: x \to f(x)$ die Ableitungsfunktion $f'$ in einem Intervall $[a; b]$ nur negative Werte hat, dann ist $f$ in diesem Intervall strikt monoton fallend.

Die folgenden Sätze zeigen, daß auch die Extremstellen einer differenzierbaren Funktion $f$ aus den Eigenschaften der Ableitungsfunktionen $f'$ bzw. $f''$ gefunden werden können. Eine notwendige Bedingung liefert ja bereits der Satz 15, der besagte, daß eine differenzierbare Funktion im Innern ihres Definitionsbereiches nur dort Extremstellen haben kann, wo die Ableitungsfunktion gleich Null ist. Als hinreichende Bedingung beweisen wir den

**Satz 22:**    Wenn bei einer zweimal differenzierbaren Funktion $f: x \to f(x)$, $x \in D$, $f'(x_1) = 0$ und $f''(x_1) > 0$ ist, dann hat $f$ an der Stelle $x_1$ ein relatives Minimum. Gilt $f'(x_1) = 0$ und $f''(x_1) < 0$, dann hat $f$ an der Stelle $x_1$ ein relatives Maximum.

*Beweis:* Die Zahl $f''(x_1)$ gibt die Tangentensteigung an die Funktion $f'(x)$ im Punkte $P_1(x_1; 0)$ an. Da $f''(x_1)$ größer ist als Null, muß es eine Umgebung $U(x_1)$ geben, so daß die Sekantensteigungen der Funktion $f'$ an der Stelle $x_1$ positiv sind für $x \in U(x_1)$. Es gilt also

$$\frac{f'(x_1 + h) - f'(x_1)}{h} > 0, \, x_1 + h \in U(x_1).$$

Daher muß $f'(x_1 + h) > f'(x_1)$ sein, wenn $h$ größer ist als Null und es muß $f'(x_1 + h) < f'(x_1)$ sein, wenn $h$ kleiner ist als Null.
Nach den Sätzen 20 und 21 bedeutet das aber, daß die Funktion $f$ strikt monoton steigt für $x > x_1$, $x \in U(x_1)$ und daß $f$ strikt monoton fällt für $x < x_1$, $x \in U(x_1)$. Infolgedessen hat $f$ an der Stelle $x_1$ ein relatives Minimum.
Der Beweis für den Fall $f'(x_1) = 0$ und $f''(x_1) < 0$ verläuft entsprechend.
Man beachte, daß der letzte Satz versagt, wenn $f'(x_1) = 0$ und zugleich $f''(x_1) = 0$ ist.
Die Ermittlung einer Extremstelle kann auch ohne den Rückgriff auf die zweite Ableitung durchgeführt werden. Der Satz 23 gibt eine Bedingung, die sogar notwendig und hinreichend ist für sehr viele Funktionen.

**Satz 23:**    Wenn die Funktion $f: x \to f(x)$ differenzierbar ist und wenn die Ableitungsfunktion $f'$ stetig ist und nur endlich viele Nullstellen $x_1, \ldots, x_n$ hat, dann liegt an einer solchen Stelle $x_\nu, \nu = 1, \ldots, n$ genau dann ein relatives Extremum, wenn die Funktion $f'$ an der Stelle $x_\nu$ ihr Vorzeichen wechselt.

Der Beweis dieses Satzes wird dem Leser überlassen; die nachfolgenden Figuren sollen ihm als Hinweis dienen.
*Beispiel zur Kurvendiskussion.* Es soll gezeigt werden, wie man die Graphen vorgegebener Funktionen mit geringem Rechenaufwand bestimmen kann.
Zu betrachten sei $f: x \to x^7 - x^3$, $x \in R$.
Die Funktion ist ungerade, es gilt $f(x) = -f(-x)$. Als Polynomfunktion ist $f$

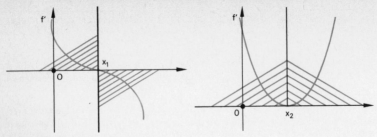

*Figuren zum Beweis des Satzes 23*

schlechthin differenzierbar, also auch überall stetig. Eine erste Übersicht gewinnt man aus der folgenden Gebietseinteilung. Es ist $x^7 - x^3 = x^3 \cdot (x^4 - 1)$. Diese Produktdarstellung liefert zunächst alle Nullstellen: Ein Produkt reeller Zahlen ist genau dann Null, wenn ein Faktor Null ist. Demnach hat die Funktion $f$ Nullstellen, wenn $x^3 = 0$, das heißt, wenn $x = 0$ ist oder wenn $x^4 - 1 = 0$ wird. Nun gilt $x^4 - 1 = (x^2 + 1)(x^2 - 1)$; das bedeutet, daß für $x = +1$ bzw. für $x = -1$ jeweils eine Nullstelle vorliegt. Andere reelle Nullstellen gibt es nicht. Wir haben demnach folgende Produktdarstellung
$x^7 - x^3 = (x + 1) \cdot (x - 1) \cdot x^3 \cdot (x^2 + 1)$. Daraus erkennt man leicht die Vorzeichen der Funktionswerte in bestimmten Bereichen. Es gilt:
Für $0 < x < 1$ ist $f(x) < 0$; für $1 < x$ ist $f(x) > 0$.
Da $f$ eine ungerade Funktion ist, sind damit die Gebiete festgelegt, in denen der Graph von $f$ verläuft.

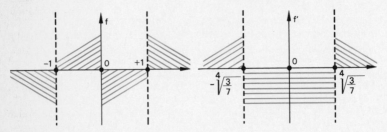

Links *Gebietseinteilung der Funktion* $f: x \to x^7 - x^3$;
rechts *Gebietseinteilung der Ableitungsfunktion* $f': x \to 7x^6 - 3x^2$

Durch entsprechende Umformungen gewinnt man die Gebietseinteilung für die Ableitungsfunktion $f': x \to 7x^6 - 3x^2$.
Es ist $7x^6 - 3x^2 = x^2(7x^4 - 3)$. Mithin liegen die Nullstellen von $f'$, das heißt die stationären Stellen von $f$, bei $x = 0$ und bei $x = -\sqrt[4]{\frac{3}{7}}$ bzw.
$$x = +\sqrt[4]{\tfrac{3}{7}} \approx 0{,}81.$$
Gleichzeitig erhält man damit die Gebietseinteilung von $f'$.
Durch die Gebietseinteilung von $f'$ ist aber andererseits auch das Monotonieverhalten von $f$ überschaubar.
Die Funktion $f$ steigt strikt monoton für $x < -\sqrt[4]{\frac{3}{7}}$.

Bei $x = -\sqrt[4]{\frac{3}{7}}$ liegt ein relatives Maximum; danach fällt die Funktion monoton bis zum Punkt $P(0;0)$. Dort liegt *kein* Extremum, obwohl $f'(0) = 0$ ist. Die Funktion $f$ fällt nämlich weiterhin, solange $x < \sqrt[4]{\frac{3}{7}}$. Es ist lediglich anzumerken, daß die Tangentensteigung von $f$ im Punkte $(0;0)$ ein relatives Extremum hat; diese Aussage kann in Zusammenhang gebracht werden mit dem Krümmungsverhalten der Funktion. Da der Graph von $f$ punktsymmetrisch verläuft, ist alles Wesentliche bereits beschrieben. Es wären allenfalls noch die Funktionswerte an den Extremstellen zu bestimmen. Der Verlauf des Graphen von $f$ kann jedoch auch dann skizziert werden, wenn man statt dessen $f(0,5)$ bzw. $f(-0,5)$ berechnet und die Steigung der Funktion an den Nullstellen $+1$ (bzw. $-1$) beachtet. Zur Übung kann sich der Leser mit dem Graphen der Ableitungsfunktion befassen.

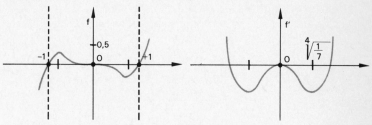

Links *Graph der Funktion;* rechts *Graph der Ableitungsfunktion*

Im gewählten Beispiel konnten die Nullstellen von $f$ und $f'$ sofort angegeben werden. In vielen Fällen gelingt das nicht ohne Mühe oder sogar nur näherungsweise; an den Wechselbeziehungen von $f$ und $f'$ wird dadurch jedoch nichts geändert. Gesonderte Untersuchungen sind außerdem angezeigt, wenn Grenzwerte zu ermitteln sind oder wenn das Verhalten der Funktion für sehr große bzw. sehr kleine $x$ interessiert.

Aus Platzgründen verzichten wir auf entsprechende Darstellungen.

Zum Abschluß behandeln wir einen Aufgabentyp, der auch für die Praxis von Interesse ist.

Zu ermitteln sind Extremwerte von Funktionen, die meist von mehreren Variablen abhängen, wobei die Variablen untereinander gekoppelt sind. Das folgende Beispiel ist leicht überschaubar.

Für eine elektrische Schaltung wird gefordert, daß zwei Widerstände $R_1$ und $R_2$ wahlweise in Reihe oder parallel geschaltet werden können. Bei der Reihenschaltung soll der Gesamtwiderstand $500\,\Omega$ betragen; bei der Parallelschaltung hingegen soll der Gesamtwiderstand möglichst groß sein. Bezeichnet man den Gesamtwiderstand mit $R$, so gilt für die Reihenschaltung

$$R_R = R_1 + R_2.$$

Bei Parallelschaltung ist $\dfrac{1}{R_P} = \dfrac{1}{R_1} + \dfrac{1}{R_2}$ oder nach Umformung

$$R_P = \frac{R_1 \cdot R_2}{R_1 + R_2}. \tag{1}$$

Durch geeignete Wahl von $R_1$ und $R_2$ soll $R_P$ einen möglichst großen Wert erhalten. Die Variablen $R_1$ und $R_2$ sind allerdings nicht unabhängig voneinander. Es besteht vielmehr die Kopplungsbedingung $R_1 + R_2 = 500\,\Omega$.
Überdies können $R_1$ und $R_2$ als physikalische Größen nur Werte $\geq 0\,\Omega$ annehmen.

Durch die Kopplungsbedingung kann man die Beziehung (*1*) so umformen, daß $R_P$ funktional von einer Variablen abhängt. Man erhält

$$R_P = \frac{R_1(500\,\Omega - R_1)}{500\,\Omega} \quad \text{für } 0\,\Omega \leq R_1 \leq 500\,\Omega.$$

Um den etwas störenden Benennungen zu entgehen, betrachten wir die Funktion

$$f: x \to \frac{x\,(500 - x)}{500} \quad \text{für } 0 \leq x \leq 500$$

oder auch die Funktion $g: x \to x\,(500 - x)$, da $f$ und $g$ gleiche Extremstellen haben. Wenn Extremstellen im Inneren des Definitionsbereiches liegen, muß dort die Ableitungsfunktion den Wert Null haben. Deshalb bildet man $f'$ (bzw. $g'$) und ermittelt die Nullstellen dieser Funktion. Mithin

$$f': x \to \frac{500 - 2x}{500} \quad \text{oder } g': x \to 500 - 2x.$$

$$f'(x) = 0 \Leftrightarrow x = 250 \Leftrightarrow g'(x) = 0.$$

Nun ist $f'': x \to -2/500$ bzw. $g'': x \to -2$.
Also liegt nach Satz 22 an der Stelle $x = 250$ ein relatives Maximum der Funktion $f$ (bzw. $g$). Da die Randwerte jeweils Null sind, ist man sogar sicher, daß ein absolutes Maximum vorhanden ist. Den zugehörigen Extremwert errechnet man für die Funktion $f$ bzw. für $R_P$ (125 bzw. 125 $\Omega$).

Bei aller Vielfalt derartiger Probleme dürften die folgenden Hinweise nützlich sein:

*1)* Aufgabentext sorgfältig lesen.

*2)* Brauchbare Bezeichnungen einführen, wenn möglich übersichtliche Figur anlegen.

*3)* Beziehungen zwischen den verschiedenen Variablen zusammenstellen (Kopplungsbedingungen!).

*4)* Umformen, so daß schließlich ein funktionaler Zusammenhang erkennbar ist (Definitionsbereich angeben!).

*5)* Prüfen, ob es Funktionen gibt, die gleiche Extremstellen haben, aber mit geringerem Rechenaufwand untersucht werden können.

*6)* Darauf achten, ob es Randextreme gibt oder ob die Differenzierbarkeit stellenweise aufgehoben ist. Nach Möglichkeit Graph der Funktion skizzieren.

### Aufgaben

*38)* Beweisen oder widerlegen Sie:

   *a)* Die Funktionen der Form $f: x \to x^3 + px + q$ haben nur eine reelle Nullstelle, wenn $p > 0$ ist.

   *b)* Diese Funktionen haben drei reelle Nullstellen, wenn $4p^3 + 27q^2 < 0$ ist.

*39)* Beweisen oder widerlegen Sie:

    *a)* Wenn eine zweimal differenzierbare Funktion $f$ an der Stelle $x_1 \in D_f$ ein relatives Minimum hat, dann gilt $f'(x_1) = 0$ und $f''(x_1) > 0$.

    *b)* Wenn $f$ eine differenzierbare Funktion ist, dann haben die Funktionen $f$ und $\varphi = f^2$ die gleichen Extremstellen.

    *c)* Wenn $f$ und $g$ differenzierbare Funktionen sind mit $f(a) = g(a)$ und $f'(x) < g'(x)$, $x \in R$, dann gilt $f(x) > g(x)$ für alle $x < a$ und $f(x) < g(x)$ für $x > a$.

*40)* Diskutieren Sie die folgenden Funktionen (Gebietseinteilung, Nullstellen, Monotonieverhalten, Extremstellen) und skizzieren Sie dann den jeweiligen Graphen.

    *a)* $f : x \to x^4 + 1;$     *b)* $f : x \to x^4 + x;$     *c)* $f : x \to x^4 + x^2;$

    *d)* $f : x \to x^4 + x^3;$     *e)* $f : x \to |x^2 - 1|;$     *f)* $g : x \to (x^2 - 1)^2;$

    *g)* $f : x \to (x^2 - 1)^3;$     *h)* $f : x \to x + \sin x$.

*41)* In einer elektrischen Schaltung werden zwei Widerstände $R_1$ und $R_2$ wahlweise in Reihe oder parallel geschaltet. Bei Parallelschaltung muß der Gesamtwiderstand $500\,\Omega$ betragen; bei der Reihenschaltung soll der Gesamtwiderstand minimal werden. Wie sind $R_1$, $R_2$ zu bemessen?

*42)* In einen Halbkreis soll ein Trapez eingezeichnet werden, dessen eine Grundseite vom Durchmesser des Halbkreises gebildet wird. Wann ist der Flächeninhalt des Trapezes maximal?

*43)* Ein Kasten soll die Form einer quadratischen Säule haben und $100\,dm^3$ fassen. Das Material für die Bodenfläche kostet 10 Pfg/dm²; für die übrigen Flächen werden 20 Pfg/dm² berechnet. Welche Abmessungen ergeben minimale Kosten?

## Umkehrfunktion

Wir haben bisher lediglich in einem Einführungsbeispiel auf die Umkehrbarkeit von Funktionen hingewiesen.

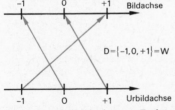 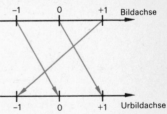

*Figuren zur Umkehrbarkeit von Funktionen;* links *Funktion*, rechts *Umkehrfunktion*

Bei dem linken Pfeildiagramm zu $f : D \xrightarrow{f} W$ war es möglich, durch Umkehrung der Pfeilrichtung eine Abbildung von $W$ auf $D$ zu erhalten. Das liegt offenbar daran, daß alle Elemente von $W$ als Bildelemente auftreten und daß jedes Element von $W$ nur ein Urbild in $D$ hat. Das Umkehren der Pfeilrichtung läßt sich sehr leicht in die Betrachtungsweise des Abschnitts von S. 118 übertragen. Dort wurde eine Funktion *f* als Menge geordneter Zahlenpaare aufgefaßt, für die eine Eindeutigkeitsbedingung gilt: Wenn $(x_1; y_1)$ und $(x_1; y_2)$ zu *f* gehören, dann ist $y_1 = y_2$. Im vorliegenden Fall hat man

$$f = \{(-1; 1), (0; -1); (+1; 0)\}.$$

Durch das Umkehren der Pfeile werden in jedem geordneten Zahlenpaar jeweils die Zahlen umgestellt; man erhält so die Menge

$$f^I = \{(+1; -1), (-1; 0); (0; +1)\}$$

Diese Menge $f^I$ genügt der Eindeutigkeitsforderung, ist also auch eine Funktion. Man nennt sie die *Umkehrfunktion* oder *Inverse* von *f*.

**Definition:** Eine Funktion $f: x \to f(x)$, $x \in D$ heißt *eineindeutig* genau dann, wenn mit $x_1 \neq x_2$ auch $f(x_1) \neq f(x_2)$ ist. Anders gewendet: Aus $f(x_1) = f(x_2)$ folgt $x_1 = x_2$.

Als Beispiel für Eineindeutigkeit nennen wir die Funktion $e: x \to x$, $x \in R$; allgemeiner sogar jede streng monoton steigende oder streng monoton fallende Funktion. Die Funktionen $q: x \to x^2$, $x \in R$ oder sin: $x \to \sin x$, $x \in R$ sind nicht eineindeutig; es gibt aber eineindeutige Einschränkungen dieser Funktionen.

Überträgt man die Forderung $f(x_1) \neq f(x_2)$ für alle $x_1 \neq x_2$ ins Geometrische, so wird verlangt, daß jede Parallele zur *x*-Achse mit dem Graphen der Funktion *f* höchstens einen Punkt gemeinsam hat.

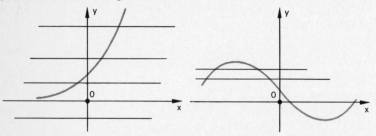

*Jede Parallele zur x-Achse darf mit dem Graphen der Funktion f höchstens einen Punkt gemeinsam haben*

Jede eineindeutige Funktion $f: x \to f(x)$ bildet ihren Definitionsbereich *D* so auf die Menge $f(D)$ ab, daß es zu jedem Element *y* aus $f(D)$ genau ein Urbild in *D* gibt. Mithin ist es möglich, jedem Element *y* in $f(D)$ das eindeutig bestimmte Element *x* in *D* zuzuordnen, für das gilt $y = f(x)$.

Die so erklärte Funktion bildet $f(D)$ auf *D* ab. Diese Funktion heißt die *Umkehrfunktion* oder *Inverse* zu *f*. Als zugehörige Schreibfigur verwenden wir $f^I$. Symbolisch geschrieben:

$$f: D \underset{f}{\to} f(D);$$

wenn *f* eineindeutig ist, gibt es $f^I: f(D) \underset{f^I}{\to} D$.

Wenn eine Funktion *f* nicht eineindeutig ist, kann es zu *f* keine Umkehrfunktion

$f^I$ geben; mindestens ein Element in $f(D)$ hätte ja zwei (oder mehr) Urbilder in $D$. In der Betrachtungsweise des vorher erwähnten Abschnitts ist eine Funktion $f$ eine Menge von geordneten Paaren,

$$f = \{(x; y) \mid x \in D \wedge y \in W\},$$

die der Eindeutigkeitsbedingung genügt: Wenn $(x_1; y_1) \in f$ und $(x_1; y_2) \in f$, dann folgt $y_1 = y_2$.
Fordert man die Eineindeutigkeit, so muß gelten: Wenn $(x_1; y_1) \in f$ und

$$(x_2; y_1) \in f, \quad \text{dann ist} \quad x_1 = x_2.$$

Bilden wir zu einer eineindeutigen Funktion $f$ die Umkehrfunktion $f^I$, so ist

$$f^I = \{(y; x) \mid (x; y) \in f\}.$$

Geometrisch bedeutet dies, daß die Graphen von $f$ und $f^I$ durch Spiegelung an der ersten Winkelhalbierenden auseinander hervorgehen, wenn man beide Graphen so anlegt, daß die erste Zahl in jedem Zahlenpaar der Funktion auf der Rechtsachse abgetragen wird.

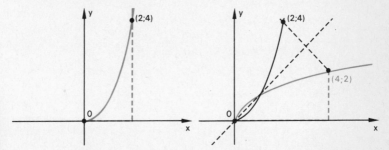

Links *Funktion;* rechts *Umkehrfunktion, die durch Spiegelung an der Winkelhalbierenden des 1. Quadranten gebildet wird*

Der Zusammenhang von $f$ und $f^I$ kann auch anders gefaßt werden: Wenn $f$ eine eineindeutige Funktion ist, dann ist auch $f^I$ eineindeutig. Es gilt $(f^I)^I = f$.
Dies folgt aus der Definition von $f^I$ ebenso wie aus der graphischen Darstellung. Eine zweimalige Spiegelung an einer Gerade ergibt bekanntlich die identische Abbildung. Für die Verkettung beider Funktionen gilt

$$(f^I \circ f)(x) = x, \quad x \in D$$

oder auch $\qquad\qquad (f \circ f^I)(y) = y, \quad y \in f(D).$

Bei der Behandlung konkreter Beispiele verwendet man nach Möglichkeit spezielle Symbole zur Bezeichnung des Umkehrungs-Prozesses; außerdem vertauscht man am Ende der Betrachtung häufig die benutzten Variablensymbole.
*Beispiel 1:* $q : x \to x^2$; eineindeutig, wenn $x \geq 0$. Man verwendet das Quadratwurzelzeichen, um die Zuordnung $x \to x^2$ umzukehren. Also $x \geq 0$ und $y = x^2 \Leftrightarrow x \geq 0, y \geq 0$ und $x = \sqrt{y}$.
Mithin $\qquad\qquad q^I : y \to \sqrt{y}, \ y \geq 0.$

Nach dem Austausch der Variablenzeichen spricht man in der Regel die Funktion $g : x \to \sqrt{x}, \ x \geq 0$ als Umkehrfunktion von $q$ an.
Die zugehörige graphische Darstellung findet sich in der vorigen Abbildung.

*Beispiel 2:*   Die Funktion  $\sin : x \to \sin x$  ist eineindeutig im Intervall
$-\dfrac{\pi}{2} \leq x \leq \dfrac{\pi}{2}$.

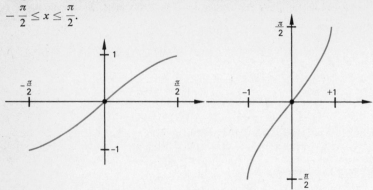

Links *Graph der Sinusfunktion*, rechts *Graph ihrer Umkehrfunktion*

Durch Spiegelung erhält man das Bild der Umkehrfunktion $\sin^I$. Man schreibt
$y = \sin x \Leftrightarrow x = \arcsin y$ für $-\dfrac{\pi}{2} \leq x \leq \dfrac{\pi}{2}$. Mithin erhält man
$\sin^I : y \to \arcsin y, \; -1 \leq y \leq +1$  oder nach Umbezeichnung
$\arcsin : x \to \arcsin x, \; -1 \leq x \leq +1$.
Wir übergehen den Zusammenhang von Stetigkeit in einem Intervall, Eineindeutigkeit und Monotonie; statt dessen wenden wir uns sofort der Differenzierbarkeit zu. Hierfür gilt der

**Satz 24:**   Wenn die Funktion $f : x \to f(x)$ im Intervall $[a; b]$ eineindeutig und stetig ist und wenn für eine Stelle $x_1$ aus $[a; b]$ $f'(x_1)$ existiert und ungleich Null ist, dann ist auch die Umkehrfunktion $g = f^I$ an der Stelle $f(x_1)$ differenzierbar und es gilt

$$g'(f(x_1)) = \frac{1}{f'(x_1)}.$$

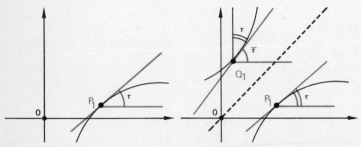

Der analytische Beweis wäre durch Betrachten des Differenzenquotienten von $g$ an der Stelle $f(x_1)$ zu führen. Wegen der engen geometrischen Beziehung von $f$

und $f^I = g$ begnügen wir uns mit dem Studium der Graphen. Es ist $f'(x_1)$ der Tangens des Winkels $\tau$, den die Tangente im Punkte $(x_1; f(x_1))$ mit der Parallele zur $x$-Achse bildet.

Bei der Spiegelung an der Winkelhalbierenden geht die Tangente im Punkte $P_1$ $(x_1; f(x_1))$ an den Graphen von $f$ über in die Tangente im Punkte $Q_1$ $(f(x_1); x_1)$ $= Q_1(y_1; g(y_1))$ an den Graphen von $g = f^I$. Für die Ableitungsfunktion $g'$ ist aber nicht der Winkel $\tau$ zu betrachten, sondern der Winkel $\bar{\tau}$, für den gilt $\tau + \bar{\tau} = \dfrac{\pi}{2}$

Aus Grundbeziehungen der Trigonometrie folgt

$$\tan \bar{\tau} = \tan\left(\frac{\pi}{2} - \tau\right) = \cot \tau = \frac{1}{\tan \tau}, \ \tau \neq 0.$$

Mithin gilt $g'(f(x_1)) = \dfrac{1}{f'(x_1)}$.

Zur Illustration behandeln wir zwei Beispiele.

3) Betrachtet werde die Funktion $g_n : x \to \sqrt[n]{x}$, $x \in R^+$, $n \in N$. Gemäß allgemeiner Verabredung ist

$$y = \sqrt[n]{x} \text{ gleichwertig mit } y^n = x, y \geq 0.$$

Die Funktion $g_n$ ist also Umkehrfunktion zu $f_n : y \to y^n$, $y \in R^+$. Da $f_n$ differenzierbar ist mit $f_n'(y) = n \cdot y^{n-1}$, $f_n'(y) \neq 0$, so ist auch $g_n$ differenzierbar und es gilt

$$g_n'(x) = \frac{1}{n \cdot y^{n-1}}.$$

In dieser Gleichung muß jetzt die Variable $y$ eliminiert werden, da man ja eine Aussage über $g_n$ anstrebt. Es ist $y = \sqrt[n]{x}$ oder in Potenzschreibweise $y = x^{\frac{1}{n}}$, mithin erhält man $y^{n-1} = x^{\left(\frac{1}{n}\right)^{n-1}} = x^{\frac{n-1}{n}}$.

Also ist $\qquad g_n'(x) = \dfrac{1}{n \cdot x^{\frac{n-1}{n}}} = \dfrac{1}{n} \cdot x^{\left(-1 + \frac{1}{n}\right)}$.

Ergebnis: Die Funktion $g_n : x \to \sqrt[n]{x}$ oder auch $x \to x^{\frac{1}{n}}$ hat die Ableitungsfunktion $g_n' : x \to \dfrac{1}{n} \cdot x^{\left(\frac{1}{n} - 1\right)}$.

*Beispiel 4:* Zu bestimmen sei die Ableitungsfunktion zu arc sin : $x \to$ arc si $x$, $-1 \leq x \leq +1$.

Nach Beispiel 2 ist arc sin die Umkehrfunktion zu

$$\sin : y \to \sin y, \ -\frac{\pi}{2} \leq y \leq +\frac{\pi}{2}$$

Es ist $\sin' : y \to \cos y$. Hier ist jetzt zu beachten, daß die Ableitungsfunktion $\sin'$ Nullstellen hat für $y = -\dfrac{\pi}{2}$ und $y = \dfrac{\pi}{2}$. Das bedeutet, daß die Umkehrfunktion an den zugehörigen Stellen nicht differenzierbar ist – die Tangenten verlaufen dort parallel zur Hochachse (siehe dazu Abbildung S. 172 oben). Wir erhalten also mit dem abkürzenden Funktionssymbol $g = $ arc sin folgende Beziehung

$$g'(x) = \frac{1}{\cos y}, \quad -\frac{\pi}{2} < y < +\frac{\pi}{2}.$$

Nun gilt $\cos y = \sqrt{1-(\sin y)^2} = \sqrt{1-x^2}$, da $x = \sin y$. Das heißt also: Die Funktion $g = \arc\sin : x \to \arc\sin x$ ist im Bereich $-1 < x < +1$ differenzierbar. Für die Ableitungsfunktion gilt $g'(x) = \frac{1}{\sqrt{1-x^2}}$.

### Aufgaben

44) Die Funktion $f : x \to x^3$, $x \in R$ ist stetig, strikt monoton steigend und eineindeutig. Stellen Sie entsprechende Aussagen für die folgenden reellen Funktionen zusammen.

a) $x \to x^3 + 1$;

b) $x \to (x + 1)^3$;

c) $x \to x^3 + x$;

d) $x \to x^3 - x$

e) $x \to [x]$;

f) $x \to x + [x]$;

g) $x \to x - [x]$;

h) $x \to \begin{cases} x, \, x \in Q; \\ x + 1, \, x \in R \setminus Q. \end{cases}$

45) Beweisen oder widerlegen Sie die folgenden Behauptungen. Wenn $f$ und $g$ eineindeutige Funktionen sind, dann ist auch

a) $f + g$ eine eineindeutige Funktion,

b) $f \cdot g$ eine eineindeutige Funktion,

c) $f \circ g$ eine eineindeutige Funktion.

46) Wenn $f$ und $g$ eineindeutige Funktionen sind, dann gilt
$(f \circ g)^I = g^I \circ f^I$ \qquad Beweis?

47) Zeigen Sie, daß die Menge der linearen Funktionen
$$\{l : x \to mx + n \mid m \neq 0\}$$
eine Gruppe bildet, wenn als Verknüpfung zweier Funktionen $l_1$ und $l_2$ die Verkettung gewählt wird,
$$\varphi = l_1 \circ l_2 : x \to l_1(l_2(x)), \quad x \in R$$
($\to$ Algebraische Strukturen). Geben Sie einige Untergruppen dieser Gruppe an.

48) Bestimmen Sie die Ableitungsfunktionen zu
$$x \to \arc\cos x, \; -1 \leq x \leq +1 \quad \text{bzw.} \quad x \to \arc\tan x, \; x \in R.$$

## Integrierbarkeit

### Flächenproblem

Zu den interessantesten Problemen der klassischen Geometrie gehört die Berechnung des Kreisinhaltes. Die erste Figur soll an das Verfahren des Archimedes erinnern: Man betrachtet regelmäßige Vielecke, die dem Kreis ein- beziehungsweise umbeschrieben sind. Durch elementare Rechnungen lassen sich die zugehörigen Flächeninhalte bestimmen; so gilt für die Figuren unserer linken Skizze

$$1,5r^2\sqrt{3} < A_K < \frac{6r^2}{\sqrt{3}}, \text{ näherungsweise also } 2,6r^2 < A_K < 3,46r^2.$$

Geht man vom Sechseck zum Zwölfeck über, ergibt sich eine bessere Abschätzung für den Flächeninhalt des Kreises. Das einbeschriebene Zwölfeck ist größer als das innenliegende Sechseck; andererseits liegt das Außen-Zwölfeck innerhalb des umbeschriebenen Sechsecks, hat also einen kleineren Flächeninhalt. Mithin gilt (in leicht verständlicher Bezeichnung)

$$A_6^{(i)} < A_{12}^{(i)} < A_K < A_{12}^{(a)} < A_6^{(a)}.$$

Durch fortgesetztes Verdoppeln der Eckenzahl erhält man immer bessere Annäherungen für den Flächeninhalt des Kreises; die Berechnung der numerischen Werte ist jedoch recht beschwerlich.

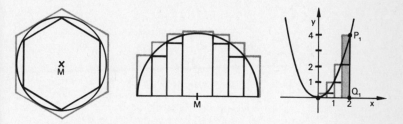

Links *Berechnung der Kreisfläche durch ein- und umbeschriebene regelmäßige Vielecke;*
Mitte *Berechnung der Kreisfläche nach dem Streifen-Verfahren;*
rechts *Figur zur Flächenberechnung bei der Parabel*

Die mittlere Figur verdeutlicht das sogenannte Streifen-Verfahren. Vom Prinzip her ist es sehr eng mit dem Polygonverfahren verwandt. Man bestimmt den Inhalt der einbeschriebenen bzw. umbeschriebenen Rechtecksfiguren und erhöht dann die Anzahl der Streifen.

Aus Platzgründen verzichten wir auf die detaillierte Darstellung beim Kreis und studieren eine analoge Aufgabe an der Parabel.

Zu berechnen sei der Inhalt des Flächenstücks, das begrenzt wird durch den Graph der Normalparabel, durch die $x$-Achse und (beispielsweise) durch die Ordinate zum Kurvenpunkt $P_1$ (2; 4). Wie bereits angedeutet, berechnet man zunächst die Inhalte von ein- beziehungsweise umbeschriebenen Rechtecksfiguren; diese erhält man durch Zerlegen des Grundintervalls und durch das Einzeichnen der zugehörigen Ordinatenstrecken. In unserer Figur wurde die Strecke $\overline{OQ_1}$ in vier gleiche Teile zerlegt; die Teilungspunkte sollen $x_1$, $x_2$ und $x_3$ heißen; der rechte Endpunkt des Grundintervalls wird $x_4$ genannt. Da die Ordinatenstrecken durch die Zuordnungsvorschrift $x_i \rightarrow x_i^2$ bestimmt werden, lassen sich die Inhalte der Rechtecksfiguren angeben. Man erhält eine Summe $U_4$, die dem Inhalt der unteren Treppenfigur entspricht und eine Summe $O_4$, die zur oberen Treppenfigur gehört (»Untersumme $U_4$ bzw. Obersumme $O_4$«). Es ist demnach

$$U_4 = \tfrac{2}{4} \cdot x_1^2 + \tfrac{2}{4} \cdot x_2^2 + \tfrac{2}{4} \cdot x_3^2 \qquad O_4 = \tfrac{2}{4} \cdot x_1^2 + \tfrac{2}{4} \cdot x_2^2 + \tfrac{2}{4} \cdot x_3^2 + \tfrac{2}{4} \cdot x_4^2$$

$$= \tfrac{2}{4} \cdot (x_1^2 + x_2^2 + x_3^2) \qquad\qquad = \tfrac{2}{4} \cdot (x_1^2 + x_2^2 + x_3^2 + x_4^2)$$

$$= \tfrac{1}{2} \cdot (\tfrac{1}{4} + 1 + \tfrac{9}{4}). \qquad\qquad = \tfrac{1}{2} \cdot (\tfrac{1}{4} + 1 + \tfrac{9}{4} + 4)$$

$$U_4 = \tfrac{1}{2} \cdot \tfrac{14}{4} = 1{,}75. \qquad\qquad O_4 = \tfrac{1}{2} \cdot \tfrac{30}{4} = 3{,}75.$$

Das betrachtete Flächenstück unterhalb der Parabel wird also noch nicht sonderlich genau abgeschätzt.

Es ist $O_4 - U_4 = \tfrac{1}{2} \cdot 4 = 2$. In der Figur entspricht diese Differenz dem Inhalt des punktierten Rechtecks. Die Wirksamkeit des Verfahrens liegt jedoch in der Erhöhung der Streifenzahl. Für acht gleichbreit gewählte Streifen erhält man

$$U_8 = \tfrac{2}{8} \cdot \left[ (\tfrac{2}{8})^2 + (\tfrac{2 \cdot 2}{8})^2 + \cdots + (\tfrac{2 \cdot 7}{8})^2 \right] \qquad O_8 = \tfrac{2}{8} \cdot \left[ (\tfrac{2}{8})^2 + (\tfrac{2 \cdot 2}{8})^2 + \cdots + (\tfrac{2 \cdot 8}{8})^2 \right]$$

$$= \tfrac{2^3}{8^3} \cdot \left[ 1^2 + 2^2 + \cdots + 7^2 \right] \approx 2{,}19 \qquad = \tfrac{2^3}{8^3} \cdot \left[ 1^2 + 2^2 + \cdots + 8^2 \right] \approx 3{,}19$$

Jetzt ist $O_8 - U_8 = \tfrac{2}{8} \cdot 4 = 1$.

Für $n$ gleichbreite Streifen folgt entsprechend

$$U_n = \tfrac{2}{n} \left[ (\tfrac{2}{n})^2 + (\tfrac{2 \cdot 2}{n})^2 + \cdots + (\tfrac{2 \cdot (n-1)}{n})^2 \right] = \tfrac{2^3}{n^3} [1^2 + 2^2 + \cdots + (n-1)^2],$$

$$O_n = \tfrac{2}{n} \cdot \left[ (\tfrac{2}{n})^2 + (\tfrac{2 \cdot 2}{n})^2 + \cdots + (\tfrac{n \cdot 2}{n})^2 \right] = \tfrac{2^3}{n^3} \cdot [1^2 + 2^2 + \cdots + n^2]$$

sowie $\quad O_n - U_n = \tfrac{2}{n} \cdot 4 = \tfrac{2^3}{n}$.

Man erkennt, daß die Differenz zwischen zusammengehörigen Obersummen und Untersummen unterhalb jeder vorgegebenen Genauigkeitsschranke $\varepsilon > 0$ liegt, wenn nur hinreichend viele (gleichbreite) Streifen gewählt werden.

Die Untersummen bzw. Obersummen selbst lassen sich berechnen, wenn man eine elementar beweisbare Summenformel benutzt.

Es ist $\qquad\qquad 1^2 + 2^2 + \cdots + n^2 = \tfrac{1}{6} n \cdot (n+1) \cdot (2n+1),$

also $\qquad\qquad 1^2 + 2^2 + \cdots + (n-1)^2 = \tfrac{1}{6} \cdot (n-1) \cdot n \cdot (2n-1)$

Mithin gilt:

$$U_n = \tfrac{2^3}{n^3} \cdot \tfrac{1}{6} \cdot n(n-1) \cdot (2n-1) = \tfrac{2^3}{6} \cdot \tfrac{n-1}{n} \cdot \tfrac{2n-1}{n}$$

und $\qquad O_n = \tfrac{2^3}{n^3} \cdot \tfrac{1}{6} \cdot n(n+1) \cdot (2n+1) = \tfrac{2^3}{6} \cdot \tfrac{n+1}{n} \cdot \tfrac{2n+1}{n}$.

Ersetzt man $n$ durch 10, 100 oder 1000, so ergeben sich die folgenden Werte

| $n$ | 10 | 100 | 1000 |
|---|---|---|---|
| $U_n$ | $\tfrac{2^3}{6} \cdot 1{,}71$ | $\tfrac{2^3}{6} \cdot 1{,}9701$ | $\tfrac{2^3}{6} \cdot 1{,}997001$ |
| $O_n$ | $\tfrac{2^3}{6} \cdot 2{,}31$ | $\tfrac{2^3}{6} \cdot 2{,}0301$ | $\tfrac{2^3}{6} \cdot 2{,}003001$ |

Man erkennt, daß die Maßzahl des von uns betrachteten Flächenstücks $\tfrac{2^3}{3}$ sein muß. Ein größerer Wert – etwa $\tfrac{2^3}{3} \cdot 1{,}0004$ – läge über der Obersumme $O_{10\,000}$, die ihrerseits ja unser Flächenstück vom Inhalt her übertrifft. Da auch für jeden Wert, der kleiner ist als $\tfrac{2^3}{3}$, durch Vergleich mit einer geeigneten Untersumme ein Widerspruch entsteht, kann dem betrachteten Flächenstück kein anderer Inhalt zugeschrieben werden.

Es ist zu sehen, daß die Wahl des Punktes $P_1(2; 4)$ für das Verfahren unwesentlich war. Nimmt man statt dessen den Punkt $P(a; a^2)$, so muß das entsprechend begrenzte Flächenstück zwischen $x$-Achse, Ordinate und Parabel den Flächeninhalt $\tfrac{1}{3}a^3$ haben.

**Das bestimmte Integral**

Im vorigen Abschnitt wurde der Inhalt eines Flächenstücks berechnet, das vom Graph der Funktion $f: x \to x^2$, $x \in R$ und von Geradenstücken begrenzt war. In der Folge soll die dabei angewandte Betrachtungsweise allgemeiner gefaßt werden. Wir wollen uns von der Bindung an die Quadrat-Funktion und vom Rückgriff auf den anschaulich vorausgesetzten Flächeninhalt lösen.

Es sei $f: x \to f(x)$, $x \in D$ eine beschränkte, reelle Funktion; das Intervall $[a; b]$ gehöre zum Definitionsbereich $D$.

**Definition:** Eine *Zerlegung Z* des Intervalls $[a; b]$ ist eine Menge von Zahlen $x_0$, $x_1, \ldots, x_n$, für die gilt:

$$a = x_0 < x_1 < x_2 < \cdots x_n = b.$$

Eine Zerlegung $Z_1$ von $[a; b]$ heißt *feiner* als die Zerlegung $Z_2$ von $[a; b]$ genau dann, wenn $Z_1$ echte Obermenge von $Z_2$ ist.

Durch eine Zerlegung $Z$ entstehen also aus dem Intervall $[a; b]$ die $n$ neuen Intervalle $[a = x_0; x_1]$, $[x_1; x_2], \ldots, [x_{n-1}; x_n = b]$.

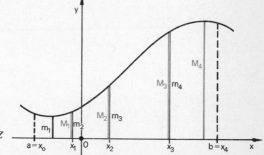

*Zur Bildung der Untersumme und Obersumme einer Funktion bezüglich der Zerlegung Z*

Da die Funktion $f$ beschränkt ist, gibt es in jedem Teilintervall eine wohlbestimmte größte untere Schranke für die Funktionswerte aus diesem Teilintervall. Für das Intervall $[x_{i-1}; x_i]$ soll $m_i$ diese größte untere Schranke bezeichnen, $i = 1, 2, \ldots, n$. Aus demselben Grund existiert in jedem Teilintervall eine kleinste obere Schranke $M_i$ für die Funktionswerte dieses Intervalls. Es sei also

$$m_i = \inf \{f(x) \mid x_{i-1} \leq x \leq x_i\}$$

und

$$M_i = \sup \{f(x) \mid x_{i-1} \leq x \leq x_i\}.$$

Für eine stetige Funktion $f$ ist $m_i$ das Minimum und $M_i$ das Maximum der Funktionswerte im Teilintervall $[x_{i-1}; x_i]$. Bei der Beispielfunktion im vorigen Abschnitt wurden wegen der zusätzlich vorhandenen strikten Monotonie die ausgezeichneten Funktionswerte jeweils am Rand der Teilintervalle angenommen.

**Definition:** Die *Untersumme* der Funktion $f$ bezüglich der Zerlegung $Z$ wird definiert durch

$$U(f, Z) = m_1(x_1 - x_0) + m_2(x_2 - x_1) + \cdots + m_n \cdot (x_n - x_{n-1})$$

Entsprechend heißt
$$O(f, Z) = M_1(x_1 - x_0) + M_2(x_2 - x_1) + \cdots + M_n(x_n - x_{n-1})$$
die *Obersumme* der Funktion $f$ bezüglich $Z$.

Es ist üblich, Summen durch ein besonderes Zeichen verkürzt zu notieren. Man benutzt dazu den griechischen Großbuchstaben Sigma und schreibt anstelle von

$$S_{100} = 1 + 2 + 3 + \cdots + 100$$

$$S_{100} = \sum_{i=1}^{100} i.$$

Entsprechend bezeichnet

$$S_{100}^{(2)} = \sum_{i=1}^{10} i^2 \quad \text{die Summe}$$

$$S_{100}^{(2)} = 1^2 + 2^2 + 3^2 + \ldots + 10^2.$$

Weitere Beispiele:

$$S_n^{(3)} = \sum_{i=1}^{n} i^3 = 1^3 + 2^3 + \cdots + n^3;$$

$$\sum_{k=1}^{10} \frac{1}{k \cdot (k+1)} = \frac{1}{1 \cdot 2} + \frac{1}{2 \cdot 3} + \cdots + \frac{1}{10 \cdot 11};$$

$$\sum_{k=10}^{20} (k^2 + k) = 10^2 + 10 + 11^2 + 11 + \cdots + 20^2 + 20.$$

Offenbar gilt
$$\sum_{k=10}^{20} (k^2 + k) = \sum_{k=10}^{20} k^2 + \sum_{k=10}^{20} k.$$

Mit dem Summenzeichen erhalten wir also die folgenden Schreibfiguren für die oben definierte Untersumme bzw. Obersumme

$$U(f, Z) = \sum_{i=1}^{n} m_i(x_i - x_{i-1}) \quad \text{und} \quad O(f, Z) = \sum_{i=1}^{n} M_i(x_i - x_{i-1}).$$

Aus der Definition folgt sofort, daß die Untersumme einer Funktion $f$ bezüglich einer Zerlegung $Z$ kleiner oder höchstens gleich der Obersumme dieser Funktion bezüglich derselben Zerlegung $Z$ ist.

Beim Vergleich von Obersummen und Untersummen, die zu verschiedenen Zerlegungen $Z_1$ und $Z_2$ eines Intervalls gebildet wurden, ist nicht von vornherein zu sehen, daß $U(f, Z_1) \leq O(f, Z_2)$.

Diese Beziehung kann in zwei Schritten bewiesen werden. Man zeigt, daß

$U(f, Z_1) \leq U(f, Z^*)$, wenn $Z^*$ eine feinere Zerlegung als $Z_1$ ist; entsprechend gilt $O(f, Z_1) \geq O(f, Z^*)$.

Der Leser zeichne eine Skizze und leite die beiden letzten Ungleichungen her, indem er zunächst die Zerlegung $Z$ verfeinert zu einer Zerlegung $Z'$, die genau einen Teilungspunkt mehr enthält als $Z$.

Betrachtet man die Zerlegung $Z_3$, die alle Teilungspunkte von $Z_1$ und $Z_2$ enthält, so ist $Z_3$ feiner als $Z_1$ und gleichzeitig auch feiner als $Z_2$. Aus den beiden vorigen Ungleichungen folgt dann

$$U(f, Z_1) \leq U(f, Z_3) \leq O(f, Z_3) \leq O(f, Z_2),$$

also    $U(f, Z_1) \leq O(f, Z_2)$.    Mithin ist für eine beschränkte Funktion $f$ die Menge aller Untersummen über einem Intervall $[a; b]$ beschränkt nach oben; eine beliebige Obersumme ist obere Schranke. Nach dem

Satz vom Supremum gibt es eine wohlbestimmte kleinste obere Schranke für die Menge aller Untersummen

$$I_u = \text{Sup}\,\{U(f, Z)\,|\,Z \text{ zerlegt } [a; b]\}.$$

$I_u$ heißt *unteres Integral* oder *Unterintegral* der Funktion $f$ im Intervall $[a; b]$.

Entsprechend ist für die beschränkte Funktion $f$ die Menge aller *Obersummen* über dem Intervall $[a; b]$ nach unten beschränkt; jede Untersumme über $[a; b]$ ist untere Schranke. Der Satz vom Infimum sichert dies Vorhandensein einer größten unteren Schranke:

$I_0$: $$I_0 = \text{Inf}\,\{O(f, Z)\,|\,Z \text{ zerlegt } [a; b]\}.$$

$I_0$ heißt *oberes Integral* oder *Oberintegral* von $f$ im Intervall $[a; b]$.

Offensichtlich gilt $\qquad U(f, Z) \leq I_u \leq O(f, Z);$
$$U(f, Z) \leq I_0 \leq O(f, Z);$$

für beliebige Zerlegungen $Z$ des Intervalls $[a; b]$.

Überdies ist $I_u \leq I_0$.

Da die Zahlen $I_u$ und $I_0$ voneinander verschieden sein können, erscheint die folgende Definition sinnvoll:

**Definition:** Eine beschränkte Funktion $f$ heißt *integrierbar* im Intervall $[a; b]$ genau dann, wenn $I_u = I_0$ ist. In diesem Falle schreibt man

$$I_u = I_0 = \int_a^b f, \text{ oder auch } \quad I = I_u = I_0 = \int_a^b f(x)dx.$$

Gelesen »Integral von $a$ bis $b$ über $f$«
oder »Integral von $a$ bis $b$ über $f(x)dx$«.

Die Schreibweise $I = \int_a^b f$ deutet an, daß dem Tripel $(f; a; b)$ die reelle Zahl $I$ zugeordnet wird.

Die (häufiger verwendete) Schreibweise $\quad I = \int_a^b f(x)dx \quad$ soll an die Summation der Produkte erinnern.

Die Zahl $a$ heißt *untere Grenze des Integrals* oder *untere Integrationsgrenze*; entsprechend heißt $b$ *obere Grenze des Integrals* oder *obere Integrationsgrenze*.

*Beispiel 1:* Das im vorigen Abschnitt behandelte Flächenproblem läßt sich jetzt folgendermaßen formulieren: Zur Funktion $q: x \to x^2$, $x \in R$ wurde $\int_0^a q$ bestimmt. Nach konventioneller Schreibweise berechnete man $\int_0^a x^2 dx$.

Wir benutzten dabei die Zerlegungen des Intervalls $[0; a]$ in $n$ gleichlange Teilintervalle. Die Werte $m_i$ und $M_i$ wurden wegen der Stetigkeit und Monotonie von $q$ jeweils am Rande der Teilintervalle angenommen. Die Differenz zwischen Obersumme und Untersumme bezüglich derselben Zerlegung betrug $\frac{a}{n} \cdot a^2$; durch geeignete Wahl der Zahl $n$ bleibt $O_n - U_n$ also unter jeder vorgegebenen Genauigkeitsschranke $\varepsilon > 0$. Mit der Formel für die Summe der Quadratzahlen kann der Wert des Integrals angegeben werden, obwohl nur sehr spezielle Zerlegungen des Intervalls $[0; a]$ betrachtet wurden(!).

Es ist $$\int_0^a q = \int_0^a x^2 dx = \frac{a^3}{3}.$$

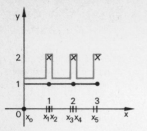 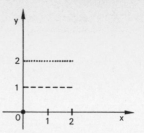

Links *Figur zu Beispiel 2;* rechts *Figur zu Beispiel 3*

*Beispiel: 2:* Betrachtet werde die Funktion  $g : g(x) = \begin{cases} 2, & x \in N \\ 1, & x \in R \backslash N. \end{cases}$
Es sei  $a = 0$,  $b = 3$.

Man erkennt, daß bei beliebiger Zerlegung $Z$ stets  $U(g, Z) = 3$  ist. Also gilt $I_u = 3$. Der Wert der Obersummen hängt sehr wohl von der Zerlegung $Z$ ab; es gibt Zerlegungen, so daß  $0(g, Z) = 6$  ist. Für die Integrierbarkeit interessiert jedoch das Infimum zur Menge aller Obersummen. Aus der Figur ist zu sehen, warum auch  $I_0 = 3$  ist. Bezeichnet man nämlich den Abstand der Teilpunkte $x_1, x_2, \ldots, x_5$ von der jeweils nächstgelegenen ganzen Zahl mit $\delta$, so wird für jede derartige Zerlegung $Z_\delta$ der Wert der Obersumme

$$0(g, Z_\delta) = 1 \cdot (3 - 5\delta) + 2 \cdot 5\delta = 3 + 5\delta.$$

Nun gilt       $\text{Inf} \{3 + 5\delta \,|\, \delta > 0\} = 3 = I_0.$

Das heißt aber, daß die Funktion $g$ im Intervall [0; 3] integrierbar ist,  $\int\limits_{0}^{3} g = 3$.

*Beispiel 3:* Zu untersuchen sei die Integrierbarkeit der Funktion  $h$ :

$$h(x) = \begin{cases} 1, & x \in Q \\ 2, & x \in R \backslash Q \end{cases} \text{ im Intervall } [0; 2].$$

Bei beliebiger Zerlegung $Z$ gibt es in jedem Teilintervall Stellen, an denen die Variable $x$ einen rationalen Wert hat; also ist $m_i$ stets gleich 1. Da andererseits aber in jedem Teilintervall auch irrationale Zahlen liegen, ist $M_i$ immer gleich 2. Mithin gilt für jede Zerlegung $Z$ des Intervalls [0; 2]

$$U(h, Z) = 1 \cdot 2 = I_u; \qquad O(h, Z) = 2 \cdot 2 = I_0; \qquad I_u \neq I_0!$$

Die Funktion $h$ ist im Intervall [0; 2] nicht integrierbar (man erkennt, daß $h$ in keinem Intervall integrierbar ist).

### Sätze über bestimmte Integrale

Wir verschaffen uns zunächst ein Kriterium über die Integrierbarkeit beschränkter Funktionen.

**Satz 1:**     Eine beschränkte Funktion $f$ ist dann und nur dann integrierbar im Intervall $[a; b]$ ihres Definitionsbereiches, wenn es zu jeder Zahl $\varepsilon > 0$ eine Zerlegung $Z_\varepsilon$ von $[a; b]$ gibt, so daß $O(f, Z_\varepsilon) - U(f, Z_\varepsilon) < \varepsilon$ ist.

*Beweis: 1)* Wenn $f$ integrierbar ist, gilt  $I = I_u = I_0$,  das heißt $\sup \{U(f, Z) \,|\, Z \text{ zerlegt } [a; b]\} = \inf \{O(f, Z) \,|\, Z \text{ zerlegt } [a; b]\}.$

Betrachten wir zur Zahl $I$ eine symmetrische Umgebung der Länge $\varepsilon$, so muß in dieser Umgebung mindestens eine Obersumme $O(f, Z_1)$ und mindestens eine Untersumme $U(f, Z_2)$ liegen. Das bedeutet

$$O(f, Z_1) - U(f, Z_2) < \varepsilon.$$

Wenn $Z_3$ eine gemeinsame Verfeinerung von $Z_1$ und $Z_2$ ist, bestehen die Ungleichungen $U(f, Z_3) \geq U(f, Z_2)$ und $O(f, Z_3) \leq O(f, Z_1)$; daraus ergibt sich

$$O(f, Z_3) - U(f, Z_3) \leq O(f, Z_1) - U(f, Z_2) < \varepsilon.$$

Da $\varepsilon > 0$ beliebig gewählt werden konnte, folgt also aus der Integrierbarkeit die Bedingung des Kriteriums.

*2)* Umgekehrt soll es zu jeder positiven Zahl $\varepsilon$ eine Zerlegung $Z_\varepsilon$ von $[a; b]$ geben, so daß $O(f, Z_\varepsilon) - U(f, Z_\varepsilon) < \varepsilon$.

Aus $\qquad\qquad I_u = \sup \{U(f, Z)\} \geq U(f, Z_\varepsilon)$

und $\qquad\qquad I_0 = \inf \{O(f, Z)\} \leq O(f, Z_\varepsilon)$

folgt $\qquad\qquad I_0 - I_u \leq O(f, Z_\varepsilon) - U(f, Z_\varepsilon) < \varepsilon$.

Wenn aber $I_0 - I_u < \varepsilon$ bleibt für jedes $\varepsilon > 0$, dann stimmen die Zahlen $I_0$ und $I_u$ überein; also ist die Funktion $f$ integrierbar.

Durch die voranstehende Analyse über $\sup \{U(f, Z) \,|\, Z$ zerlegt $[a; b]\}$ und $\inf \{O(f, Z) \,|\, Z$ zerlegt $[a; b]\}$ erscheint die Forderung für die Integrierbarkeit jetzt weniger spröde als zuvor. Die beiden folgenden Sätze geben weitere Informationen über den Bereich der integrierbaren Funktionen. Der Leser sollte versuchen, Satz 2 auf das Kriterium über die Integrierbarkeit zurückzuführen. Den Beweis zu Satz 3 führen wir im nächsten Abschnitt.

**Satz 2:** Wenn die Funktion $f$ im Intervall $[a; b]$ beschränkt und strikt monoton ist, dann ist $f$ in $[a; b]$ integrierbar.

**Satz 3:** Wenn die Funktion $f$ im Intervall $[a; b]$ stetig ist, dann ist $f$ in $[a; b]$ integrierbar.

Wie das Beispiel 2 im Abschnitt Bestimmte Integrale zeigte, ist die Stetigkeit einer Funktion nicht notwendig für die Integrierbarkeit.

Wenn auch Satz 2 und Satz 3 die Existenz sehr vieler bestimmter Integrale sichern, so wäre die Ermittlung der numerischen Werte doch mehr als mühsam. In einigen Fällen könnten Summenformeln helfen; ein tiefgreifender Durchbruch gelingt aber erst durch das Aufdecken des Zusammenhangs mit der Differentialrechnung. Die beiden nächsten Sätze werden den Leser an die entsprechenden Aussagen aus dem Abschnitt über Differenzierbarkeit erinnern (S. 150/151).

**Satz 4:** Wenn die Funktion $f$ im Intervall $[a; b]$ integrierbar ist, dann ist auch die Funktion $c \cdot f$ in $[a; b]$ integrierbar, $c \in R$. Es gilt

$$\int_a^b c \cdot f = c \cdot \int_a^b f.$$

**Satz 5:** Wenn die Funktionen $f$ und $g$ im Intervall $[a; b]$ integrierbar sind, dann ist auch die Funktion $f + g$ in $[a; b]$ integrierbar. Es gilt

$$\int_a^b (f + g) = \int_a^b f + \int_a^b g.$$

Der Nachweis dieser Sätze könnte über das Kriterium zur Integrierbarkeit geführt werden. Um Schreibarbeit zu sparen, stellen wir jedoch auch diese Beweise vorerst zurück. Wir wollen uns vielmehr nochmals dem Integralbegriff zuwenden.

Zunächst geben wir eine Abschätzung an, die elementar ist, aber wesentliche Umformungen ermöglicht.

**Satz 6:**   Wenn die Funktion $f$ im Intervall $[a; b]$ integrierbar ist und wenn $m \leq f(x) \leq M$ für alle $x \in [a; b]$ gilt, dann ist

$$m(b - a) \leq \int_a^b f \leq M(b - a).$$

Der Beweis folgt aus den Ungleichungen

$$m(b - a) \leq U(f, Z) \,|\, Z \text{ zerlegt } [a, b] \leq I_u$$

und

$$M(b - a) \geq O(f, Z) \,|\, Z \text{ zerlegt } [a, b] \geq I_0.$$

An zweiter Stelle soll die Beziehung zwischen Flächeninhalt und Integral festgelegt werden. Wir hatten ein Flächenstück berechnet, dessen Inhalt von der Anschauung her als gegeben angesehen werden konnte. Anschließend wurde ein analytisches Verfahren entwickelt, das dem Tripel $(f, a, b)$ – unter bestimmten Voraussetzungen – die Zahl $\int_a^b f$ zuordnet. Dabei wurden die geometrischen Betrachtungsweisen durch Rechenvorschriften ersetzt. Nunmehr ist es möglich, den Begriff des Flächeninhaltes analytisch zu fassen; in ähnlicher Weise verfuhren wir mit dem Tangentenbegriff.

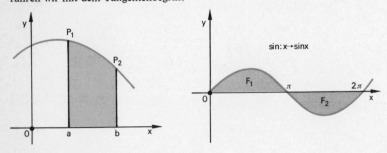

*Figuren zum Begriff des Flächeninhaltes*

**Definition:**   Die Funktion $f: x \to f(x)$ sei im Intervall $[a; b]$ definiert und nehme dort nur positive Werte an. Das Flächenstück zwischen dem Graph von $f$, der $x$-Achse und den Ordinaten zu den Punkten $P_1 (a; f(a))$ und $P_2(b; f(b))$ hat genau dann einen *Flächeninhalt A*, wenn die Funktion $f$ integrierbar ist im Intervall $[a; b]$. Man setzt

$$A = \int_a^b f.$$

In der Definition wird das Positivsein der Funktionswerte verlangt, weil andernfalls das Integral $\int_a^b f$ einen nichtpositiven Wert haben kann.

Wie man aus geeigneten Unter- und Obersummen sehen kann, ist zum Beispiel $\int\limits_0^{2\pi} \sin = 0$. Weiterhin ist erkennbar, daß $\int\limits_\pi^{2\pi} \sin < 0$ wird. Will man den Inhalt des Flächenstücks $F_2$ bestimmen, ohne das Ergebnis über $F_1$ zu benützen, so beachtet man Satz 4: $A(F_2) = \int\limits_\pi^{2\pi} |\sin| = \int\limits_\pi^{2\pi} (-1)\cdot \sin = -\int\limits_\pi^{2\pi} \sin = |\int\limits_\pi^{2\pi} \sin|$.

Zur Abrundung des Integralbegriffs ist eine weitere wichtige Festsetzung notwendig. Bisher wurden sämtliche Integrale definiert für den Fall $a < b$. Bei der Bildung von Untersummen bzw. Obersummen waren also die dort auftretenden Differenzen $x_i - x_{i-1}$ stets positiv. Es ist zweckmäßig, dann noch das bestimmte Integral $\int\limits_a^b f$ zu betrachten, wenn $a > b$. Für derartige Fälle wird festgelegt:

$$\int\limits_a^b f = -\int\limits_b^a f.$$

Diese Definition ergibt sich aus dem Bau der Untersummen bzw. Obersummen. Schließlich setzt man noch

$$\int\limits_a^a f = 0.$$

Abschließend beweisen wir eine grundlegende Beziehung über die Integrierbarkeit in aneinander grenzenden Intervallen.

**Satz 7:** Es sei $a < b < c$; $a, b, c \in R$. Wenn die Funktion $f$ integrierbar ist im Intervall $[a, c]$, dann ist $f$ auch integrierbar in $[a, b]$ und in $[b; c]$. Wenn umgekehrt $f$ integrierbar ist in $[a; b]$ und in $[b; c]$, dann ist $f$ auch integrierbar in $[a; c]$.

Es gilt $\int\limits_a^c f = \int\limits_a^b f + \int\limits_b^c f$.

*Beweis:* Wenn $f$ integrierbar ist in $[a; c]$, dann gibt es nach Satz 1 zu jedem $\varepsilon > 0$ eine Zerlegung $Z$ von $[a; c]$, so daß $O(f, Z) - U(f, Z) < \varepsilon$.

Falls die Zerlegung $Z$ die Zahl $b$ nicht als Teilpunkt enthält, betrachten wir die Verfeinerung $Z_1$ von $Z$, die alle Teilpunkte von $Z$ und zusätzlich noch $b$ enthält. Dann ist $U(f, Z) \leq U(f, Z_1)$ und $O(f, Z) \geq O(f, Z_1)$. Mithin wird $O(f, Z_1) - U(f, Z_1) \leq O(f, Z) - U(f, Z) < \varepsilon$.

Nun zerlegt $Z_1$ sowohl das Intervall $[a; b]$ wie das Intervall $[b; c]$. $Z'$ bezeichne die Zerlegung von $[a; b]$, $Z''$ die Zerlegung von $[b; c]$. Offensichtlich ist

$$O(f, Z_1) = O(f, Z') + O(f, Z'')$$

und

$$U(f, Z_1) = U(f, Z') + U(f, Z'').$$

Demnach wird

$$O(f, Z_1) - U(f, Z_1) = [O(f, Z') - U(f, Z')] + [O(f, Z'') - U(f, Z'')] < \varepsilon.$$

Da die Terme innerhalb der eckigen Klammern nicht negativ sind, muß jede Differenz bereits kleiner als $\varepsilon$ sein. Nach Satz 1 bedeutet das aber die Integrierbarkeit von $f$ in $[a; b]$ bzw. in $[b; c]$.

Aus

$$U(f, Z') \leq \int\limits_a^b f \leq O(f, Z')$$

und

$$U(f, Z'') \leq \int\limits_b^c f \leq O(f, Z'')$$

erhält man $\qquad U(f, Z_1) \leq \int\limits_a^b f + \int\limits_b^c f \leq O(f, Z_1)$.

Da diese Beziehung für jede Zerlegung $Z$ des Intervalls $[a; c]$ gültig ist, folgt wegen der Integrierbarkeit von $f$ in $[a; c]$, daß

$$\int\limits_a^c f = \int\limits_a^b f + \int\limits_b^c f.$$

Wenn schließlich $f$ integrierbar ist in $[a; b]$ und in $[b; c]$, dann gibt es zu jedem $\varepsilon > 0$ eine Zerlegung $Z'$ von $[a; b]$ und eine Zerlegung $Z''$ von $[b; c]$, so daß

$$O(f, Z') - U(f, Z') < \frac{\varepsilon}{2};$$

und $\qquad\qquad O(f, Z'') - U(f, Z'') < \frac{\varepsilon}{2}.$

Betrachten wir nun die Zerlegung $Z$, die alle Teilpunkte von $Z'$ und $Z''$ enthält, $Z = Z' \cup Z''$, so ist

$$O(f, Z) = O(f, Z') + O(f, Z'')$$

sowie $\qquad\qquad U(f, Z) = U(f, Z') + U(f, Z'').$

Mithin gilt

$$O(f, Z) - U(f, Z) = [O(f, Z') - U(f, Z')] + [O(f, Z'') - U(f, Z'')] < \frac{\varepsilon}{2} + \frac{\varepsilon}{2}.$$

Nach Satz 1 ist damit aber die Integrierbarkeit von $f$ im Intervall $[a; c]$ gesichert.

Mit der vorigen Definition (und ein wenig Geduld) kann man nachweisen, daß auch bei beliebiger Anordnung der Zahlen $a$, $b$, $c$ stets die Gleichung

$\int\limits_a^c f = \int\limits_a^b f + \int\limits_b^c f$ besteht, wenn nur $a$, $b$ und $c$ innerhalb eines Intervalls liegen,

in dem $f$ integrierbar ist.

Satz 7 wird zusammen mit den Sätzen 4 und 5 in der Integrations-Praxis häufig benutzt.

### Aufgaben

49) Es ist $\sum\limits_{i=1}^n i^3 = \dfrac{n^2(n+1)^2}{4}$.

Bestimmen Sie mit Hilfe der angegebenen Summenformel zur Funktion $f: x \to x^3$, $x \in R$ das Integral $\int\limits_0^a f$, $a \in R$.

50) Untersuchen Sie, ob die folgenden Funktionen $f: x \to f(x)$ im Intervall $[-1; +1]$ integrierbar sind und bestimmen Sie gegebenenfalls $\int\limits_{-1}^{+1} f$.

a) $x \to x$;

b) $x \to |x|$;

c) $x \to [x]$;

d) $x \to x + [x]$;

e) $x \to x \cdot |x|$;

f) $x \to (x - [x])^2$;

g) $x \to \operatorname{sign} x$;

h) $x \to \begin{cases} x, & x \in Q; \\ x + 1, & x \in R \setminus Q. \end{cases}$

*51)* Beweisen oder widerlegen Sie die folgenden Behauptungen:

   *a)* Wenn die Funktion $f: x \to f(x)$ gerade ist und integrierbar im Intervall $[0; a]$, dann gilt $\int\limits_{-a}^{a} f = 2 \cdot \int\limits_{0}^{a} f$.

   *b)* Aus $\int\limits_{a}^{b} f = \int\limits_{a}^{b} g$ folgt $f = g$.

   *c)* Wenn $t: x \to t(x)$, $x \in [a; b]$ eine Treppenfunktion ist, dann ist $t$ integrierbar in $[a; b]$.

   *d)* Aus $\int\limits_{a}^{b} f^2 = 0$ folgt $f(x) = 0$, $x \in [a; b]$.

*52)* Beweisen Sie den Satz 2 von S. 181.

### Der Hauptsatz der Differential- und Integralrechnung

Wenn die Funktion $f$ integrierbar ist im Intervall $[a; b]$, existiert nach Satz 7 zu jedem $x \in [a; b]$ die Zahl $\int\limits_{a}^{x} f$. Es ist daher möglich, eine Funktion $F$ zu definieren durch die Vorschrift

$$F: x \to \int\limits_{a}^{x} f, \quad x \in [a; b].$$

$F$ heißt *eine* Integralfunktion der Funktion $f$; $f$ wird Integrandenfunktion genannt.

Der unbestimmte Artikel ist wesentlich: Mit $a_1 \neq a$ sei $[a_1; b_1]$ ein anderes Intervall, in dem $f$ integrierbar ist; dann definiert

$$F_1: x \to \int\limits_{a_1}^{x} f, \quad x \in [a_1; b_1]$$

eine andere Integralfunktion von $f$.

Über den Zusammenhang von Integralfunktionen $F, F_1, \ldots$, die zu derselben Integrandenfunktion $f$ gehören, gilt

**Satz 8:**     Die Funktion $f$ sei integrierbar in einem Intervall $[a, b]$, das die Intervalle $[a_1; b_1]$ und $[a_2; b_2]$ enthält. Betrachtet man die Integralfunktionen

$$F_1: x \to \int\limits_{a_1}^{x} f, \quad x \in [a; b] \quad \text{und} \quad F_2: x \to \int\limits_{a_2}^{x} f, \quad x \in [a; b]$$

so gilt     $F_2 = F_1 + c$,   $c \in R$.

Der Beweis folgt sofort aus Satz 7:

$$F_2(x) = \int\limits_{a_2}^{x} f = \int\limits_{a_2}^{a_1} f + \int\limits_{a_1}^{x} f = c + F_1(x) \text{ mit der reellen Konstanten } c = \int\limits_{a_2}^{a_1} f.$$

Zwei Integralfunktionen zu einer Integrandenfunktion unterscheiden sich also lediglich um eine additive Konstante. Betrachten wir beispielsweise die Funktion $q: x \to x^2$, $x \in R$ so ist $Q_1: x \to \int\limits_{0}^{x} q$ eine Integralfunktion von $q$. Es gilt $Q_1: x \to \frac{x^3}{3}$. Damit ist auch die Menge aller Integralfunktionen von $q$ bestimmt:

$$\{Q | Q \text{ ist Integralfunktion von } q\} = \{Q | Q: x \to \tfrac{x^3}{3} + c, \ c \in R\}.$$

Wenn $Q_2(x) = \int\limits_1^x q$ gesetzt wird, errechnet man

$$Q_2(x) = \int\limits_1^x q = \int\limits_1^0 q + \int\limits_0^x q = -\int\limits_0^1 q + \int\limits_0^x q = -\tfrac{1}{3} + \tfrac{x^3}{3}.$$

Wird statt der Schreibfigur $I = \int\limits_a^b f$ die konventionelle Notierung verwendet, also $I = \int\limits_a^b f(x)\,\mathrm{d}x$ geschrieben, dann ist zur Bezeichnung von Integralfunktionen Vorsicht geboten. Durch den Integrationsprozeß wird die Variable unter dem Integralzeichen gebunden. Daher ist die Definition $F: x \to \int\limits_a^x f(x)\,\mathrm{d}x$ nicht korrekt, man hätte zu schreiben $F: x \to \int\limits_a^x f(t)\,\mathrm{d}t$ oder $F: x \to \int\limits_a^x f(u)\,\mathrm{d}u$.

Der nächste Satz macht eine weitgehende Aussage über alle Integralfunktionen, es gilt

**Satz 9:** Wenn $f$ integrierbar ist im Intervall $[a, b]$, dann ist die Integralfunktion $F: x \to \int\limits_a^x f$ stetig in $[a; b]$.

*Beweis:* Wir müssen zeigen, daß für jedes $x_1 \in [a; b]$ $\lim\limits_{x_1} F = F(x_1)$ ist. Anders gewendet: Zu beliebig vorgegebenem $\varepsilon > 0$ muß es eine positive Zahl $\delta$ geben, so daß

$$|F(x) - F(x_1)| < \varepsilon \text{ für alle } x \text{ mit } |x - x_1| < \delta.$$

Wir unterscheiden die Fälle

$$x > x_1 \qquad\qquad \text{und} \qquad\qquad x < x_1.$$

Dazu setzen wir

$$x = x_1 + h, h > 0 \qquad \text{bzw.} \qquad x = x_1 - h, h > 0.$$

Es ist $\qquad F(x) = \int\limits_a^x f \qquad$ und $\qquad F(x_1) = \int\limits_a^{x_1} f.\qquad$ Nach Satz 7 wird

$$F(x) = \int\limits_a^{x_1} f + \int\limits_{x_1}^{x_1+h} f \qquad \text{bzw.} \qquad F(x) = \int\limits_a^{x_1} f + \int\limits_a^{x_1-h} f.$$

Also erhält man

$$F(x) - F(x_1) = \int\limits_{x_1}^{x_1+h} f \quad \text{bzw.} \quad F(x_1) - F(x) = -\int\limits_{x_1}^{x_1-h} f = \int\limits_{x_1-h}^{x_1} f.$$

Als integrierbare Funktion ist $f$ beschränkt; es gibt eine positive Zahl $M$, so daß $-M \le f(x) \le M$ für alle $x \in [a; b]$. Mit Hilfe von Satz 6 kann nunmehr die Differenz $F(x) - F(x_1)$ bzw. $F(x_1) - F(x)$ abgeschätzt werden. Man erhält $-hM \le F(x) - F(x_1) \le hM$ bzw. $-hM \le F(x_1) - F(x) \le hM$.
Anders geschrieben $\quad |F(x) - F(x_1)| \le h \cdot M$.

Demnach wird $|F(x) - F(x_1)| < \varepsilon$, falls $h < \dfrac{\varepsilon}{M}$.

Damit ist aber die Stetigkeit der Funktion $F$ an einer beliebigen Stelle $x_1$ ihres Definitionsbereiches $[a; b]$ gesichert. Die eben benutzte Beweisidee ist so tragfähig, daß sie noch ausgeweitet werden kann. Dabei ergeben sich erneut tiefgreifende Konsequenzen aus den Forderungen über die Stetigkeit von Funktionen. Wir beweisen zunächst den noch offenen Satz 3 aus dem vorigen Abschnitt.

Gleichsam als Nebenresultat erhalten wir dann eine sehr enge Verbindung von Differentialrechnung und Integralrechnung (Hauptsatz der Differential- und Integralrechnung).

Wenn die Funktion $f$ im Intervall $[a; b]$ stetig ist, so ist sie dort beschränkt. Es existiert daher für jedes $x \in [a; b]$ die eindeutig bestimmte Zahl

sup $\{ U(f, Z) \mid Z$ zerlegt $[a; x] \}$ – das Unterintegral $I_u$ der Funktion $f$ im Intervall $[a; x]$. Wir bezeichnen $I_u (f, a, x)$ durch $\int\limits_a^x f$ und erhalten zur stetigen Funktion $f$ eine *Unterintegralfunktion* $F_u$ durch die Vorschrift

$$F_u : x \to \int\limits_a^x f, \quad x \in [a; b].$$

Der Unterschied in den Definitionen von Integralfunktion $F$ und Unterintegralfunktion $F_u$ liegt in den Voraussetzungen über $f$. Im ersten Fall wird die Integrierbarkeit von $f$ gefordert, also die Gleichheit von $I_u$ und $I_0$; im zweiten Fall wird die Stetigkeit von $f$ verlangt. Durch die Gemeinsamkeiten bei der Begriffsbildung lassen sich aus den vorhergegangenen Beweisen wesentliche Resultate für Unterintegrale bzw. Unterintegralfunktionen gewinnen.

Man erkennt sofort, daß der Satz 6 auf Unterintegrale übertragbar ist. Es gilt

$$m(b-a) \le \int\limits_a^b f \le M(b-a), \text{ wenn } m \le f(x) \le M, \ x \in [a; b].$$

Weiterhin beweisen wir die Entsprechung zu Satz 7:

$$\int\limits_a^c f = \int\limits_a^b f + \int\limits_b^c f.$$

Gemäß der Definition der Unterintegrale ist zu zeigen:

sup $\{ U(f, Z) \mid Z$ zerlegt $[a; c] \}$ = sup $\{ U(f, Z') \mid Z'$ zerlegt $[a; b] \}$
$\qquad$ + sup $\{ U(f, Z'') \mid Z''$ zerlegt $[b; c] \}$.

Wir können ohne Beschränkung der Allgemeinheit annehmen, daß die Zerlegung $Z$ von $[a; c]$ den Teilpunkt $b$ enthält. Dann ist

$$U(f, Z) = U(f, Z') + U(f, Z'').$$

Mithin bleibt nachzuweisen, daß

sup $\{ U(f, Z) \}$ = sup $\{ U(f, Z') \}$ + sup $\{ U(f, Z'') \}$.

*1)* Für jede Zerlegung $Z'$ von $[a; b]$ gilt $U(f, Z') \le$ sup $\{ U(f, Z') \}$. Entsprechend hat man $U(f, Z'') \le$ sup $\{ U(f, Z'') \}$. Also ist für jede Zerlegung $Z$ von $[a; c]$

$$U(f, Z) = U(f, Z') + U(f, Z'') \le \text{sup } \{ U(f, Z') \} + \text{sup } \{ U(f, Z'') \}.$$

Das heißt aber sup $\{ U(f, Z) \} \le$ sup $\{ U(f, Z') \}$ + sup $\{ U(f, Z'') \}$.

*2)* Es sei $\varepsilon$ eine beliebige positive Zahl; $Z'_\varepsilon$ bezeichne eine Zerlegung von $[a; b]$, so daß sup $\{ U(f, Z') \} - U(f, Z'_\varepsilon) < \dfrac{\varepsilon}{2}$. Entsprechend gelte für eine Zerlegung $Z''_\varepsilon$ von $[b; c]$ die Ungleichung sup $\{ U(f, Z'') \} - U(f, Z''_\varepsilon) < \dfrac{\varepsilon}{2}$

Dann ist

sup $\{ U(f, Z') \}$ + sup $\{ U(f, Z'') \}$ − $[U(f, Z'_\varepsilon) + U(f, Z''_\varepsilon)] < \varepsilon$.

Da $Z'_\varepsilon$ und $Z''_\varepsilon$ eine Zerlegung $Z_\varepsilon$ von $[a; c]$ erzeugen, ist demnach
sup $\{ U(f, Z') \}$ + sup $\{ U(f, Z'') \} < U(f, Z_\varepsilon) + \varepsilon$.

Aus $U(f, Z_\varepsilon) \leq \sup \{U(f, Z)\}$ erhält man daher
$\sup \{U(f, Z')\} + \sup \{U(f, Z'')\} < \sup \{U(f, Z)\}$.

Die Beweisschritte *1)* und *2)* ergeben also

$$\sup \{U(f, Z)\} = \sup \{U(f, Z')\} + \sup \{U(f, Z'')\};$$

anders geschrieben $\int\limits_a^c f = \int\limits_a^b f + \int\limits_b^c f$.

Nach diesem Einschub über Unterintegral-Eigenschaften knüpfen wir beim Beweis des Satzes 9 an.

Wir zeigen, daß bei einer stetigen Funktion $f$ die Unterintegralfunktion $F_u$ differenzierbar ist!

Dazu müssen wir die Sekantensteigungsfunktion von $F_u$ an einer Stelle $x_1$ in $[a; b]$ betrachten,

$$\tan \sigma_{F_u} = \frac{F_u(x) - F_u(x_1)}{x - x_1} = \frac{F_u(x_1) - F_u(x)}{x_1 - x}.$$

Wie in Satz 9 unterscheidet man die Fälle
$x > x_1$    und    $x < x_1$,    setzt also
$x = x_1 + h, h > 0$    bzw.    $x = x_1 - h, h > 0$.

Man findet wie oben

$$F_u(x) - F_u(x_1) = \int\limits_{x_1}^{x_1 + h} f \quad \text{bzw.} \quad F_u(x_1) - F_u(x) = \int\limits_{x_1 - h}^{x_1} f.$$

Da $f$ stetig ist in $[a; b]$, gibt es Stellen $\underline{x}$ und $\overline{x}$ bzw. $\underline{\underline{x}}$ und $\overline{\overline{x}}$, so daß

$f(\underline{x}) \leq f(x), \ x \in [x_1; x_1 + h]$    bzw.    $f(\underline{\underline{x}}) \leq f(x), \ x \in [x_1 - h; x_1]$

und    $f(\overline{x}) \geq f(x), \ x \in [x_1; x_1 + h]$    $\qquad f(\overline{\overline{x}}) \geq f(x), \ x \in [x_1 - h; x_1]$.

Aus der Entsprechung von Satz 6 folgt daher

$$h \cdot f(\underline{x}) \leq F_u(x) - F_u(x_1) \leq h \cdot f(\overline{x})$$

bzw.    $\qquad h \cdot f(\underline{\underline{x}}) \leq F_u(x_1) - F_u(x) \leq h \cdot f(\overline{\overline{x}})$.

Somit erhält man schließlich

$$f(\underline{x}) \leq \frac{F_u(x) - F_u(x_1)}{h} \leq f(\overline{x})$$

bzw.    $$f(\underline{\underline{x}}) \leq \frac{F_u(x_1) - F_u(x)}{h} \leq f(\overline{\overline{x}}).$$

Für den Fall $x > x_1$ bzw. für den Fall $x < x_1$ wird also $\tan \sigma_{F_u}$ nach unten und nach oben eingeschränkt durch die Funktionswerte $f(\underline{x})$ und $f(\overline{x})$ bzw. $f(\underline{\underline{x}})$ und $f(\overline{\overline{x}})$.

Wegen der Stetigkeit der Funktion $f$ an der Stelle $x_1$ liegen aber die genannten Funktionswerte innerhalb jeder vorgeschriebenen $\varepsilon$-Umgebung von $f(x_1)$, wenn nur $\underline{x}$ und $\overline{x}$ bzw. $\underline{\underline{x}}$ und $\overline{\overline{x}}$ innerhalb einer geeigneten $\delta$-Umgebung von $x_1$ liegen.

Mithin ist    $\qquad\qquad \lim \tan \sigma_{F_u} = f(x_1)$.

Resultat: Die Unterintegralfunktion $F_u$ der stetigen Funktion $f$ ist differenzierbar; es gilt $(F_u)' = f$.

Als nächstes kann man bei einer stetigen Funktion $f$ alle Überlegungen, die sich auf Unterintegrale und Unterintegralfunktionen bezogen, auf Oberintegrale bzw. Oberintegralfunktionen übertragen:

Wenn $f$ stetig ist im Intervall $[a, b]$, existiert zu jedem $x \in [a; b]$ genau eine Zahl inf; $\{O(f, Z) \mid Z \text{ zerlegt } [a; b]\}$, das Oberintegral $I_0$.

Wir schreiben $I_0(f, a, x) = \int\limits_a^b f$ und definieren eine Oberintegralfunktion

$F_0 : x \to \int\limits_a^b f$, $x \in [a; b]$. Wegen der völligen Analogie gilt

$$m(b-a) \le \int\limits_a^b f \le M(b-a), \quad \text{wenn} \quad m \le f(x) \le M, \; x \in [a; b],$$

und ebenso $\qquad\qquad \int\limits_a^c f = \int\limits_a^b f + \int\limits_b^c f.$

Daher ist auch das letzte Resultat übertragbar:
Wenn die Funktion $f$ stetig ist in $[a; b]$, dann ist die Oberintegralfunktion $F_0$ dort differenzierbar und es gilt $\quad (F_0)' = f$.
Nach Satz 19 S. 164 können sich die Funktionen $F_u$ und $F_0$ nur um eine additive Konstante unterscheiden, $F_u(x) = F_0(x) + c$, $x \in [a; b]$, $c \in R$. Nun ist

$F_u(a) = \int\limits_a^a f = 0$ und ebenso $F_0(a) = \int\limits_a^a f = 0$. Daraus folgt $c = 0$, das heißt

$F_u(x) = F_0(x)$, $x \in [a; b]$, speziell $F_u(b) = F_0(b)$.

Bei einer stetigen Funktion $f$ stimmen also Unterintegral $\int\limits_a^b f$ und Oberintegral

$\int\limits_a^b f$ überein; die Funktion $f$ ist nach Definition integrierbar im Intervall $[a, b]$.

Damit ist Satz 3 hergeleitet. Darüber hinaus formulieren wir den Hauptsatz der Differential- und Integralrechnung.

**Satz 10:** Wenn die Funktion $f$ im Intervall $[a; b]$ stetig ist, dann ist die Integralfunktion $F : x \to \int\limits_a^x f$, $x \in [a; b]$ im Innern des Intervalls differenzierbar und es gilt

$$F' = f.$$

Wenn andererseits $f$ stetig ist in $[a, b]$ und wenn $f$ Ableitungsfunktion einer Funktion $g$ ist, $f = g'$, dann gilt

$$\int\limits_a^b f = g(b) - g(a).$$

Der erste Teil des Hauptsatzes wurde oben bereits mitbewiesen. Der zweite Teil folgt aus Satz 19 S. 164.

Es sei $F : x \to \int\limits_a^x f$, $x \in [a; b]$. Dann gilt nach Teil eins des Hauptsatzes

$F' = f = g'$. Also ist $F(x) = g(x) + c$, $c \in R$. Aus $0 = F(a) = g(a) + c$ folgt $c = -g(a)$. Mithin wird $F(x) = g(x) - g(a)$, $x \in [a, b]$, speziell $F(b) = \int\limits_a^b f = g(b) - g(a)$, was zu beweisen war. Der zweite Teil des Hauptsatzes ist auch bei etwas abgeschwächten Voraussetzungen noch gültig: Wenn die Funktion $f$ integrierbar ist im Intervall $[a; b]$ und wenn $f$ Ableitungsfunktion einer Funktion $g$ ist, dann gilt $\int\limits_a^b f = g(b) - g(a)$.

Der Beweis des allgemeineren Falles gelingt durch Rückgriff auf den Mittelwertsatz der Differentialrechnung und durch Betrachten von Untersummen und Obersummen.

Aus dem zweiten Teil des Hauptsatzes folgt nun auch ohne weiteres die Gültigkeit der Sätze 4 und 5; es sei jedoch nochmals bemerkt, daß man sie auch unabhängig vom Hauptsatz herleiten kann.

Wir betrachten ein illustrierendes Beispiel und verweisen zugleich auf den Abschnitt Beispiele und die Übungsaufgaben.

*Beispiel 4:*  Die Funktion  $\sin : x \to \sin x$  ist stetig auf  $R$, also integrierbar in jedem Intervall endlicher Länge. Ohne Kenntnis des Hauptsatzes wären wir darauf angewiesen, über die Summenformel für  $\sin\alpha + \sin 2\alpha + \cdots + \sin n\alpha$  den Wert eines bestimmten Integrals zu ermitteln. Da man aber weiß, daß die Sinusfunktion sehr eng mit der Ableitung der Kosinusfunktion zusammenhängt,  $\cos' = -\sin$, kann jedes Integral der Sinusfunktion mit ganz geringem Aufwand bestimmt werden. Aus dem Hauptsatz ergibt sich nämlich

$$I = \int\limits_a^b \sin = -\cos b - (-\cos a) = \cos a - \cos b,$$

speziell also etwa  $\int\limits_0^\pi \sin = 1 - (-1) = 2$.

Für derartige Berechnungen ist die konventionelle Notation handlicher; üblicherweise schreibt man

$$I = \int\limits_a^b \sin x \, \mathrm{d}x = -\cos b - (-\cos a).$$

Zur Abkürzung werden an dieser Stelle auch folgende Schreibfiguren verwendet

$$[g(x)]_{x=a}^{x=b} = g(b) - g(a)$$

oder auch                  $g(x)\big|_b^b = g(b) - g(a)$.

In unserem Falle also

$$\int\limits_a^b \sin x \, \mathrm{d}x = [-\cos x]_a^b = -\cos b + \cos a.$$

Da jede Differentialregel jetzt zu einer Integrationsregel umgeschrieben werden kann, schließen wir diesen Abschnitt mit einer entsprechenden Tabelle. Der Leser kann sie (später) noch etwas vervollständigen.

| $g : x \to g(x)$ | $g' : x \to g'(x)$ | $f : x \to f(x)$ | $F : x \to \int\limits_a^x f$ |
|---|---|---|---|
| $x \to x^n$ | $x \to n \cdot x^{n-1}$ | $x \to x^n$ | $x \to \dfrac{x^{n+1} - a^{n+1}}{n+1}$ |
| $n \in N, \; x \in R$ | | $x \in R, \; n \in N$ | |
| $x \to x^r$ | $x \to r \cdot x^{r-1}$ | $x \to x^r$ | $x \to \dfrac{x^{r+1} - a^{r+1}}{r+1}$ |
| $r \in Q\backslash N, \; x \in R\backslash\{0\}$ | | $r \in Q\backslash N, \; \boxed{r \neq -1}$ | $x$ und $a$ aus $R^+$ |
| | | oder $x$ und $a$ aus $R^-$ | |

| $g : x \to g(x)$ | $g' : x \to g'(x)$ | $f : x \to f(x)$ | $F : x \to \int\limits_a^x f$ |
|---|---|---|---|
| $x \to \sin x$ | $x \to \cos x$ | $x \to \cos x$ | $x \to \sin x - \sin a$ |
| $x \to \cos x$ | $x \to (-1) \cdot \sin x$ | $x \to \sin x$ | $x \to - \cos x + \cos a$ |
| $x \to \tan x$ | $x \to \dfrac{1}{\cos^2 x}$ | $x \to \dfrac{1}{\cos^2 x}$ | $x \to \tan x - \tan a$ |
| $x \neq \dfrac{\pi}{2}(1 + 2z), \quad z \in Z$ | | $x$ und $a$ dürfen nicht gleich $\dfrac{\pi}{2}(1 + 2z)$ sein und dürfen auch keine derartige Zahl einschließen. | |
| $x \to \arcsin x$ | $x \to \dfrac{1}{\sqrt{1 - x^2}}$ | $x \to \dfrac{1}{\sqrt{1 - x^2}}$ | $x \to \arcsin x - \arcsin a$ |
| $|x| < 1$ | | $|x| < 1, \quad |a| < 1$ | |

## Logarithmusfunktion und Exponentialfunktion

In der Tabelle zur Differentiation bzw. Integration besteht eine auffällige Lücke: Die Funktion $f : x \to \frac{1}{x}$, $x \in R\backslash\{0\}$ tritt nicht als Ableitungsfunktion auf; daher war es nicht möglich, eine Integralfunktion $F$ zu dieser Funktion $f$ mittels der uns bekannten Funktionsterme anzugeben. Da die Funktion $f : x \to \frac{1}{x}$ in ihrem Definitionsbereich $R\backslash\{0\}$ stetig (ja sogar differenzierbar) ist, gibt es nach dem Hauptsatz differenzierbare Integralfunktionen zu $f$. Die Untersuchung einer solchen Integralfunktion soll einerseits als Muster für ähnliche Fälle angesehen werden; zum anderen wird der Bereich der elementaren Funktionen wesentlich erweitert. Wir betrachten im folgenden zur Funktion $f : x \to \frac{1}{x}$, $x \in R\backslash\{0\}$ die (spezielle) Integralfunktion

$$F : x \to \int\limits_1^x f, \quad x \in R^+$$

oder herkömmlich geschrieben $\quad F(x) = \int\limits_1^x \dfrac{du}{u}, \quad x > 0$.

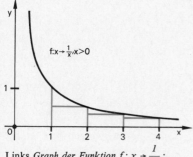

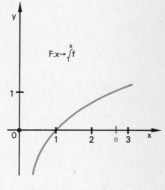

Links *Graph der Funktion* $f : x \to \dfrac{1}{x}$;
rechts *Graph der Integralfunktion* $F : x \to \int\limits_1^x f$

Aus den Eigenschaften von $f$ und den Sätzen der vorausgegangenen Abschnitte erhalten wir vorab die folgenden Aussagen über $F$:

*1)* $F$ ist definiert für alle $x \in R^+$.

*2)* $F$ hat an der Stelle eins eine Nullstelle.

*3)* $F$ ist differenzierbar, also stetig. Es gilt $F' = f$ oder $F'(x) = \frac{1}{x}$, $x \in R^+$. Demnach steigt $F$ strikt monoton im gesamten Definitionsbereich. Es gibt keine Extremstellen.

$F$ ist positiv für $x > 1$; $F$ ist negativ für $0 < x < 1$.

*4)* Betrachtet man eine spezielle Untersumme, wie sie in der linken Skizze für den Fall $n = 4$ angedeutet wird, so ergibt sich $F(n) > \frac{1}{2} + \frac{1}{3} + \frac{1}{4} + \cdots + \frac{1}{n}$, $n \in N$.

Nun ist $\qquad\qquad\qquad\qquad \frac{1}{3} + \frac{1}{4} > \frac{1}{4} + \frac{1}{4} = \frac{1}{2}$;

entsprechend gilt $\qquad\qquad \frac{1}{5} + \frac{1}{6} + \frac{1}{7} + \frac{1}{8} > \frac{4}{8} = \frac{1}{2}$.

Daher wird $\frac{1}{2} + \frac{1}{3} + \frac{1}{4} + \cdots + \frac{1}{n}$ für hinreichend großes $n$ größer als jede vorgegebene positive Zahl, da man immer wieder Glieder in dieser Summe so zusammenfassen kann, daß ein Beitrag entsteht, der größer ist als $\frac{1}{2}$.

Die Funktion $F$ ist also nach oben nicht beschränkt! Wegen der Stetigkeit nimmt sie jeden positiven Funktionswert an.

*5)* Als monoton steigende Funktion ist $F$ eineindeutig. Es gibt daher eine Umkehrfunktion $F^I$; sie soll anschließend studiert werden.

*6)* Aus $\quad F'(x) = \dfrac{1}{x}$, $x \in R^+$ läßt sich ein »Richtungsfeld« konstruieren (S. 207).

*7)* Durch Auszählen im mm-Papier kann man Annäherungswerte für $F$ bestimmen und den Graphen von $F$ skizzieren.

*8)* Beim Betrachten von Näherungswerten mag auffallen, daß es noch weitere Zusammenhänge gibt. Wir beweisen dazu das Additionstheorem der Funktion $F$,

$$F(x_1 \cdot x_2) = F(x_1) + F(x_2); \quad x_1, x_2 \in R^+.$$

Nach der Definition der Funktion $F$ muß gezeigt werden, daß

$$\int_1^{x_1 \cdot x_2} f = \int_1^{x_1} f + \int_1^{x_2} f.$$

Gemäß Satz 7 S. 183 gilt $\qquad \displaystyle\int_1^{x_1 \cdot x_2} f = \int_1^{x_1} f + \int_{x_1}^{x_1 \cdot x_2} f.$

Demnach bleibt nachzuweisen, daß $\quad \displaystyle\int_1^{x_2} f = \int_{x_1}^{x_1 \cdot x_2} f.$

Für die integrierbare Funktion $f$ ist $\quad \displaystyle\int_1^{x_2} f = \sup \{U(f, Z) \mid Z \text{ zerlegt } [1; x_2]\}$

und $\qquad\qquad\qquad \displaystyle\int_{x_1}^{x_1 \cdot x_2} f = \sup \{U(f, Z') \mid Z' \text{ zerlegt } [x_1; x_1 x_2]\}.$

Bezeichnen wir die Teilpunkte einer beliebigen Zerlegung $Z$ des Intervalls $[1; x_2]$ durch $u_0 = 1$, $u_1$, $u_2$, ..., $u_n = x_2$, so bildet die Menge $Z^* = \{x_1 \cdot u_0 = x_1,$ $x_1 \cdot u_1,\ x_1 \cdot u_2, ...,\ x_1 \cdot u_n = x_1 \cdot x_2\}$ eine Zerlegung des Intervalls $[x_1; x_1 x_2]$. Dabei gilt

$$U(f, Z) \quad = (u_1 - u_0) \cdot \frac{1}{u_1} + \cdots + (u_n - u_{n-1}) \cdot \frac{1}{u_n}$$

$$= (x_1 u_1 - x_1 u_0) \frac{1}{x_1 \cdot u_1} + (x_1 u_2 - x_1 u_1) \cdot \frac{1}{x_1 \cdot u_2} + \cdots$$

$$+ (x_1 u_n - x_1 u_{n-1}) \cdot \frac{1}{x_1 \cdot u_n}$$

$$= U(f, Z^*).$$

Also $(U(f, Z) \,|\, Z$ zerlegt $[1; x_2]) = (U(f, Z') \,|\, Z'$ zerlegt $[x_1; x_1 x_2])$. Da auch umgekehrt jede Zerlegung $Z'$ von $[x_1; x_1 x_2]$ eine Zerlegung $Z$ von $[1; x_2]$ erzeugt, folgt aus der Gleichheit der Untersummen die Gleichheit der Integrale $\int_1^{x_2} f$ und $\int_{x_1}^{x_1 \cdot x_2} f$, die zu beweisen war.

*9) Folgerung aus dem Additionstheorem.*
Es gilt $F(x_1 \cdot x_2) = F(x_1) + F(x_2)$ für beliebige Zahlen $x_1$ und $x_2$ aus $R^+$. Im Falle $x_1 \cdot x_2 = 1$ ergibt sich

$$F(1) = 0 = F(x_1) + F(x_2) = F(x_1) + F\left(\frac{1}{x_1}\right),$$

also 
$$F\left(\frac{1}{x_1}\right) = - F(x_1).$$

Daraus folgt 
$$F\left(\frac{x_1}{x_2}\right) = F(x_1) - F(x_2) \quad x_1, x_2 \in R^+.$$

Wegen der Aussage *4)* ist demnach der Wertebereich der Funktion $F$ gleich $R$. Durch vollständige Induktion erhält man aus dem Additionstheorem

$$F(x_1 x_2 \ldots x_n) = \sum_{i=1}^{n} F(x_i);$$

im Sonderfall 
$$x_1 = x_2 = \ldots x_n$$

gilt also 
$$F(x_1{}^n) = n \cdot F(x_1), \quad n \in N.$$

Bei negativ ganzzahligen Exponenten gehen wir ähnlich vor wie oben:

$$0 = F(1) = F(x_1{}^m \cdot x_1{}^{-m}) = F(x_1{}^m) + F(x_1{}^{-m})$$
$$= m \cdot F(x_1) + F(x_1{}^{-m}); \quad \text{also} \quad F(x_1{}^{-m}) = - mF(x_1).$$

Für einen rationalen Exponenten $r = \dfrac{m}{n}$ schließt man entsprechend

$$n \cdot F\left(x_1^{\frac{m}{n}}\right) = F\left[\left(x_1^{\frac{m}{n}}\right)^n\right] = F(x_1{}^m) = m \cdot F(x_1)$$

also 
$$F(x_1{}^r) = r \cdot F(x_1); \quad r \in Q, \quad x_1 \in R^+.$$

Da die Funktion $F$ stetig ist, kann die Gültigkeit der letzten Gleichung sogar für jeden reellen Exponenten $\varrho$ hergeleitet werden, indem man die rationalen Näherungswerte für $\varrho$ betrachtet.

*10)* Identifikation der Funktion $F$ mit einer Logarithmusfunktion. Die Beziehungen unter *8)* und *9)* legen es nahe, für die Funktion $F$ einen Zusammenhang zu den Logarithmen zu suchen. Wir erinnern an die definierende Beziehung

$$x = b^{\log_b x} \qquad (1)$$

mit einer positiven Zahl $b \neq 1$ als Basis. In der Rechenpraxis benutzt man die Zahl 10 und schreibt

$$x = 10^{\log x} \quad \text{(dekadische Logarithmen)}.$$

Für die Funktion $F$ fanden wir die charakteristische Gleichung

$$F(x^\varrho) = \varrho \cdot F(x).$$

Wenn die Variable $x$ gemäß Gleichung 1) dargestellt wird, erhalten wir

$$F(x) = F(b^{\log_b x}) = \log_b x \cdot F(b) \tag{2}$$

Diese Beziehung gilt für jede Basis $b$, $b \neq 1$. Da die Zahl 1 nach Aussage 4) zum Wertbereich der Funktion $F$ gehört, kann die Basis $b$ so gewählt werden, daß

$$F(b) = 1 \quad \text{ist}.$$

Die dadurch festgelegte Zahl ist für die Mathematik von großer Bedeutung; sie erhält deshalb auch einen eigenen Namen. Wir definieren an dieser Stelle die Zahl $e$ durch die Bedingung

$$1 = \int\limits_1^e \frac{\mathrm{d}u}{u}.$$

Im Abschnitt Folgen und Reihen werden andere Darstellungen von $e$ angegeben. Durch Auszählen findet man $e \approx 2{,}7$.

In der Höheren Mathematik benutzt man fast ausschließlich die Logarithmen zur Basis $e$; sie werden als die *natürlichen Logarithmen* bezeichnet und folgendermaßen notiert: $\ln x = \log_e x$.

Gemäß dieser Verabredung bekommt die Gleichung *2)* jetzt die Form $F(x) = \ln x$. Setzen wir zum Anfang zurück, so ist

$$\ln x = \int\limits_1^x \frac{\mathrm{d}u}{u}, \quad x \in R^+.$$

*11)* Zusammenfassung: Die Integralfunktion $F: x \to \int\limits_1^x \frac{\mathrm{d}u}{u}$, $x \in R^+$ ist die natürliche Logarithmusfunktion; ihre Basis $e$ wird definiert durch die Forderung $1 = \int\limits_1^e \frac{\mathrm{d}u}{u}$.

Man schreibt

$$\ln x = \int\limits_1^x \frac{\mathrm{d}u}{u}, \quad x \in R^+.$$

Die Ableitungsfunktion der Funktion $\ln: x \to \ln x$, $x \in R^+$ ist die Funktion

$$f: x \to \frac{1}{x}, \quad x \in R^+.$$

Anders gewendet

$$\int\limits_a^b \frac{\mathrm{d}u}{u} = \ln b - \ln a; \quad a, b \in R^+.$$

Es ist $F = \ln = \{(x; y) \mid x \in R^+ \text{ und } y = \ln x\}$. Da $F$ eine eineindeutige Funktion mit dem Wertbereich $R$ ist, existiert die Umkehrfunktion $E = \ln^I$. Mit $x = e^{\ln x}$ und den Überlegungen des Abschnitts Umkehrfunktion erhält man

$$E = \ln^I = \{(y, x) \mid y \in R \text{ und } x = e^y\}, \quad \text{also} \quad E(y) = e^y.$$

Die Eigenschaften der Funktion $E$ lassen sich sofort aus den Eigenschaften der

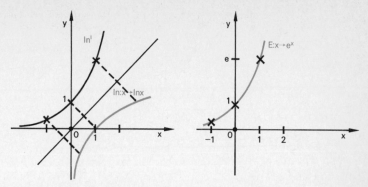

Links *Graph der Logarithmusfunktion ln x und ihrer Umkehrfunktion ln$^I$;*
rechts *Graph der Funktion E: x → e$^x$*

Logarithmusfunktion angeben. Wir erläutern als wichtigste lediglich die Differentiationsregel:

Die Ableitungsfunktion zu $F: x \to \ln x$ ist stets ungleich Null; also gilt nach Satz 24 (S. 172) für die Umkehrfunktion $E = \ln^I$

$$E'(y) = \frac{1}{F'(x)} = \frac{1}{\frac{1}{x}} = x,$$

das heißt $\qquad\qquad E'(y) = e^y = E(y).$

Nach dem üblichen Austausch der Variablensymbole bezeichnen wir die Umkehrfunktion der Funktion $F = \ln : x \to \ln x$, $x \in R^+$ durch $E: x \to e^x$, $x \in R$. Diese Funktion $E$ heißt Exponentialfunktion. Wegen der Wichtigkeit ihrer Differentiations-Eigenschaft formulieren wir den

**Satz 11:**    Die Funktion $E: x \to e^x$, $x \in R$ hat die Ableitungsfunktion $E': x \to e^x$.

Wir schließen diesen Abschnitt mit einer Bemerkung über den Zusammenhang von Logarithmenfunktionen zu verschiedenen Basen. Es sei $b$ eine positive Zahl $\neq 1$; dann ist $x = b^{\log_b x}$. Mit $b = e^{\ln b}$ erhält man $x = (e^{\ln b})^{\log_b x}$ $= e^{\ln b \cdot \log_b x}$. Andererseits gilt $x = e^{\ln x}$; also ist $\ln x = \ln b \cdot \log_b x$, d. h.

$$\log_b x = \frac{\ln x}{\ln b}.$$

Jede logarithmische Funktion ist bis auf eine multiplikative Konstante gleich der Funktion $\ln : x \to \int\limits_1^x \frac{du}{u}$, $x \in R^+$.

### Beispiele zur Integralrechnung

In diesem Abschnitt soll durch die Behandlung verschiedener Probleme vorwiegend auf die *Anwendbarkeit* der Integralrechnung hingewiesen werden; theoretische Überlegungen finden sich daher nur am Rande.

*1) Flächenberechnung:* Der Lernende ist leicht geneigt, Integral und Flächeninhalt miteinander zu identifizieren. Deshalb verweisen wir zunächst auf die entsprechende Definition in früheren Abschnitten. Die Lösung der konkreten Aufgaben birgt danach nur noch geringe Schwierigkeiten.

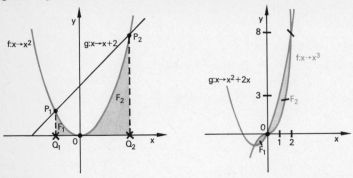

Links *Figur zur Berechnung der Fläche zwischen den Graphen der Funktionen f : x → x²* und *g : x → x + 2;* rechts *Figur zur Berechnung der Fläche zwischen den Graphen der Funktionen f : x → x³ und g : x → x² + 2x*

Zu berechnen sei der Inhalt der Fläche, die von den Graphen der Funktionen $f : x \to x^2$ und $g : x \to x + 2$, $x \in R$ eingeschlossen wird. Die Skizze zeigt, daß das Parabelsegment $P_1 O P_2$ übrigbleibt, wenn man vom Trapez $P_1 Q_1 Q_2 P_2$ die beiden schraffierten Flächenstücke wegnimmt. Also

$$A \text{ (Segment)} = A \text{ (Trapez)} - [A(F_1) + A(F_2)].$$

Es ist $\quad A(F_1) = \int\limits_{x_1}^{0} f, \quad A(F_2) = \int\limits_{0}^{x_2} f.$

Mithin $A \text{ (Segm)} = \int\limits_{x_1}^{x_2} g - \int\limits_{x_1}^{x_2} f = \int\limits_{x_1}^{x_2} (g - f).$

Zahlenwerte: Aus der Bedingung $f(x) = g(x)$ findet man die Abzissen der Schnittpunkte, nämlich $x_1 = -1$ und $x_2 = +2$; für das Integral folgt

$$\int\limits_{-1}^{2} (x + 2 - x^2) \, dx = [\tfrac{x^2}{2} + 2x - \tfrac{x^3}{3}]_{-1}^{2} = (\tfrac{4}{2} + 4 - \tfrac{8}{3}) - (+\tfrac{1}{2} - 2 + \tfrac{1}{3}) = 4,5 \, .$$

Das Parabelsegment hat einen Flächeninhalt von 4,5 Quadrateinheiten.

Im zweiten Beispiel soll die Fläche bestimmt werden, die zwischen den Graphen der Funktionen $f : x \to x^3$, $x \in R$ und $g : x \to x^2 + 2x$, $x \in R$ liegt.

Die Graphen schneiden sich in den Punkten $P_1(-1; -1)$, $P_2(0; 0)$ und $P_3(2; 8)$. Der Leser mache sich klar, daß der gesuchte Flächeninhalt durch das Integral $|f - g|$ bestimmt wird. Die Rechnung wird erleichtert, wenn man sich eine Gebietseinteilung der Funktion $f - g$ verschafft.

$$f - g : x \to x^3 - x^2 - 2x = x \cdot (x - 2) \cdot (x + 1).$$

Ergebnis: $\quad A = \int\limits_{-1}^{2} |x^3 - x^2 - 2x| \, dx$

$$= \int\limits_{-1}^{0} (x^3 - x^2 - 2x) \, dx + \int\limits_{0}^{2} (-x^3 + x^2 + 2x) \, dx$$

$$= \left[\tfrac{x^4}{4} - \tfrac{x^3}{3} - x^2\right]_{-1}^{0} + \left[-\tfrac{x^4}{4} + \tfrac{x^3}{3} + x^2\right]_{0}^{2}$$

$$= 0 - (\tfrac{1}{4} + \tfrac{1}{3} - 1) + (-\tfrac{16}{4} + \tfrac{8}{3} + 4); \quad A = \tfrac{37}{12}.$$

*2) Flächeninhalt bei Polarkoordinaten:* Es gibt viele ebene Kurven, deren Relation sich in kartesischen Koordinaten nur umständlich angeben läßt, während ihre Beschreibung in Polarkoordinaten leichtfällt.

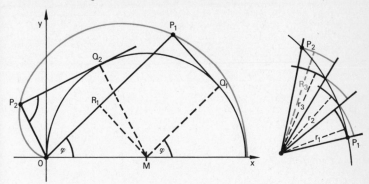

Links *Figur zur Verwendung von Polarkoordinaten;* rechts *zur Sektorformel*

Wenn man zum Beispiel bei einem Kreis mit dem Radius $a$ von einem Peripheriepunkt 0 Lote auf die Kreistangenten fällt und die Lage der Lotfußpunkte $P$ angeben will, so lautet die zugehörige Relation in Polarkoordinaten

$$r = a(\cos\varphi + 1).$$

Bei kartesischer Beschreibung gilt hingegen

$$(x^2 + y^2 - ax)^2 = a^2 \cdot (x^2 + y^2).$$

Es wäre mehr als mühsam, wenn zur Flächenberechnung in derartigen Fällen auf Integrale der Form $\int_{x_2}^{x_1} f$ zurückgegriffen werden müßte. Statt dessen benutzt man den Grundgedanken der Integration in einer Form, der der koordinatenmäßigen Beschreibung solcher Kurven angepaßt ist: Bei der Darstellung im rechtrechtwinkligen Koordinatensystem standen die betrachteten Untersummen bzw. Obersummen in Beziehung zu Treppenzügen, die aus Rechtecken gebildet wurden. Im vorliegenden Fall der Polarkoordinaten geht man von Kreissektoren mit dem Zentrum 0 aus. Wenn ein Kreissektor den Mittelpunktswinkel $\alpha$ hat (Bogenmaß!) und zu einem Kreis vom Radius $r$ gehört, dann ist sein Flächeninhalt

$$A \text{ (Sektor)} = \tfrac{1}{2} r^2 \alpha.$$

Wie in der Skizze angedeutet wird, betrachtet man daher zu einer Zerlegung $Z$ des Winkels $P_1 O P_2$ die Untersumme

$$\tfrac{1}{2} \sum_i r_i^2 (\varphi_i - \varphi_{i-1}) \quad \text{und die Obersumme} \quad \tfrac{1}{2} \sum_i R_i^2 (\varphi_i - \varphi_{i-1})$$

Mit entsprechenden Überlegungen ergibt sich daraus die Sektorformel von Leibniz:
Wird eine ebene Kurve in Polarkoordinaten beschrieben, $r : \varphi \to r(\varphi)$, so ist

(bei gegebener Integrierbarkeit) der Flächeninhalt eines Sektors gleich dem Integral

$$I = \tfrac{1}{2} \int\limits_{\varphi_1}^{\varphi_2} r^2.$$

In unserem Beispiel wird die Fläche innerhalb der sogenannten Herzkurve bestimmt durch das Integral

$$I = \int\limits_{0}^{\pi} a^2 (\cos\varphi + 1)^2 \, d\varphi.$$

Wegen des Terms $\cos^2\varphi$ im Integranden muß die Auswertung des Integrals noch etwas zurückgestellt werden.

*3) Volumenberechnung:* Im folgenden Beispiel wollen wir skizzieren, wie der Rauminhalt gewisser Körper durch Integration bestimmt werden kann.

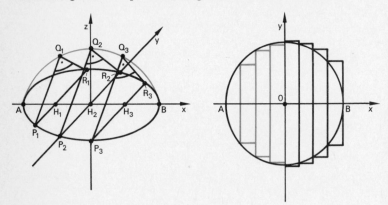

*Figuren zur Volumenberechnung*

Betrachtet werde ein Körper, der als Grundfläche einen Kreis vom Radius $a$ hat. In diesem Kreis soll es einen Durchmesser $\overline{AB}$ geben, so daß jede Ebene, die auf $\overline{AB}$ senkrecht steht und den Körper schneidet, als Schnittfigur ein gleichschenkelig rechtwinkliges Dreieck erzeugt.

Die Abbildung zeigt ein Schrägbild des Körpers. Da die Dreiecke $PQR$ rechtwinklig sind, muß jede Höhe $\overline{QH}$ nach dem Satz des Thales halb so lang sein wie die zugehörige Hypotenuse $\overline{PR}$. Die (Grat-)Linie $AQB$ ist also ein Halbkreis mit dem Radius $a$.

Zur Volumenbestimmung wird man den Durchmesser $\overline{AB}$ zerlegen und Untersummen bzw. Obersummen bilden, die dem Rauminhalt von Körpern entsprechen, die aus Prismen bestehen. Jedes Prisma hat ein rechtwinkliges Dreieck als Grundfläche, seine Dicke ist $x_i - x_{i-1}$. Die Skizze zeigt im Grundriß die Hälfte eines einbeschriebenen und die Hälfte eines umbeschriebenen Prismenkörpers. Nach der Volumenformel für das Prisma $V_p = G \cdot h$, erhält man daher als Untersumme $\sum\limits_{i=1}^{n} g_i \cdot (x_i - x_{i-1})$ und als Obersumme $\sum\limits_{i=1}^{n} G_i \cdot (x_i - x_{i-1})$.

Zur Berechnung der Flächenmaße $g_i$ bzw. $G_i$ benutzen wir die Formel für den Dreiecksinhalt; wir erhalten

$$g_i = \frac{2 \cdot y_i \cdot h_i}{2} = y_i^2 \quad \text{bzw.} \quad G_i = \frac{2 \cdot Y_i \cdot h_i}{2} = Y_i^2.$$

Da aber $y_i$ bzw. $Y_i$ die Ordinate eines zugehörigen Abszissenwertes $x_i$ bzw. $x_{i-1}$ ist, wird jede Untersumme bzw. Obersumme durch die Zerlegung $Z$ des Durchmessers $\overline{AB}$ eindeutig festgelegt. Betrachtet man eine Hälfte des Körpers, so gilt

$$y_i^2 = g_i = a^2 - x_i^2 \quad \text{bzw.} \quad Y_i^2 = G_i = a^2 - x_{i-1}^2$$

also
$$U = \sum_{i=1}^{n} (a^2 - x_i^2)\,(x_i - x_{i-1}) \quad \text{bzw.}$$

$$O = \sum_{i=1}^{n} (a^2 - x_{i-1}^2) \cdot (x_i - x_{i-1}).$$

Diese Untersummen bzw. Obersummen bestimmen ein Integral; das Volumen unseres Beispiel-Körpers wird angegeben durch

$$V = I = 2 \cdot \int_0^a (a^2 - x^2)\,\mathrm{d}x,$$

im Zahlenwert $\qquad V = \frac{4}{3}\,a^3$

(man vergleicht mit Volumen der Halbkugel, $V(\text{HK}) = \frac{2}{3}\,\pi \cdot a^3$).
Die Verallgemeinerung des Ergebnisses bietet sich an:

**Satz 12:** Kennt man bei einem Körper die Flächeninhaltsfunktion $q : x \to q(x)$ für alle Querschnitte senkrecht zu einer Geraden im Körper, so ist das Volumen des Körpers gegeben durch
$V = \int q$, falls die Funktion $q$ integrierbar ist.

Einen sehr wichtigen Sonderfall bilden alle Rotationskörper. Rotationskörper entstehen zum Beispiel, wenn der Graph einer Funktion $f : x \to f(x)$, $a \le x \le b$ um die $x$-Achse gedreht wird. Die Volumenformel lautet dann

$$V = \pi \int_a^b f^2.$$

Es sei noch angemerkt, daß man in ähnlicher Weise weitere wichtige Begriffe der Mathematik und anderer Wissenschaften durch Integrale beschreibt.
*4) Zur Integrationstechnik:* Wir schließen den Abschnitt über die Integralrechnung mit einigen Hinweisen zur Technik des Integrierens. Im Gegensatz zur Differentiation braucht man für die Integration viel Übung und algebraische Fertigkeit. Unsere Darstellung kann daher zwangsläufig nur die Ansätze aufzeigen.
*a) Produktintegration:* Die Differentiationsregel für das Produkt zweier differenzierbarer Funktionen $f$ und $g$ lautete

$$(f \cdot g)' = f \cdot g' + g \cdot f'.$$

Nach dem Hauptsatz der Differential- und Integralrechnung gilt daher

$$\int_a^b (f \cdot g)' = [f \cdot g]_a^b = \int_a^b f \cdot g' + \int_a^b g \cdot f'.$$

Diese Beziehung kann man benutzen für Integranden der Form $\varphi = f \cdot g'$. Es wird dann

$$\int_a^b \varphi = \int_a^b f \cdot g' = [f \cdot g]_a^b - \int_a^b g \cdot f'.$$

Offensichtlich ist das Verfahren nur dann von Vorteil, wenn das rechts stehende Integral $\int_a^b g \cdot f'$ einfacher ist als das Integral über die Funktion $\varphi$.

Verwendet man die Schreibweise mit Funktionstermen, so ist zu notieren

$$\int_a^b f(x) \cdot g'(x)\,\mathrm{d}x = [f(x) \cdot g(x)]_a^b - \int_a^b f'(x) \cdot g(x)\,dx .$$

Als Beispiel wählen wir $\int_0^\pi \cos^2 \varphi\,\mathrm{d}\varphi$. Der Integrand hat die passende Produktform; es ist $\cos^2 = \cos (\sin)'$ oder

$$\cos^2\varphi = \cos\varphi\,(\sin\varphi)' .$$

Mithin gilt     $\int_0^\pi \cos^2\varphi\,\mathrm{d}\varphi = [\cos\varphi \sin\varphi]_0^\pi - \int_0^\pi \sin\varphi(-\sin\varphi)\,\mathrm{d}\varphi ,$

da     $\cos' = -\sin \quad \text{oder} \quad (\cos\varphi)' = -\sin\varphi .$

Wir haben demnach     $\int_0^\pi \cos^2\varphi\,\mathrm{d}\varphi = [\cos\varphi \sin\varphi]_0^\pi + \int_0^\pi \sin^2\varphi\,\mathrm{d}\varphi =$

$$= 0 + \int_0^\pi (1 - \cos^2\varphi)\,\mathrm{d}\varphi .$$

(Trigonometrische Grundformel!) Daher gilt $2 \int_0^\pi \cos^2\varphi\,\mathrm{d}\varphi = \int_0^\pi 1\,\mathrm{d}\varphi = \pi$ ;

also     $\int_0^\pi \cos^2\varphi\,\mathrm{d}\varphi = \dfrac{\pi}{2}$

Als Einschub berechnen wir den Inhalt der Herzkurve (S. 198). Es galt

$$A = \int_0^\pi a^2(\cos\varphi + 1)^2\mathrm{d}\varphi$$

$$= a^2 \left[ \int_0^\pi \cos^2\varphi\,\mathrm{d}\varphi + 2 \int_0^\pi \cos\varphi\,\mathrm{d}\varphi + \int_0^\pi 1\,\mathrm{d}\varphi \right]$$

$$= a^2 \left( \frac{\pi}{2} + 0 + \pi \right) = \pi \cdot a^2 \cdot 1{,}5$$

(der zugehörige Kreis hat den Inhalt $\pi \cdot a^2$).

In Kurznotation weitere Beispiele zur Produktregel

$$\int_a^b e^x \sin x\,\mathrm{d}x = [e^x \sin x]_a^b - \int_a^b e^x \cos x\,\mathrm{d}x$$

$$= [e^x \sin x]_a^b - ([e^x \cdot \cos x]_a^b - \int_a^b e^x(-\sin x)\mathrm{d}x) .$$

$$2 \int_a^b e^x \sin x\,\mathrm{d}x = [e^x(\sin x - \cos x)]_a^b$$

$$\int_a^b \ln x\,\mathrm{d}x = \int_a^b 1 \cdot \ln x\,\mathrm{d}x = \left[ x \cdot \ln x \right]_a^b - \int_a^b x \cdot \frac{1}{x}\mathrm{d}x = \left[ x \cdot \ln x - x \right]_a^b$$

Der Leser bestätige die Rechnung durch Differentiation!

*b) Integration durch Substitution:* Diese Integrationsmethode geht aus der Kettenregel hervor. Es war

$$(f \circ g)' = f'g'; \quad \text{etwas ausführlicher}$$
$$(f(g(x)))' = f'(g(x)) \, g'(x).$$

Nach dem Hauptsatz erhalten wir die Integrationsregel

$$\int_{g(a)}^{g(b)} \varphi = \int_a^b (\varphi \circ g)g'.$$

Anders gewendet: Wenn $F$ Integralfunktion von $f$ ist, dann ist $F \circ g$ Integralfunktion von $(f \circ g) \cdot g'$. In der Schreibweise mit Funktionstermen:

$$\int_{g(a)}^{g(b)} f(x)\,\mathrm{d}x = \int_a^b f(g(u))g'(u)\,\mathrm{d}u \quad \text{bzw.} \quad \int_a^b f(g(x)) \cdot g'(x)\,\mathrm{d}x = \int_{g(a)}^{g(b)} f(u)\,\mathrm{d}u.$$

Betrachten wir einige Beispiele!

$$\int_1^2 \frac{\mathrm{d}x}{x+1} = \int_2^3 \frac{1 \cdot \mathrm{d}u}{u} = [\ln u]_2^3 = \ln 3 - \ln 2 = \ln 1{,}5.$$

Substitution: $\quad x + 1 = u.$

$$\int_0^{\frac{\pi}{2}} \sin 2x \, \mathrm{d}x = \frac{1}{2} \cdot \int_0^{\frac{\pi}{2}} 2 \cdot \sin 2x \, \mathrm{d}x = \frac{1}{2} \int_0^{\pi} \sin u \, \mathrm{d}u = \frac{1}{2} [-\cos u]_0^{\pi} = 1.$$

Substitution $2x = u$;

$$\int_1^2 e^{2-x} \, \mathrm{d}x = \int_1^0 (-1) \cdot e^u \, \mathrm{d}u = \int_0^1 e^u \, \mathrm{d}u = [e^u]_0^1 = e - 1.$$

Substitution $2 - x = u.$

Das folgende Beispiel ist wesentlich komplizierter, da es eine nichtlineare Substitution erfordert:

$$\int_a^b \frac{\mathrm{d}x}{x \cdot \ln x} = \int_{\ln a}^{\ln b} \frac{\mathrm{d}u}{u} = [\ln u]_{\ln a}^{\ln b} = \ln(\ln b) - \ln(\ln a).$$

Substitution $\ln x = u$, also $g'(x) = \frac{1}{x}$.

Als wichtigen Sonderfall verweisen wir noch auf die logarithmische Differentiation bzw. Integration. Verkettet man die Logarithmusfunktion mit einer differenzierbaren Funktion $f$, die nur positive Werte annimmt, so kann die Funktion $\varphi : x \to \ln(f(x))$ nach der Kettenregel differenziert werden. Es gilt

$$\varphi' : x \to \frac{f'(x)}{f(x)} \quad \text{(Logarithmische Differentiation)}.$$

Umgekehrt gilt nach dem Hauptsatz

$$\int_a^b \frac{f'}{f} = [\ln f]_a^b \quad \text{falls} \quad f(x) > 0, \, x \in [a, b].$$

*Beispiel:* $\displaystyle \int_0^{\frac{\pi}{4}} \tan x \, \mathrm{d}x = \int_0^{\frac{\pi}{4}} \frac{\sin x \, \mathrm{d}x}{\cos x}$

$$= -\int\limits_0^{\frac{\pi}{4}} \frac{-\sin x \, dx}{\cos x} = -\ [\ln \cos x]_0^{\frac{\pi}{4}} = -\ln \frac{1}{\sqrt{2}} + \ln 1 = \ln \sqrt{2} \approx 0{,}35.$$

Im letzten Beispiel soll die Zerlegung in Partialbrüche gestreift werden. Zu berechnen sei

$$\int\limits_a^b \frac{dx}{1 - x^2} \ ; |a| < 1, |b| < 1.$$

Es gilt: $\quad \dfrac{1}{1 - x^2} = \dfrac{1}{(1 + x) \cdot (1 - x)} = \dfrac{1}{2} \cdot \left( \dfrac{1}{1 + x} + \dfrac{1}{1 - x} \right).$

Diese Umformung des Integranden ermöglicht uns die Integration:

$$\int\limits_a^b \frac{dx}{1 - x^2} = \int\limits_a^b \frac{1}{2} \left( \frac{1}{1 + x} + \frac{1}{1 - x} \right) dx$$

$$= \frac{1}{2} \left[ \int\limits_a^b \frac{dx}{1 + x} + \int\limits_a^b \frac{dx}{1 - x} \right]$$

$$= \frac{1}{2} \left[ \int\limits_{a+1}^{b+1} \frac{du}{u} + \int\limits_{1-a}^{1-b} \frac{-dv}{v} \right] = \frac{1}{2} \Big[ \ln u \Big]_{a+1}^{b+1} - \frac{1}{2} \Big[ \ln v \Big]_{1-a}^{1-b}.$$

Nun ist $\qquad \frac{1}{2}(\ln u - \ln v) = \frac{1}{2} \left( \ln \dfrac{u}{v} \right) = \ln \sqrt{\dfrac{u}{v}}.$

Mithin folgt $\qquad \int\limits_a^b \dfrac{dx}{1 - x^2} = \left[ \ln \sqrt{\dfrac{1 + x}{1 - x}} \right]_a^b.$

## Aufgaben

53) Beweisen Sie den folgenden Satz; er ist als *Mittelwertsatz der Integralrechnung* von ähnlicher Bedeutung wie sein Gegenstück aus der Differentialrechnung.

Wenn die Funktion $f : x \to f(x)$ stetig ist im Intervall $[a; b]$, dann gibt es eine Zahl $x_1 \in [a; b]$, so daß $(b - a) \cdot f(x_1) = \int\limits_a^b f$.

54) Bestimmen Sie für die folgenden Funktionen $f : x \to f(x)$, $x \in R$ jeweils die Integralfunktion $F : x \to \int\limits_0^x f$, $x \in R$. Skizzieren Sie die Graphen von $f$ und $F$.

a) $x \to x$;  
b) $x \to |x|$;  
c) $x \to [x]$;  
d) $x \to x + [x]$;  
e) $x \to \operatorname{sign} x$;  
f) $x \to (x - [x])^2$.

55) Berechnen Sie die folgenden Integrale

a) $\int\limits_{-3}^1 x^2 \, dx$;  
b) $\int\limits_a^b x^3 \, dx$;  
c) $\int\limits_{-1}^2 (1 + x^2 + x^4) \, dx$;

*d)* $\int\limits_{4}^{9} \sqrt{x}\, dx$;       *e)* $\int\limits_{-1}^{+1} (\frac{1}{x^2} + 1 + x^2)\, dx$   *f)* $\int\limits_{1}^{2} (\frac{1}{x} + x)\, dx$;

*g)* $\int\limits_{0}^{\pi} (\sin x + \cos x)\, dx$;   *h)* $\int\limits_{-0,5}^{0,5} \dfrac{1}{\sqrt{1 - x^2}}\, dx$;   *i)* $\int\limits_{-1}^{+1} \dfrac{1}{1 + x^2}\, dx$.

56) Es sei $f: x \to e^{-|x|}$, $x \in R$. Diskutieren Sie die Funktion $F: x \to \int\limits_{-1}^{x} f$, $x \in R$.

Existiert $\lim\limits^{\infty} F$? (»Uneigentliches Integral«).

57) Bei den folgenden Aufgaben benutze man die Produktintegration bzw. das Substitutionsverfahren:

*a)* $\int\limits_{1}^{2} \dfrac{e^x + e^{-x}}{e^{2x}}\, dx$;        *b)* $\int\limits_{0}^{1} \dfrac{dx}{4 + x^2}$;

*c)* $\int\limits_{0}^{\pi} x^2 \sin x\, dx$;        *d)* $\int\limits_{2}^{e} \dfrac{x + 2}{x - 1}\, dx$;

*e)* $\int\limits_{1}^{2} \dfrac{4x^3}{x^4 + 1}\, dx$;        *f)* $\int\limits_{1}^{e} \dfrac{1 + \ln x}{x}\, dx$;

*g)* $\int\limits_{0}^{0,5} \sqrt{1 - x^2}\, dx$;        *h)* $\int\limits_{1}^{3} \dfrac{dx}{(x + 1)(x + 3)}$;

*i)* $\int\limits_{1}^{4} e^{\sqrt{x}}\, dx$;        *j)* $\int\limits_{0}^{0,5} \arcsin x\, dx$.

58) Berechnen Sie den Inhalt der Flächenstücke, die zwischen der $x$-Achse und den Graphen der folgenden Funktionen liegen:
*a)* $f: x \to \frac{1}{4} x^4 - 3x^2 + 9$;        *b)* $x \to x^4 - 4x^3 + 4x^2$;
*c)* Berechnen Sie den Inhalt des Flächenstücks, das von den Graphen der beiden folgenden Funktionen eingeschlossen wird:
$f: x \to \frac{1}{3} x^2$;        $g: x \to x - \frac{1}{12} \cdot x^3$.

59) Leiten Sie die Volumenformeln einiger Körper durch geeignete Integrationen her (Kegel, Kegelstumpf, Kugel; Kugelabschnitt).

# Differentialgleichungen

### Einführende Beispiele

Wenn man eine elastische Schraubenfeder an einem Stativ festklemmt und an das andere Ende eine Kugel hängt, deren Gewicht so bemessen ist, daß die Feder merklich ausgezogen wird, dann vergeht einige Zeit, bis die Kugel an der Feder zur Ruhe kommt. Vorher hatte das System Feder-Kugel eine auf- und abgehende Bewegung ausgeführt, die als mechanische Schwingung bezeichnet wird. Das Studium von Schwingungen ist für die Physik von großer Wichtigkeit; wir wollen hier einen einfachen und idealisierten Fall betrachten.

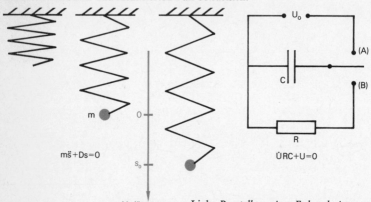

Verlängerung s

Links *Darstellung einer Federschwingung;*
rechts *Schaltbild eines Schwingkreises*

Zur experimentellen Realisierung hätte folgendes zu geschehen: Nachdem das System Feder-Kugel seine Ruhelage eingenommen hat, wird die Kugel an der Feder um die Strecke $s_0$ nach unten geführt und im Zeitpunkt $t = 0$ s losgelassen. Jetzt schwingen Kugel (und Feder) wiederum auf und ab. Mit einer Stoppuhr kann man den zeitlichen Ablauf der Bewegung grob verfolgen; als Schwingungsdauer $\tau$ wird dabei insbesondere die Zeitspanne zwischen zwei aufeinander folgenden Durchgängen durch den höchsten bzw. tiefsten Punkt bestimmt. Bei geeignet gewähltem Versuchsmaterial kann es recht lange dauern, bis die Schwingung so weit abgeklungen ist, daß sie nicht mehr wahrgenommen wird.

Für die Deduktion muß zunächst das Elastischsein der Feder quantitativ gefaßt werden. Dazu nimmt man an, daß bei einer Längenverformung der Feder die Verformungskraft $F$ und die Verlängerung $s$ stets zueinander proportional sind. Formelmäßig gefaßt:

*1)* $$F = -Ds.$$

Der Faktor $(-1)$ soll andeuten, daß der Kraftvektor und die Auslenkung entgegengesetzte Richtungen haben; $D$ heißt Federkonstante.

Das Newtonsche Grundgesetz der Mechanik (→ Band Physik) verknüpft die Masse $m$ und die Momentanbeschleunigung $a$ eines bewegten Körpers mit der Kraft $F$, die die Bewegung verursacht.

*2)* Es ist $$F = m \cdot a$$

In unserem Falle schreiben wir $a = \ddot{s}$.

Wenn man die Masse der Feder gegenüber der Kugelmasse $m$ vernachlässigt und außerdem von dämpfenden Reibungskräften absieht, so gilt demnach

$$m\ddot{s} = -Ds$$

oder $$m\ddot{s} + Ds = 0. \qquad\qquad I)$$

In der Gleichung *I)* geben $m$ und $D$ die Materialeigenschaften von Kugel und Feder an, die – gemäß der Idealisierung! – noch von Interesse sind. Die Schwingung selbst muß so ablaufen, daß für alle Werte $s(t)$ und $\ddot{s}(t)$ die Gleichung *I)* besteht. Demnach sind die Funktionen $S : t \to s(t)$ zu suchen, die der Gleichung *I)* genügen.

Ehe wir die damit zusammenhängenden Fragen etwas weiter diskutieren, soll noch ein Beispiel aus der Elektrizitätslehre behandelt werden.

Ein Kondensator der Kapazität $C$ läßt sich über einen Schalter wahlweise mit einer Gleichspannungsquelle oder mit einem Widerstand $R$ verbinden (rechte Figur auf S. 204).

In der Schalterstellung $(A)$ wird der Kondensator aufgeladen.

Für die Kondensatorladung $Q$ und die Spannung $U$ zwischen den Platten gilt stets die Beziehung

*3)* $$Q = C \cdot U$$

Bringt man im Zeitpunkt $t = 0\,\mathrm{s}$ den Schalter in die Stellung $(B)$, so entlädt sich der Kondensator über den Widerstand. Wenn $R$ hinreichend groß ist, kann an einem parallel geschalteten Voltmeter die zeitliche Abnahme der Spannung beobachtet werden. Die vom Kondensator abfließende Ladung bestimmt die Momentangröße des Entladestromes $I$. Es gilt in jedem Augenblick des Entladevorganges

*4)* $$I = -\dot{Q}.$$

Hier steht ein Minuszeichen bei $Q$, damit dem Abfluß von Ladungen ein positiv gerechneter Entladestrom $I$ entspricht. ($\dot{Q} = \lim \dfrac{\Delta Q}{\Delta t}$ ; im vorliegenden Fall $\dot{Q} < 0$).

Nach der grundlegenden Beziehung für Spannung $U$, Stromstärke $I$ und Widerstand $R$ gilt andererseits

*5)* $$U = I \cdot R.$$

Auch diese Gleichung besteht für jeden Zeitpunkt des Entladevorgangs! Aus Formel *3)* folgt durch Differentiation $\dot{Q} = C \cdot \dot{U}$; mithin erhält man aus *4)* und *5)* die Forderung

$$U = -R \cdot C \cdot \dot{U} \quad \text{oder} \quad \dot{U} \cdot R \cdot C + U = 0. \qquad\qquad II)$$

Dabei sind $R$ und $C$ die charakteristischen Daten des Entladekreises, innerhalb desselben Versuches also Konstanten. Der Entladevorgang selbst muß so verlaufen, daß für die Werte $U(t)$ und $\dot{U}(t)$ in jedem Augenblick die Gleichung *II)* erfüllt wird. Darüber hinaus ist die Anfangsbedingung $U(0) = U_0$ zu beachten. Mithin bleibt also die Frage, ob es Funktionen $u : t \to U(t)$ gibt, die der Bedingung *II)* und der Anfangsbedingung genügen.

Bei der Deduktion der beiden Versuche aus verschiedenen Gebieten der Physik finden sich Gemeinsamkeiten: Die Beschreibung ging aus von Grundbeziehungen des jeweiligen Bereiches und von Idealisierungen, die unter Umständen im Experiment nur bedingt zu realisieren sind (Wegfall der Reibung). Aus der Kombination solcher Ansätze entstanden Forderungen an eine Funktion, die den zeitlichen Ablauf des betreffenden Geschehens beschreiben soll. So erhielten wir

$$m\ddot{s} + Ds = 0 \quad \text{bzw.} \quad RC\dot{U} + U = 0.$$

Derartige Gleichungen heißen *(gewöhnliche) Differentialgleichungen.*

**Definition:** In einer *gewöhnlichen Differentialgleichung* werden eine unabhängige Variable – in der Physik meistens *t* –, eine nicht gegebene Funktion und Ableitungen der Funktion verknüpft. Die Aufgabe besteht darin, alle möglichen Funktionen zu bestimmen, die der gestellten Bedingung genügen.

Eine Differentialgleichung heißt von erster Ordnung genau dann, wenn nur die erste Ableitung vorkommt. Demnach ist die Gleichung *II)* eine Differentialgleichung erster Ordnung. Entsprechend hat eine Differentialgleichung die Ordnung zwei dann und nur dann, wenn die zweite Ableitung als höchste auftritt. Gleichung *I)* ist also eine Differentialgleichung zweiter Ordnung.

Die Lehre von den Differentialgleichungen ist eine umfangreiche Teildisziplin der Mathematik, da sehr viele Vorgänge durch Differentialgleichungen beschrieben bzw. idealisiert werden.

Wir behandeln in den nächsten Abschnitten eine spezielle Form von Differentialgleichungen erster Ordnung und machen danach einige Bemerkungen über Differentialgleichungen zweiter Ordnung.

### Richtungsfelder

Damit wir den Begriff der Differentialgleichung noch etwas präziser fassen können, soll zunächst mitgeteilt werden, wie man Funktionen von mehreren Variablen definiert.

Gegeben seien *n* nichtleere Teilmengen $A_1, A_2, \ldots, A_n$ von reellen Zahlen, $n \in N$. Eine reelle Funktion *f* ordnet jedem geordneten *n*-Tupel von Zahlen aus $A_1 \times A_2 \times \ldots \times A_n$ eine und nur eine reelle Zahl $f(x_1, x_2, \ldots, x_n)$ zu.

In entsprechender Weise kann die Funktion *f* als Menge von geordneten $(n + 1)$-Tupeln reeller Zahlen mit einer Eindeutigkeitsforderung definiert werden. Für die folgenden Betrachtungen soll wieder die gewohnte kartesische Koordinaten-Darstellung der Ebene zugrunde liegen. Dann werden *Richtungsfelder* wie folgt erklärt:

Es seien *A*, *B* nichtleere Teilmengen der reellen Zahlen (etwa Intervalle). Die Funktion *RF* ordnet jedem geordneten Paar $(x, y)$ $x \in A$ und $y \in B$ eindeutig die reelle Zahl $f'$ zu. Diese reelle Zahl $f'$ soll im Punkt $P(x; y)$ aufgrund der Beziehung $\tan\tau = f'(x)$ die Tangentenrichtung einer Funktion $f: x \to f(x)$ bestimmen, so daß $f(x) = y$ ist.

$$RF: (x; y) \to RF(x; y) = f'; \quad (x; y) \in A \times B.$$

Mit dieser Definition läßt sich eine große Anzahl von Differentialgleichungen erster Ordnung geometrisch erfassen: Genau dann, wenn die geforderte Beziehung zwischen der unabhängigen Variablen *x*, der Funktion *f* und der Ableitung

$f'$ explizit dargestellt werden kann in der Form $f' = RF(x, y)$, liegt ein Richtungsfeld vor. Das Studium einfacher Fälle wird uns einen gewissen Überblick verschaffen.

a)    $RF: (x; y) \to RF(x; y) = f(x); \quad (x; y) \in A \times B.$

In diesem Fall wird das Richtungsfeld ausschließlich durch die $x$-Koordinaten bestimmt; auf Geraden parallel zur $y$-Achse bleibt die vorgeschriebene Richtung konstant. Markieren wir in einer Zeichnung die Richtung in hinreichend vielen Punkten der $x$-$y$-Ebene durch einen kleinen Pfeil oder durch eine kurze Strecke, so wird die Bezeichnung »Richtungsfeld« unmittelbar verständlich.

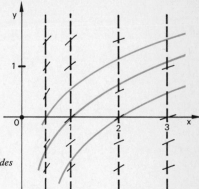

*Graphische Darstellung des Richtungsfeldes*
$$F'(x) = \frac{1}{x}$$

In der Figur ist das Richtungsfeld dargestellt, das im Abschnitt Logarithmusfunktion erwähnt wurde. Durch Interpolieren zwischen den eingetragenen Richtungen erhält man leicht die skizzierten Kurven.

Aufgrund des Hauptsatzes können wir in vielen Fällen analytisch vorgehen. Wenn die Funktion $x \to f(x) = RF(x, y)$ stetig ist in einem Intervall $[a; b] \in A$, dann ist $F_1 : x \to \int\limits_a^x f(t)\,dt$ eine differenzierbare Funktion, die auf das Richtungsfeld paßt: An jeder Stelle $x_1 \in [a; b]$ gilt $F_1'(x_1) = f(x_1)$.

Neben der Funktion $F_1$ genügen alle Funktionen $F$ mit $F = F_1 + c$, $c \in R$ den Bedingungen des Richtungsfeldes. Die Lösungsmannigfaltigkeit wird dargestellt durch eine Schar von kongruenten Kurven, die durch Verschiebungen längs der $y$-Achse ineinander übergehen.

Es sei angemerkt, daß die Integraldarstellung für die Lösungsfunktionen $F$ in vielen Fällen nicht durch bekannte Funktionsterme ersetzbar ist.

b)    $RF: \quad (x; y) \to RF(x; y) = g(y); \quad (x; y) \in A \times B.$

Obwohl dieser Fall eng mit dem vorigen zusammenhängt, kommen wir durch die graphischen Darstellungen zu besserem Verständnis der Richtungsfelder. Die vorgeschriebene Steigung soll jetzt allein durch die $y$-Koordinate bestimmt werden. In allen Punkten auf Parallelen zur $x$-Achse ist jeweils dieselbe Richtung für die Tangenten vorgegeben. Wenn die Funktion $g$ stetig ist in einem Intervall $[c; d] \subset B$, dann gibt es eine Schar differenzierbarer Lösungsfunktionen. Irgend zwei Kurven der Schar lassen sich durch eine Parallelverschiebung längs der $x$-Achse zur Deckung bringen.

Der Fall *b)* kann analytisch auf den Fall *a)* zurückgeführt werden, indem man zunächst die Funktion

$$G_1 : y \to \int_c^y g(t)\,\mathrm{d}t, \quad y \in [c; d]$$

betrachtet und danach zur Umkehrfunktion $G_1^I$ übergeht, was möglich ist, wenn *g* keine Nullstellen hat.

Die Verschiebbarkeit der Lösungskurven längs der *x*-Achse ist von der Geometrie her darin begründet, daß die *y*-Achse beliebig parallel zu sich selbst verschoben werden kann, ohne daß das Richtungsfeld sich dabei ändert.

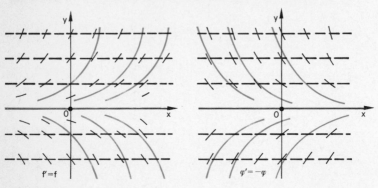

*Beispiele für Richtungsfelder*

Die Richtungsfelder wurden nach dem Verfahren der Abbildung auf S. 207 konstruiert. Ebenso wie dort erhält man die eingezeichneten Lösungskurven. Die zugehörigen Funktionsvorschriften können durch Probieren oder über die Umkehrfunktionen gefunden werden. Als Lösungsschar erhält man

$$f : x \to Ce^x, \quad C \in R \quad | \quad \varphi : x \to Ce^{-x}, \quad C \in R$$

beziehungsweise

$$f : \begin{cases} x \to e^{x-x_0}, & x_0 \in R \quad \text{oder} \\ x \to 0 \quad \text{oder} \\ x \to -e^{x-x_0}, & x_0 \in R \end{cases} \qquad \varphi : \begin{cases} x \to e^{-(x-x_0)}, & x_0 \in R \quad \text{oder} \\ x \to 0 \quad \text{oder} \\ x \to -e^{-(x-x_0)}, & x_0 \in R. \end{cases}$$

An dieser Stelle kommen wir auf die Differentialgleichung der Kondensatorenladung zurück. Die Gleichung II) lautete

$$\dot{U}RC + U = 0.$$

In der Bezeichnungsweise der Mathematik wird daraus

$$f' + cf = 0$$

mit einer positiven Konstante *c*. Aus der Betrachtung eines zugehörigen Richtungsfeldes, das der Leser zeichnen möge, vermutet man die Lösungsschar

$$f : x \to k \cdot e^{-cx}, \quad k \in R.$$

Durch Differentiation wird bestätigt, daß diese Funktionen der Differentialgleichung genügen; der Vollständigkeit halber wäre nachzuweisen, daß es keine anderen Lösungsfunktionen gibt.

Für das physikalische Problem werden die Variablen substituiert: $x \leftrightarrow t$, $c \leftrightarrow \dfrac{1}{RC}$, ... Mithin erhält man $u : t \to k \cdot e^{-\frac{t}{RC}}$

Diese Gleichung soll den zeitlichen Verlauf der Spannung beschreiben; $e^{-\frac{t}{RC}}$ ist ein reeller Zahlenterm, da der Exponent $-\dfrac{t}{RC}$ dimensionslos ist. Die »Integrationskonstante« $k$ kann daher für eine Spannung stehen. Aus der Anfangsbedingung $U(0) = U_0$ und aus $e^0 = 1$ ergibt sich $k = U_0$. Der zeitliche Ablauf der Kondensatorentladung ist eindeutig bestimmt, wenn die Anfangsbedingung beachtet wird. Für die Spannung gilt

$$U = U_0 e^{-\frac{t}{RC}} .$$

Entsprechende Formeln erhält man für die Ladung $Q$ bzw. den Entladestrom $I$.

c) Bei allgemeineren Richtungsfeldern kann ein Überblick durch die Ermittlung von Isoklinen zustande kommen. Als Isokline eines Richtungsfeldes $RF$ bezeichnet man eine Menge von Punkten $P(x; y)$, für die $RF(x, y)$ denselben Wert annimmt. In den Fällen a) und b) waren die Isoklinen also jeweils Parallelen zu den Koordinatenachsen.

Die folgenden Beispiele zeigen vier Richtungsfelder, die nach der Isoklinenmethode dargestellt wurden.

Die Isoklinen sind jeweils punktiert eingetragen.

Die markierten (Lösungs)-Kurven kamen wiederum durch interpolierendes Zeichnen zustande (graphisches Lösungsverfahren). Gelegentlich ist auch hier die analytische Funktionsvorschrift noch zu erraten.

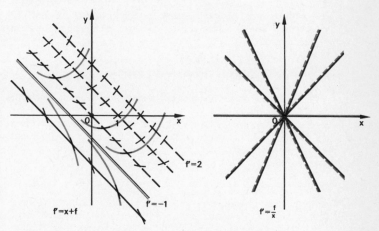

*Richtungsfelder, die nach der Isoklinenmethode dargestellt werden*

Nun wird eine differenzierbare Funktion in der Nähe des Berührungspunktes durch die Tangente approximiert. Man kann daher erwarten, daß Kurven, die auf ein solches Richtungsfeld passen, Lösungen der Differentialgleichung sind: Jede

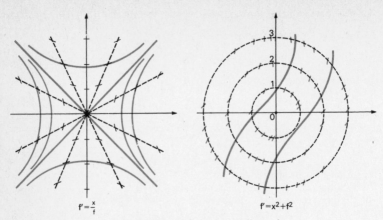

$$f' = \frac{x}{f} \qquad\qquad f' = x^2 + f^2$$

*Richtungsfelder, die nach der Isoklinenmethode dargestellt werden*

derartige Kurve ist Graph einer differenzierbaren Funktion $f\colon x \to f(x)$; $x \in D_f$.
In jedem Punkt $P(x; f(x))$ gilt $f'(x) = RF(x; f(x))$.

Bei allen vorgelegten Richtungsfeldern, das heißt, bei den speziellen Differentialgleichungen erster Ordnung sind die Lösungsmannigfaltigkeiten Kurvenscharen; dabei geht durch jeden Punkt des Lösungsbereiches genau eine Kurve der Schar. Aus den Beispielen werden allgemeine Problemstellungen deutlich: Welchen Bedingungen muß die Funktion $RF$ genügen, damit Lösungen existieren? Ist es möglich, Rechenprozesse zu entwickeln, mit deren Hilfe Lösungsfunktionen bestimmt werden? Gibt es eine Entsprechung zwischen Richtungsfeld und einparametriger Kurvenschar?

### Zur Lösung einiger Differentialgleichungen zweiter Ordnung

Die von uns betrachteten Differentialgleichungen zweiter Ordnung sollen die Form haben $f'' = F(x, f, f')$.

Es wird also vorausgesetzt, daß die Beziehung zwischen der unabhängigen Variablen $x$, der Funktion $f$ und der ersten und zweiten Ableitung von $f$ funktional nach $f''$ aufgelöst werden kann.

*a)* Im einfachsten Falle gilt $f'' = a$, $a \in R$.

Durch zweimaliges Integrieren erhält man $f\colon x \to \dfrac{a}{2} \cdot x^2 + bx + c$, $x \in R$, mit zwei willkürlichen Integrationskonstanten $b$ und $c$. Die zugehörigen Graphen sind Parabeln; durch jeden Punkt der $x$-$y$-Ebene gehen unendlich viele Kurven. Schreibt man außer den Koordinaten eines Punktes noch die zugehörige Tangentenrichtung vor, dann ist die Lösungsfunktion eindeutig festgelegt.

In gleicher Weise löst man den Fall $f'' = g$, wenn $g\colon x \to g(x)$ als integrierbare Funktion gegeben ist.

*b)* Bei Differentialgleichungen der Form $f'' = g(f')$ führt die Substitution $f' = u$ auf ein einfaches Richtungsfeld in $u$: $u' = g(u)$.

Auch hier kann die Lösung durch zweimalige Integration gewonnen werden. Deshalb darf der Funktionsterm von $f$ zwei reelle Konstanten enthalten.

c) Bei der Behandlung mechanischer Probleme gibt es häufig Differentialgleichungen vom Typ $f'' = g(f)$ mit gegebener Funktion $g$. Wir erläutern ein Lösungsverfahren am Beispiel der Federschwingung. Es galt $m\ddot{s} + Ds = 0$  *(I)*. Durch Umbezeichnung ergibt sich $f'' + \omega^2 f = 0$ oder $f'' = -\omega^2 f$  *(I')*; dabei steht $\omega^2$ für die positive Konstante $\dfrac{D}{m}$.

Aus den elementaren Differentiationsregeln folgen zunächst wesentliche Eigenschaften der Lösungsfunktionen:

*1)* Wenn die Funktion $f_1$ der Differentialgleichung *(I')* genügt, dann ist auch die Funktion $g_1 = c \cdot f_1$, $c \in R$ eine Lösung dieser Gleichung.

*2)* Wenn weiterhin $f_1$ und $f_2$ Lösungen von *(I')* sind, dann ist auch $\varphi = f_1 + f_2$ Lösung dieser Gleichung.

Zusammengefaßt: Wenn die Funktionen $f_1$ und $f_2$ der Differentialgleichung *(I')* genügen, dann ist jede Funktion $f = c_1 \cdot f_1 + c_2 \cdot f_2$; $c_1, c_2 \in R$ Lösung dieser Differentialgleichung.

Unterstellt man, daß die Lösung einer Differentialgleichung zweiter Ordnung nur zwei Integrationskonstanten enthält, dann läßt sich jede Lösungsfunktion darstellen als Linearkombination zweier linear unabhängiger Lösungsfunktionen $f_1$ und $f_2$. Im Sinne des Abschnitts aus dem Teil über algebraische Strukturen bilden die Funktionen $f_1$ und $f_2$ eine Basis des Lösungs-Vektorraumes der Dimension zwei.

Von der Differentialrechnung her ist bekannt, daß die Sinusfunktion und die Kosinusfunktion bis auf ein Vorzeichen mit ihrer zweiten Ableitungsfunktion übereinstimmen. Demnach sind die Funktionen $\sin : x \to \sin x$ und $\cos : x \to \cos x$ linear unabhängige Lösungen der Differentialgleichung $f'' + f = 0$. Nach der Kettenregel genügen dann aber die Funktionen $f_1: x \to \cos \omega x$ und $f_2: x \to \sin \omega x$ der vorgelegten Differentialgleichung *(I')*. Mithin löst jede Funktion vom Typ $f: c_1 \cdot \cos \omega x + c_2 \cdot \sin \omega x$ die Differentialgleichung *(I')*. Andererseits gibt es nach unserer Annahme über die Anzahl der Integrationskonstanten keine weiteren Lösungsfunktionen.

Im Falle der Federschwingung müssen jetzt noch die Anfangsbedingungen beachtet werden. Nach der Substitution der Variablen gilt

$$S : t \to c_1 \cdot \cos \omega t + c_2 \cdot \sin \omega t$$

oder

$$s(t) = c_1 \cdot \cos \omega t + c_2 \cdot \sin \omega t.$$

Zur Zeit $t = 0$ wurde die Kugel an der Stelle $s = s_0$ aus der Ruhelage losgelassen. Das bedeutet $s(0) = s_0$ und $\dot{s}(0) = v(0) = 0$. Aus diesen Bedingungen folgt $c_1 = s_0$ und $c_2 = 0$.

Wenn von der Reibung abgesehen wird, verläuft die Federschwingung nach dem Weg-Zeit-Gesetz $s = s_0 \cdot \cos \omega t$. Frequenz und Schwingungsdauer sind unabhängig von der Amplitude $s_0$.

Für die Schwingungsdauer $\tau$ gilt die Formel

$$\tau = 2\pi \cdot \sqrt{\frac{m}{D}}.$$

Diese Gleichung folgt aus den Beziehungen $\omega^2 = \dfrac{D}{m}$ und $\tau = \dfrac{2\pi}{\omega}$ ($\to$ Bd. Physik).

Werden die Reibungskräfte berücksichtigt, so erhält man eine andere Differentialgleichung für die Federschwingung. Die zugehörigen Lösungen beschreiben dann auch das Abklingen der Schwingung.

**Aufgaben**

*61)* Für den radioaktiven Zerfall gilt die Differentialgleichung $\dot{m} = -km$. Dabei ist $k$ eine Konstante, die für den zerfallenden Stoff charakteristisch ist (»Zerfallskonstante«).

*a)* Zur Zeit $t = 0\,\text{s}$ habe die zerfallende Substanz die Masse $m_0$. Welche Funktion beschreibt den Zerfall?

*b)* Für jede zerfallende Substanz gibt es eine charakteristische Halbwertszeit $\tau_H$: Im Zeitintervall $[t_1; t_1 + \tau_H]$ zerfällt jeweils die Hälfte des Stoffes, der zum Zeitpunkt $t_1$ vorhanden war. Zeigen Sie, daß $\boxed{\tau_H = \ln 2 : k}$ ist.

*c)* Wieviel Restsubstanz $m_R$ bleibt nach Ablauf der Zeit $10\,\tau_H$ von einer Ausgangsmasse $m_0$?

*d)* Für Radium ist $k = 0{,}13 \cdot 10^{-10}\ \text{s}^{-1}$. Wie groß ist die Halbwertszeit?

*62)* Ein Körper mit der Masse $m = 1000\ \text{kg}$ bewege sich gradlinig mit der konstanten Geschwindigkeit $v = 10\,\dfrac{\text{m}}{\text{s}}$. Eine Bremskraft $F$, die zur Momentangeschwindigkeit proportional ist, beginne im Zeitpunkt $t = 0\ \text{s}$ zu wirken; es sei $F(0) = 1000\ N = 1000\ \text{kg} \cdot \text{m} \cdot \text{s}^{-2}$.

*a)* Welche Differentialgleichung beschreibt die Bewegung des Körpers?

*b)* Wie lange dauert es, bis die Momentangeschwindigkeit auf $5\,\dfrac{\text{m}}{\text{s}}$ abgebremst wird?

*c)* Welchen Weg legt der Körper in dieser Zeit zurück?

*63) a)* Geben Sie eine Gleichung an für die Menge aller Kreise, deren Radius die Länge 1 hat und deren Mittelpunkt M auf der $x$-Achse liegt, $M(c; 0)$.

*b)* Durch Differentiation und algebraisches Umformen kann der Parameter $c$ eliminiert werden. Man erhält die Differentialgleichung

$$(f' \cdot f)^2 + f^2 = 1.$$

*64) a)* Geben Sie eine Gleichung an für die Menge aller Tangenten an den Graphen der Funktion $f: x \to x^2, x \in R$.

*b)* Durch Differentiation erhält man die Differentialgleichung

$$f'^2 - 4xf' + 4f = 0.$$

*65)* In der Differentialgleichung *I)* $f' + af = g$ sei $a$ eine gegebene Konstante und $g$ eine gegebene Funktion der unabhängigen Variablen $x$.

*a)* Beweisen Sie den folgenden Satz: Wenn die Funktionen $f_1$ und $f_2$ der Differentialgleichung *I)* genügen, dann löst die Funktion $\varphi = f_1 - f_2$ die Differentialgleichung *H)*

$$\varphi' + a\varphi = 0.$$

*b)* Welcher Zusammenhang besteht demnach zwischen den Lösungen von *I)* und den Lösungen von *H)*?

*c)* Geben Sie daraufhin die Lösungen der Differentialgleichung $f' = x + f$ an (siehe linke Figur S. 209).

*66)* Bestimmen Sie graphisch oder rechnerisch die Lösungen der folgenden Differentialgleichungen.

*a)* $f' \cdot (x + 2) + x = 0;$      *f)* $f \cdot f' + x = 0;$

*b)* $f' + f^2 = 0;$      *g)* $(x + 1)f' + f + 1 = 0;$

*c)* $f' = 1 + f^2;$      *h)* $f'' = \sin x;$

*d)* $x \cdot f' - 2f = 0;$      *i)* $f'' = f' + 2;$

*e)* $x \cdot f' + f = 0;$      *j)* $f'' - f = 0.$

# Folgen und Reihen

### Unendliche Folgen

Die Lehre von den unendlichen Folgen ist eng verwandt mit der Erörterung über Grenzwerte bei Funktionen. Unsere Betrachtungen knüpfen daher bei dem Abschnitt über Funktionen an; etwas später werden sich viele Parallelen zum Abschnitt über Grenzwerte zeigen.

**Definition:** Eine unendliche Zahlenfolge (abgekürzt Folge) ist eine Funktion mit dem Definitionsbereich $N$, $ZF: n \rightarrow f(n), n \in N$.

Die einzelnen Funktionswerte heißen *Glieder* der Folge.

Die Schreibweise »$ZF: n \rightarrow f(n), n \in N$« wird der Bequemlichkeit halber meist durch andere Schreibfiguren ersetzt. Wir schreiben statt dessen meistens $\langle a_n \rangle = a_1, a_2, a_3, a_4, \ldots$

*Beispiele: 1)* $\langle n^2 \rangle = 1, 4, 9, 16, \ldots$ Folge der Quadratzahlen;

*2)* $\langle (-1)^n \rangle = -1, +1, -1, +1, \ldots$ eine alternierende Zahlenfolge;

*3)* $\langle \frac{1}{n} \rangle = 1, \frac{1}{2}, \frac{1}{3}, \frac{1}{4}, \ldots$ Folge der Stammbrüche.

Als Folgen mit einfachem Bildungsgesetz erwähnen wir noch *4) Arithmetische Folgen* (erster Ordnung.) Hier ist die Differenz zweier aufeinanderfolgender Glieder stets konstant. Demnach gilt die Rekursionsformel $a_{n+1} - a_n = d$, $n \in N$. Durch vollständige Induktion kann man daraus die Zuordnungsvorschrift ableiten.

$$AF: n \rightarrow a + (n - 1) \cdot d, \ n \in N.$$

*5)* Bei *geometrischen Folgen* (erster Ordnung) ist der Quotient zweier aufeinanderfolgender Glieder stets konstant. Die Rekursionsformel lautet demnach $a_{n+1} : a_n = q$, $n \in N$, $a_n \neq 0$.

Als Funktionsvorschrift erhält man

$$GF: n \rightarrow a \cdot q^{n-1}, \ n \in N, \ q \neq 0.$$

Bei der graphischen Darstellung von Folgen benutzen wir vielfach das kartesische Koordinatensystem und tragen dort die diskret liegenden Funktionswerte ein. Manchmal werden jedoch die Funktionswerte $a_1, a_2, a_3, \ldots$ als Punkte auf einer Zahlengerade markiert. Die Abbildung auf der nächsten Seite deutet beide Möglichkeiten für die Folge der Stammbrüche an.

Das Studium unendlicher Folgen ist ausgerichtet auf den *Grenzwert-Begriff*. Die nachfolgende Definition ist daher bestimmend für den gesamten Abschnitt.

*Zwei Darstellungsmöglichkeiten für die Folge der Stammbrüche*

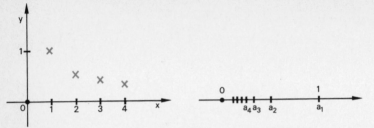

**Definition:** Die Folge $\langle a_n \rangle$ hat den *Grenzwert* $\alpha$ genau dann, wenn es zu jeder positiven Zahl $\varepsilon$ eine natürliche Zahl $n_0$ gibt, so daß

$$|a_n - \alpha| < \varepsilon$$

für alle natürlichen Zahlen $n > n_0$.

Wenn eine Folge $\langle a_n \rangle$ den Grenzwert $\alpha$ hat, schreiben wir $\alpha = \lim \langle a_n \rangle$.

Gelesen »$\alpha$ ist Grenzwert der Folge $\langle a_n \rangle$«.

Die gebräuchliche Notation dazu sieht so aus:

$$\alpha = \lim_{n \to \infty} a_n$$

Die zugehörige Sprechweise lautet »$\alpha$ gleich Limes $a_n$, wenn $n$ gegen Unendlich geht« oder ähnlich.

*Beispiele:* Die Folge der Quadratzahlen hat keinen Grenzwert. Man nennt sie deshalb eine *divergente Folge*.

Die Folge $\langle (-1)^n \rangle$ hat ebenfalls keinen Grenzwert.

Die Folge $\left\langle \dfrac{1}{n} \right\rangle$ hat die Zahl Null als Grenzwert.

Wenn $\varepsilon > 0$ gegeben ist, wird $a_n < \varepsilon$ für alle $n > \left[ \dfrac{1}{\varepsilon} \right]$, $n \in N$.

Man sagt, die Folge $\left\langle \dfrac{1}{n} \right\rangle$ sei *konvergent*; da ihr Grenzwert Null ist, wird sie als *Nullfolge* bezeichnet.

Arithmetische Folgen können nur dann einen Grenzwert haben, wenn $d = 0$ ist. Die Zahl $a$ ist dann Grenzwert der Konstantfolge $a, a, a, \ldots$

Geometrische Folgen $\langle a_n \rangle = \langle a \cdot q^{n-1} \rangle$ haben den Grenzwert Null im Falle $-1 < q < +1$; sie haben den Grenzwert $a$, wenn $q = 1$ ist.

In allen anderen Fällen sind geometrische Folgen divergent. Die $\varepsilon$-$n_0$-Definition für den Folgen-Grenzwert kann ersetzt werden durch eine Fassung, die der Darstellung im Koordinaten-System etwas näher steht. Wir verwenden dazu die abkürzende Redeweise »fast alle Folgenglieder« und meinen in diesem Zusammenhang »alle Folgenglieder bis auf endlich viele Ausnahmen«.

**Definition:** Die Folge $\langle a_n \rangle$ hat den Grenzwert $\alpha$ dann und nur dann, wenn in jeder Umgebung von $\alpha$ fast alle Folgenglieder liegen.

Die Äquivalenz beider Definitionen kann leicht nachgewiesen werden. Wir überlassen dies dem Leser ebenso wie die Übertragung der Sätze 1–5 aus dem Abschnitt Grenzwerte von Funktionen.

Zusammenstellung der Ergebnisse:
Eine Folge $\langle a_n \rangle$ kann höchstens einen Grenzwert haben. Wenn eine Folge einen Grenzwert hat, dann ist sie beschränkt.

Aus $\qquad\qquad \lim \langle a_n \rangle = \alpha \quad$ und $\quad \lim \langle b_n \rangle = \beta$

folgt $\qquad\qquad \lim \langle a_n + b_n \rangle = \alpha + \beta;$

$\qquad\qquad\qquad \lim \langle a_n \cdot b_n \rangle \quad = \alpha \cdot \beta;$

und $\qquad\qquad \lim \langle a_n : b_n \rangle \quad = \alpha : \beta \quad$ falls $\quad \beta \neq 0.$

Unser erster Satz nennt eine hinreichende Bedingung für die Konvergenz von Folgen.

**Satz 1:** Wenn eine Folge $\langle a_n \rangle$ nach oben beschränkt ist und wenn sie monoton steigend ist im weiteren Sinne, dann hat diese Folge einen Grenzwert.

*Beweis:* Da die Folge beschränkt ist nach oben, gibt es nach dem Satz vom Supremum eine wohlbestimmte kleinste obere Schranke $\alpha$ für die Menge der Folgenzahlen. Diese kleinste obere Schranke $\alpha$ ist Grenzwert der Folge $\langle a_n \rangle$!
In jeder beliebigen $\varepsilon$-Umgebung von $\alpha$ muß nämlich mindestens eine Folgenzahl $a_{n_0}$ liegen – sonst wäre $\alpha$ nicht die kleinste obere Schranke der Folgenzahlen. Nun ist aber nach Voraussetzung $a_n \geq a_{n_0}$ für alle $n > n_0$. Demnach gilt
$\alpha - a_n \leq \alpha - a_{n_0} < \varepsilon;$ das heißt: $\alpha$ ist Grenzwert der Folge $\langle a_n \rangle$. Ein entsprechender Satz gilt für Folgen, die nach unten beschränkt sind und monoton fallen im weiteren Sinne.
Streicht man in einer Folge $\langle a_n \rangle$ endlich oder unendlich viele Glieder aus, so bilden die verbleibenden Glieder in ihrer ursprünglichen Anordnung eine *Teilfolge* der gegebenen Folge. Dabei ist vorauszusetzen, daß noch unendlich viele Glieder übrigbleiben. Es gilt

**Satz 2:** In jeder beliebigen Folge gibt es eine Teilfolge, die entweder nichtsteigend oder nichtfallend ist.

Zum Beweis benutzen wir den Begriff der Gipfelstelle einer Folge: Die natürliche Zahl $n_1$ ist Gipfelstelle der Folge $\langle a_n \rangle$, wenn $a_{n_1} > a_m$ für alle natürlichen Zahlen $m > n_1$.

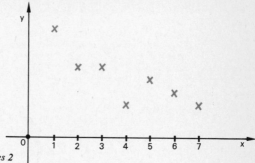

*Figur zum Beweis des Satzes 2*

Die angedeutete Folge hat die Gipfelstellen 1, 3, 5, 6, 7.
Bei einer beliebigen Folge kann es entweder endlich viele oder unendlich viele Gipfelstellen geben.

Im ersten Fall betrachten wir eine natürliche Zahl $n_1$, die größer ist als alle Gipfelstellen der Folge. Da $n_1$ selbst keine Gipfelstelle ist, muß es eine Zahl $n_2 > n_1$ geben, so daß $a_{n_2} \geq a_{n_1}$. Da $n_2$ ebenfalls keine Gipfelstelle ist, muß es eine natürliche Zahl $n_3$ geben, so daß $n_3 > n_2$ und $a_{n_3} \geq a_{n_2}$. Fährt man in dieser Weise fort, so erhält man eine Teilfolge $a_{n_1}, a_{n_2}, a_{n_3}, \ldots$, die nichtfallend ist.

Wenn die Folge $\langle a_n \rangle$ unendlich viele Gipfelstellen $n_1, n_2, n_3, \ldots$ enthält mit $n_1 < n_2 < n_3 < \ldots$, so folgt aus der Definition der Gipfelstellen die Ungleichungskette $a_{n_1} > a_{n_2} > a_{n_3} > \ldots$

Damit ist der Satz 2 bewiesen.

Aus der Kombination der Sätze 1 und 2 folgt der wichtige Satz von *Bolzano-Weierstraß*.

**Satz 3:**    Jede beschränkte Folge enthält eine konvergente Teilfolge.

Eine andere Fassung dieses Satzes besagt, daß jede beschränkte Folge mindestens einen Häufungspunkt enthält. Mit Hilfe des Satzes von Bolzano-Weierstraß kann nun eine notwendige und hinreichende Bedingung für die Konvergenz von Folgen hergeleitet werden, bei der der Grenzwert selbst außer Betracht bleibt. Es gilt der

**Satz 4**    *(Konvergenzkriterium von Cauchy):* Eine Folge $\langle a_n \rangle$ hat dann und nur dann einen Grenzwert $\alpha$, wenn es zu jeder positiven Zahl $\varepsilon$ eine ganze Zahl $n_0$ gibt, so daß

$$|a_n - a_m| < \varepsilon$$

für alle natürlichen Zahlen $n > n_0$ und für alle natürlichen Zahlen $m > n_0$.

*Beweis: 1)* Die Folge $\langle a_n \rangle$ habe den Grenzwert $\alpha$. Dann gibt es zu jedem $\varepsilon > 0$ eine natürliche Zahl $n_0$, so daß $|\alpha - a_n| < \dfrac{\varepsilon}{2}$ für alle $n > n_0$.

Demnach ist

$$|a_n - a_m| = |a_n - \alpha + \alpha - a_m|$$
$$\leq |a_n - \alpha| + |\alpha - a_m| < \frac{\varepsilon}{2} + \frac{\varepsilon}{2} = \varepsilon;$$

für alle $n, m > n_0$.

Die Cauchy-Bedingung gilt bei konvergenten Folgen.

*2)* Wenn die Cauchy-Bedingung für eine Folge $\langle a_n \rangle$ gilt, gibt es zu jedem $\varepsilon > 0$ eine natürliche Zahl $n_0$, so daß $|a_n - a_m| < \varepsilon$ für alle $n, m > n_0$. Setzt man $\varepsilon = 1$, so gilt insbesondere $|a_{n_0+1} - a_m| < 1$ für alle $m > n_0$.

Außerhalb der symmetrischen Umgebung von der Länge 2 um die Zahl $a_{n_0+1}$ liegen allenfalls die endlich vielen Folgenzahlen $a_1, a_2, \ldots, a_{n_0}$.

Mithin ist eine Folge beschränkt, wenn sie der Cauchy-Bedingung genügt.

Nach Satz 3 gibt es dann eine konvergente Teilfolge

$$\langle a_{k_i} \rangle = a_{k_1}, a_{k_2}, a_{k_3}, \ldots$$

mit einem Grenzwert $\alpha$.

Wir zeigen, daß diese Zahl $\alpha$ Grenzwert der gesamten Cauchyfolge $\langle a_n \rangle$ ist.

Wegen der Konvergenz der Teilfolge gibt es eine Zahl $n_1$, so daß bei beliebig vorgegebenem $\varepsilon > 0$ die Ungleichung $|\alpha - a_{k_i}| < \dfrac{\varepsilon}{2}$ besteht für alle $k_i > n_1$.

Andererseits gibt es eine Zahl $n_2$, so daß $|a_{k_i} - a_n| < \dfrac{\varepsilon}{2}$ für alle $n > n_2$ und alle $k_i > n_2$ (Cauchy-Bedingung!). Setzt man $n_3 = \text{Max}\,(n_1, n_2)$, so gilt

$$|\alpha - a_n| = |\alpha - a_{k_i} + a_{k_i} - a_n| \le |\alpha - a_{k_i}| + |a_{k_i} - a_n| < \frac{\varepsilon}{2} + \frac{\varepsilon}{2} = \varepsilon$$

für alle $n > n_3$. Das besagt aber, daß die Zahl $\alpha$ der Grenzwert der betrachteten Cauchyfolge $\langle a_n \rangle$ ist.

Der letzte Satz über Folgen soll die Beziehung herstellen zum Grenzwert von Funktionen.

**Satz 5:**  Wenn die Funktion $f: x \to f(x)$ an einem Häufungspunkt $\alpha$ ihres Definitionsbereiches $D$ den Grenzwert $g$ hat und wenn die Folge $\langle x_n | x_n \in D,\ x_n \ne \alpha \rangle$ den Grenzwert $\alpha$ hat, dann gilt $\lim \langle f(x_n) \rangle$ $= \lim\limits_{\alpha} f$. Wenn umgekehrt für jede Folge $\langle x_n | x_n \in D,\ x_n \ne \alpha \rangle$ mit $\lim \langle x_n \rangle = \alpha$ die Folge der zugehörigen Funktionswerte konvergent ist, dann gilt

$$\lim_{\alpha} f = \lim \langle f(x_n) \rangle.$$

*Beweis: 1)* Wegen $\lim\limits_{\alpha} f = g$ gibt es zu jedem $\varepsilon > 0$ eine positive Zahl $\delta$, so daß $|f(x) - g| < \varepsilon$ für alle $x$ mit $0 < |x - \alpha| < \delta$. Da die Folge $\langle x_n \rangle$ den Grenzwert $\alpha$ hat, gibt es eine Zahl $n_0$, so daß $|x_n - \alpha| < \delta$ für alle $n > n_0$. Mithin gilt die Ungleichung $|f(x_n) - g| < \varepsilon$ für alle $n > n_0$.

Das heißt aber $\lim \langle f(x_n) \rangle = g = \lim\limits_{\alpha} f$.

*2)* Wenn umgekehrt $\lim \langle f(x_n) \rangle$ existiert für jede Folge $\langle x_n \rangle$, die $\alpha$ als Grenzwert hat, dann müssen zunächst sämtliche Funktionswert-Folgen denselben Grenzwert haben. Andernfalls könnte man aus zwei Folgen $\langle x_n \rangle$ und $\langle \bar{x}_n \rangle$, die jeweils den Grenzwert $\alpha$ haben, eine neue Folge $< x'_n >$ bilden, die auch den Grenzwert $\alpha$ hat, so daß aber $\langle f(x'_n) \rangle$ eine Folge ohne Grenzwert wäre.

Es sei also $g$ der gemeinsame Grenzwert aller Folgen $\langle f(x_n) \rangle$, wenn $\langle x_n \rangle$ den Grenzwert $\alpha$ hat. Wäre nun $g$ nicht Grenzwert der Funktion $f$ an der Stelle $\alpha$, dann müßte es eine positive Zahl $\varepsilon$ geben, so daß für jedes $\delta > 0$ immer noch mindestens eine Zahl $x_\delta$ existiert mit $0 < |x_\delta - \alpha| < \delta$ und $|f(x_\delta) - g| \ge \varepsilon$.

Betrachten wir die Folge $\langle \delta_n \rangle = \left\langle \dfrac{1}{n} \right\rangle$, dann müßte es eine Folge von Zahlen $\langle x'_n \rangle$ geben mit $0 < |x'_n - \alpha| < \dfrac{1}{n}$ und $|f(x'_n) - g| \ge \varepsilon$.

Da andererseits die Folge $\langle x'_n \rangle$ die Zahl $\alpha$ zum Grenzwert hat, besteht ein Widerspruch zur Voraussetzung; es muß ja für jede Folge von $x$-Werten, die $\alpha$ als Grenzwert hat, die Folge der zugehörigen Funktionswerte den Grenzwert $g$ haben.

Am Ende des Abschnitts über Folgen kommen wir auf die Zahl $e$ zurück. Im Abschnitt Integralrechnung wurde $e$ als Integrationsgrenze definiert

$$1 = \int\limits_{1}^{e} \frac{\mathrm{d}u}{u}.$$

Wir wollen zeigen, daß $e$ Grenzwert gewisser Zahlenfolgen ist.

**Satz 6:**  $e = \lim \left\langle \left(1 + \dfrac{1}{n}\right)^n \right\rangle,$

$\qquad\qquad e = \lim \left\langle \left(1 + \dfrac{1}{n}\right)^{n+1} \right\rangle.$

Dazu wird zunächst bewiesen, daß jede dieser Folgen einen Grenzwert hat, und daß diese Grenzwerte übereinstimmen.

*1)* Es sei $a_n = \left(1 + \dfrac{1}{n}\right)^n$, also $a_{n-1} = \left(1 + \dfrac{1}{n-1}\right)^{n-1}$, $n \geq 2$.   Dann wird

$$\frac{a_n}{a_{n-1}} = \left(\frac{n+1}{n}\right)^n : \left(\frac{n}{n-1}\right)^{n-1} = \frac{(n+1)^n}{n^n} \cdot \frac{(n-1)^n}{n^n} \cdot \frac{n}{n-1}$$

$$= \left(\frac{(n+1)(n-1)}{n^2}\right)^n \cdot \frac{n}{n-1} = \left(\frac{n^2-1}{n^2}\right)^n \cdot \frac{n}{n-1} = \left(1 - \frac{1}{n^2}\right)^n \cdot \frac{n}{n-1}.$$

Nach einer elementar beweisbaren Ungleichung gilt  $(1 + h)^n > 1 + nh$,  falls $h > -1$ und $n \in N$.
Infolgedessen erhalten wir

$$\frac{a_n}{a_{n-1}} = \left(1 - \frac{1}{n^2}\right)^n \cdot \frac{n}{n-1} > \left(1 - \frac{n}{n^2}\right) \cdot \frac{n}{n-1} = 1, \quad \text{also} \quad a_n > a_{n-1}.$$

Die Folge $\langle a_n \rangle$ ist monoton steigend!

*2)* Entsprechende Umformungen zeigen, daß die Folge

$$\langle b_n \rangle = \left\langle \left(1 + \frac{1}{n}\right)^{n+1} \right\rangle \quad \text{monoton fällt.}$$

*3)* Außerdem gilt

$$\frac{b_n}{a_n} = \frac{\left(1 + \dfrac{1}{n}\right)^{n+1}}{\left(1 + \dfrac{1}{n}\right)^n} = 1 + \frac{1}{n} > 1,$$

also $b_n > a_n$ für alle $n \in N$.

*4)* Schließlich wird $b_n - a_n = \left(1 + \dfrac{1}{n}\right)^{n+1} - \left(1 + \dfrac{1}{n}\right)^n = \left(1 + \dfrac{1}{n}\right)^n \cdot \dfrac{1}{n} = \dfrac{a_n}{n}.$

Wegen *3)* ist $\dfrac{a_n}{n} < \dfrac{b_n}{n}$; nach *2)* gilt $\dfrac{b_n}{n} < \dfrac{b_1}{n}$.

Da aber $b_1 = (1 + 1)^2 = 4$ ist, erhalten wir $b_n - a_n < \dfrac{4}{n}$.

*5)* Nach Punkt *3)* ist die monoton steigende Folge $\langle a_n \rangle$ nach oben beschränkt; jedes $b_n$ ist obere Schranke. Gemäß Satz *1)* muß es einen Grenzwert $\alpha$ für diese Folge geben.
Entsprechende Schlüsse sichern die Existenz eines Grenzwertes $\beta$ für die Folge $\langle b_n \rangle$.
Da die Folge $\langle b_n - a_n \rangle$ nach *4)* den Grenzwert Null hat, müssen $\alpha$ und $\beta$ übereinstimmen.
Wir zeigen, daß der gemeinsame Grenzwert der Folgen $\langle a_n \rangle$ und $\langle b_n \rangle$ die Zahl $e$ ist, deren Definition wir oben wiederholten.

Bei der Funktion $F: x \to \int\limits_{1}^{x} \dfrac{du}{u}$, $x > 0$ gilt die Gleichung $F(x^r) = r \cdot F(x)$.

Außerdem ist nach dem Hauptsatz $F'(x) = \dfrac{1}{x}$ (vgl. S. 193).

Betrachtet man die Differenzenquotienten-Funktion der Funktion $F$ an der Stelle 1, so ist

$$\tan \sigma = \frac{F(1+h) - F(1)}{h};$$

es gilt $\qquad\qquad \lim\limits_{0}(h \to \tan \sigma) = F'(1) = 1.$

Nach Satz *5)* muß für eine Folge $\langle x_n \rangle$, die den Grenzwert 1 hat, die Folge $\langle \tan \sigma(x_n) \rangle$ den Grenzwert $F'(1) = 1$ haben. Wir setzen $\langle x_n \rangle = \langle 1 + h_n \rangle$ $= \left\langle 1 + \dfrac{1}{n} \right\rangle$ und erhalten

$$\tan \sigma(x_n) = \frac{F(1+h_n) - F(1)}{h_n} = n \cdot F\left(1 + \frac{1}{n}\right)$$

$$= F\left[\left(1 + \frac{1}{n}\right)^n\right].$$

Wegen der Stetigkeit der Funktion $F$ ist

$$\lim \left\langle F\left[\left(1 + \frac{1}{n}\right)^n\right] \right\rangle = F\left[\lim \left\langle \left(1 + \frac{1}{n}\right)^n \right\rangle\right].$$

Mithin gilt

$$F'(1) = 1 = F(\alpha),$$

wo $\qquad\qquad \alpha = \lim \left\langle \left(1 + \dfrac{1}{n}\right)^n \right\rangle$ ist.

Nach Definition war $1 = F(e)$.

Aus der Eineindeutigkeit der Funktion $F$ folgt somit

$$e = \lim \left\langle \left(1 + \frac{1}{n}\right)^n \right\rangle$$

und nach *4)* $\qquad\qquad e = \lim \left\langle \left(1 + \dfrac{1}{n}\right)^{n+1} \right\rangle.$

Aus den Folgen $\langle a_n \rangle$ und $\langle b_n \rangle$ ergeben sich Näherungswerte für $e$; allerdings ist die Rechenarbeit ohne eine leistungsfähige Maschine ziemlich beschwerlich.

| $n$ | 1 | 5 | 10 | 100 | 1000 | 100 000 |
|---|---|---|---|---|---|---|
| $a_n$ | 2 | 2,49 | 2,59 | 2,70 | 2,717 | 2,71828 |
| $b_n$ | 4 | 2,98 | 2,85 | 2,73 | 2,720 | 2,71828 |

$$e \approx 2,71828.$$

## Reihen

**Definition:** Wenn eine unendliche Zahlenfolge $a_1, a_2, a_3, \ldots$ gegeben ist, bezeichnet man die Schreibfigur $a_1 + a_2 + a_3 + \cdots$ als *unendliche Reihe*.

Diese Begriffsbildung ist zunächst rein formal, da eine Summe nur für endlich viele Summanden erklärt ist.

Sinnvolle Aussagen über unendliche Reihen werden möglich durch Betrachten der *Folge der Partialsummen*.

Die Partialsummen definiert man wie folgt:

**Definition:** $s_1 = a_1$;

$$s_2 = a_1 + a_2;$$
$$s_3 = a_1 + a_2 + a_3;$$

$$\cdot$$
$$\cdot$$
$$\cdot$$

$$s_n = a_1 + a_2 + a_3 + \cdots + a_n.$$

Eine unendliche Reihe heißt *konvergent genau dann*, wenn die Folge ihrer Partialsummen einen Grenzwert $s$ hat. Die Zahl $s$ heißt dann *Summe* der unendlichen Reihe. Wenn die Folge der Partialsummen keinen Grenzwert hat, heißt die unendliche Reihe *divergent*.

*Beispiele: 1)* Jede unendliche arithmetische Reihe $a + (a + d) + (a + 2d) + \cdots$ ist divergent, wenn $a$ oder $d$ von Null verschieden sind. Im Trivialfall $a = d = 0$ hat die Reihe die Summe 0.

*2)* Bei unendlichen geometrischen Reihen verschafft man sich zunächst einen einfachen Term für die Partialsumme $s_n$.

Es ist $\qquad\qquad s_n \qquad = a(1 + q + q^2 + \cdots + q^{n-1})$

und $\qquad\qquad s_n \cdot q \qquad = a(q + q^2 + \cdots + q^{n-1} + q^n)$.

Daraus folgt $\qquad s_n \cdot (1 - q) = a(1 - q^n)$.

Für $q \neq 1$ gilt also $\qquad s_n \qquad = \dfrac{a(1 - q^n)}{1 - q} = \dfrac{a}{1 - q} - \dfrac{a \cdot q^n}{1 - q}$.

Über Konvergenz oder Divergenz der geometrischen Reihe entscheidet das Verhalten der Folge $<s_n>$. Durch die Grenzwertsätze über Folgen erhalten wir

**Satz 7:**    Eine unendliche geometrische Reihe $a + aq + aq^2 + \cdots$ ist konvergent im Falle $-1 < q < +1$.

Sie hat die Summe $s = \dfrac{a}{1 - q}$. Jede unendliche Reihe mit $|q| \geq 1$ ist divergent.

*3)* Die Reihe $1 + \frac{1}{2} + \frac{1}{3} + \frac{1}{4} + \cdots$ ist divergent. Wegen $\frac{1}{3} + \frac{1}{4} > \frac{1}{4} + \frac{1}{4} = \frac{1}{2}$ und $\frac{1}{5} + \frac{1}{6} + \frac{1}{7} + \frac{1}{8} > \frac{4}{8}, \cdots$ ist die Folge $\langle s_n \rangle$ nicht beschränkt, also ohne Grenzwert.

Weitere Beispiele findet man in den Übungen.

Aus den Sätzen über Grenzwerte von Folgen erhalten wir eine Anzahl wichtiger Sätze zur Konvergenz von Reihen.

**Satz 8:**    Die Reihe $a_1 + a_2 + a_3 + \cdots$ konvergiert dann und nur dann, wenn es zu jeder positiven Zahl $\varepsilon$ eine natürliche Zahl $n_0$ gibt, so daß $|a_{n+1} + a_{n+2} + \cdots + a_{n+m}| < \varepsilon$ für alle $n > n_0$ und alle $m \in N$.

Zum Beweis dieses Satzes hat man lediglich die Konvergenzbedingung von Cauchy zu übertragen (Satz 4). Setzt man $m = 1$, so folgt als Nebenresultat der

**Satz 9:** Die Reihe $a_1 + a_2 + a_3 + \cdots$ ist nur dann konvergent, wenn $\langle \lim a_n \rangle = 0$ ist.

Andere Fassung: Die Forderung $\lim \langle a_n \rangle = 0$ ist eine notwendige aber nicht hinreichende Bedingung für die Konvergenz der Reihe $a_1 + a_2 + a_3 + \cdots$.

Wenn in der Reihe $a_1 + a_2 + a_3 + \cdots$ alle Glieder positiv sind, können weitere Sätze zum Nachweis der Konvergenz oder Divergenz aufgestellt werden.

**Satz 10:** Eine Reihe $a_1 + a_2 + a_3 + \cdots$ aus positiven Gliedern $a_n$, $n \in N$ konvergiert dann und nur dann, wenn die Folge ihrer Partialsummen beschränkt ist.

Der Beweis folgt unmittelbar aus Satz 1.

**Satz 11** *(Majorantenkriterium)*: Es gelte $0 \le a_n \le b_n$, $n \in N$. Wenn die Reihe $b_1 + b_2 + b_3 + \cdots$ konvergiert, dann konvergiert auch die Reihe $a_1 + a_2 + a_3 + \cdots$

Zum *Beweis* betrachten wir die zugehörigen Folgen der Partialsummen. Es sei
$$s_n = a_1 + a_2 + \cdots + a_n$$
und
$$t_n = b_1 + b_2 + \cdots + b_n.$$
Wegen $0 \le a_i \le b_i$, $1 \le i \le n$ folgt $0 \le s_n \le t_n$, $n \in N$.

Nach Voraussetzung ist $\langle t_n \rangle$ konvergent, also auch beschränkt. Demnach ist auch die Folge $\langle s_n \rangle$ beschränkt; da sie monoton steigt, muß sie einen Grenzwert haben.

Eine weitere hinreichende Bedingung für die Konvergenz von Reihen mit positiven Gliedern liefert das *Quotientenkriterium*.

**Satz 12:** Wenn die Reihe $a_1 + a_2 + a_3 + \cdots$ nur aus positiven Gliedern besteht und wenn es eine positive Zahl $q < 1$ gibt, so daß $\dfrac{a_{n+1}}{a_n} \le q$ ist für fast alle $n$, dann ist die betrachtete Reihe konvergent.

*Beweis:* Nach unserer Verabredung über die Redeweise »fast alle $n$« gibt es eine natürliche Zahl $n_0$, so daß $a_{n+1} \le q \cdot a_n$ für alle $n > n_0$. Es ist also
$$a_{n_0+1} \le q \cdot a_{n_0}, \quad a_{n_0+2} \le q \cdot a_{n_0+1} \le q^2 \cdot a_{n_0} \ldots.$$
Mithin wird die Reihe $a_{n_0+1} + a_{n_0+2} + a_{n_0+3} + \cdots$ majorisiert durch die geometrische Reihe $a_{n_0} \cdot q \cdot (1 + q + q^2 + \cdots)$.

Da $q$ nach Voraussetzung $< 1$ ist, konvergiert die Vergleichsreihe (Satz 7). Nach dem Majorantenkriterium konvergiert also auch die Reihe $a_{n_0+1} + a_{n_0+2} + a_{n_0+3} + \cdots$. Da die Konvergenz einer Reihe durch Addition (oder Subtraktion) von endlich vielen Gliedern nicht beeinflußt wird, muß auch die vorgelegte Reihe $a_1 + a_2 + a_3 + \cdots$ konvergent sein.

Das Studium unendlicher Reihen und der zugehörigen Partialsummen ist für viele Bereiche der Mathematik und ihrer Anwendungen sehr bedeutsam. So ist ja jedes bestimmte Integral nach Definition mit Obersummen und Untersummen verknüpft. Da es in vielen Fällen nicht möglich ist, Integralfunktionen durch Terme mit bekannten Funktionen zu beschreiben, muß man die numerische Auswertung auf Reihen stützen.

Eine andere zentrale Aufgabe ist die Berechnung der Funktionswerte bei den Funktionen sin, cos, ln, … Auch dieses Problem wird über unendliche Reihen gelöst. Im Rahmen dieses Buches verzichteten wir jedoch auf die entsprechende Darstellung. Es sei abschließend angemerkt, daß sich Folgen und Reihen besonders gut in den modernen Rechenanlagen einsetzen lassen.

### Aufgaben

67) Schreiben Sie jeweils die ersten fünf Glieder der angegebenen Folgen auf.

  *a)*   $\langle a_n \rangle = \langle (-1)^{n+1} \rangle$;

  *b)*   $a_1 = 1,\ a_2 = 1,\ a_{n+2} = a_n + a_{n+1},\ n \in N$;

  *c)*   $\left\langle a_n \right\rangle = \left\langle \dfrac{(-1)^n}{n^2} \right\rangle$;

  *d)*   $\left\langle a_n \right\rangle = \left\langle \dfrac{2^{n-1}}{\sqrt{n}} \right\rangle$;

  *e)*   $\left\langle a_n \right\rangle = \left\langle \dfrac{x^n}{n!} \right\rangle$,   $n! = 1 \cdot 2 \cdot \ldots \cdot n,\ n \in N$.

68) Schreiben Sie jeweils drei weitere Glieder aus den Folgen auf; geben Sie dann das Bildungsgesetz der Folgen an.

  *a)*   $1, -2, 3, -4, \ldots$;

  *b)*   $1, -1, \frac{1}{2}, -\frac{1}{2}, \frac{1}{3}, -\frac{1}{3}, \ldots$;

  *c)*   $\frac{1}{3}, \frac{4}{6}, \frac{9}{11}, \frac{16}{18}, \ldots$;

  *d)*   $\dfrac{1}{\sqrt{3}}, \dfrac{1}{\sqrt{8}}, \dfrac{1}{\sqrt{15}}, \dfrac{1}{\sqrt{24}}, \ldots$;

  *e)*   $x, \dfrac{x^2}{1}, \dfrac{x^3}{1 \cdot 2}, \dfrac{x^4}{1 \cdot 2 \cdot 3}, \ldots$.

69) *a)*   Schreiben Sie eine Bedingung auf, die keine Verneinung enthält, die aber besagt, daß die Zahl $\alpha$ nicht Grenzwert der Folge $a_1, a_2, a_3, \ldots$ ist.

  *b)*   Beschreiben Sie die Divergenz einer Folge $a_1, a_2, a_3, \ldots$ durch eine Bedingung, die keine Verneinung enthält.

70) *a)*   Die Folge $a_1, a_2, a_3, \ldots$ habe nur natürliche Zahlen als Glieder. Unter welcher Bedingung für die Glieder ist die Folge konvergent?

  *b)*   Welche Teilfolgen der Folge $1, -1, +1, -1, \ldots$ sind konvergent?

  *c)*   Gibt es konvergente Teilfolgen der Folge $1, 1, 2, 1, 2, 3, 1, 2, 3, 4, 1, \ldots$?

  *d)*   Welche rationalen Zahlen können Grenzwert einer Teilfolge der Folge $\frac{1}{2}, \frac{1}{3}, \frac{2}{3}, \frac{1}{4}, \frac{2}{4}, \frac{3}{4}, \frac{1}{5}, \frac{2}{5}, \ldots$ sein?

71) Beweisen oder widerlegen Sie die folgenden Behauptungen:

  *a)*   Jede Teilfolge einer konvergenten Folge ist konvergent.

  *b)*   Jede Teilfolge einer divergenten Folge ist divergent.

  *c)*   Wenn die Reihen $a_1 + a_2 + a_3 + \cdots$ und $b_1 + b_2 + b_3 + \cdots$ konvergent sind, dann ist auch die Reihe $(a_1 + b_1) + (a_2 + b_2) + (a_3 + b_3) + \cdots$ konvergent.

*d)*   Streicht man in einer konvergenten Reihe beliebig viele Glieder, so konvergiert auch die Reihe aus den stehenbleibenden Gliedern.

*e)*   Wenn die Folge $\langle a_n \rangle$ monoton abnimmt und den Grenzwert Null hat, dann hat auch die Folge $\langle b_n \rangle = \left\langle \dfrac{1}{n} \cdot (a_1 + a_2 + \cdots + a_n) \right\rangle$ den Grenzwert Null.

72)   Untersuchen Sie, ob die angegebenen Folgen konvergent oder divergent sind; bestimmen Sie gegebenenfalls den zugehörigen Grenzwert.

*a)*   $\left\langle a_n \right\rangle = \left\langle \dfrac{n}{2n - 1} \right\rangle$ ;

*b)*   $\left\langle a_n \right\rangle = \left\langle \dfrac{n^2 - 1}{n + 1} \right\rangle$ ;

*c)*   $\left\langle a_n \right\rangle = \left\langle \dfrac{(2n - 1)^2}{n^2} \right\rangle$ ;

*d)*   $\langle a_n \rangle = \langle \sqrt{n + 1} - \sqrt{n} \rangle$

Anleitung: $\sqrt{a} - \sqrt{b} = \dfrac{(\sqrt{a} - \sqrt{b}) \cdot (\sqrt{a} + \sqrt{b})}{\sqrt{a} + \sqrt{b}}$ ;

*e)*   $\left\langle a_n \right\rangle = \left\langle \left(1 - \dfrac{1}{n}\right)^n \right\rangle$

Anleitung: $\left(1 - \dfrac{1}{n}\right)^n = \dfrac{1}{\left(1 + \dfrac{1}{n - 1}\right)^{n - 1} \cdot \left(1 + \dfrac{1}{n - 1}\right)}$ ;

*f)*   $\left\langle a_n \right\rangle = \left\langle \dfrac{1}{n^2} + \dfrac{1}{(n + 1)^2} + \cdots + \dfrac{1}{(2n)^2} \right\rangle$ ;

*g)*   $\left\langle a_n \right\rangle = \left\langle \dfrac{1}{n + 1} + \dfrac{1}{n + 2} + \cdots + \dfrac{1}{2n} \right\rangle$

Anleitung:  Die Folgenglieder können als Untersummen eines Integrales gedeutet werden!

73)   Untersuchen Sie, ob die folgenden Reihen konvergent sind oder divergent; in einigen Fällen kann die Summe elementar bestimmt werden.

*a)*   $\dfrac{1}{1 \cdot 2} + \dfrac{1}{2 \cdot 3} + \dfrac{1}{3 \cdot 4} + \cdots$    Anleitung: $\dfrac{1}{m \cdot (m + 1)} = \dfrac{1}{m} - \dfrac{1}{m + 1}$

*b)*   $\dfrac{1}{1^2} + \dfrac{1}{2^2} + \dfrac{1}{3^2} + \cdots$    Reihenvergleich mit *a)*

*c)*   $\frac{1}{3} + \frac{1}{6} + \frac{1}{9} + \cdots$    Reihenvergleich

*d)*   $1 + x + x^2 + \cdots$

*e)*   $\ln \frac{1}{2} + \ln \frac{1}{4} + \ln \frac{1}{8} + \cdots$

*f)*   $\dfrac{1}{\ln 2} + \dfrac{1}{\ln 3} + \dfrac{1}{\ln 4}$    Reihenvergleich *g)* $1 + \dfrac{1}{2!} + \dfrac{1}{3!} + \cdots$    Quotientenkriterium

*h)* $1 + \dfrac{1}{2} + \dfrac{1}{5} + \cdots + \dfrac{1}{n^2 + 1} + \cdots$

*i)* $1 - \frac{1}{2} + \frac{1}{3} - \frac{1}{4} \pm \cdots$    Anleitung: Man betrachte zunächst die Folgen der Partialsummen mit geradzahligem bzw. mit ungeradzahligem Index.

*j)* $1 - \frac{1}{3} + \frac{1}{5} - \frac{1}{7} \pm \cdots$    Siehe *i)*

*k)* $\frac{1}{2} \cdot \frac{2}{3} + \frac{2}{3} \cdot \frac{4}{9} + \frac{3}{4} \cdot \frac{8}{27} + \frac{4}{5} \cdot \frac{16}{81} + \cdots$

*l)* $1 + \frac{1}{3} + \frac{1}{5} + \cdots$

## Lösungen der Aufgaben

### Grundlagen

*1)* *a)* Falsch. Es folgt $B \subset A$.

*b)* und *c)* Richtig.

*d)* Falsch. Es folgt $a^2 = b^2$, das heißt $a = b$ oder $a = -b$.

*e)* Falsch. Es folgt $a = 0$ oder $b = 0$ oder $a = -b$.

*f)* und *g)* Richtig (Monotonie!).

*h)* Falsch. Es ist $|a| > |b|$.

*i)* Falsch. Es folgt $x > 3$ oder $x < 1$.

*j)*, *k)* und *l)* Richtig (Fallunterscheidungen!).

*m)* und *n)* Falsch. Es gibt jeweils Gegenbeispiele.

*o)* sup $M_1$ muß existieren, da $\emptyset \neq M_1 \subset M_2$. Die zweite Behauptung ist falsch. Man kann nur folgern, daß sup $M_1 \leq$ sup $M_2$ ist.

*p)* Nach den Voraussetzungen gibt es sup $M_1$ und sup $M_2$. Aufgrund der Definition von $M$ ist die Zahl sup $M_1 +$ sup $M_2$ obere Schranke von $M$.

*2)* Aus $a + b \leq 2b$ folgt $1 \leq \dfrac{2b}{a + b}$ und also $a \leq \dfrac{2ab}{a + b} = H(a, b)$.

Vergleicht man $H(a, b)$ und $G(a, b)$, so erhält man bei den bestehenden Voraussetzungen die folgenden, zueinander äquivalenten Ungleichungen:

$$\frac{2ab}{a + b} \leq \sqrt{ab} \Leftrightarrow 2\sqrt{ab} \leq a + b \Leftrightarrow 4ab \leq (a + b)^2 \Leftrightarrow 0 \leq (a + b)^2 - 4ab$$

$$\Leftrightarrow 0 \leq (a - b)^2.$$

Entsprechendes gilt für den Vergleich zwischen $G(a, b)$ und $A(a, b)$. Das Gleichheitszeichen gilt genau dann, wenn $a = b$ ist.

*3)* *a)* $L = \{x \,|\, x > 1,3\}$ oder auch $x > 1,3$.

*b)* Ein Produkt aus drei Faktoren ist genau dann positiv, wenn es keinen oder zwei negative Faktoren enthält. Demnach gilt entweder $x > 3$ oder $1 < x < 2$.

*c)* $x^2 - 5x + 4 = (x - 1)(x - 4)$. Also entweder $x \leq 1$ oder $x \geq 4$.

*d)* $x > 2$ (Logarithmieren zur Basis 3).

*e)* Bei der Lösung unterscheidet man drei Fälle: 1) $x < -1$; 2) $-1 < x < +1$; 3) $x > 1$. Lösungsmenge $L = \{x \mid -1 < x < -\frac{1}{3}$ oder $x > 1\}$.

4) *a)* Unmittelbare Folgerung aus der Dreiecksungleichung:
$$|(a + b) + c| \le |a + b| + |c| \le |a| + |b| + |c|$$
*b)* $|a| = |a + b - b| = |(a + b) + (-b)| \le |a + b| + |b|$.
Also $|a| - |b| \le |a + b|$.
*c)* $|a - b| = |a + (-b)| \le |a| + |b|$
$|a| = |(a - b) + b| \le |a - b| + |b|$, also $|a| - |b| \le |a - b|$.

5) *a)* $x = 2$ oder $x = 8$;
*b)* $L = \{x \mid 2 < x < 8\}$;
*c)* $L = \{x \mid -5 \le x < -4$ oder $-4 < x \le -3\}$.
Zeichnen Sie eine entsprechende Figur.
*d)* $L = \{x \mid x < 1\}$ oder $x < 1$.
*e)* Fallunterscheidung! $L = \{x \mid -\frac{3}{2} < x\}$.

6) $a_3 = \frac{24}{17} \approx 1{,}411$; $\qquad b_3 = \frac{17}{12} \approx 1{,}416$;
$a_4 = \frac{816}{577} \approx 1{,}414212$; $\qquad b_4 = \frac{577}{408} \approx 1{,}414216$.
Demnach gilt $1{,}414212 < \sqrt{2} < 1{,}414216$.

## Funktionen

7) *a)* Es gibt $2^3 = 8$ Funktionen $f \colon M_1 \underset{f}{\to} M_2$.
Für jedes Element in $M_1$ bestehen zwei Zuordnungsmöglichkeiten; jede davon kann mit allen anderen kombiniert werden. Daher $2^3$ Funktionen. Entsprechend gibt es bei *b)* $3^3 = 27$ Funktionen $g \colon M_1 \underset{g}{\to} M_1$.

8) *a)* Keine Funktion; jedes $x \in \, ] -2; +2[$ hat unendlich viele Bilder;
*b)* Funktion; $f \colon x \to 1$, $x \in [-2; +2]$;
*c)* Funktion; $f \colon x \to 2 - |x|$; oder auch $f \colon \begin{cases} x \to 2 + x, & -2 \le x \le 0; \\ x \to 2 - x, & 0 \le x \le 2. \end{cases}$
*d)* Keine Funktion; es gibt kein eindeutiges Bild zu $x = 1$.
*e)* Funktion; $f \colon x \to -\sqrt{4 - x^2}$, $-2 \le x < 0$; $x \to 2 - x$, $0 \le x \le +2$.
*f)* Keine Funktion; jedes $x \in D$ hat zwei Bilder

9) *a)* Funktion $f \colon x \to 1 - |x|$. *b)* Keine Funktion.
*c)* Keine Funktion. *d)* Funktion $f \colon x \to 1 - [x]$.
*e)* Keine Funktion. *f)* Keine Funktion.
Figuren zur Lösung siehe S. 226.

10) Graphische Lösung siehe S. 226.

11) Graphische Lösung siehe S. 226.
Die Funktionen in *a)* und *b)* sind jeweils gerade; beschränkt nach unten; unbeschränkt nach oben; abschnittsweise monoton; nicht negativ.
Die Funktion in *c)* ist periodisch; beschränkt nach oben und nach unten; abschnittsweise monoton; nichtnegativ.

12) *a)* Funktion; $D = \{1, 2, 3, 4, 5\}$.
*b)* Keine Funktion; da $(1; 1)$ und $(1; 5)$ zur Paarmenge gehören.
*c)* Keine Funktion; da $(4; a)$ kein Zahlenpaar ist.

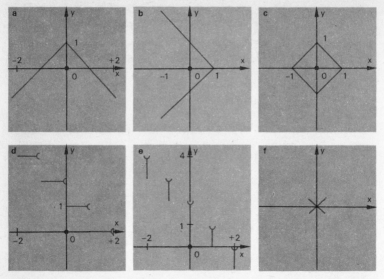

*Figuren zur Lösung der Aufgabe 9*

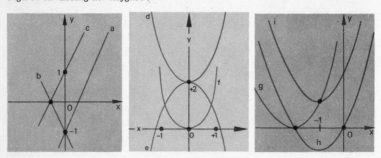

*Figuren zur Lösung der Aufgabe 10*

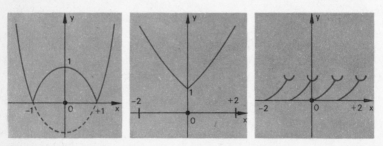

*Figuren zur Lösung der Aufgabe 11*

*d)* Funktion; $D = N \setminus \{1\}$. Anfang einer Wertetabelle:

| $n$ | 2 | 3 | 4 | 5 | 6 | 7 | 8 | 9 | 10 | 11 |
|---|---|---|---|---|---|---|---|---|---|---|
| $p(n)$ | 1 | 2 | 2 | 3 | 3 | 4 | 4 | 4 | 4 | 5 |

*13) a)* Richtig. $[(f \circ g) \circ h](x) = (f \circ g)(h(x)) = f(g(h(x)))$
$[f \circ (g \circ h)](x) = f[(g \circ h)(x)] = f(g(h(x)))$.
Es gilt also das Assoziativgesetz für das Verketten von Funktionen.
*b)* Richtig; die Funktion $e: x \to x,\ x \in R$ ist neutrales Element für das Verketten von Funktionen.
*c)* Richtig; $[(f + g) \circ h](x) = (f + g)(h(x)) = f(h(x)) + g(h(x))$
$[f \circ h + g \circ h](x) = (f \circ h)(x) + (g \circ h)(x) = f(h(x)) + g(h(x))$.
*d)* Falsch! Man setze $g = h: x \to 1,\ x \in R, f: x \to x^2,\ x \in R$.
Es ist dann $[f \circ (g + h)](x) = f(2) = 4$;
$[f \circ g + f \circ h](x) = f(1) + f(1) = 1 + 1 = 2$.

*14) a)* Der Graph von $f$ wird auf der Hochachse um $a$ verschoben (nach oben, wenn $a > 0$; nach unten, wenn $a < 0$).
*b)* Trivialfälle sind $a = 1$ und $a = 0$.
Wenn $a$ beispielsweise 2 ist, werden alle Ordinaten im Graphen von $f$ verdoppelt; entsprechend wird halbiert, wenn $a = \frac{1}{2}$.
Für $a = -1$ wird der Graph von $f$ an der $x$-Achse gespiegelt. Im Falle $a = -2$ werden die Ordinaten verdoppelt und dann wird gespiegelt (oder umgekehrt).
*c)* Für alle $x \geq 0$ stimmt der Graph von $g$ mit dem Graphen von $f$ überein. Für $x < 0$ erhält man den Graphen von $g$ durch Spiegeln der rechten Hälfte des Graphen von $f$ an der $y$-Achse.
*d)* Alle Punkte auf dem Graphen von $f$, die oberhalb oder auf der $x$-Achse liegen, gehören zum Graphen von $g$. Alle Punkte des Graphen von $f$, die unterhalb der $x$-Achse liegen, sind an dieser zu spiegeln.
*e)* Der Graph von $f$ wird in der $x$-Richtung um eine Einheit *nach links* verschoben.

*15)* Horner-Schema! Wertetabelle:

| $x$ | 0 | 0,1 | 0,2 | 0,3 | 0,4 | 0,5 | 0,6 | 0,7 | 0,8 | 0,9 | 1,00 |
|---|---|---|---|---|---|---|---|---|---|---|---|
| $\mathrm{e}$fun$x$ | 6 | 6,631 | 7,328 | 8,097 | 8,944 | 9,875 | 10,896 | 12,013 | 13,232 | 14,559 | 16,00 |
| $\frac{1}{6}\mathrm{e}$fun$x$ | 1 | 1,105 | 1,221 | 1,349 | 1,491 | 1,646 | 1,816 | 2,00 | 2,21 | 2,43 | 2,66 |
| $\mathrm{e}^x$ | 1 | 1,105 | 1,222 | 1,350 | 1,493 | 1,648 | 1,821 | 2,01 | 2,23 | 2,46 | 2,72 |

*16)* Für gerade Funktionen $f$ und $g$ gilt $f(x) = f(-x)$ bzw. $g(x) = g(-x)$.
Also ist $(f + g)(x) = f(x) + g(x) = f(-x) + g(-x) = (f + g)(-x)$, das heißt $\varphi = f + g$ ist eine gerade Funktion.

## Grenzwert

*17) a)* Nach Satz 5 gilt $\lim\limits_{2} \left( x \to \dfrac{1}{x} \right) = \dfrac{1}{\lim\limits_{2}(x \to x)} = \dfrac{1}{2}$.

Es ist $\left| \dfrac{1}{x} - \dfrac{1}{2} \right| = \left| \dfrac{2 - x}{2x} \right| = \dfrac{|2 - x|}{|2x|}$. Mithin wird gefordert $\dfrac{|2 - x|}{2|x|} < \varepsilon$.

Für $|x| < 3$ gilt dann $\left| \dfrac{1}{x} - \dfrac{1}{2} \right| < \varepsilon$, wenn nur $0 < |2 - x| < \text{Min}\,(1;6\varepsilon)$.

In unserem Falle also $\delta = 6 \cdot 10^{-3}$.

*b)*  Die Funktion $f: x \to \dfrac{1}{x}$, $x \neq 0$ ist nicht beschränkt in jeder punktierten Umgebung von 0. Also kann nach Satz 2 $\lim\limits_{0} f$ nicht existieren (Kontraposition!)

*18) a)*  $\lim\limits_{\infty} f = 0$;   *b)*  $\lim\limits_{\infty} f$ existiert nicht;

  *c)*  $\lim\limits_{\infty} f = 1$;   *d)*  $\lim\limits_{\infty} f = 0$.

  *e)*  Für Funktionen vom Typ $f: x \to \dfrac{g(x)}{x}$ existiert $\lim\limits_{\infty} f$, falls $g$ beschränkt ist.

*19)*  Falsch. Man setze etwa $f(x) = \begin{cases} 1, & x \text{ rational} \\ 2, & x \text{ irrational} \end{cases}$

und $g(x) = \begin{cases} -1, & x \text{ rational} \\ -2, & x \text{ irrational}. \end{cases}$

  *b)*  Richtig. Wäre $\lim\limits_{a}(f + g)$ vorhanden, müßte nach Satz 3 auch $\lim\limits_{a} g = \lim\limits_{a}[(f + g) - f] = \lim\limits_{a}(f + g) - \lim\limits_{a} f$ existieren.

  *c)*  Falsch. Beweis ähnlich wie in *b)* $\lim\limits_{a} g = \lim\limits_{a}(fg):\lim\limits_{a} f$ existiert genau dann, wenn $\lim\limits_{a} f \neq 0$.

*20) a)*  Falsch. Man setze $g(x) = 2, x \in R$; $f(x) = \sin\dfrac{1}{x}$, $x \neq 0$; $f(0) = 0$. $\lim\limits_{0} g = 2$, $\lim\limits_{0} f$ nicht vorhanden.

  *b)*  Falsch. Es gilt $\lim\limits_{a} f \leq \lim\limits_{a} g$, wenn $\lim\limits_{a} f$ vorhanden ist.

*21) a)*  Nein! Bei der Funktion $x \to \sin\dfrac{1}{x}$, $x \neq 0$ genügen zu jedem $\delta > 0$ alle Zahlen $\varepsilon > 1$ der gestellten Forderung; ein Grenzwert an der Stelle 0 ist aber nicht vorhanden.

  *b)*  Es gibt eine Zahl $\varepsilon > 0$, so daß bei beliebigem $\delta > 0\,|f(x) - g| > \varepsilon$ für mindestens ein $x$ aus $0 < |x - a| < \delta$.

**Stetigkeit**

*22) a)*  Für die Stelle Null stimmen Grenzwert und Funktionswert überein; an allen anderen Stellen ergibt sich die Stetigkeit aus dem Zusammenhang mit der Funktion $e: x \to x, x \in R$.

  *b)*  Die Stelle Null gehört nicht zum Definitionsbereich der Funktion; sie bleibt also außer Betracht. An allen anderen Stellen folgt die Stetigkeit aus Satz 6.

  *c)*  Man muß zeigen, daß für beliebiges $a \in R\,|\sin a - \sin x| < \varepsilon$ für alle $|a - x| < \delta$. Gemäß Hinweis ist

$$|\sin a - \sin x| = 2 \left| \sin \frac{a - x}{2} \right| \cdot \left| \cos \frac{a + x}{2} \right| \le 2 \left| \sin \frac{a - x}{2} \right| \cdot 1.$$

Wegen der Monotonie der Sinusfunktion im Intervall $\left[ -\frac{\pi}{2}; \frac{\pi}{2} \right]$ ist die Ungleichung $\left| \sin \frac{a - x}{2} \right| < \frac{\varepsilon}{2}$ zu erfüllen.

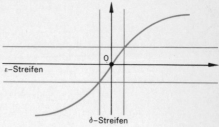

*Figur zur Lösung der Aufgabe 22c*

23) $f: \begin{cases} x \to 1, \ x \text{ rational} \\ x \to 2, \ x \text{ irrational.} \end{cases}$

24) a)  $D = R \backslash \{2\}$ stetige Fortsetzungsfunktion $\varphi: x \to x + 2$.

b)  $D = R \backslash \{0\}$ keine stetige Fortsetzungsfunktion vorhanden.

c)  $D = R \backslash \{0\}$ keine stetige Fortsetzungsfunktion vorhanden.

Bei b) und c) ist jeweils $\lim\limits_{0} f$ nicht vorhanden.

d)  $D = R \backslash \{1\}$ Fortsetzungsfunktion $\varphi: x \to x^2 + x + 1, \ x \in R$ (Horner-Schema oder Polynomdivision).

25)
$$\varphi(x) = \begin{cases} f(a), \ x \le a \\ f(x), \ a \le x \le b \\ f(b), \ b \le x. \end{cases}$$

$\varphi$ ist nicht eindeutig bestimmt. Wenn $f$ in $]a; b[$ stetig ist, braucht keine stetige Fortsetzungsfunktion zu existieren.

26) a)  Die Behauptung folgt aus dem Zwischenwertsatz.

b)  Man betrachte die Funktion $\varphi: x \to f(x) - g(x)$ und wende den Nullstellensatz an.

27) a)  beschränkt; $x_{\min}$ vorhanden, $x_{\max}$ nicht.

b)  beschränkt nach unten; $x_{\min}$ vorhanden, $x_{\max}$ nicht.

c)  unbeschränkt; es gibt weder $x_{\min}$ noch $x_{\max}$.

d)  beschränkt; es gibt $x_{\min}$ und $x_{\max}$.

## Differenzierbarkeit

28) $\tan \tau = 2a = \dfrac{2a^2}{a}, \ a \ne 0;$

$l: x \to 2ax - a^2$.

29)  Die Differenzierbarkeit folgt für alle $x \ne 0$ aus dem Zusammenhang mit den Funktionen $l_1: x \to 1 + x, \ x > 0$ bzw. $l_2: x \to 1 - x, \ x < 0$.

*30)* Die Signum-Funktion ist differenzierbar für alle $a \neq 0$. Es gilt $\lim\limits_{a} \tan \sigma = 0$.

An der Stelle Null ist

$$\tan \sigma = \frac{1}{|x|}; \quad x \neq 0.$$

Da $\lim\limits_{0} \tan \sigma$ nicht existiert, ist die Signum-Funktion an der Stelle Null nicht differenzierbar.

*31) a)* Aus $s = \dfrac{g}{2} t^2$ und $v = g \cdot t$ erhält man $v = \sqrt{2gs}$.

Mithin $v \approx \sqrt{1000} \, \dfrac{m}{s} \approx 31{,}6 \, \dfrac{m}{s}$. Für Frage *b)* gilt demnach

$15{,}8 \, \dfrac{m}{s} = \sqrt{2gs}$; $s \approx 12{,}5$ m.

*c)* Der Abstand vergrößert sich.

*32) a)* Horner-Schema!

| | 1 | $-2$ | $+3$ | |
|---|---|---|---|---|
| | | | | $f(1) = 2$; |
| 1 | 0 | 1 | $-1$ | $f(x) = 2 + (x-1)(x-1)$; |
| | 1 | $-1$ | 2 | $f_1(x) = x - 1$. |

Entsprechend folgt:
$$f(x) = 3 + (x-2)x \quad \text{bzw.} \quad f(x) = 11 + (x+2)(x-4).$$
*b)* Man erhält $f(x) = a^3 + (x-a)(x^2 + ax + a^2)$,
also $\qquad\qquad f_1(x) = x^2 + ax + a^2; \; f_1(a) = 3a^2$.

*33) a)* $f': x \to m$;          *b)* $f': x \to 6x + 4$;

*c)* $f': x \to x \cdot \cos x + \sin x$;

*d)* $f': x \to -x^2 \cdot \sin x + 2x \cdot \cos x - 2x \cdot \cos x \cdot \sin x + (\cos x)^2$;

*e)* $f': x \to 2x + 2 - \dfrac{4}{x^2}$, $x \neq 0$;

*f)* $g': x \to \dfrac{ad - bc}{(cx + d)^2}$, $cx + d \neq 0$;

*g)* $f': x \to \dfrac{4x}{(x^2 + 1)^2}$;

*h)* $f': x \to \dfrac{\cos^2 x + \sin^2 x}{\cos^2 x} = \dfrac{1}{\cos^2 x} = 1 + \tan^2 x$, $x \neq \pm \dfrac{\pi}{2}(2n - 1)$.

*34) a)* $f': x \to -\dfrac{1}{x^2} \cdot \cos \dfrac{1}{x}$, $x \neq 0$;

*b)* $f': x \to 2x \cdot \cos(1 + x^2)$;

*c)* $f': x \to 2x \cdot \cos(x^2)$;

*d)* $f': x \to n \cdot x^{n-1} \cdot \cos(1 + x^n)$;

*e)* $f': x \to n \cdot [\sin(1 + x)]^{n-1} \cdot \cos(1 + x)$;

*f)* $g': t \to -\alpha \cdot a \cdot \sin(\alpha t + \beta)$.

*35) a)* Schnittwinkel im Nullpunkt: $\sigma = 45°$
Schnittwinkel im Punkt (1; 1): $\sigma = 63{,}4° - 45° = 18{,}4°$.

*b)* Es muß gelten $m_1 \cdot m_2 = -1$.

Wegen $m_1 = 2ax$, $m_2 = -\dfrac{2x}{a}$, kann der Schnittpunkt nur die Abszisse $\pm \frac{1}{2}$ haben. Man erhält $a = 2 + \sqrt{3}$ oder $a = 2 - \sqrt{3}$.

36) Es ist zu untersuchen, ob die Ableitungsfunktion reelle Nullstellen hat. Es gibt keine waagrechte Tangente, wenn $4a^2 < 12b$. Eine waagrechte Tangente, wenn $4a^2 = 12b$, zwei waagrechte Tangenten, wenn $4a^2 > 12b$.

37) a) Gegenbeispiel! $e : x \to x$. Die Behauptung gilt, wenn $f(a) \neq 0$. Es gibt dann eine Umgebung von $a$, in der $f$ entweder positiv oder negativ ist. Mithin ist in dieser Umgebung $|f| = f$ oder $|f| = -f$.

b) Falsch. Als Gegenbeispiel betrachte man die Funktion

$$f : x \to \begin{cases} x^2 \cdot \sin \dfrac{1}{x}, & x \neq 0 \\ 0, & x = 0. \end{cases}$$

c) Falsch. Als Gegenbeispiel betrachte man etwa

$$f : x \to 1 - |x| \quad \text{und} \quad g : x \to 1 + |x|.$$

d) Richtig. Beweis durch vollständige Induktion aus der Produktregel. Es ist $\varphi' : x \to f_1' (f_2 f_3 \ldots f_n) + f_2' (f_1 \cdot f_3 \ldots f_n) + \ldots + f_n' (f_1 \cdot f_2 \ldots f_{n-1})$.

38) a) Aus $f'(x) = 3x^2 + p$ und $p > 0$ folgt, daß $f$ strikt monoton steigt.

b) Wenn $4p^3 + 27q^2 < 0$ ist, muß $p < 0$ sein. Mithin muß $f$ Extremstellen haben bei $\pm \sqrt{-\dfrac{p}{3}}$.

Man berechnet die Extremwerte und findet, daß bei der gemachten Voraussetzung das Maximum im zweiten Quadranten und das Minimum im vierten Quadranten liegt. Daraus folgt die Behauptung.

39) a) Falsch! Gegenbeispiel $f : x \to x^4$. Die Behauptung ist richtig, wenn die zweite Bedingung $f''(x_1) \geq 0$ lautet.

b) Falsch! Gegenbeispiel $f : x \to x$. Die Behauptung ist richtig, wenn $f$ keine Nullstellen hat.

c) Man betrachte die Funktion $F = f - g$. Es ist $F(a) = 0$, $F'(x) < 0$. Nach Satz 21 ist $F$ strikt monoton fallend. Aus den Vorzeichen von $\dfrac{F(x) - F(a)}{x - a}$ folgt die Behauptung.

40) a) Keine Nullstelle, Minimalstelle bei 0.

b) Nullstellen bei $-1$ und 0, Minimalstelle bei $\sqrt[3]{-0{,}25} \approx -0{,}63$.

c) Nullstelle bei 0, Minimalstelle bei 0.

d) Nullstellen bei $-1$ und 0, Minimalstelle bei $-0{,}75$. Kein Extremum an der stationären Stelle 0!

e) Nullstellen bei $-1$ und $+1$, Minimalstellen bei $-1$ und $+1$ (dort ist $f$ nicht differenzierbar!).

f) Nullstellen bei $-1$ und $+1$, Minimalstellen bei $-1$ und $+1$, Maximum bei $(0; 1)$.

g) Nullstellen bei $-1$ und $+1$, Minimalstelle bei 0. Keine Extreme an den stationären Stellen $-1$ und $+1$!

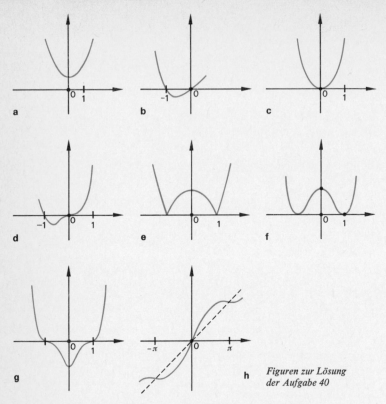

*Figuren zur Lösung
der Aufgabe 40*

*h)* Nullstelle bei 0, keine Extremstellen (man betrachte die Ableitungsfunktion).

*41)* $R_1 = R_2 = 1000\,\Omega$ (vergleichen Sie die Darstellung im Textteil).

*42)* Man geht aus von der Flächenformel des Trapezes, benutzt den Lehrsatz des Pythagoras als Kopplungsbedingung und betrachtet das Quadrat der Flächenfunktion. Maximaler Inhalt, wenn die zweite Grundseite halb so lang ist wie der Durchmesser.

*43)* Durch das vorgeschriebene Volumen sind Grundkante und Höhe der quadratischen Säule miteinander verkoppelt. Aus den Angaben des Textes erhält man die Kostenfunktion. Minimaler Aufwand, wenn die Grundkante etwa 5,1 dm lang ist $\left(\sqrt[3]{133}\right)$. Die zugehörige Körperhöhe beträgt 3,84 dm.

*44) a)* Stetig, strikt monoton steigend, eineindeutig.

*b)* Stetig, strikt monoton steigend, eineindeutig (die Graphen von *a)* und *b)* sind kongruent zum Graph des Eingangsbeispiels).

*c)* Stetig, strikt monoton steigend, eineindeutig.

*d)* Stetig, abschnittsweise strikt monoton, abschnittsweise umkehrbar.

*e)* Treppenfunktion, monoton steigend, nicht eineindeutig.

*f)* Unstetig an den Stellen 0, $\pm 1$, $\pm 2, \ldots$, strikt monoton steigend; eineindeutige Abbildung zwischen $R$ und $f(R)$.

*g)* Unstetig an den Stellen 0, $\pm 1$, $\pm 2, \ldots$, periodisch, abschnittsweise strikt monoton, eineindeutig in einem Intervall $[n; n + 1]$.

*h)* Überall unstetig, nirgends monoton, eineindeutig(!).

45) *a)* Falsch. Gegenbeispiel: $f: x \to x$ und $g: x \to -x$.
*b)* Falsch. $f: x \to x$; $g = f$.
*c)* Es sei $f \circ g(x_1) = f \circ g(x_2)$, also $f(g(x_1)) = f(g(x_2))$. Da $f$ eineindeutig ist, folgt $g(x_1) = g(x_2)$. Da $g$ ebenfalls eineindeutig ist, gilt $x_1 = x_2$, d.h. $f \circ g$ ist eineindeutig.

46) $f \circ g$ ist eineindeutig nach 45 *c)*. Es sei $f(g(x_1)) = y_1$; dann gilt
$g(x_1) = f^I(y_1)$ und $x_1 = g^I(f^I(y_1)) = g^I \circ f^I(y_1)$, was zu beweisen war.

47) Nachweis der Abgeschlossenheit:
$l_1 \circ l_2 : x \to m_1 \cdot m_2 x + m_1 n_2 + n_1 = m_3 x + n_3$.
Wegen $m_1 \neq 0$ und $m_2 \neq 0$ ist auch $m_3 \neq 0$.
Die Funktion $l: x \to mx + n$, $m \neq 0$ hat die Umkehrfunktion
$$l^I : x \to \frac{1}{m} \cdot (x - n).$$
Eine nichttriviale Untergruppe bilden z.B.: $\{e: x \to x$ und $\bar{e}: x \to -x\}$.
Weiter alle linearen Funktionen mit $l(0) = 0$, $m \neq 0$;
allgemeiner alle linearen Funktionen mit $l(c) = c$, $m \neq 0$.
[Diese Funktionen haben den Fixpunkt $F(c; c)$.]

48) Die Funktion $f: x \to \arccos x$, $-1 \leq x \leq +1$ hat die Ableitungsfunktion
$$f' : x \to \frac{-1}{\sqrt{1 - x^2}}, \ |x| < 1.$$
Die Funktion $g: x \to \arctan x$, $x \in R$ hat die Ableitungsfunktion
$$g' : x \to \frac{1}{1 + x^2}, \ x \in R.$$

### Integrierbarkeit

49) Zerlegung des Intervalls $[0; a]$ in $n$ gleichlange Teilintervalle. Berechnung der Unter- und Obersummen.
$$U_n = \frac{a}{n} \cdot \sum_{i=0}^{n-1} \left(\frac{a \cdot i}{n}\right)^3 = \frac{a^4}{n^4} \cdot \frac{(n-1)^2 n^2}{4}; \qquad 0_n = \frac{a^4}{n^4} \cdot \frac{n^2(n+1)^2}{4};$$
$$\sup\{U_n\} = \frac{a^4}{4} = \int_0^a x^3 \, \mathrm{d}x = \inf\{0_n\}.$$

50) *a)* $\int\limits_{-1}^{+1} f = 0$;    *b)* $\int\limits_{-1}^{+1} f = 1$;    *c)* $\int\limits_{-1}^{+1} f = -1$;

*d)* $\int\limits_{-1}^{+1} f = -1$;    *e)* $\int\limits_{-1}^{+1} f = 0$;    *f)* $\int\limits_{-1}^{+1} f = \frac{2}{3}$;

*g)* $\int\limits_{-1}^{+1} f = 0$;    *h)* $f$ ist nicht integrierbar.

*51) a)* Jede Zerlegung $Z$ des Intervalls $[0; a]$ induziert eine Zerlegung $Z'$ des Intervalls $[-a; a]$. Es gilt

$$U(f, Z') = 2 \cdot U(f, Z) \quad \text{und} \quad O(f, Z') = 2 \cdot O(f, Z)$$

Daraus folgt die Behauptung.

*b)* Falsch (Gegenbeispiele findet man in der Aufgabe 50).

*c)* Aus der Definition der Treppenfunktionen und dem Satz 1 folgt die Behauptung (siehe auch Beispiel 2).

*d)* Falsch. Bei unstetigen Funktionen kann $\int\limits_a^b f^2$ gleich Null sein, ohne daß $f(x)$ gleich Null ist für alle $x \in [a; b]$.

*52)* Zerlegung des Intervalls $[a; b]$ in $n$ gleichlange Teilintervalle. Für monoton steigende Funktionen $f$ erhält man als Untersumme $U(f, Z) = \dfrac{b-a}{n} \cdot \sum\limits_{i=0}^{n-1} f(x_i)$

und als Obersumme $O(f, Z) = \dfrac{b-a}{n} \cdot \sum\limits_{i=1}^{n} f(x_i)$.

Es gilt $O(f, Z) - U(f, Z) = \dfrac{b-a}{n} \cdot [f(b) - f(a)]$.

Diese Differenz wird kleiner als jedes vorgegebene $\varepsilon > 0$, wenn $n > \dfrac{|b-a| \cdot [f(b) - f(a)]}{\varepsilon}$.

Für monoton fallende Funktionen verfährt man entsprechend.

*53)* Als stetige Funktion ist $f$ integrierbar in $[a; b]$. Nach Satz 6 gilt $m(b-a) \leq \int\limits_a^b f \leq M(b-a)$, falls $m \leq f(x) \leq M$ für alle $x \in [a; b]$. Der Zwischenwertsatz für stetige Funktionen sichert die Existenz einer Zahl $x_1 \in [a; b]$, so daß $(b-a) \cdot f(x_1) = \int\limits_a^b f$.

*54) a)* $F: x \to \dfrac{x^2}{2}$;    *b)* $F: x \to \dfrac{x \cdot |x|}{2}$;

*c)* $G: \begin{cases} x \to [x] \cdot (x - [x]) + \frac{1}{2} [x-1] \cdot [x], & x \geq 0 \\ x \to [x] \cdot (x - [x+1]) + \frac{1}{2} [x+1] \cdot [x], & x < 0 \end{cases}$;

*d)* $F: x \to \dfrac{x^2}{2} + G(x)$ mit der Funktion $G$ aus *c)*

*e)* $F: x \to |x|$;    *f)* $F: x \to [x] \cdot \frac{1}{3} + \frac{1}{3} (x - [x])^3$.

*55) a)* $\left[ \dfrac{x^3}{3} \right]_{-3}^{1} = \dfrac{28}{3}$;    *b)* $\left[ \dfrac{x^4}{4} \right]_a^b = \frac{1}{4}(b^4 - a^4)$;

*c)* $\left[ x + \dfrac{x^3}{3} + \dfrac{x^5}{5} \right]_{-1}^{2} = 12{,}6$;    *d)* $\left[ \dfrac{2}{3} x^{1,5} \right]_4^9 = \dfrac{38}{3}$;

*e)* Integral existiert nicht!;    *f)* $\left[ \ln x + \dfrac{x^2}{2} \right]_1^2 = \ln 2 + 1{,}5 \approx 2{,}2$;

*g)* $\left[ -\cos x + \sin x \right]_0^{\pi} = 2$;

*h)* $\left[\arcsin x\right]_{-0,5}^{0,5} = \frac{1}{3} \cdot \pi;$     *i)* $\left[\arctan x\right]_{-1}^{+1} = \frac{\pi}{2}.$

*56)* $F(-1) = 0;$    einzige Nullstelle. $F$ steigt monoton.

$F'(0) = 1;$    $\lim\limits_{\infty} F = 2 - \frac{1}{e};$    $\lim\limits_{-\infty} F = -\frac{1}{e}.$

*57) a)* $I = \int\limits_1^2 (e^{-x} + e^{-3x})\,\mathrm{d}x = \left[-1\left(e^{-x} + \frac{1}{3}e^{-3x}\right)\right]_1^2 = \frac{1}{e}\left(1 - \frac{1}{e}\right)$

$\qquad + \frac{1}{3} \cdot \frac{1}{e^3}\left(1 - \frac{1}{e^3}\right) \approx \frac{1}{e}.$

*b)* $I = \int\limits_0^{0,5} \frac{2\,\mathrm{d}u}{4(1 + u^2)} = \left[\frac{1}{2}\arctan u\right]_0^{0,5} \approx 0,22.$

*c)* $I = \left[-x^2 \cdot \cos x\right]_0^{\pi} + \int\limits_0^{\pi} 2x \cos x\,\mathrm{d}x = \pi^2 + \left[2x \sin x\right]_0^{\pi}$

$\qquad -2\int\limits_0^{\pi} \sin x\,\mathrm{d}x = \pi^2 + 0 + \left[2\cos x\right]_0^{\pi} = \pi^2 - 4.$

*d)* $I = \int\limits_2^e \frac{x - 1 + 3}{x - 1}\,\mathrm{d}x = \int\limits_2^e \mathrm{d}x + 3\int\limits_2^e \frac{1}{x - 1}\,\mathrm{d}x = e - 2$

$\qquad + 3\int\limits_1^{e-1} \frac{\mathrm{d}u}{u} = e - 2 + 3 \cdot \ln(e - 1) \approx 2,34.$

*e)* $I = [\ln(x^4 + 1)]_1^2 = \ln 17 - \ln 2 \approx 2,13.$

*f)* $I = \int\limits_1^2 z\,\mathrm{d}z = \left[\frac{z^2}{2}\right]_1^2 = 1,5;$    Substitution: $z = 1 + \ln x.$

*g)* $I = \int\limits_0^{0,5} \sqrt{1 - x^2}\,\mathrm{d}x = \int\limits_0^{\frac{\pi}{6}} \cos^2 u\,\mathrm{d}u = \left[\cos u \sin u\right]_0^{\frac{\pi}{6}} + \int\limits_0^{\frac{\pi}{6}} \sin^2 u\,\mathrm{d}u$

$\qquad = \frac{1}{2}\sqrt{3}\,\frac{1}{2} + \int\limits_0^{\frac{\pi}{6}} (1 - \cos^2 u)\,\mathrm{d}u.$

$I = \frac{1}{2}\left(\frac{\sqrt{3}}{4} + \int\limits_0^{\frac{\pi}{6}} \mathrm{d}u\right) = \frac{\sqrt{3}}{8} + \frac{\pi}{12} \approx 0,48.$

Substitution: $x = \sin u$ (!). Danach partielle Integration.

*h)* $I = \int\limits_1^3 \frac{1}{2} \cdot \left(\frac{1}{x + 1} - \frac{1}{x + 3}\right)\mathrm{d}x = \frac{1}{2}\{[\ln(x + 1)]_1^3$

$\qquad - [\ln(x + 3)]_1^3\} = \frac{1}{2}\left[\ln\frac{x + 1}{x + 3}\right]_1^3 = \frac{1}{2}\ln\frac{16}{12} \approx 0,14.$

*i)* $I = \int\limits_1^2 2e^z \cdot z\,\mathrm{d}z = 2\,[e^z \cdot z]_1^2 - 2\int\limits_1^2 e^z\,\mathrm{d}z = 2e^2 \approx 14,8.$

Substitution: $z = \sqrt{x}.$

$$j)\ I = \left[ x \cdot \arcsin x \right]_0^{0,5} - \tfrac{1}{2} \cdot \int_0^{0,5} \frac{2x\,\mathrm{d}x}{\sqrt{1-x^2}}$$

$$= \frac{\pi}{12} + \left[ \sqrt{1-x^2} \right]_0^{0,5} = \frac{\pi}{12} + \tfrac{1}{2}\sqrt{3} - 1 \approx 0,13.$$

58) a) $f: x \to \tfrac{1}{4}(x^2 - 6)^2$;

$$F = \int_{-\sqrt{6}}^{+\sqrt{6}} f = 2 \left[ \frac{x^5}{20} - x^3 + 9x \right]_0^{\sqrt{6}} = 2 \cdot 4,8\,\sqrt{6} \approx 23,5.$$

b) $f: x \to x^2(x-2)^2$;

$$F = \int_0^2 f = \left[ \frac{x^5}{5} - x^4 + \tfrac{4}{3}x^3 \right]_0^2 = 8 \cdot \tfrac{2}{15} \approx 1,07.$$

c) $f - g : x \to \dfrac{x}{12} \cdot (x+6)(x-2)$;  Gebietseinteilung!

$$F = \int_{-6}^0 f - g + \int_0^2 g - f =$$

$$= \left[ \tfrac{1}{9}x^3 - \frac{x^2}{2} + \frac{x^4}{48} \right]_{-6}^0 + \left[ \frac{x^2}{2} - \frac{x^4}{48} - \frac{x^3}{9} \right]_0^2 = 15\tfrac{7}{9} \approx 15,78.$$

59) Für den Kegelstumpf beispielsweise ergibt sich:

$$f: x \to mx + r, \quad m = \frac{R - r}{h};$$

$$V = \pi \int_0^h f^2 = \pi \int_0^h (m^2 x^2 + 2mrx + r^2)\,\mathrm{d}x = \cdots = \frac{\pi h}{3}(R^2 + Rr + r^2).$$

Achsenschnitt des Kegelstumpfes

$f \cdot x \to r + \dfrac{R-r}{h} \cdot x$

## Differentialgleichungen

61) a) $f: t \to m_0 e^{-kt}, \quad t \geq 0$.

b) $f(t_1) = m_0 e^{-kt_1}$; $f(t_1 + \tau_H) = m_0 e^{-k(t_1 + \tau_H)} = \tfrac{1}{2} m_0 e^{-kt_1}$.

Also    $\ln \tfrac{1}{2} - kt_1 = -k(t_1 + \tau_H)$;   $\tau_H = \ln 2 : k$.

c) $f(10\,\tau_H) = 2^{-10} \cdot m_0 \approx \tfrac{1}{1000} m_0$.   d) $\tau_H \approx 1600$ Jahre.

62) a) $F = -\varrho \dot{s}$; $\varrho = \dfrac{1000\ \mathrm{kg\,m\,s}}{\mathrm{s}^2\,10\ \mathrm{m}} = 100\ \dfrac{\mathrm{kg}}{\mathrm{s}}$;

Aufgabe und Lösung 60 entfallen

$$m\ddot{s} = -\varrho\dot{s}; \quad \ddot{s} + \frac{\varrho}{m}\,\dot{s} = 0 \quad \text{oder}$$

$$f'' + c \cdot f' = 0.$$

b) $f' = u;\ \ u' + cu = 0;\ \ u : t \to Ce^{-ct},\ t \geq 0;$

$$u(0) = u_0 = 10\,\frac{\text{m}}{\text{s}}.\ \text{Daher}\ \ u : t \to u_0 e^{-ct},\ t \geq 0.$$

Mit den Zahlenwerten für $m$ und $\varrho$ erhält man die Halbwertszeit:
$\frac{1}{2} = e^{-0,1\,\tau_\text{H}};\ \ \tau_\text{H} \approx 7\text{s}.$

c) $s(t) = \int\limits_0^t \dot{s} = \int\limits_0^t u_0 e^{-c\tau}\,\mathrm{d}\tau = -\dfrac{u_0}{c}\,e^{-c\,t} + s_0.$

$\quad s(0) = 0 = -\dfrac{u_0}{c} + s_0;$

$\quad s : t \to \dfrac{u_0}{c} \cdot (1 - e^{-c\,t}),\quad t \geq 0;$

$\quad s_\text{H} = \dfrac{u_0}{c} \cdot \tfrac{1}{2} = 50\,\text{m}.$

63) a) $(x - c)^2 + f^2 = 1;$

b) $f = \pm\,\sqrt{1 - (x - c)^2};\quad f' = \dfrac{-2(x - c)}{\pm 2\sqrt{1 - (x - c)^2}} = \mp\,\dfrac{(x - c)}{f};$

daraus folgt die angegebene Differentialgleichung.

64) a) $y = 2x_1 x - x_1{}^2\quad$ oder $\quad y = mx - \dfrac{m^2}{4};$

b) $f' = m = 2x_1.$

65) a) $\varphi' + a\varphi = (f_1 - f_2)' + a(f_1 - f_2) = f_1' + af_1 - (f_2' + af_2) = g - g = 0.$
b) Zwei beliebige Lösungsfunktionen von $(I)$ haben als Differenz eine Lösungsfunktion von $(H)$.
c) Aus dem Richtungsfeld erkennt man eine spezielle Lösung von $(I)$;
$f_1 : x \to -(x + 1).$
Die Gleichung $(H)\ \varphi' = \varphi$ hat die Lösungen $\varphi : x \to Ce^x.$
Nach Teil b) hat daher jede Lösung von $(I)$ die Form
$f : x \to -(x + 1) + Ce^x.$

66) a) $f : x \to -x + 2 \cdot \ln|x + 2| + C;$
oder $f : x \to -x + \ln(x + 2)^2 + C;$

b) $f : x \to \dfrac{1}{x + c},\ \ x + c \neq 0;\ f_1 : x \to 0;$

c) $f : x \to \tan(x + c);\ \ d)\ f : x \to C \cdot x^2;$

e) $f : x \to \dfrac{C}{x},\ \ x \neq 0;\ \ f)\ x^2 + f^2 = r^2;\ |x| < r.$

g) $f : x \to \dfrac{C}{x + 1} - 1,\ \ x \neq -1;\ \ h)\ f : x \to -\sin x + c_1 x + c_2;$

i) $f : x \to C_1 e^x - 2x + C_2;\ \ j)\ f : x \to C_1 e^x + C_2\, e^{-x}.$

**Folgen und Reihen**

67) a) $1, -1, 1, -1, 1, \ldots$;    b) $1, 1, 2, 3, 5, 8, \ldots$;

c) $-1, \frac{1}{4}, -\frac{1}{9}, \frac{1}{16}, -\frac{1}{25}, \ldots$;    d) $1, \frac{2}{\sqrt{2}}, \frac{4}{\sqrt{3}}, \frac{8}{2}, \frac{16}{\sqrt{5}}, \ldots$;

e) $x, \frac{x^2}{2}, \frac{x^3}{6}, \frac{x^4}{24}, \frac{x^5}{120}, \ldots$

68) a) $1, -2, 3, -4, 5, -6, 7, \ldots$;    $<a_n> = <n \cdot (-1)^{n+1}>$.

b) $1, -1, \frac{1}{2}, -\frac{1}{2}, \frac{1}{3}, -\frac{1}{3}, \frac{1}{4}, -\frac{1}{4}, \frac{1}{5}, \ldots$;

$\langle a_{2n-1} \rangle = \langle \frac{1}{n} \rangle, \; n \in N; \quad \langle a_{2n} \rangle = \langle -\frac{1}{n} \rangle, \; n \in N;$

c) $\frac{1}{3}, \frac{4}{6}, \frac{9}{11}, \frac{16}{18}, \frac{25}{27}, \frac{36}{38}, \frac{49}{51}, \ldots$;

$$\left\langle a_n \right\rangle = \left\langle \frac{n^2}{n^2 + 2} \right\rangle;$$

d) $\frac{1}{\sqrt{3}}, \frac{1}{\sqrt{8}}, \frac{1}{\sqrt{15}}, \frac{1}{\sqrt{24}}, \frac{1}{\sqrt{35}}, \frac{1}{\sqrt{48}}, \frac{1}{\sqrt{63}}, \ldots$;

$$\left\langle a_n \right\rangle = \left\langle \frac{1}{\sqrt{(n+1)^2 - 1}} \right\rangle = \left\langle \frac{1}{\sqrt{n^2 + 2n}} \right\rangle;$$

e) $x, \frac{x^2}{1!}, \frac{x^3}{2!}, \frac{x^4}{3!}, \frac{x^5}{4!}, \frac{x^6}{5!}, \frac{x^7}{6!};$

$$\left\langle a_n \right\rangle = \left\langle \frac{x^n}{(n-1)!} \right\rangle \;(\text{Def}: 0! = 1).$$

69) a) Es gibt eine Zahl $\varepsilon > 0$ und unendlich viele Zahlen $a_k$ aus der Folge, so daß $|\alpha - a_k| \geq \varepsilon$.

b) Es gibt eine Zahl $\varepsilon > 0$ und unendlich viele Zahlen $a_k, a_{k'}$ aus der Folge, so daß $|a_k - a_{k'}| \geq \varepsilon$.

70) a) Es gibt eine natürliche Zahl $n_0$, so daß $a_n = k$ für alle $n > n_0$, $k \in N$. Die Glieder $a_1, a_2, \ldots, a_{n_0}$ können beliebig gewählt werden.

b) $a_1, \ldots, a_{n_0}$ beliebig; $a_n = +1$, wenn $n > n_0$ bzw.

$a_1, \ldots, a_{n_0}$ beliebig; $a_n = -1$, wenn $n > n_0$.

c) $a_1, \ldots, a_{n_0}$ beliebig; $a_n = k$, wenn $n > n_0$, $k \in N$.

d) Jede rationale Zahl $\in [0; 1]$.

71) a) Richtig. Folgt unmittelbar aus der Grenzwert-Definition für Folgen.

b) Falsch. Die Folge $< 0, 1, 0, 1, 0, 1, \ldots >$ ist divergent, hat aber konvergente Teilfolgen.

c) Richtig. Es sei $a_1 + a_2 + a_3 + \cdots = \alpha$ und

$$b_1 + b_2 + b_3 + \cdots = \beta. \text{ Dann wird}$$

$$|a_1 + b_1 + a_2 + b_2 + \cdots + a_n + b_n - (\alpha + \beta)| \leq$$

$$|a_1 + a_2 + \cdots + a_n - \alpha| + |b_1 + b_2 + \cdots + b_n - \beta| < 2 \cdot \frac{\varepsilon}{2}.$$

*d)* Falsch. Die Reihe $1 - \frac{1}{2} + \frac{1}{3} - \frac{1}{4} + \frac{1}{5} - \frac{1}{6} \pm \cdots$ ist konvergent (siehe Aufgabe 73*i*); die Reihe $1 + \frac{1}{3} + \frac{1}{5} + \cdots$ ist divergent. Man erhält einen richtigen Satz, wenn die Ausgangsreihe nur positive (bzw. nur negative) Glieder enthält.

*e)* Richtig. Da $\lim\ <a_n> = 0$ ist, gibt es eine natürliche Zahl $n_0$, so daß $a_n < \frac{\varepsilon}{2}$ für alle $n > n_0$.

Es ist dann
$$b_n = \frac{1}{n}(a_1 + a_2 + \cdots + a_{n_0} + \cdots + a_n)$$

$$= \frac{a_1 + a_2 + \cdots + a_{n_0}}{n} + \frac{a_{n_0+1} + \cdots + a_n}{n}$$

$$< \frac{s_{n_0}}{n} + \frac{n - n_0}{n} \cdot a_{n_0+1} \quad \text{(Monotonie)}$$

$$< \frac{s_{n_0}}{n} + \frac{\varepsilon}{2}.$$

Wählt man $n$ hinreichend hoch, so wird auch der Bruch $s_{n_0} : n$ kleiner als $\frac{\varepsilon}{2}$. Dann ist $b_n < \varepsilon$, was zu zeigen war.

**72)** *a)* $\alpha = \frac{1}{2}$;  *b)* divergente Folge;  *c)* $\alpha = 4$;

*d)* $\alpha = 0$, da $\sqrt{n+1} - \sqrt{n} = \dfrac{1}{\sqrt{n+1} + \sqrt{n}}$;

*e)* $\alpha = \dfrac{1}{e}$ nach der Anleitung und den Sätzen über Grenzwerte von Folgen.

*f)* $\alpha = 0$, da $\dfrac{1}{n^2} + \dfrac{1}{(n+1)^2} + \cdots + \dfrac{1}{(2n)^2} < \dfrac{n}{n^2} = \dfrac{1}{n}$;

*g)* Jedes Folgenglied kann als Untersumme der Funktion $f : x \to \dfrac{1}{x}, x > 0$ im Intervall $[1; 2]$ aufgefaßt werden.

Demnach gilt $\lim\ \langle a_n \rangle = \int_1^2 \dfrac{dx}{x} = \ln 2$.

**73)** *a)* $s_n = 1 - \dfrac{1}{n+1}$;  $\lim \langle s_n \rangle = s = 1$.

*b)* Konvergente Reihe, da $\dfrac{1}{n^2} < \dfrac{1}{n(n-1)}$.

*c)* Divergente Reihe; $\dfrac{1}{3} + \dfrac{1}{6} + \dfrac{1}{9} + \cdots + \dfrac{1}{3n} = \dfrac{1}{3}\left(1 + \dfrac{1}{2} + \dfrac{1}{3} + \cdots + \dfrac{1}{n}\right)$

*d)* Konvergente Reihe, solange $|x| < 1$;  $s(x) = \dfrac{1}{1-x}$;  divergente Reihe, wenn $|x| \geq 1$.

240    *Lösungen der Aufgaben*

*e)* Divergente Reihe; $< \ln \dfrac{1}{2^n} >$ ist unbeschränkt, Satz 9 verlangt aber $\lim <a_n> = 0$.

*f)* Divergente Reihe; $\dfrac{1}{\ln 2} + \dfrac{1}{\ln 3} + \cdots + \dfrac{1}{\ln k} > \dfrac{1}{2} + \dfrac{1}{3} + \cdots + \dfrac{1}{k}$.

*g)* Konvergente Reihe. $\dfrac{a_{n+1}}{a_n} = \dfrac{1}{n+1} \leq \dfrac{1}{2} < 1$ (die Reihe hat den Grenzwert *e*).

*h)* Konvergente Reihe; die Reihe $1 + 1 + \frac{1}{4} + \frac{1}{9} + \cdots$ ist eine konvergente Majorante.

*i)* Die Folge $<s_{2n}> = <\dfrac{1}{2} + \left(\dfrac{1}{3} - \dfrac{1}{4}\right) + \left(\dfrac{1}{5} - \dfrac{1}{6}\right) + \cdots$
$+ \left(\dfrac{1}{2n-1} - \dfrac{1}{2n}\right)>$
steigt monoton und ist beschränkt nach oben, 1 ist obere Schranke.

Die Folge $<s_{2n+1}> = <1 - \left(\dfrac{1}{2} - \dfrac{1}{3}\right) - \left(\dfrac{1}{4} - \dfrac{1}{5}\right) - \cdots$
$- \left(\dfrac{1}{2n} - \dfrac{1}{2n+1}\right)>$ fällt monoton und ist beschränkt nach unten, $\dfrac{1}{2}$ ist untere Schranke.
Aus Satz 1 (oder 10) folgt die Konvergenz der Folgen $<s_{2n}>$ bzw. $<s_{2n+1}>$. Da die Folge $<s_{2n+1} - s_{2n}>$ den Grenzwert Null hat, müssen die Grenzwerte der Folgen $<s_{2n+1}>$ und $<s_{2n}>$ übereinstimmen (der gemeinsame Grenzwert ist $\ln 2$).

*j)* Konvergente Reihe; der Beweis verläuft wie bei *i)* (der Grenzwert der Reihe ist sin 1, also ungefähr sin 57,3⁰).

*k)* Konvergente Reihe; die geometrische Reihe $\frac{2}{3} + (\frac{2}{3})^2 + (\frac{2}{3})^3 + \cdots$ ist konvergente Majorante.

*l)* Divergente Reihe. $1 + \frac{1}{3} + \frac{1}{6} + \cdots$ ist eine divergente Minorante.

*Fritz Geiß*

# Kapitel IV Geometrie

## Axiomatische Geometrie

### Was ist Geometrie?

Das Wort Geometrie stammt aus dem Griechischen und bedeutet eigentlich Erdmessung. Vermessungsingenieure bezeichnet man heute noch als Geometer. Der Teil der Mathematik, den man heute als Geometrie bezeichnet, ist sehr vielschichtig und läßt sich im Grunde genommen nicht immer scharf von den anderen mathematischen Disziplinen abtrennen. Historisch betrachtet hat sich die Geometrie jedoch aus dem Problemkreis heraus entwickelt, der mit der Landvermessung zusammenhing.

Die Babylonier und die Ägypter betrieben bereits eine Art experimenteller Geometrie und gewannen gewisse Erkenntnisse auf empirischer Basis. Aber erst die Griechen (vor etwa 2500 Jahren) haben unter Einbezug der Logik die Geometrie als Wissenschaft und damit die Mathematik begründet. Der Schwerpunkt verlagerte sich vom Nützlichkeitsstandpunkt und der praktischen Anwendung weg und hin zum logischen Begründen und Aufweisen der Zusammenhänge.

Geometrie als Wissenschaft hat im eigentlichen Sinne nichts mehr mit Zeichengerät und Meßapparaturen zu tun, sie ist vielmehr eine formal-abstrakte Disziplin der Mathematik, wie alle anderen auch. Sie hat sich allgemein gesehen von der naiven Raumvorstellung losgelöst. Dies hat zur Folge, daß es für den Mathematiker nicht nur »die Geometrie« gibt, d.h. nur eine ganz bestimmte Geometrie, die denknotwendig ist, wie es etwa Kant noch meinte, sondern viele verschiedene, aber logisch durchaus gleichberechtigte Geometrien. Neben den Mathematikern, die sich auf diese Weise mit Geometrie auseinandersetzen, gibt es aber sehr viel mehr andere Menschen, die eine ganz spezielle Geometrie sowohl praktisch als auch logisch betreiben. Es sind dies die technischen Zeichner, die Konstrukteure, Lehrlinge, gewisse Künstler und vor allem Schüler fast aller Schulstufen. Dieser vom Standpunkt des Mathematikers spezielle Typus der Geometrie ist unabdingbar verbunden mit unserem dreidimensionalen Erfahrungsraum. Manche Leute pflegen von der natürlichen Geometrie oder der *Geometrie der Physik* zu sprechen. Denkt man an die Relativitätstheorie, dann kann man allerdings die letztgenannte Bezeichnung kaum billigen. Man sollte sie vielmehr als die *Geometrie des Erfahrungsraumes* bezeichnen. Sie ist identisch mit der von Kant als denknotwendig bezeichneten Geometrie und jener Geometrie, die der Grieche Euklid als erster mit Hilfe eines Axiomensystems zu begründen versuchte.

Extrem formuliert kann man sagen, daß viele der wissenschaftlich betriebenen Geometrien geistreichen Spielereien gleichen, die nur beschränkt einer Anwendung zugänglich sind. Die Geometrie des Erfahrungsraumes kann dagegen sowohl logisch-formal als auch praktisch-experimentell betrieben werden. Bei den geometrischen Experimenten, dem Zeichnen und Konstruieren, muß allerdings berücksichtigt werden, daß den formalen Aussagen mehr oder weniger gute Approximationen entsprechen.

**Geometrie experimentell-induktiv und logisch-deduktiv**

Wie schon gesagt, begann die gesamte Geometrie mit Experimenten. Wir wollen jetzt an einem Beispiel studieren, wie sich experimentelle und logische Geometrie des Erfahrungsraumes unterscheiden. Dazu denken wir uns eine Klasse von Schülern, die gerade mit dem geometrischen Anfangsunterricht begonnen haben. Zunächst kommt es darauf an, daß sie eine sinnvolle Benutzung des Zeichengerätes kennenlernen und üben. Sie kennen noch keine Lehrsätze, sondern nur einige wenige Grundbegriffe wie Punkt, Gerade, Strecke, Kreis usw. Damit das Üben etwas reizvoller wird, bekommen sie die Aufgabe gestellt, nach einer Vorlage einen regelmäßigen sechseckigen Weihnachtsstern zu zeichnen. Wir wollen zwei Annahmen machen, die durchaus zutreffen können:

*1)* Durch Probieren mit dem Zirkel an der Vorlage finden die Schüler heraus, daß man die Eckpunkte regelmäßig verteilt, wenn man von einem Punkt $A$ der Kreislinie aus fortlaufend Sehnen $AB$, $BC$, $CD$, $DE$, $EF$ und $FG$ von der Länge des Radius anträgt (siehe die linke Figur der beiden folgenden).

*2)* Die Schüler haben bereits gelernt, sich kritisch mit dem Ergebnis ihrer Bemühungen auseinanderzusetzen und miteinander zu vergleichen.

Abgesehen vom Umlaufsinn würden folgende drei Fälle eintreten:

*I)*   Punkt $G$ liegt links von $A$;

*II)*  Punkt $G$ liegt rechts von $A$;

*III)* Die Punkte $G$ und $A$ fallen zusammen.

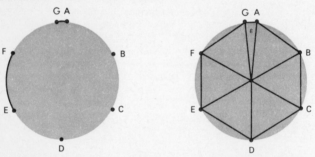

*Die Konstruktion eines regelmäßigen Sechsecks mit Zirkel und Lineal,*
$\varepsilon$ *als Maß für die Zeichengenauigkeit*

Es ist zu erwarten, daß beim Wiederholen der Konstruktion mehr Schüler als beim ersten Mal den Fall *III)* erreichen. Durch eine weitere Aufgabenstellung, nämlich große und kleine Sterne herzustellen, können die Schüler erkennen, daß das immer »so und nicht anders« zu machen ist.

Folgende geometrische Eigenschaft des Kreises können also die Schüler durch geometrisches Experimentieren gewinnen: Von einem beliebigen Punkt eines Kreises mit beliebigem Radius kann man diesen als Sehne genau 6mal abtragen. Durch gegenseitigen Erfahrungsaustausch dürften sie auch bemerken, daß die Abweichungen von dieser Gesetzmäßigkeit nur mit der Ungeschicklichkeit des Zeichners oder der Untauglichkeit des Zeichengerätes zusammenhängen.

Die Art und Weise, wie hier eine Erkenntnis gewonnen wird, können wir als *experimentell-induktive Methode* bezeichnen. Viele Erkenntnisse der Physik wurden auf diese Weise gefunden. Bis zu einem gewissen Grade läßt sich Geometrie experimentell-induktiv betreiben.

Noch ein anderes Beispiel aus dem Baugewerbe. Beim Hausbau schreibt der Bauplan in der Mehrzahl der Fälle vor, daß benachbarte Wände einen rechten Winkel einschließen. Dazu genügt es nicht, den ersten Stein der neuen Wand rechtwinklig anzulegen. Wegen gewisser Unregelmäßigkeiten der Steine muß eine ganze Reihe richtig angelegt werden. Dazu fertigt sich der Maurer aus langen geraden Baubrettern einen rechten Winkel an und benutzt dazu seine Bauschnur, indem er in diese im Abstand von 3 m, 4 m und 5 m Knoten macht und die Schnur zu einem Dreieck ausspannt derart, daß die Knoten die Eckpunkte bilden. Hinter dieser Prozedur steckt die Umkehrung des Satzes des Pythagoras. Es ist sicher nicht abwegig, wenn wir annehmen, daß dieser Satz und vor allem die Umkehrung nicht allen, die ihn auf diese Weise benutzen, in seiner Allgemeinheit bekannt ist. Vielmehr ist anzunehmen, daß die Gesetzmäßigkeit dieser praktikablen Prozedur geometrisch unreflektiert von Generation zu Generation weitergegeben wird. Zu erwähnen ist dabei noch, daß auch bekannt ist, daß man alle Seiten des Dreiecks halbieren oder verdoppeln darf und stets ein rechter Winkel erreicht wird. – Aber nun zurück zu unserem Weihnachtsstern.

Welche Aussagekraft hat denn· nun dieser empirisch gefundene Satz? Sind wir denn wirklich sicher, daß der Satz für alle Fälle Gültigkeit hat? Zwei Ansätze zum Zweifel gibt es: Möglicherweise gibt es sehr große oder sehr kleine Kreise, bei denen der Satz nicht stimmt. Jedenfalls ist bei diesen ein »Ausprobieren« unmöglich. Es kann aber auch sein, daß wir uns täuschen, weil unser Zeichengerät zu grob ist. Mit Lineal und Bleistift »erzeugt« man ja keine Gerade, sondern einen mehr oder weniger breiten Graphitstreifen, und die Punkte sind ebenso mehr oder weniger große Graphitflecken. Sicher ist auf Grund unserer Verfahrensweise lediglich, daß wir mit befriedigender Genauigkeit den Inhalt des Satzes bestätigen können. In diesem Sinne sprechen wir auch von *Approximationsgeometrie*.

Da gibt es aber noch eine weitere wichtige Frage, auf die uns die experimentell-induktive Methode in unserem Falle und in den meisten anderen Fällen auch keine Antwort geben kann. Die Richtigkeit des Satzes vorausgesetzt. Warum kann man den Radius gerade 6mal und nicht 5mal oder 6,5mal antragen?

Diese beiden Fragen, die Frage nach der absoluten Sicherheit und die Frage nach den Gründen, die einen bestimmten Satz bedingen, erfordern eben jenen anderen *logisch-deduktiven Weg*, den als erste die Griechen eingeschlagen haben. Wir wollen die logisch-deduktive Methode an unserem Beispiel aufzeigen.

Aus Gründen, die wir zunächst nicht vertreten müssen, nehmen wir an, daß die Richtigkeit der folgenden Aussagen, die wir als geometrische Sätze formulieren, gesichert ist:

**Satz I:**     Die Winkelmaßzahl des Vollwinkels beträgt $2\pi$.
**Satz II:**    Gleichseitige Dreiecke haben gleichgroße Winkel.
**Satz III:**   Die Summe der Winkelmaßzahlen beträgt in jedem Dreieck genau $\pi$.

Wir setzen weiter voraus, daß die in den drei Sätzen auftretenden Begriffe definiert sind.

Jetzt müssen wir die Konstruktionsvorschrift scharf fassen. Die Punkte *A*, *B*, *C*,

$D$, $E$, $F$ und $G$ liegen auf dem Kreis, somit ergibt sich eine *Teilbedingung* oder *Teilvoraussetzung*:

$$\overline{MA} = \overline{MB} = \overline{MC} = \overline{MD} = \overline{ME} = \overline{MF} = \overline{MG} = r.$$

Die *andere Teilvoraussetzung* ist, daß alle abgetragenen Sehnen die Länge $r$ haben:

$$\overline{AB} = \overline{BC} = \overline{CD} = \overline{DE} = \overline{EF} = \overline{FG} = r.$$

Im Satz wird die *Behauptung* aufgestellt, daß $G = A$ ist oder $\varepsilon = 0$ (siehe rechte Figur auf S. 242).

Die logisch-deduktive Methode der Wahrheitsfindung besteht jetzt darin, daß aus den sogenannten *Prämissen*, das sind in unserem Falle die beiden genannten Teilvoraussetzungen *und* die drei oben genannten Sätze, durch logisches Schließen die Behauptung gefolgert wird. Sinnvoller wäre es, wenn man im üblichen Beweisschema »Voraussetzung, Behauptung und Beweis« das Wort »Folgerung« an Stelle von »Behauptung« verwenden würde. Stillschweigend wird bei dieser Methode meist übergangen anzugeben, was man unter logischem Schließen versteht. Leider kann auch hier auf diese Frage nicht näher eingegangen werden. Man möge deshalb einfach davon ausgehen, daß jeder Mensch von Natur aus fähig ist, logisch zu denken, und daß diese Eigenschaft durch ständiges Üben verbesserbar ist.

In diesem Zusammenhang noch eine Bemerkung zur Benutzung von Beweisfiguren. Zum sauberen logischen Schließen sind solche Figuren nicht erforderlich, ja es gibt sogar bekannte Beispiele, bei denen eine »naiv« angelegte Beweisfigur zu unlogischen Schlußfolgerungen führt. Sie sind angenehme Gedächtnisstützen, wenn man sich hütet, die Figuren zu speziell anzulegen, und man immer daran denkt, daß man möglicherweise nicht den allgemeinen Fall damit erfaßt. Der rein logisch deduzierende Mathematiker ist in etwa zu vergleichen mit einem Schachspieler, der eine Schachpartie ohne Sicht des Schachbrettes und ohne Berührung der Figuren spielt. Es gibt Schachmeister, die gleichzeitig mit mehreren Gegnern »blind« spielen. Diese Fähigkeit haben sie durch stetes Training erlangt. Auch der rein logisch deduzierende Mathematiker hat sich nur allmählich von Veranschaulichungsstützen gelöst.

Nun noch schnell der relativ einfache *Beweis*, den wir logisch schließend führen: Alle Dreiecke mit Ausnahme des Dreiecks $GMA$ sind gleichseitig nach Voraussetzung. Deshalb ist Satz *II)* anwendbar: die drei Winkel eines solchen Dreiecks sind gleich groß. Dann muß aber nach Satz *III)* jeder Winkel die Maßzahl $\pi/3$ haben. Die Summe aller Dreieckswinkel mit dem Scheitel $M$ ist einerseits $6 \cdot \pi/3 + \varepsilon$ und andererseits, da es sich um den Vollwinkel handelt, nach Satz *I* gleich $2\pi$. Somit ergibt sich die Beziehung: $6 \cdot \pi/3 + \varepsilon = 2\pi$. Diese Gleichung hat genau die eine Lösung $\varepsilon = 0$, und das war zu beweisen.

Somit ist die Frage nach der uneingeschränkten Richtigkeit des empirisch gefundenen Satzes wie folgt zu beantworten: Unterstellt man die Richtigkeit der drei genannten Sätze, und sind die Konstruktionsvoraussetzungen erfüllt, so ist die Aussage des Satzes stets richtig. Außerdem erkennen wir den Grund, warum man den Radius genau 6mal abtragen kann und nicht 5mal. Die Konstruktion ist begründet durch die Tatsache, daß sich ein regelmäßiges Sechseck aus 6 regelmäßigen Dreiecken zusammensetzt.

Dem kritischen Leser wird aufgefallen sein, daß unsere Darstellung der logisch-deduktiven Methode aber doch noch in gewisser Weise in der Luft hängt. Was verbürgt uns die Richtigkeit der drei zum Beweis herangezogenen Sätze? Auch diese Sätze lassen sich auf andere Sätze zurückführen. So kann man Satz *I)* mit Sätzen beweisen, die die Einführung von Winkelmaßzahlen sicherstellen. Satz *II)* folgert man aus gewissen Sätzen über die Eigenschaften von symmetrischen Figuren, und Satz *III)*, auf den wir später noch zu sprechen kommen werden, hängt hinsichtlich seiner Gültigkeit davon ab, ob die Existenz genau einer Parallelen zu einer beliebigen Geraden durch einen beliebigen Punkt sichergestellt ist.

Fährt man in diesen Überlegungen fort, so dürfte klar sein, daß man bei geeignetem Vorgehen auf gewisse Sätze stoßen wird, die man nicht mehr auf andere zurückführen kann. Soweit es die Geometrie unseres Erfahrungsraumes anbelangt, wird man Sätze einfachen Inhalts suchen, deren Evidenz durch unsere Raumerfahrung gesichert ist. Gelingt es nun, eine solche Gruppe von Sätzen aufzustellen, aus denen man dann alle bekannten Sätze herleiten kann, so ist der logische Aufbau der Geometrie geleistet. Ein System von Sätzen, das diesen Anforderungen genügt, heißt *Axiomensystem der Geometrie* des *Erfahrungsraumes.* Jeder einzelne Satz heißt *Axiom.*

Als erster hat *Euklid* (etwa 300 v.Chr.) ein Axiomensystem der Geometrie aufgestellt, daß uns noch heute trotz gewisser Unzulänglichkeiten, die es aufweist, Bewunderung für die Geometrie der Griechen abnötigt. Der Göttinger Mathematiker *David Hilbert* (1862–1943) hat in Anlehnung an viele andere, vor allem deutsche und italienische Mathematiker, das Euklidsche Axiomensystem verbessert und neu gefaßt. Auch dieses System mußte noch verbessert werden. Bis zum heutigen Tage wurden eine Reihe weiterer Axiomensysteme entwickelt, die sich in vielen Punkten vom *Euklid-Hilbert-System* unterscheiden, aber sich ebensogut zum *axiomatisch-deduktiven Aufbau* der Geometrie unseres Erfahrungsraumes eignen.

### Aufriß eines möglichen axiomatisch-deduktiven Aufbaus der Geometrie der Ebene

*Vorbemerkungen.* Im Rahmen dieses Buches ist es völlig unmöglich, einen vollständigen Aufbau der Geometrie des Erfahrungsraumes mit allen bekannten Sätzen darzustellen. Da es darum geht, das Prinzipielle eines solchen axiomatisch-deduktiven Aufbaus darzustellen, genügt es, den Fall der Geometrie der Ebene zu untersuchen. In den folgenden Abschnitten wird nicht nur ein vollständiges Axiomensystem der Geometrie der Ebene vorgestellt, es wird vor allem auch versucht werden zu zeigen, wie sich ausgehend von einem Axiomensystem die geometrische Begriffsbildung vollzieht. Dazu ist es erforderlich, aus gewissen Axiomengruppen Folgerungen zu ziehen und danach neue Begriffe zu definieren, bevor die weiteren Axiome angegeben werden können. Man wird dabei erkennen, daß Begriffsbildung und Darstellung des *Axiomensystems* gewebeartig miteinander verknüpft werden müssen. Die Axiome werden von ihrem Typus her in 5 Gruppen zusammengefaßt:

   *I. Axiome der Verknüpfung*

   *II. Axiome der Anordnung*

  *III. Axiome des Abbildens*

  *IV. Axiome des Messens*

   *V. Parallelenaxiom*

Wie schon gesagt, erfordert die vollständige Darstellung des Axiomensystems, daß aus einem Teil bereits gewisse Folgerungen gezogen werden müssen. Wir können nur einen Teil der Sätze beweisen, einfache können als Übungsaufgaben vom Leser selbst bewiesen werden, und einen übrigen Teil müssen wir ohne Beweis nennen. Im Sinne einer besseren Einsichtigkeit wollen wir aber bezüglich der beiden ersten Axiomengruppen einen lückenlosen Aufbau vornehmen, einen ersten Teil im Zusammenhang mit den Axiomen des Messens ausführlich darstellen und insbesonders auf das Parallelenaxiom näher eingehen.

Was die Auswahl des Axiomensystems anbelangt, wurde darauf geachtet, daß zum Verständnis nur eine elementare Kenntnis der Mengenlehre erforderlich ist.

*Grundelemente.* Grundelemente unserer Geometrie sind die Punkte und die Geraden. Ohne einen Erklärungsversuch, wie es etwa Euklid seinerzeit gemacht hat, unternehmen zu wollen, können wir die Elemente mengentheoretisch charakterisieren.

Unsere Ebene $E$ ist die Menge ihrer Punkte $A, B, \ldots P, Q, \ldots$, in der Schreibweise der Mengenlehre: $E = \{A, B, \ldots P, Q, \ldots\}$. Die Geraden $g, h, \ldots s, t, \ldots$ sind ganz spezielle Teilmengen von $E$, die letztlich durch das Axiomensystem definiert werden. Es gibt natürlich noch andere Teilmengen von $E$, die nicht die Eigenschaften der Geraden aufweisen, weitere Teilmengen werden wir später kennenlernen. Wir werden später allerdings zeigen *(Satz 1)*, daß die Vereinigungsmenge aller Geraden (als Teilmengen) gleich der Menge aller Punkte ist.

**Axiome der Verknüpfung und Folgerungen.** An Stelle der mengentheoretischen Elementbeziehung $A \in g$ verwenden wir künftig auch die gleichwertigen Redewendungen »$A$ liegt auf $g$« bzw. »$g$ geht durch $A$«.

**Axiom I,1:** Durch zwei verschiedene Punkte $A$ und $B$ gibt es genau eine Gerade $g$. (Schreibweise: $g = (A; B) = (B; A)$).

**Axiom I,2:** Auf jeder Geraden liegen mindestens zwei Punkte $A$ und $B$.

**Axiom I,3:** Es gibt drei Punkte $A, B, C$, die nicht auf einer Geraden liegen.

Die Evidenz dieser Sätze ist klar, wenn wir an unsere Erfahrung mit der Zeichenebene denken und die Zeichnungen und Konstruktionen als Approximationen des »Idealfalls« ansehen, was in erster Linie bei Axiom I, 1 zu berücksichtigen ist. Aus diesen Axiomen lassen sich bereits Folgerungen ziehen.

**Satz 1:**    Die Vereinigungsmenge $G = g \cup h \cup \ldots \cup s \cup t \cup \ldots$ aller Geraden (als Teilmengen) der Ebene und die Menge aller Punkte der Ebene $E$ sind identisch.

*Beweis:* $G \subseteq E$, da die Vereinigungsmenge von (auch etwa unendlich vielen) Teilmengen einer Menge wieder Teilmenge dieser Menge ist. Es gilt aber auch $E \subseteq G$. Sei nämlich $P$ ein beliebiger Punkt von $E$, so gibt es nach Axiom I, 3 einen weiteren Punkt $Q$, der von $P$ verschieden ist. Nach Axiom I, 1 gibt es aber eine Gerade $g = (P, Q)$ die $P$ ja enthält. Aus $P \in g$ und $g \subset G$ folgt aber $P \in G$. Dies gilt für jeden Punkt $P$ von $E$ und somit $E \subseteq G$. Da sich also $E$ und $G$ gegenseitig enthalten, sind beide Mengen identisch.

**Satz 2:**    Zwei verschiedene Geraden $s, t$ haben höchstens einen Punkt gemeinsam.

*Aufgabe 1:* Man beweise diesen Satz unter alleiniger Benutzung des Axioms I, 1.

**Definition** »*Schnittpunkt*«: Nach Satz 2 enthält der mengentheoretische Durchschnitt $s \cap t$ zweier verschiedener Geraden höchstens einen Punkt (oder er ist leer!). Dieser Punkt heißt *Schnittpunkt der beiden Geraden*.

**Axiome der Anordnung und Folgerungen.** Die Punkte einer Geraden sind angeordnet, was man mit den Redewendungen »*A* liegt vor *B*« oder gleichwertig »*B* folgt auf *A*« ausdrückt. Wir verwenden dafür die Symbolik: $A < B$.

**Axiom II, 1:** Für zwei verschiedene Punkte *A* und *B* einer Geraden gilt genau eine der Aussagen $A < B$ oder $B < A$.

Die Relation »<« ist also antisymmetrisch und nicht reflexiv, daß dagegen die Transitivität gewährleistet ist, dafür sorgt:

**Axiom II, 2:** Gilt für drei Punkte *A, B, C* einer Geraden $(A < B) \wedge (B < C)$, so auch $A < C$.

**Axiom II, 3:** Zu zwei Punkten *A* und *B* einer Geraden *g* mit $A < B$ gibt es Punkte *C, D* und *E* auf *g* mit $C < A < D < B < E$.

Das letztgenannte Axiom ermöglicht uns zwei wichtige Definitionen:

**Definition** »*Zwischen für Punkte*«: Der Punkt $C \in g$ liegt zwischen $A \in g$ und $B \in g$ (Zeichen *ACB*), wenn gilt $A < C < B$ oder $B < C < A$.

Die Aussage des Axioms II, 3 ist aber noch weitergehend: Offenbar folgt aus der mehrfachen Anwendung des Axioms sofort, daß eine Gerade weder einen ersten noch einen letzten Punkt hat und weiter, daß es zwischen zwei Punkten immer noch mindestens einen weiteren Punkt gibt. Man sagt auch, daß die *Menge der Punkte einer Geraden offen* (d.h. im Sinne eines ersten und letzten Punktes nicht abgeschlossen) und *überall dicht* ist.

**Definition** »*Strecke*«: Unter der *abgeschlossenen Strecke* [*AB*] (oder [*BA*]) mit $A \neq B$ verstehen wir die Menge aller Punkte, bestehend aus *A* und *B* und allen Punkten der Geraden $g = (A; B)$, die zwischen *A* und *B* liegen.
Die *offene Strecke* ]*AB*[ enthält die beiden Punkte *A* und *B* nicht.

**Satz 3:** Für die durch zwei Punkte *A* und *B* bestimmte Strecke gelten folgende Mengenbeziehungen:
*1)* $[AB] = ]AB[ \cup \{A, B\}$;
*2)* $]AB[ \subset [AB] \subset g = (A, B)$.

*Aufgabe 2:* Beweisen Sie diesen Satz.

**Satz 4:** Jede Strecke [*AB*] (oder ]*AB*[) enthält unendlich viele Punkte.

*Bemerkung:* Wegen der Teilmengenbeziehung des vorhergehenden Satzes hat natürlich auch jede Gerade unendlich viele Punkte.
*Beweis:* Nach Axiom II, 1 können wir ohne Beschränkung der Allgemeinheit die Anordnung $A < B$ annehmen. Dann gibt es aber nach Axiom II, 3 zwischen *A* und *B* einen weiteren Punkt $C_1$ mit $A < C_1 < B$ und zwischen *A* und $C_1$ einen weiteren Punkt $C_2$ mit $A < C_2 < C_1$. Wir wissen, daß $C_1 \in [AB]$ und $C_2 \in [AC_1]$ ist, aber noch nicht, ob auch $C_2 \in [AB]$ gilt. Erst wenn wir dies logisch erschließen können, ist der Satz im Prinzip bewiesen.

Wegen $A < C_1 < B$ und $A < C_2 < C_1$ gilt aber $C_2 < C_1 \wedge C_1 < B$ nach Axiom II, 2, also $C_2 < B$. Da aber $A < C_2$ schon wegen $A < C_2 < C_1$ gilt, folgt $A < C_2 < B$, d.h. $C_2 \in [AB]$ nach Definition.

Jetzt kann man den gleichen Gedankengang auf die Strecke $[AC_1]$ mit dem »Zwischenpunkt $C_2$« anwenden und erhält einen weiteren Punkt $C_3$ usw. Damit ist der Satz endgültig bewiesen.

*Bemerkung:* Beim Beweis des Satzes haben wir die Existenz von Punkten $C_1, C_2,$ $C_3, \ldots$ mit folgender Anordnung $A < \ldots < C_3 < C_2 < C_1 < B$ nachgewiesen. Genauso wäre es möglich gewesen, die Existenz von Punkten $D_1, D_2, D_3, \ldots$ mit der Anordnung $A < D_1 < D_2 < D_3 < \ldots < B$ nachzuweisen.

**Satz 5:**     Es gibt unendlich viele Geraden.

*Aufgabe 3:* Man beweise Satz 5. Anleitung: Man benütze Satz 4, die Anordnung der Punkte einer Strecke und das Axiom I, 3.

Bevor wir in unserer Begriffsbildung fortfahren, müssen wir erst eine weitere Folgerung aus einem Teil der bereits gesetzten Axiome ziehen.

**Satz 6:**     Durch einen beliebigen Punkt $S$ einer Geraden $g$ wird die Menge der übrigen Punkte der Geraden $g$ in genau zwei nicht leere Klassen zerlegt.

**Beweis:**     1. Klasse: Alle $X \in g$ mit $X < S$
              2. Klasse: Alle $Y \in g$ mit $S < Y$.

Die beiden Klassen sind auf keinen Fall leer, denn nach Axiom I, 2 gibt es neben $S$ noch einen weiteren Punkt $A \in g$. Ohne Einschränkung der Allgemeinheit können wir annehmen, daß er zur ersten Klasse gehört, d.h. $A < S$. Nach Axiom II, 3 gibt es aber einen weiteren Punkt $B \in g$ mit $A < S < B$, der also der zweiten Klasse angehört. Wegen des Axioms II, 1 kann aber ein Punkt niemals gleichzeitig zwei Klassen angehören. Der Punkt $S$ selbst liegt immer zwischen zwei Punkten verschiedener Klassen und nie zwischen zwei Punkten einer Klasse, denn das ergäbe einen Widerspruch zu Axiom II, 1.

Satz 6 ermöglicht uns nun eine weitere Definition.

**Definition** »*Halbgerade*«: Jede Klasse aus Satz 6 bildet mit $S$ zusammen eine *abgeschlossene Halbgerade*.

*Bemerkung:* Im Gegensatz zu den Geraden haben je nach Anordnung die Halbgeraden einen ersten oder letzten Punkt, nämlich $S$. Der Punkt $S$ wird auch *Randpunkt* der Halbgeraden genannt. Die Halbgerade wird als *offen* bezeichnet, wenn der Randpunkt nicht zu ihr gehört. Die beiden durch $S$ auf $g$ bestimmten Halbgeraden nennen wir zueinander *komplementäre Halbgeraden*. Wegen der Klasseneinteilung nach Satz 6 ist durch $S$ und einen beliebigen weiteren Punkt $C \in g$ eine Halbgerade eindeutig bestimmt.

*Bezeichnungsweisen:* $h = S(C)$ ist die durch $C$ bestimmte Halbgerade der Geraden $g = (S, C)$ mit dem Randpunkt $S$. $\overline{h}$ ist die zu $h$ komplementäre Halbgerade. Es ist $h \cup \overline{h} = g$ und $h \cap \overline{h} = \{S\}$ und $S(C) \neq C(S)$.

**Satz 7:**     $S(C) \cap C(S) = [CS]$.

*Aufgabe 4:* Man beweise Satz 7.

Mit den bisherigen Ordnungsaxiomen lassen sich alle Ordnungseigenschaften für Punkte einer Geraden herleiten. Sie reichen aber noch nicht aus, um in der Ebene etwa Mengen von Geraden zu ordnen. Bemerkenswert ist in diesem Zusammenhang, daß über 2500 Jahre die Mathematiker das Fehlen eines solchen Axioms gar nicht gemerkt haben. Der deutsche Mathematiker *Moritz Pasch* (1843–1930) erkannte dies als erster, deshalb wird das folgende Axiom nach ihm *Pasch-Axiom* genannt.

**Axiom II, 4:** *A*, *B*, *C* seien drei nicht auf einer Geraden liegende Punkte und *s* eine Gerade, die durch keinen dieser drei Punkte geht. Wenn *s* einen Punkt *S* der Strecke ]*AB*[ enthält, dann enthält diese Gerade genau einen Punkt entweder der Strecke ]*AC*[ oder aber der Strecke ]*BC*[.

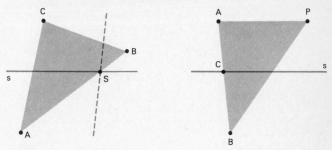

Links *Figur zum Axiom II,4;* rechts *Figur zum Beweis des Satzes 8*

Daß die genannten drei Punkte existieren, ist durch Axiom I, 3 abgesichert, und daß offene Strecken in das Axiom eingehen müssen, macht man sich leicht an einem Gegenbeispiel klar, bei dem *S* mit *A*, *B* oder *C* zusammenfällt. Die volle Bedeutung dieses Axioms erkennt man aber erst beim Beweis des folgenden Satzes.

**Satz 8:**     Durch eine Gerade *s* wird die Menge aller Punkte der Ebene, die nicht auf *s* liegen, in genau zwei nicht leere Klassen zerlegt.

*Beweis* siehe rechte Figur: Sei *s* eine beliebige Gerade der Ebene. Nach Axiom I, 2 existiert ein Punkt $C \in s$ und nach Axiom I, 3 ein Punkt $A \notin s$. Nach Axiom II, 3 existiert schließlich ein Punkt $B \in (A, C)$ mit $ACB$.
Wir wollen den Punkt *A* der 1. Klasse und den Punkt *B* der 2. Klasse zuordnen, womit gleichzeitig sicher ist, daß die beiden Klassen nicht leer sind. Jetzt müssen wir zwei Fälle betrachten:
*1)* außer *A* und *B* gibt es keine weiteren Punkte außerhalb *s*, dann ist aber nichts mehr zu beweisen.
*2)* Es gibt noch weitere Punkte außerhalb *s*, und ein solcher sei $P \neq A$, $P \neq B$. Dann wählen wir folgende willkürliche Zuordnung:
*P* gehört zur 1. Klasse, wenn die Strecke ]*AP*[ keinen Punkt von *s* enthält.
*P* gehört zur 2. Klasse, wenn die Strecke ]*AP*[ einen Punkt von *s* enthält.
Die Schlüsselfrage ist nun, ob man in jedem Fall entscheiden kann, zu welcher Klasse *P* gehört. Dazu sind wiederum zwei Fälle zu berücksichtigen, nämlich $P \notin (A, C)$ oder $P \in (A, C)$. Im ersten Fall können wir sofort das Pasch-Axiom II, 4 anwenden. Danach hat *s* entweder mit ]*AP*[ oder aber mit ]*BP*[ einen Punkt

gemeinsam. Somit kann $P$ genau einer Klasse eindeutig zugeordnet werden. Im zweiten Fall, wo also $P$ auf der Geraden $(A; C)$ liegt, wählen wir an Stelle von $C$ einen nach Axiom I, 2 existierenden Punkt $D \neq C$ mit $D \in s$. Dann ist sicher $P \notin (A; D)$, denn sonst ergäbe sich ein Widerspruch zu Axiom I, 1.

Der Beweis dieses Satzes läßt bereits erkennen, daß einerseits die einzelnen Schlüsse, die gezogen werden, klar und einfach sind, daß man aber doch sehr sorgsam alle Fälle beachten muß. Der eben bewiesene Satz 8 ermöglicht uns die

**Definition**   »*Halbebene*«: Die beiden Klassen aus Satz 8 bilden je eine *Halbebene*. Wir bezeichnen diese wieder als *abgeschlossen* oder *offen*, je nachdem, ob die Gerade $s$ dazugehört oder nicht.

Die beiden durch eine Gerade bestimmten *Halbebenen* $H$ und $\overline{H}$ nennen wir wieder zueinander *komplementär*. Durch eine Gerade $g$ und einen Punkt $A \notin g$ ist eine Halbebene eindeutig bestimmt. Es gibt noch weitere Möglichkeiten, Halbebenen festzulegen. Dazu müssen aber erst weitere Sätze bewiesen werden.

**Satz 9:**   Ist $S$ ein Punkt der Geraden $g$ und $A \notin g$, so liegt die Halbgerade $S(A)$ vollständig in der durch $g$ und $A$ bestimmten Halbebene $H$.

*Beweis:* Es genügt, wenn wir den Beweis für die abgeschlossenen Mengen führen, da sich die Richtigkeit des Satzes für offene daraus sofort ergibt. Ohne Beschränkung der Allgemeinheit können wir $S < A$ annehmen. Sei $X \in S(A)$ beliebig, dann muß nach Satz 6 $S < X$ (Klasseneinteilung!) sein. Angenommen, $X$ läge in der komplementären Halbebene $\overline{H}$ von $H$, dann gibt es nach der Klasseneinteilung des Satzes 8 einen Punkt $Y \in \,]XA[$, der auf $g$ liegt. Dann muß aber $S = Y$ sein, da nach Satz 2 $g$ und $(S, A)$ nur einen Punkt gemeinsam haben. Wegen $Y \in \,]XA[$ ist aber $X < Y < A$ und deshalb wegen $S = Y : X < S$. Das ist aber im Widerspruch zu $X \in S(A)$, wonach ja $S < X$ sein muß. Also muß $X \in H$ sein.

Aufgrund des Satzes 9 ist eine Halbebene auch durch eine Gerade $g$ und eine Halbgerade $h$ mit $g \cap h = \{S\}$ eindeutig bestimmt und sogar durch zwei Halbgeraden mit gemeinsamem Randpunkt. Alle Fälle der Festlegungsmöglichkeiten wollen wir mit einer Symbolübersicht in der folgenden Figur festhalten.

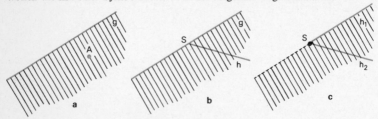

*Drei Möglichkeiten zur Festlegung einer Halbebene*

|  | Halbebene bestimmt durch | Symbol |
|---|---|---|
| *a)* | $g$ und $A$ | $H(g; A)$ |
| *b)* | $g$ und $h$ | $H(g; h)$ |
| *c)* | $h_1$ und $h_2$ | $H(h_1; h_2)$ |

In den Klammern stehen geordnete Paare! An erster Stelle steht die Gerade $g$ (Halbgerade $h_1$), welche für die Klassentrennung sorgt und an zweiter Stelle ein Repräsentant der betreffenden Halbebene.

**Satz 10:** Sind $g$ und $f$ zwei sich in $S$ schneidende Geraden und $h$ und $\bar{h}$ die durch $S$ auf $f$ bestimmten Halbgeraden, so sind die beiden Halbebenen $H(g; h)$ und $H(g; \bar{h})$ komplementär: $\bar{H}(g; h) = H(g; \bar{h})$.

*Aufgabe 5:* Man beweise Satz 10. Anleitung: Man vergleiche die Beweise zu Satz 6 und Satz 8.

**Satz 11:** Sind $h_1$ und $h_2$ zwei Halbgeraden mit $h_1 \cap h_2 = \{S\}$, und $H(h_1; h_2)$ die durch diese bestimmte Halbebene, so gilt $\bar{H} = H(h_1; \bar{h}_2) = H(\bar{h}_1; \bar{h}_2)$.

*Aufgabe 6:* Man beweise Satz 11.

**Definition** »*Winkel*«: Ein Paar von Halbgeraden $u$, $v$ mit *demselben Randpunkt S* bilden den *Winkel* $\sphericalangle (u; v) = \sphericalangle (v; u)$. $S$ heißt *Scheitel* des Winkels und $u$ und $v$ sind seine *Schenkel*.

*Bemerkung:* Im Gegensatz zu der Bestimmung von Halbebenen durch Halbgeraden kommt es beim Winkel nicht auf die Reihenfolge von $u$ und $v$ an. Mit dem Begriff der komplementären Halbgeraden erhalten wir

**Definition** »*Scheitel- und Nebenwinkel*«: Gegeben sei ein Winkel $\sphericalangle (u; v)$. Mit $u$, $v$ sind auch die komplementären Halbgeraden $\bar{u}$, $\bar{v}$ bestimmt. Dann bezeichnen wir den Winkel $\sphericalangle (\bar{u}; \bar{v})$ als *Scheitelwinkel* und die Winkel $\sphericalangle (\bar{u}; v)$ und $\sphericalangle (u; \bar{v})$ als *Nebenwinkel* des gegebenen Winkels.

*Bemerkung:* Man sieht leicht durch Berücksichtigung der Komplementäreigenschaft, daß die Nebenwinkel wiederum voneinander Scheitelwinkel sind.

**Definition** »*Winkelfeld*«: Gegeben sei der Winkel $\sphericalangle (u; v)$ und damit die Halbebenen $H(u; v)$ und $H(v; u)$. Den Durchschnitt der beiden Halbebenen $W(u; v) = W(v; u) = H(u; v) \cap H(v; u)$ nennen wir das *Winkelfeld* des Winkels $\sphericalangle (u; v)$. Je nachdem, ob wir die Schenkel des Winkels dazunehmen oder nicht, sprechen wir vom *abgeschlossenen* oder *offenen Winkelfeld* (linke Figur).

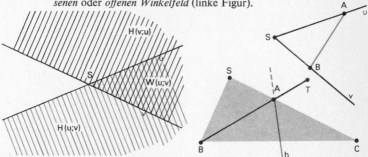

Links *Figur zur Definition eines Winkelfeldes;* oben rechts *Figur zum Beweis des Satzes 14;* darunter *Figur zum Beweis des Satzes 15*

Man sieht leicht ein, daß sich die Winkelfelder zweier Nebenwinkel mit dem gemeinsamen Schenkel zu einer Halbebene ergänzen, und die Winkelfelder zweier Scheitelwinkel im Falle der Abgeschlossenheit nur den Scheitel gemeinsam haben und im Falle der Offenheit elementfremd sind.

**Satz 12:** Ist *A* ein Punkt eines offenen Winkelfeldes mit dem Scheitel *S*, so gehören alle Punkte der offenen Halbgeraden *S*(*A*) dem Winkelfeld an.

*Bemerkung:* Die Gültigkeit dieses Satzes zieht sofort die Gültigkeit des Satzes für den Fall des abgeschlossenen Winkelfeldes nach sich, da dann der Fall, daß *A* auf einem Schenkel liegt, trivial ist.

*Aufgabe 7:* Man beweise Satz 12. Anleitung: Man beachte die Definition des Winkelfeldes als Durchschnitt zweier Halbebenen.

**Satz 13:** Liegt die Halbgerade *h* im offenen Winkelfeld $W(u; v)$ und fällt der Randpunkt von *h* mit dem Scheitel *S* zusammen, dann liegt $\bar{h}$ im Winkelfeld $W(\bar{u}; \bar{v})$.

*Aufgabe 8:* Beweisen Sie Satz 13.

**Satz 14:** Sind *A* und *B* zwei Punkte, die auf verschiedenen Schenkeln eines Winkels liegen, so gehören alle Punkte der abgeschlossenen (offenen) Strecke [*AB*] (]*AB*[) zum abgeschlossenen (offenen) Winkelfeld.

*Beweis:* Nach Satz 9 ist $[AB] \subset A(B) \subset H(u; v)$ und ebenso $[AB] \subset B(A) \subset H(v; u)$, also ist $[AB] \subset H(u; v) \cap H(v; u) = W(u; v)$; siehe Figur S. 251.
Die Aussage für den Fall der offenen Mengen folgt sofort aus der für die abgeschlossenen Mengen.

**Definition** »*Dreieck*«: Drei Punkte *A*, *B*, *C*, die nicht auf einer Geraden liegen, bilden ein *Dreieck*. [*AB*], [*BC*], [*AC*] heißen abgeschlossene *Seiten des Dreiecks* und deren Vereinigung *Dreieckslinie*. Die Halbgeraden *A*(*B*) und *A*(*C*) bilden den Dreieckswinkel $\sphericalangle (BAC) = \sphericalangle (CAB)$ und sinngemäß die anderen Halbgeraden die Dreieckswinkel $\sphericalangle (ABC) = \sphericalangle (CBA)$ und $\sphericalangle (ACB) = \sphericalangle (BCA)$. Der Durchschnitt der drei Winkelfelder bildet die *offene*, bzw. *abgeschlossene Dreiecksscheibe*, die wir mit ]*ABC*[ bzw. [*ABC*] bezeichnen. Die offene Scheibe wird auch als das *Innere des Dreiecks* bezeichnet. Es gilt also offenbar:

$$[ABC] = ]ABC[ \cup [AB] \cup [AC] \cup [BC].$$

[*BC*] nennen wir die dem Eckpunkt *A gegenüberliegende Seite*, $\sphericalangle (BAC)$ ist dann auch der der Seite [*BC*] *gegenüberliegende Winkel*. Für die anderen Eckpunkte, Seiten und Winkel gilt sinngemäß das Entsprechende.

**Satz 15:** Ist *h* eine von einem Eckpunkt ausgehende Halbgerade der offenen Dreiecksscheibe ]*ABC*[, dann hat *h* mit der gegenüberliegenden offenen Dreiecksseite einen Punkt gemeinsam.

*Beweis:* Ohne Beschränkung der Allgemeinheit wählen wir den Eckpunkt *A*. Zu *A* und *C* existiert nach Axiom II, 3 ein Punkt $S \in (A; C)$ mit *SAC* und ebenso zu *B* und *A* ein Punkt *T* mit *BAT* (siehe untere rechte Figur S. 251).

Wir bezeichnen die Winkelfelder der Winkel $\not\subset (BAC)$, $\not\subset (TAS)$ und $\not\subset (SAB)$ in dieser Reihenfolge mit $W_1$, $W_2$ und $W_3$. Nach den Sätzen 12 und 13 liegen alle Punkte von $h$ in $W_1$, und alle von $\overline{h}$ in $W_2$. Nach Satz 14 liegt die offene Strecke $]BS[$ in $W_3$. Da die offenen Winkelfelder $W_1$, $W_2$ und $W_3$ elementfremd sind, hat die Gerade $s = h \cup \overline{h}$ mit $]BS[$ keinen Punkt gemeinsam, also muß nach Axiom II, 4 angewandt auf die Punkte $S$, $B$ und $C$ die Gerade $s$ die Strecke $]BC[$ schneiden, q. e. d.

Nach dieser relativ langen Vorbereitung, die sich aber aus logischen Gründen nicht vermeiden läßt, kommen wir endlich zur Ordnung von Geraden.

**Satz 16:**  Die vom Scheitel $S$ eines Winkels $\not\subset (u; v)$ ausgehenden, im offenen Winkelfeld verlaufenden Halbgeraden können angeordnet werden.

*Beweis:* Wir wählen auf $u$ den Punkt $U$, und auf $v$ den Punkt $V$. Nach Satz 15 schneidet jede der Halbgeraden $h_1$, $h_2$, $h_3$, ... die Strecke $]UV[$ in einem Punkt. Wegen Axiom I,1 müssen die zugehörigen Schnittpunkte $S_1$, $S_2$, ... verschieden sein, wenn auch die Halbgeraden verschieden sind (sonst Widerspruch!). Damit erhalten wir mit $h_1 \leftrightarrow S_1$, $h_2 \leftrightarrow S_2$ usw. eine eineindeutige Zuordnung der Menge der Halbgeraden zur Menge der Punkte von $]UV[$. Somit läßt sich die Anordnung der Punkte $S_1$, $S_2$, ... auf die Halbgeraden übertragen (siehe linke Figur).

**Definition**  »*Zwischen für Halbgerade*«: Sind $h_1$, $h_2$, $h_3$ drei Halbgerade eines Winkelfeldes, die vom Scheitel $S$ ausgehen, so liegt $h_2$ *zwischen* $h_1$ und $h_3$, wenn die im Beweis des Satzes 16 konstruierten Schnittpunkte die Anordnung $S_1 S_2 S_3$ haben.
Schreibweise: $h_1 h_2 h_3$ analog $S_1 S_2 S_3$.

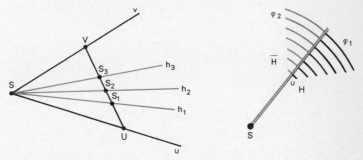

Links *Figur zum Beweis des Satzes 16;* rechts *Figur zur Definition einer Fahne*

**Axiome des Abbildens – Kongruenzsätze.** Die Ebene $E$ ist die Menge, deren Elemente die Punkte sind. Wir betrachten jetzt *ganz spezielle* bijektive Abbildungen der Menge dieser Punkte auf sich.

Zunächst sei noch einmal daran erinnert (siehe Algebraische Strukturen), was man unter einer bijektiven Abbildung einer Menge $M = \{a, b, c, ...\}$ auf eine Menge $M' = \{a', b', c', ...\}$ versteht. Durch irgendeine Vorschrift wird jedem Element von $M$ genau ein Element von $M'$ zugeordnet (Bildelement). Verschiedenen Elementen von $M$ entsprechen verschiedene Bildelemente von $M'$. Außerdem muß jedes Element von $M'$ als Bildelement vorkommen. Speziell kann die Ausgangsmenge $M$ mit der Bildmenge $M'$ identisch sein, dann spricht man von einer *bijektiven Abbildung von M auf sich*. Ein einfaches Beispiel für eine endliche Menge: $M = \{1, 2, 3, 4\}$; eine bijektive Abbildung erhält man durch die Zuordnung $1 \rightarrow 2$; $2 \rightarrow 3$; $3 \rightarrow 4$; $4 \rightarrow 1$. Auch im Falle unserer Ebene gibt es solche Abbildungen. Zur Veranschaulichung sei ein einfaches Beispiel genannt. Man denke sich die Ebene als die Oberfläche eines Zeichenbrettes. Punkte lassen sich mit Reißnägeln »fixieren«. Darauf denken wir uns zunächst ein Zeichenblatt mit drei Reißnägeln befestigt. Die entsprechenden Punkte am Zeichenbrett seien $P_1$, $P_2$ und $P_3$ und die entsprechenden am Zeichenblatt $Q_1$, $Q_2$ und $Q_3$. Zeichenbrett wie auch Zeichenblatt denken wir uns unbegrenzt groß. Das Blatt, das sich jetzt in der Lage I befindet, wird gelöst, beliebig verschoben, gedreht und gewendet, und mit den gleichen »Markierungspunkten« $Q_1$, $Q_2$ und $Q_3$ in einer Lage II befestigt. Wir bekommen so neue Punkte $P'_1$, $P'_2$ und $P'_3$. Damit haben wir eine eindeutige Zuordnung $P_1 \rightarrow Q_1 \rightarrow P'_1$, $P_2 \rightarrow Q_2 \rightarrow P'_2$, und $P_3 \rightarrow Q_3 \rightarrow P'_3$. Aber nicht nur das, jedem anderen Punkt $X$ des Zeichenbrettes läßt sich so der entsprechende Punkt $X'$ über einen »Stichpunkt« auf dem Zeichenblatt zuordnen. Offensichtlich haben verschiedene Punkte $X$ und $Y$ auch verschiedene Bildpunkte $X'$ und $Y'$, und daß auch alle Punkte des Zeichenbrettes als Bildpunkte erfaßt werden, verbürgt uns die Annahme der Unbegrenztheit. Diese Abbildung ist eine sehr spezielle bijektive Abbildung, es gibt noch andere, die sich wesentlich von diesem Beispiel unterscheiden. Wichtig ist dabei, daß sich das Zeichenblatt nicht verändert, d.h. nicht schrumpft oder dergleichen.

Die beschriebene Abbildung ist eine sogenannte *Kongruenzabbildung* der Ebene *auf sich*. Die Abbildungsaxiome erfassen diese Kongruenzabbildungen axiomatisch.

Sei $\mathbf{K} = \{K_1, K_2, ...\}$ die Menge der Kongruenzabbildungen von $E$ auf sich und $K \in \mathbf{K}$, dann bezeichnen wir mit $P' = K(P)$ das Bild des Punktes $P$.

**Axiom III, 1** *(Gruppenaxiom):* Die Menge $\mathbf{K}$ der Kongruenzabbildungen bildet eine Gruppe, wenn man als Verknüpfung das Nacheinanderausführen von Abbildungen betrachtet. Neutrales Element ist dabei die Abbildung $I$, welche jeden Punkt der Ebene auf sich selbst abbildet *(identische Abbildung)*.

**Axiom III, 2** *(Invarianzaxiom):* Sind $A$, $B$, $C$ drei Punkte einer Geraden mit der Anordnung $ABC$ und $K \in \mathbf{K}$, so gilt für die Anordnung der Bildpunkte $K(A)K(B)K(C) = A' \; B' \; C'$.

Da dieses Axiom die Erhaltung der »Zwischenbeziehung« bedeutet, kann man damit den folgenden Satz beweisen, worauf wir aber verzichten wollen.

**Satz 17:** Jede Abbildung $K \in \mathbf{K}$ bildet Geraden auf Geraden, Halbgeraden auf Halbgeraden, Strecken auf Strecken, Winkel auf Winkel, Halbebenen auf Halbebenen, Winkelfelder auf Winkelfelder und Dreiecke auf Dreiecke ab.

**Axiom III, 3** *(Verbotsaxiom): a)* Für drei Punkte $A$, $B$, $C$ einer Geraden mit der Anordnung $ABC$ gibt es keine Kongruenzabbildung $K \in \mathbf{K}$ mit $K(A) = A \wedge K(B) = C$.

*b)* Für drei Halbgeraden $u$, $v$, $w$ mit gemeinsamem Randpunkt gibt es keine Kongruenzabbildung $K \in \mathbf{K}$ mit $K(u) = u \wedge K(v) = w$.

Um noch einmal auf unser Beispiel zu kommen, kann man sagen, daß dieses Axiom sozusagen das »Schrumpfen« des Zeichenblattes verbietet. Bei einer nicht identischen Abbildung, bei der beispielsweise eine spezielle Gerade insgesamt auf sich abgebildet wird (das ist erlaubt), müssen aber alle Punkte »verschoben« werden.

**Definition** »*Fahne*«: Eine von einem Punkt $S$ ausgehende Halbgerade $u$ und eine der durch $u$ bestimmten Halbebene $H(u)$ bilden eine *Fahne* $\varphi = (S, u, H(u))$.

*Bemerkung:* $u$ bildet sozusagen den »Fahnenmast« und $H$ das »Fahnentuch« (siehe rechte Figur auf S. 253). Zu einer Halbgeraden $u$ gibt es zwei verschiedene Fahnen $\varphi_1 = (S, u, H(u))$ und $\varphi_2 = (S, u, \overline{H}(u))$.

**Axiom III,4** *(Fahnenaxiom):* Es gibt mindestens eine Kongruenzabbildung $K \in \mathbf{K}$, die eine gegebene Fahne $\varphi = (S, u, H(u))$ auf eine andere gegebene Fahne $\varphi' = (S', u', H(u'))$ abbildet.

**Definition** »*kongruent*«: Eine Punktmenge $M'$ heißt zu einer Punktmenge $M$ genau dann *kongruent* (Zeichen: $M' \simeq M$), wenn es eine Kongruenzabbildung $K \in \mathbf{K}$ gibt, die die Eigenschaft $M' = K(M)$ hat.

*Bemerkung:* Die angeführte Eigenschaft bedeutet, daß die Teilmenge $M$ von $E$ (beispielsweise Strecken, Dreiecksscheiben, aber auch Geraden, Halbgeraden, Halbebenen, Winkelfelder usw.) durch die Abbildung $K$ »genau« auf $M'$ abgebildet wird, und nicht etwa auf eine Teilmenge von $M'$ oder auf eine Menge, die $M'$ als echte Teilmenge enthält.

*Die Bedeutung der Abbildungsaxiome* besteht darin, daß man weitere wichtige Folgerungen aus dem bisherigen Axiomenkomplex ableiten kann, von denen die wichtigsten nachfolgend ohne Beweis aufgeführt werden:

*1)* Die Kongruenz ist eine Äquivalenzrelation.

*2)* Es gibt *genau* eine Kongruenzabbildung, die eine gegebene Fahne auf eine andere gegebene Fahne abbildet (vergleiche *Axiom III,4*).

*3)* Es gelten die bekannten Kongruenzsätze über Dreiecke und deren Anwendungssätze.

*4)* Jede Strecke hat *genau* einen Mittelpunkt.

*5)* Es gibt rechte Winkel (das sind die Winkel, die zu ihren Nebenwinkeln kongruent sind).

*6)* Alle rechten Winkel sind kongruent.

*7)* In jedem Punkt $A$ einer Geraden $g$ kann genau eine Senkrechte errichtet werden.

*8)* Durch jeden Punkt $A \notin g$ gibt es genau eine Gerade, die auf $g$ senkrecht steht.

**Axiome des Messens – Zahlen in der Geometrie.** Erinnert sei an das Beispiel der experimentell-induktiven Geometrie der Bauhandwerker. Die Frage, was dieses Zahlentripel 3, 4 und 5 mit dem rechten Winkel zu tun hat, kann erst dann diskutiert werden, wenn man sich darüber Klarheit verschafft hat, wie die Zahlen überhaupt in die Geometrie kommen. Gemeint sind nicht die Indizes von Buchstaben, die letztlich nur eine Art bequeme Namensgebung ermöglichen, sondern die Zuordnung von Maßzahlen zu Strecken und Winkeln.

Es zeigt sich, daß mit den bisher eingeführten Axiomgruppen I–III eine solche Zuordnung nicht möglich ist. Ein wichtiges Axiom kannten in dieser Hinsicht schon die griechischen Mathematiker. Es geht auf *Eudoxus* (ca. 350 v. Chr.) und *Archimedes* (250 v. Chr.) zurück und wird nach letzterem benannt. Eine endgültige Klärung erfolgte aber erst durch *Georg Cantor* (1845–1918), dem Begründer der Mengenlehre.

**Axiom IV, 1** *(Archimedes-Axiom):* Gegeben sind zwei Strecken $[AB]$ und $[PQ]$.

Dann existieren endlich viele Punkte $A_i$ ($i = 1, 2, ..., n$) mit der Anordnung $A < A_1 < A_2 < ... < A_{n-1} \leq B < A_n$, wobei die Strecken $[AA_1]$, $[A_1A_2]$, ..., $[A_{n-1}A_n]$ alle zu $[PQ]$ kongruent sind.

*Bemerkung:* Dieses Axiom ermöglicht erst den Vergleich von Strecken mit einer *Normstrecke* und damit das *Ausmessen* von Strecken. Es besagt, daß man durch *mehrmaliges Antragen* der Normstrecke von $A$ aus den Punkt $B$ entweder direkt erreicht oder in der letzten angetragenen Normstrecke einfangen kann. Dieses Verfahren entspricht dem Prinzip des physikalischen Messens.

**Axiom IV, 2** *(Cantor-Axiom):* Gegeben ist die Strecke $[AB]$ und in ihr Teilstrecken $[A_iB_i]$ ($i = 1, 2, 3, ...$) mit folgenden Eigenschaften:

  a) $A \leq A_1 \leq A_2 \leq ... A_i \leq A_{i+1} \leq ... \leq B_{i+1} \leq B_i \leq ... B_2 \leq B_1 \leq B$;

  b) keine der Strecken $[A_iB_i]$ liegt in allen anderen.

Dann existiert ein Punkt $Q$, der allen Strecken $[A_iB_i]$ angehört.

*Bemerkungen:* Das Axiom läßt sich anschaulich deuten. Die Teilstrecken bilden eine sogenannte *Intervallschachtelung:* $[AB] \supset [A_1B_1] \supset [A_2B_2] ...$. Jede Intervallschachtelung zieht sich demnach auf einen Punkt zusammen. Bei *a)* kann natürlich nicht in allen Fällen ein Gleichheitszeichen stehen.

Das Axiom stellt sicher, daß es in einer Strecke keine »Löcher« gibt. Zwar wissen wir aus dem Abschnitt Axiome der Anordnung, daß eine Strecke unendlich viele Punkte hat und daß zwischen je zwei Punkten $P$ und $Q$ stets noch ein weiterer Punkt $M$ mit $PMQ$ existiert, aber dies besagt nicht, daß die Punktmenge kontinuierlich zusammenhängt. Dieses Problem, bezeichnet als das *Problem des Kontinuums*, hat lange Zeit die Philosophie der Mathematik beschäftigt und fand im Zusammenhang mit der Begründung der Mengenlehre durch Cantor seine Klärung.

Ehe wir an Hand zweier weiterer Sätze und deren Beweise die Bedeutung dieser beiden Axiome hinsichtlich der Einführung der Zahlen in die Geometrie erkennen, müssen wir noch den Begriff der *Längenmaßzahl* über den Begriff der *Längenmaßfunktion* einführen. Dazu aber erst der Begriff der surjektiven Abbildung: Eine Abbildung von $M$ auf $M'$ ist surjektiv, wenn jedes Element von $M'$ Bild ist, aber mehreren verschiedenen Elementen von $M$ auch das gleiche Bild zugeordnet sein kann. Eine bijektive Abbildung ist also der Sonderfall einer surjektiven Abbildung.

Sei $S = \{[AB] \mid A \in E, B \in E\}$ die Menge aller Strecken der Ebene $E$ und $R_0^+$ die Menge der positiven reellen Zahlen einschließlich der Zahl 0, dann verstehen wir unter einer *Längenmaßfunktion* eine surjektive Abbildung $\lambda$ von $S$ auf $R_0^+$, die folgende Eigenschaften hat:

*a)* $\lambda([AB]) = 0 \Leftrightarrow A = B$; d. h. $\lambda$ hat dann und nur dann den Wert 0, wenn die Strecke zum Punkt ausartet.

*b)* Bildet man eine Strecke durch *Aneinanderfügen* zweier Strecken oder zerlegt man eine Strecke in Teilstrecken, so soll die Funktion $\lambda$ additiv sein, d. h.:

Ist $[AB] = [AC] \cup [CB] \wedge [AC] \cap [CB] = \{C\}$, so gilt
$\lambda[AB]) = \lambda([AC]) + \lambda([CB])$.

*c)* Kongruente Strecken werden auf die gleiche reelle Zahl abgebildet:
$\lambda([AB]) = \lambda([CD]) \Leftrightarrow [AB] \cong [CD]$.

*d)* Es gibt Strecken, die auf die Zahl 1 abgebildet werden (Normstrecken).
Es dürfte einleuchtend sein, daß man die reellen Werte der Längenmaßfunktion als *Längenmaßzahl* der betreffenden Strecke bezeichnen kann, und wir schreiben einfacher $\overline{AB} = \lambda([AB])$ für die Längenmaßzahl der Strecke $[AB]$.
Die entscheidende Frage ist nun, ob es überhaupt eine solche Längenmaßfunktion und damit Längenmaßzahlen gibt.
Eine Antwort erhält man durch die beiden folgenden Sätze.

**Satz 18:**  Jeder Strecke $[AB]$ kann genau eine reelle Zahl $\overline{AB} = \lambda([AB])$ zugeordnet werden, so daß die Abbildung die Bedingungen *a, b, c, d* der Längenmaßfunktion erfüllt.

**Satz 19:**  Zu jeder positiven reellen Zahl $r$ läßt sich eine Strecke $[AB]$ angeben, die diese Zahl als Längenmaßzahl hat, d.h. $r = \lambda([AB]) = \overline{AB}$.

Satz 18 garantiert demnach die Existenz von $\lambda$ und Satz 19, daß die Abbildung $\lambda$ auch alle Elemente von $R_0^+$ als Bildelement erfaßt.
Wegen des erforderlichen Umfanges muß auf die vollständigen Beweise der beiden Sätze verzichtet werden. Wir begnügen uns damit, daß wir aufzeigen, wie die beiden Axiome IV,1 und IV,2 in den Beweis eingehen. Ehe wir das tun, müssen wir erst noch etwas näher auf die Darstellung von reellen Zahlen eingehen.
Die übliche Darstellung der reellen Zahlen erfolgt im Dezimalsystem, wobei jede reelle Zahl als Summe von Vielfachen von Zehnerpotenzen unter Benutzung der zehn Ziffern 0, 1, 2, ..., 9 dargestellt wird. *Beispiele:*

$$925,387 = 9 \cdot 10^2 + 2 \cdot 10^1 + 5 \cdot 10^0 + 3 \cdot 10^{-1} + 8 \cdot 10^{-2} + 7 \cdot 10^{-3};$$

$$\sqrt{2} = 1,4142.. = 1 \cdot 10^0 + 4 \cdot 10^{-1} + 1 \cdot 10^{-2} + 4 \cdot 10^{-3} + 2 \cdot 10^{-4} + \cdots;$$

$$\pi = 3,1415.. = 3 \cdot 10^0 + 1 \cdot 10^{-1} + 4 \cdot 10^{-2} + 1 \cdot 10^{-3} + 5 \cdot 10^{-4} + \cdots.$$

Die Wahl der Basis 10 hat bestimmte praktische Vorteile, sie ist jedoch nicht etwa zwingend notwendig. Man kann jede natürliche Zahl $n$ als Basis wählen und benötigt dazu jeweils $n$ verschiedene Ziffern. Beispielsweise ist in der Computertechnik das *Dualsystem* mit der Basis 2 von entscheidender Bedeutung. Wir benützen im folgenden den entsprechenden Satz aus der Theorie der reellen Zahlen als

**Hilfssatz 1:** Jede reelle Zahl ist im Dualsystem darstellbar und jedes Dualzahlgebilde (endliche oder unendliche Summe von Zweierpotenzen) ist eine reelle Zahl.

An Stelle des Beweises begnügen wir uns mit der Angabe von Beispielen.
*1)* Vom Dezimal- zum Dualsystem:

$9,75 = 1 \cdot 2^3 + 0 \cdot 2^2 + 0 \cdot 2^1 + 1 \cdot 2^0 + 1 \cdot 2^{-1} + 1 \cdot 2^{-2} =$ dual 1001,11

$0,2 \ = 2 : 10 =$ dual 10 : dual 1010 = dual 0,00110011 ...

Der im Dezimalsystem übliche Divisionsalgorithmus läßt sich in völliger Analogie auf das Dualsystem übertragen, nur erfordert die Durchführung sehr viel mehr

Schritte. So lassen sich auch irrationale Zahlen approximieren, beispielsweise:

$\pi \approx 3$    = dual 11,0000000 ...

$\pi \approx 3,1$    = dual 11,000110011 ...

$\pi \approx 3,14$ = dual 11,001000111 ...

*2) Vom Dual- zum Dezimalsystem:*

$101,01 = 1 \cdot 2^2 + 0 \cdot 2^1 + 1 \cdot 2^0 + 0 \cdot 2^{-1} + 1 \cdot 2^{-2} =$ dezimal 5,25

$0,101010 .. = 2^{-1} + 2^{-3} + 2^{-5} + .. = \dfrac{1}{2} \dfrac{1}{1 - \frac{1}{4}} =$ dezimal 0,666 ...

Entsprechend lassen sich nichtperiodische Dualbrüche schrittweise durch Dezimalbrüche approximieren.

*3)* dezimal 0,999 ... = dezimal 1 = dual 1 = dual 0,1111 ...

*Axiom IV,1 und Satz 18:* Ein vollständiger Beweis müßte drei Teile enthalten:

   *1)* Konstruktion der Maßzahl $\overline{AB}$ zur Strecke $[AB]$;

   *2)* Nachweis, daß die so konstruierte Zahl $\overline{AB}$ den Bedingungen $a$, $b$, $c$, $d$ genügt;

   *3)* Eindeutigkeit der Maßzahl $\overline{AB}$ bei Festlegung der Normstrecke.

Wir wollen uns mit *1)* begnügen, da hier bereits die Bedeutung des Axioms IV,1 ersichtlich wird (siehe folgende Figur).

*Figur zum Axiom IV,1 und Beweis des Satzes 18*

Einer beliebigen Strecke $[OE]$ ordnen wir die Längenmaßzahl $\overline{OE} = 1$ zu. Diese kann man von $A$ aus auf der Halbgeraden $A(B)$ abtragen. Nach Axiom IV,1 erhält man nach endlich vielen Abtragungen die beiden Punkte $A_{n-1}$ und $A_n$ mit $A_{n-1} \leq B \leq A_n$. Unter Berücksichtigung der Forderungen *b)* und *c)* setzen wir in *erster Näherung* $\overline{AB} = (n-1) + F_0$. Es gibt genau zwei Fälle: entweder es ist $A_{n-1} = B$ oder $A_{n-1} \neq B \neq A_n$ ($B = A_n$ entspricht dem 1. Fall für $n' - 1 = n$). Im ersten Fall ist $\overline{AB} = (n-1)$ mit $F_0 = 0$ genau bestimmt. Im zweiten Fall dagegen $0 < F_0 < 1$.

Jetzt betrachten wir den Mittelpunkt $M_1$ von $A_{n-1}A_n$, der nach Folgerung 4 aus dem Abschnitt Kongruenzsätze eindeutig bestimmt ist. Dann gibt es genau drei Fälle:

*1)* $A_{n-1} < B < M_1 < A_n$;    *2)* $A_{n-1} < B = M_1 < A_n$;
*3)* $A_{n-1} < M_1 < B < A_n$.

Da die Forderungen *b)* und *c)* nur mit $A_{n-1}M_1 = M_1A_n = \frac{1}{2} =$ dual 0,1 erfüllbar sind, setzen wir in einer *zweiten Näherung* $\overline{AB} = (n-1) + d_1 + F_1$ mit $0 \leq F_1 < \frac{1}{2}$, wobei $d_1$ ein Dualbruch der Form $d_1 = 0,n_1$ mit $n_1 \in \{1,0\}$ ist.

Den drei genannten Möglichkeiten ordnen wir durch die folgende Festsetzung die Werte zu:

*1)* $n_1 = 0$;    $0 < F_1 < \frac{1}{2}$    *2)* $n_1 = 1$;    $F_1 = 0$;    *3)* $n_1 = 1$;    $0 < F_1 < \frac{1}{2}$.

Während im zweiten Fall die Maßzahl schon bestimmt ist, wird in den anderen Fällen die betreffende »halbe Normstrecke« halbiert und man erhält $M_2$. Die

»Viertel-Normstrecke« erhält die Maßzahl $\frac{1}{4} =$ dual 0,01. Wenn man so fortfährt, erhält man für die *k-te Näherung* die Maßzahl

$$\overline{AB} = (n - 1) + d_k + F_k \quad \text{mit} \quad 0 \leq F_k < (\tfrac{1}{2})^k.$$

Entweder bricht das Verfahren nach endlich vielen Schritten ab, dann ist $F_k = 0$ und $d_k$ ein endlicher Dualbruch, oder das Verfahren bricht nicht ab, dann ist aber $\lim_{k \to \infty} F_k = 0$ und $\lim_{k \to \infty} d_k = d$ ein unendlicher Dualbruch.
In beiden Fällen kann also der Strecke $[AB]$ eine Maßzahl $\overline{AB} = (n - 1) + d$ mit einem bestimmten Dualbruch $d$ zugeordnet werden und damit ist die Längenmaßfunktion konstruiert. Da $d$ nach Hilfssatz *1* immer eine reelle Zahl darstellt, ist $\overline{AB} = (n - 1) + d$ insgesamt eine reelle Zahl.

Es ist noch einmal darauf hinzuweisen, daß das Axiom IV,1 nur einmal benötigt wurde, eben sozusagen zum »Einfangen« des Punktes $B$.

*Aufgabe 9:* Man bestimme für die fünfte Näherung $(M_4)$ den Wert der Längenmaßzahl der Strecke $AB$ in der Figur von S. 258.

*Axiom IV,2 und Satz 19:* Jede positive reelle Zahl $r$ läßt sich nach Hilfssatz 1 auf
die Form $r = (n - 1) + d$ bringen, wobei $n$ eine natürliche Zahl ist
und $d$ ein Dualbruch.

Ist $d$ ein endlicher Dualbruch, so läßt sich die gesuchte Strecke sofort konstruieren. Man hat dazu lediglich von einem beliebigen Punkt $A$ einer Geraden $g$ die Einheitsstrecke $[OE]$ $(n - 1)$-mal anzutragen und die entsprechenden Teilstrecken der Einheitsstrecke (Halbstrecke, Viertelstrecke, ...) wegzulassen oder anzutragen, je nachdem ob in $d = 0,n_1n_2n_3 \ldots n_i = 0$ oder $n_i = 1$ ist. Nach endlich vielen Schritten ist die Strecke konstruiert. Ist dagegen $d$ ein unendlicher Dezimalbruch, so verfährt man wie folgt:

*Figur zum Axiom IV,2 und Beweis des Satzes 19*

Zunächst trägt man von $A$ aus auf $g$ $n$-mal die Einheitsstrecke $[OE]$ ab. Die Strecke $[A_{n-1}A_n]$ bezeichnen wir mit $[I_0]$ und halbieren sie durch $M_1$. Damit erhält man eine »linke Strecke« $[A_{n-1}M_1]$ und eine »rechte Strecke« $[M_1A_n]$. Als Strecke $[I_1]$ wählen wir die »linke«, falls in $d = 0, n_1 n_2 n_3 .. n_1 = 0$ ist, dagegen die »rechte«, falls $n_1 = 1$ ist. $[I_1]$ wird wieder halbiert und ebenso $[I_2]$ bestimmt usw. Damit bekommen wir eine Folge von Strecken $[I_0] \supset [I_1] \supset [I_2] \ldots$, die wie die Strecken $[A_i\ B_i]$ dem Axiom IV,2 genügen. Somit existiert ein »eingeschachtelter Punkt« $B$, der allen Strecken angehört. Die so konstruierte Strecke $[AB]$ hat die Längenmaßzahl $\overline{AB} = (n - 1) + d$ q.e.d.

Jetzt können wir das *Kontinuum Gerade*, welches durch die Axiome I–IV bestimmt wird, noch etwas genauer charakterisieren, als dies im Abschnitt Grundelemente nur vom Gesichtspunkt der Mengenbildung möglich war:

**Satz 20:**   Die durch die Axiome I–IV bestimmten Geraden unserer Geometrie sind geordnete Punktmengen, welche die gleiche Mächtigkeit (Kardinalzahl) wie die Menge der reellen Zahlen $R$ haben.

*Figur zum Beweis des Satzes 20*

*Beweis:* Die Möglichkeit der Anordnung brauchen wir nicht mehr zu beweisen. Es muß noch gezeigt werden, daß es eine bijektive Abbildung der Punktmenge $g$ auf $R$ gibt (siehe Figur). Dazu wählen wir zwei Punkte $O$ und $E$ beliebig auf $g$ und $[OE]$ als Normstrecke mit $\overline{OE} = 1$. Nach Satz 18 können wir damit $[OP]$ eindeutig die reelle Zahl $r$ zuordnen. Wir betrachten jetzt nur die Strecken der Halbgeraden $O(E)$, deren »linker« Randpunkt mit $O$ zusammenfällt. Sie unterscheiden sich somit nur durch die verschiedenen Lagen von $P$ und die zugehörige Längenmaßzahl $\overline{OP} = r$. Somit erhalten wir mit $P \to r$ eine bijektive Abbildung von $O(E)$ auf $R_0^+$, wobei $O$ auf die Zahl 0 abgebildet wird. Sei nun $[OE'] \cong [OE]$, so erhalten wir auf die gleiche Weise eine bijektive Abbildung von $O(E')$ auf $R_0^-$ q.e.d.

Der Satz 20 und dessen Beweisidee stellt die Grundlage der sogenannten analytischen Geometrie, einer Geometrie über dem Körper der reellen Zahlen dar.

Abschließend noch einige Bemerkungen zur *Messung von Winkeln*. Wir begnügen uns, die Analogie zur Messung von Strecken aufzuzeigen. Die Winkelmaßfunktion ist eine surjektive Abbildung der Menge $W$ aller Winkel auf die Teilmenge der reellen Zahlen $\alpha$ mit $0 \le \alpha \le \pi$, und die Funktionswerte $\alpha$ (auch mit anderen griechischen Buchstaben bezeichnet) heißen *Winkelmaßzahlen*. Die Winkelmaßfunktion muß analoge Bedingungen *a, b, c* wie die Längenmaßfunktion erfüllen, wobei für die Punkte $A$ und $B$ Halbgeraden $u$ und $v$ zu setzen sind und somit für die Strecken $[AB]$ die Winkel $\sphericalangle (u, v)$. Lediglich bei *d* erfolgt eine Abänderung: Normwinkel ist der rechte Winkel, dem die Maßzahl $\frac{\pi}{2}$ zugeordnet wird. Mit Hilfe der Kongruenzsätze läßt sich beweisen, daß es zu jedem Winkel $\sphericalangle (u, v)$ genau eine Halbgerade $w$ (*Winkelhalbierende*) gibt, so daß $\sphericalangle (u, w) \cong \sphericalangle (w, v)$ ist. Ausgehend vom rechten Winkel $\sphericalangle (u, r)$ läßt sich durch fortgesetztes Winkelhalbieren $(w_1, w_2, w_3 \ldots)$ die Halbgerade $v$ ganz analog einfangen (linke

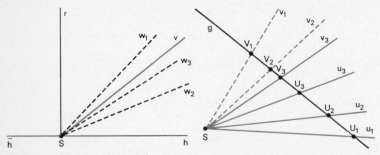

*Figuren zur Messung von Winkeln*

Figur), wie der Punkt $B$ im Falle des Satzes 18. Somit kann jedem Winkel eine Winkelmaßzahl $\alpha = [(n-1) + d] \cdot \frac{\pi}{2}$ zugeordnet werden, wobei $n \in \{1, 2\}$ und $d$ ein Dualbruch ist. Daß umgekehrt auch zu jeder reellen Zahl $\alpha$ mit $0 \le \alpha \le \pi$ ein Winkel mit dieser Winkelmaßzahl angegeben werden kann, das verbürgt ein »Einschachtelungssatz« für Winkel, der besagt, daß sich eine »Winkelintervallschachtelung« auf eine bestimmte Halbgerade, die vom Scheitel S des Winkels ausgeht, »zusammenzieht«. Dieser Satz ist unmittelbar aus dem Axiom IV,2 herleitbar. Man wähle eine Gerade $g$, die von allen Schenkeln geschnitten wird (rechte Figur). Dann hat man nämlich eine eineindeutige Abbildung der Winkel $\sphericalangle (u_i, v_i)$ auf die Strecken $[U_i, V_i]$.

In unserem bisherigen Aufbau sind nur Winkel mit $\alpha < \pi$ definiert. Im Zusammenhang mit den trigonometrischen Funktionen ist eine Erweiterung des Winkelbegriffes erforderlich und von unserem Axiomensystem her auch möglich. Wir können nur hier nicht weiter darauf eingehen.

Ebenso müssen wir auf eine genauere Erörterung des Begriffes des Flächeninhaltes verzichten. Aus den bisherigen Axiomen läßt sich neben der Längenmaßfunktion und der Winkelmaßfunktion auch die Existenz einer Flächenmaßfunktion nachweisen, was aber schon deswegen komplizierter ist, weil nicht nur kongruenten Punktmengen, sondern auch gewissen nicht kongruenten Punktmengen (wie z. B. Dreiecken mit gleicher Grundlinie und Höhe) die gleiche *Flächenmaßzahl* zugeordnet werden muß.

**Parallelenaxiom – Winkelsummensatz.** Zunächst ist noch erforderlich die

**Definition** *des Begriffs »parallel«:* Zwei Geraden $s$ und $t$, die keinen Punkt gemeinsam haben (also $s \cap t = \emptyset$) heißen zueinander *parallel* (Zeichen: $s \| t$).

**Satz 21:** Zu einer Geraden $g$ gibt es durch einen Punkt $A \notin g$ *mindestens* eine Parallele.

Zum Beweis dieses Satzes benötigen wir einen weiteren Hilfssatz, den man nach Einführung der Winkelmaßfunktion mit Hilfe der Kongruenzsätze beweisen kann, d. h. aus den bisherigen Axiomen I–IV folgern kann.

**Hilfssatz 2:** Die Winkelmaßzahl eines Außenwinkels eines Dreiecks ist größer als die eines jeden Innenwinkels, der zu ihm nicht Nebenwinkel ist.

*Bemerkung: Innenwinkel* = Dreieckswinkel, *Außenwinkel* = Nebenwinkel eines Innenwinkels.

*Beweis des Satzes 21:* Nach Axiom I, 2 gibt es einen Punkt $B \in g$. Die Gerade $(A, B)$ bestimmt die beiden Halbebenen $H$ und $\overline{H}$. Wir betrachten die beiden Fahnen $\varphi_1 = (B, B(A), \overline{H})$ und $\varphi_2 = (A, A(B), \overline{H})$. Nach Axiom III, 4 gibt es eine Kongruenzabbildung $K$, die $\varphi_1$ auf $\varphi_2$ abbildet, wodurch die Winkel $\gamma = \alpha$ und $\delta = \beta$ in $A$ an $[AB]$ angetragen werden. Dabei wird durch $K$ die Gerade $g$ auf die Gerade $p$ abgebildet. Wäre nun $p \cap g \neq \emptyset$, also $p \cap g = \{C\}$, so ergäbe sich mit $\alpha = \gamma$ und $\delta = \beta$ ein Widerspruch zum Hilfssatz 2, also ist $p \cap g = \emptyset$ und damit $p \| g$ (siehe linke der folgenden Figuren).

Wie wir eben gesehen haben, kann die Existenz von Parallelen aus den bisherigen Axiomen I–IV gefolgert werden. Nun ist es aber andererseits eine bemerkenswerte Tatsache, auf die wir später noch zurückkommen werden, daß es nicht möglich ist, aus den Axiomen I–IV zu folgern, daß $p$ die einzige Parallele zu $g$ durch $A$ ist. Es muß zur Absicherung der Eindeutigkeit der im Satz 21 durch Fahnenabbildung konstruierten Parallelen noch ein weiteres Axiom hinzugenommen werden, womit wir dann auch schon das vollständige Axiomensystem I–V unserer Geometrie haben.

**Axiom V** *(Parallelenaxiom):* Zu einer Geraden $g$ und einem Punkt $A \notin g$ gibt es *genau* eine Parallele $p$.

Mit Hilfe des Axioms V können wir weitere Folgerungen ziehen, von denen wir noch drei interessante nennen und beweisen wollen.

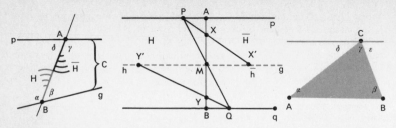

Links *Figur zum Beweis des Satzes 21;* in der Mitte *Figur zum Beweis des Satzes 22;* rechts *Figur zum Beweis des Satzes 26*

**Satz 22:**   Jede offene Strecke $]AB[$ läßt sich bijektiv auf die Menge der Punkte einer Geraden abbilden.

*Beweis:* Sei $M$ der nach Folgerung 4 aus Abschnitt »*Kongruenzsätze*« existierende Mittelpunkt von $]AB[$ und $g$ die nach Folgerung 8 existierende Senkrechte auf $(A; B)$ durch $M$, dann gibt es nach Axiom V genau je eine Parallele $p$ und $q$ durch $A$ bzw. $B$. Auf $p$ gibt es außer $A$ noch einen weiteren Punkt $P$. Die Gerade $(P; M)$ schneidet $q$ in $Q$. $P$ und $Q$ liegen in komplementären Halbebenen $H$ und $\overline{H}$. $\overline{h}$ ist die Halbgerade von $g$, die in $\overline{H}$ liegt, und $h$ die, die in $H$ liegt (siehe mittlere Figur).

Die bijektive Abbildung von $]AB[$ auf $g$ erhalten wir wie folgt:

*1)* Punkt $M$ wird auf sich abgebildet.

*2)* Allen Punkten $X \in ]AM[$ wird der Schnittpunkt $X'$ von $(P, X)$ mit $g$ zugeordnet. Offensichtlich ist dies eine bijektive Abbildung von $]AM[$ auf $\overline{h}$.

*3)* Allen Punkten $Y \in ]BM[$ wird der Schnittpunkt $Y'$ von $(Q, Y)$ mit $g$ zugeordnet, und dies ist eine bijektive Abbildung von $]BM[$ auf $h$.

Insgesamt wird durch *1)*, *2)* und *3)* eine bijektive Abbildung von $]AB[$ auf $g$ definiert  q.e.d.

Die Geraden als »kontinuierliche Punktreihen« besitzen also die bemerkenswerte Eigenschaft, daß eine *begrenzte Teilmenge* (begrenzt durch $A$ und $B$) einer Geraden »genau so viele« Punkte hat wie die Gerade selbst. Betrachtet man im Gegensatz dazu eine »diskrete Punktmenge« mit ebenfalls unendlich vielen Punkten, die man durch Abtragen der Strecke $[OE]$ auf der Halbgeraden $O(E)$ erhält, so gilt dies nicht für eine Teilmenge, die durch zwei Punkte $A$ und $B$ begrenzt wird.

**Satz 23:**   Sei $H$ eine offene Halbebene, die durch $g$ erzeugt wird und $S \in g$. Die Menge aller von $S$ ausgehenden Halbgeraden, die in $H$ liegen, hat die gleiche Mächtigkeit wie die Menge der Punkte einer Geraden (und damit wie die Menge der reellen Zahlen).

*Aufgabe 10:* Man beweise Satz 23. Anleitung: Wählen Sie eine Parallele $p$ zu $g$.

Als Verschärfung der Aussage des Satzes 1 aus dem Abschnitt Axiome der Verknüpfung sollen noch die beiden folgenden Sätze genannt werden, von denen allerdings nur der erste mit der Parallelität zu tun hat.

**Satz 24:**   Die Vereinigungsmenge $P_g$ aller Parallelen der Geraden $g$ einschließlich $g$ selbst enthält alle Punkte von $E$ ($P_g$ = Parallelenschar).

*Aufgabe 11:* Man beweise Satz 24.

**Satz 25:** Die Vereinigungsmenge $G_A$ aller Geraden, die durch einen Punkt $A$ gehen, enthält alle Punkte von $E$ ($G_A$ = Geradenbüschel).

*Aufgabe 12:* Man beweise Satz 25.
Zum Abschluß dieses Abschnittes noch der wichtige

**Satz 26:** (= Satz III von S. 243): Die Summe der Winkelmaßzahlen im Dreieck beträgt genau $\pi$.

*Beweis:* Zu [AB] denke man sich die nach Axiom V existierende einzige Parallele $p$ durch $C$ gelegt. Nach dem Hilfssatz 2 muß $\varepsilon = \beta$ und $\alpha = \delta$ sein (vergleiche Beweis des Satzes 21). Da aber $\varepsilon + \gamma + \delta = \pi$ ist, folgt durch Einsetzen $\alpha + \beta + \gamma = \pi$ (siehe rechte Figur S. 262).
Der Satz 26, der kurz auch Winkelsummensatz genannt wird, stellt in gewisser Weise ein Äquivalent für das Axiom V dar. Wir haben gesehen, daß er sich aus den Axiomen I–IV (über Hilfssatz 2) unter Hinzunahme des Axioms V beweisen läßt. Man kann aber auch umgekehrt aus den Axiomen I–IV unter Hinzunahme des Winkelsummensatzes das Axiom V herleiten.

## Modelle des Axiomensystems

*Modell- und Formalgeometrie (Zeichenebene-Modell I).* Wenn auch schon deutlich darauf hingewiesen wurde, daß wir keine Erklärung darüber abgeben, was wir unter den Grundelementen Punkt und Gerade verstehen, müssen wir andererseits zugeben, daß wir uns mehrfach auf die praktische Geometrie der Zeichenebene bezogen haben und daß wir als Gedächtnisstütze mehrfach Beweisfiguren unserer Zeichenebene herangezogen haben. Wir haben ein *Modell I* benutzt, das von Zeichenungenauigkeiten abgesehen unserem Axiomensystem genügt. Wir haben darauf hingewiesen (Blindspiel eines Schachgroßmeisters), daß es bei hinreichender Übung und Schärfe des Verstandes möglich ist, Geometrie ohne Verwendung eines Modells zu treiben, wir sprechen dann von *Formalgeometrie*. Um dies noch deutlicher zu machen, wollen wir exemplarisch eine Bezeichnungsänderung für alle Begriffe vornehmen, die im Abschnitt Axiome der Verknüpfung vorkommen:
Punkt ... Blu (Zeichen $\alpha, \beta, \gamma \dots$);
Gerade ... Kra (Zeichen $A, B, C \dots$);
liegt auf
geht durch ... epsilontet mit.

*Axiom I,1:* Zu zwei verschiedenen Blus $\alpha$ und $\beta$ gibt es genau ein Kra $A$, das mit $\alpha$ und $\beta$ epsilontet.

*Axiom I,2:* Mit jedem Kra $A$ epsilonten mindestens zwei verschiedene Blus $\alpha$ und $\beta$.

*Axiom I,3:* Es gibt drei Blus $\alpha, \beta$ und $\gamma$, die nicht mit dem gleichen Kra epsilonten.

**Satz 27:** Zwei verschiedene Kras $A$ und $B$ haben höchstens ein gemeinsames Blu.

*Beweis:* Angenommen, es gäbe zwei Blus α und β, die beide mit dem Kra *A* und dem Kra *B* epsilonten, dann könnten Kra *A* und Kra *B* wegen Axiom I, 1 nicht verschieden sein.

Wir wollen nicht übertreiben und die anderen Axiome und Begriffe nicht übersetzen. Dieses Beispiel soll klarmachen, daß man auch ohne Modell derart formal-logisch Geometrie betreiben kann. Eine besondere Frage, die den Mathematiker jetzt interessiert, ist die der Variation des Axiomensystems.

Historisch gesehen wurde diese Möglichkeit im Zusammenhang mit dem Bestreben, das Parallelenaxiom aus den anderen zu beweisen, erkannt. Die Variation der Axiomensysteme führt zu verschiedenen Geometrien, die mit unserem Erfahrungsraum nur noch sehr wenig zu tun haben.

Die Formalgeometrie beschäftigt sich einerseits mit der Aufstellung von Axiomensystemen, wobei zwei Kriterien für die Auswahl maßgeblich sind:

*1)* Die Widerspruchsfreiheit des Gesamtsystems;

*2)* Die Unabhängigkeit der Axiome voneinander.

Ein drittes Kriterium, nämlich das der Vollständigkeit, hängt davon ab, welchen geometrischen Bereich man jeweils sozusagen erfassen will. Andererseits wird natürlich untersucht, welche Folgerungen man aus den einzelnen Systemen ableiten kann und welche nicht.

In gewisser Weise stellt die *Modellgeometrie* eine Art Gegenpol zur *Formalgeometrie* dar; während diese sich durch ihre Abstraktheit auszeichnet, benutzt jene weitgehend die Anschauung oder Zahlenbereiche und algebraische Operationen. Für unser Axiomensystem wollen wir nun neben dem schon genannten *Modell unserer Zeichenebene* noch zwei weitere Modelle vorstellen, wobei allerdings darauf verzichtet werden muß, alle Details zu besprechen. Prinzipielles soll aber jeweils vermerkt werden.

*Modell II – Sphärenmodell.* Als Punktmenge *E* definieren wir die Menge aller Punkte *P* einer Kugeloberfläche (Sphäre) mit Ausnahme eines beliebigen Punktes *N* der Sphäre. Als Geraden definieren wir die und nur die Teilmengen von Punkten, die auf einem beliebigen Kreis der Sphäre liegen, der durch *N* geht.

Daß dieses Modell unserem Axiomensystem genügt, läßt sich mit Hilfe einer sogenannten »stereographischen Projektion« nachweisen (folgende Figur). *M*

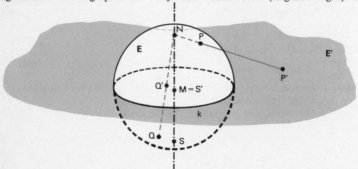

*Figur zum Sphärenmodell: Alle Punkte der Nordhalbkugel werden außerhalb k, alle Punkte der Südhalbkugel innerhalb k auf E′ abgebildet*

ist der Kugelmittelpunkt, $S$ der auf dem Durchmesser $(N, M)$ liegende »Gegenpunkt« von $N$ und $E'$ die Ebene, die durch $M$ geht und auf der $(N, S)$ senkrecht steht, $k$ ist der Schnittkreis (keine Gerade von $E$!) der Sphäre $E$ und der Ebene $E'$. Sei $P$ bzw. $Q$ ein beliebiger Punkt von $E$, dann schneidet die Gerade $(N; P)$ bzw. $(N; Q)$ die Ebene $E'$ in $P'$ bzw. $Q'$. Die Zuordnung $P \to P'$ ist offensichtlich eine bijektive Abbildung von $E$ auf $E'$. Dabei werden alle Punkte der »Nordhalbsphäre« außerhalb $k$ und alle der »Südhalbsphäre« innerhalb $k$ auf $E'$ abgebildet. Alle als Geraden definierten Kreise der Sphäre (die also durch $N$ gehen) werden auf die Geraden von $E'$ abgebildet und umgekehrt.

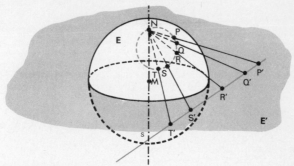

*Alle Kreise von E durch N werden als Gerade auf E' abgebildet und umgekehrt*

*Aufgabe 13:* Welches sind die Strecken, komplementäre Halbgeraden bzw. Halbebenen des Modells?

*Aufgabe 14:* Welche Kreise durch $N$ stellen eine Parallelenschar bzw. ein Geradenbüschel dar?

*Aufgabe 15:* Gibt es Geraden von $E$, die sich im normalen Sinn senkrecht schneiden?

Die »stereographische Projektion« stellt eine Art Rückkopplung an unser Ausgangsmodell dar. Deshalb ist ein Beweis darüber, daß das Modell dem Axiomensystem genügt, nicht erforderlich. Längenmaßzahlen und Winkelmaßzahlen kann man ebenfalls aus der Geometrie in $E'$ übernehmen. Dabei ist aber zu beachten, daß zwei in $E$ kongruente Strecken (gleiche Längenmaßzahl) »natürlich ausgemessen« nicht gleichlang sein müssen. In der folgenden Figur beispielsweise sei in $E'$ $[S'K'] \cong [K'L']$, dann ist auch in $E$ $[SK] \cong [KL]$. Entsprechendes gilt für kongruente Winkel und Dreiecke.

*Modell III – Zahlenpaarmodell.* $R$ ist die Menge der reellen Zahlen und das kartesische Produkt $R \times R$ die Menge aller geordneten Zahlenpaare $(r_1; r_2)$ mit $r_1, r_2 \in R$ (wir schreiben auch $P(r_1; r_2)$ für $(r_1; r_2)$). Wir identifizieren $E$ mit $R \times R$ und somit die Zahlenpaare als Punkte. Wir müssen jetzt festlegen, welche Teilmengen von $R \times R$ die Geraden unseres Modells sind. Dazu betrachten wir die Menge aller linearen Gleichungen mit den beiden Variablen $x$ und $y$ und die jeweils dazugehörigen Erfüllungsmengen (Lösungsmengen):

1)     $Ax + By + C = 0$ mit $A, B, C \in R$ und $A^2 + B^2 \neq 0$.

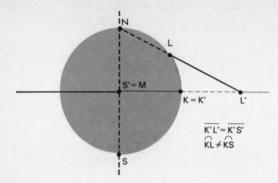

$$\overline{K'L'} = \overline{K'S'}$$
$$\overset{\frown}{KL} \neq \overset{\frown}{KS}$$

Bekanntlich ändert sich die Erfüllungsmenge nicht, wenn man eine solche Gleichung mit einem Faktor $k \neq 0$ durchmultipliziert. Die Erfüllungsmenge der Gleichung

2)    $(kA)x + (kB)y + (kC) = 0$

ist mit der von *1)* identisch. In der abgekürzten Mengenschreibweise, bei der wir $r_1, r_2, A, B, C \in R$ stets voraussetzen, bedeutet dies:

$\{(r_1; r_2) \mid Ar_1 + Br_2 + C = 0\} = \{(r_1; r_2) \mid kAr_1 + kBr_2 + kC = 0\}$.

Im Sinne eines eindeutigen Bezuges einer bestimmten Erfüllungsmenge auf eine bestimmte Gleichung muß die Darstellung der linearen Gleichungen eine Normierung erfahren. Dabei sind zwei Fälle zu beachten:

*I)*  $C \neq 0$: dann kann man *1)* auf die Form

3)    $ax + by + 1 = 0$  mit  $a, b \in R$  und  $a^2 + b^2 \neq 0$  bringen

$(a = A : C,  b = B : C)$.

*II)*  $C = 0$: dann hat *1)* die Form $Ax + By = 0$, und es sind wieder zwei Fälle zu beachten:

$\alpha)$  $B \neq 0$: dann geht *1)* in die Form

4)    $mx - y = 0$  mit  $m \in R$  über  $(m = -A : B)$;

$\beta)$  $B = 0$: dann muß mit  $A \neq 0$

5)    $x = 0$  sein.

Somit lassen sich vom Standpunkt einer eindeutigen Zuordnung von Erfüllungsmengen alle linearen Gleichungen auf die drei möglichen Typen

3)    $ax + by + 1 = 0$  $a, b \in R$  und  $a^2 + b^2 \neq 0$;

4)    $mx - y \quad = 0$  $m \in R$;

5)    $x \qquad\quad = 0$;

zurückführen. Jedem Typ entspricht eine bestimmte Klasse von Geraden. Die drei Klassen sind elementfremd. Die Geraden als Teilmengen von $E = R \times R$ definieren wir als Erfüllungsmengen solcher Gleichungen.

Wir wollen die folgenden Schreibweisen verwenden:

$P(r_1; r_2), Q(s_1; s_2) \dots$ für Punkte und

$g(a, b), g(m)$ oder $g_0$ für die Geraden als Erfüllungsmengen der Gleichungen vom Typ *3)*, *4)* oder *5)*; natürlich verwenden wir auch andere Kleinbuchstaben $h(a, b), s(m)$ usw. In der Mengenschreibweise:

$g(a, b) = \{(r_1; r_2) \mid ar_1 + br_2 + 1 = 0\}$;

$g(m) = \{(r_1; r_2) \mid mr_1 - r_2 = 0\};$

$g_0 = \{(r_1; r_2) \mid r_1 = 0\} = \{(0; r) \mid r \in R\}.$

Das Modell III stellt eines der beiden analytischen Modelle dar, die später noch ausgiebig benutzt werden. Das Modell genügt unserem Axiomensystem. Wir wollen uns damit begnügen, daß wir dies exemplarisch für einige wenige Axiome nachweisen.

### Die Axiome im Zahlenpaarmodell

*Verknüpfungsaxiome. Zu Axiom I, 1:* Seien $A(r_1; r_2)$ und $B(s_1; s_2)$ zwei beliebige aber verschiedene Punkte, d.h. $r_1 \neq s_1 \vee r_2 \neq s_2$. Dann muß also gezeigt werden, daß es genau eine Gerade gibt, die $A$ und $B$ enthält; mit anderen Worten, daß es genau eine Gleichung gibt, deren Erfüllungsmenge die beiden Zahlenpaare $(r_1; r_2)$ und $(s_1; s_2)$ enthält. Der Nachweis erfolgt hier algebraisch.

Wir versuchen es erst mit dem Typ *3)*, dann muß aber $ar_1 + br_2 + 1 = 0 \wedge as_1 + bs_2 + 1 = 0$ sein, da $A$ und $B$ auf derselben Geraden liegen. Damit haben wir zwei Bestimmungsgleichungen für $a$ und $b$. Wir wenden das übliche Auflösungsverfahren an, indem wir mit geeigneten Faktoren die Gleichungen durchmultiplizieren und dann voneinander subtrahieren.

$$\begin{array}{ll} ar_1 s_1 + br_2 s_1 + s_1 = 0 & \qquad ar_1 s_2 + br_2 s_2 + s_2 = 0 \\ as_1 r_1 + bs_2 r_1 + r_1 = 0 & \qquad as_1 r_2 + bs_2 r_2 + r_2 = 0 \end{array}$$

$$b(r_2 s_1 - s_2 r_1) + (s_1 - r_1) = 0 \qquad a(r_1 s_2 - s_1 r_2) + (s_2 - r_2) = 0.$$

Ist nun $r_2 s_1 - s_2 r_1 \neq 0$, dann sind in der Tat

$$b = \frac{s_1 - r_1}{r_2 s_1 - s_2 r_1} \quad \text{und} \quad a = \frac{s_2 - r_2}{r_1 s_2 - s_1 r_2}$$

eindeutig bestimmt.

Ist aber $r_2 s_1 - s_2 r_1 = 0$, dann ist dieser Ansatz nicht brauchbar, da für die Existenz einer Lösung von $a$ und $b$ sowohl $s_1 = r_1$ als auch $s_2 = r_2$ sein müßte, was wegen der Verschiedenheit von $A$ und $B$ nicht sein kann. In diesem Fall versuchen wir es mit dem Typ *4)*; dann muß

$mr_1 - r_2 = 0 \wedge ms_1 - s_2 = 0$ sein, oder

$$m = \frac{r_2}{r_1} \quad m = \frac{s_2}{s_1} \quad \text{mit} \quad r_1 \neq 0 \wedge s_1 \neq 0;$$

d.h. es muß $\dfrac{r_2}{r_1} = \dfrac{s_2}{s_1}$ oder $r_2 s_1 = s_2 r_1$ sein, und das ist ja gerade der Fall.

Bleibt nur noch die letzte Einschränkung zu beseitigen. Wenn nämlich $r_1 = 0 \wedge s_1 = 0$ ist, dann gehören $A(0; r_2)$ und $B(0; s_2)$ aber zur Menge $g_0 = \{(0; r) \mid r \in R\}.$

Damit ist gezeigt, daß das Modell dem Axiom I, 1 genügt. Der Leser wird jetzt auch verstehen, warum wir dies in aller Ausführlichkeit nicht für alle Axiome zeigen können.

Wir können jetzt eine einfachere Sprechweise anwenden. Da die Erfüllungsmengen (unsere Geraden) eindeutig einer Geradengleichung entsprechen, können wir kurz sagen, daß die betreffende lineare Gleichung einer Geraden entspricht und in diesem Sinne von einer »*Geradengleichung*« sprechen.

*Aufgabe 16:* Man beweise die Gültigkeit des Axioms I, 2.

*Aufgabe 17:* Man beweise die Gültigkeit des Axioms I, 3.

*Das Modell und die Anordnungsaxiome.* Ehe wir die Anordnung der Punkte definieren, wollen wir eine weitere Möglichkeit nennen, mit der man die Punktmengen beschreiben kann, die eine Gerade bilden.

*Typ $g_0$:* Die Geradengleichung lautet $x = 0$, somit ist $g_0 = \{(0; r) \mid r \in R\}$.

*Typ $g(m)$:* Die Geradengleichung lautet $mx - y = 0$. Für $P(r_1; r_2) \in g(m)$ muß bei gegebenem $r_1$ der Wert von $r_2 = mr_1$ sein, damit die Gleichung erfüllt ist, also $g(m) = \{(r; mr) \mid r \in R\}$.

*Typ $g(a, b)$:* Hier müssen wir zwei Fälle bei $ax + by + 1 = 0$ beachten:

*1)* $b \neq 0$, dann gilt für einen Punkt $P(r_1; r_2) \in g(a, b)$ $ar_1 + br_2 + 1 = 0$ und bei gegebenem $r_1$ muß $r_2 = - \dfrac{1}{b}(1 + ar_1)$ sein, also ist

$$g(a, b) = \left\{ \left(r; -\frac{1}{b}(1 + ar)\right) \,\middle|\, r \in R \right\} \quad \text{für} \quad b \neq 0.$$

*2)* $b = 0$, dann gilt für $P(r_1; r_2) \in g(a, 0)$ $ar_1 + 0r_2 + 1 = 0$, d.h. es muß stets $r_1 = - \dfrac{1}{a}$ sein, während $r_2$ beliebig sein kann, also $g(a, 0) = \left\{ \left(-\dfrac{1}{a}; r\right) \,\middle|\, r \in R \right\}$ ($a \neq 0$ wegen $a^2 + b^2 \neq 0$!).

Wir sehen, daß in allen vier Fällen jeder reellen Zahl $r$ ein und nur ein Punkt der betreffenden Geraden entspricht ($r$ geht in den Komponenten linear oder gar nicht ein). Somit läßt sich die Anordnung der reellen Zahlen zur Definition der Anordnung der Punkte der Geraden benutzen:

| Geradentyp | $P$ | | $\bar{P}$ | |
|---|---|---|---|---|
| $g_0$ | $P(0; r)$ | liegt vor | $\bar{P}(0; \bar{r})$ | |
| $g(m)$ | $P(r; mr)$ | liegt vor | $\bar{P}(\bar{r}; m\bar{r})$ | dann und nur dann, wenn |
| $g(a, b)$ | $P\left(r; -\dfrac{1}{b}(1 + ar)\right)$ | liegt vor | $\bar{P}\left(\bar{r}; -\dfrac{1}{b}(1 + a\bar{r})\right)$ | $r < \bar{r}$ ist. |
| $g(a, 0)$ | $P\left(-\dfrac{1}{a}; r\right)$ | liegt vor | $\bar{P}\left(-\dfrac{1}{a}; \bar{r}\right)$ | |

Daß sich die reellen Zahlen anordnen lassen, ist leicht einzusehen, wenn man an die Darstellung als Dezimalzahl denkt:

$r_1 = n_1 + 0, n_{11} n_{12} n_{13}...$;    $r_2 = n_2 + 0, n_{21} n_{22} n_{23}...$;    $n_1, n_2 \in N$ und $n_{1i}, n_{2i} \in \{0, 1, 2, ... 9\}$.

Ist $n_1 > n_2$, dann wird $r_1 > r_2$ gesetzt, und für $n_1 < n_2$ natürlich $r_1 < r_2$. Ist $n_1 = n_2$, dann suche man die Stelle nach dem Komma, für die zum erstenmal $n_{1i} \neq n_{2i}$ ist. Ist $n_{1i} > n_{2i}$, dann setzen wir $r_1 > r_2$, andernfalls $r_1 < r_2$.

Axiom II, 1 ist somit erfüllt. Die Transitivität, die in Axiom II, 2 festgehalten wird, ist ebenfalls erfüllt, da sie für die Anordnung der reellen Zahlen gilt. Ebenso ist Axiom II, 3 erfüllt, da es für die reellen Zahlen gilt. Bliebe einzig übrig nachzuweisen, daß das Pasch-Axiom II, 4 im Modell erfüllt ist. Dies ist zwar prinzipiell in allgemeiner Form möglich, es müßten dazu allerdings noch geeignete Mittel bereitgestellt werden, die aber für die weiteren Axiome nicht benötigt werden. Deshalb verweisen wir auf den Abschnitt Anordnung der Geraden eines Kreisbüschels.

Bleibt hier nur noch klarzustellen, wie man Strecken, Halbgeraden und Halbebenen in diesem Modell darstellt.

*Strecken:* Wählt man die zum Nachweis der Anordnungsmöglichkeit entwickelten Darstellungen der Geraden als Punktmengen, so bekommt man in allen vier Fällen Strecken sofort dadurch, daß man $r \in R$ auf ein Intervall $r_1 \leq r \leq r_2$ begrenzt (bei offenen Strecken $r_1 < r < r_2$). Beispielsweise für eine Strecke auf $g_0$: $[P_1 P_2] = \{(0; r) \mid r \in R \wedge r_1 \leq r \leq r_2\}$, und für die anderen Typen entsprechend.

*Aufgabe 18:* Wie läßt sich für die beiden Punkte $P_\nu$ und $Q_\nu$ mit der Mengenschreibweise die Strecke beschreiben $(\nu = 1, 2, 3, 4)$

a)  $P_1(0; 1)\ Q_1(0; 2, 5)$        b)  $P_2(0; 0)\ Q_2(1; -3)$

c)  $P_3(2; 4)\ Q_3(4; 1)$          d)  $P_4(-2; 1)\ Q_4(4; 1)$

a) und d) abgeschlossen, b) und c) offen.

*Halbgerade:* Hier muß $r$ nur einseitig begrenzt werden.

*Beispiel 1:* $S(2; 3)\ A(6; 9)$;

$$S(A) = \{(r; \tfrac{3}{2} r) \mid r \in R \wedge r \geq 2\}$$

oder        $= \{(r_1; r_2) \mid \tfrac{3}{2} r_1 - r_2 = 0 \wedge r_1 \geq 2\}$.

$$A(S) = \{(r; \tfrac{3}{2} r) \mid r \in R \wedge r \leq 6\}$$

oder        $= \{(r_1; r_2) \mid \tfrac{3}{2} r_1 - r_2 = 0 \wedge r_1 \leq 6\}$.

*Beispiel 2:* $S(0; 4)\ A(6; 0)$; zunächst muß man die Geradengleichung zu $S(A)$ finden. Diese ist $-\tfrac{1}{6} x - \tfrac{1}{4} y + 1 = 0$. Damit ergibt sich für die abgeschlossene Halbgerade

$$S(A) = \{(r; 4(1 - \tfrac{1}{6} r)) \mid r \in R \wedge r \geq 0\}$$

oder        $= \{(r_1, r_2) \mid -\tfrac{1}{6} r_1 - \tfrac{1}{4} r_2 + 1 = 0 \wedge r_1 \geq 0\}$

und für die offene Halbgerade

$$A(S) = \{(r; 4(1 - \tfrac{1}{6} r)) \mid r \in R \wedge r < 6\}$$

oder        $= \{(r_1, r_2) \mid -\tfrac{1}{6} r_1 - \tfrac{1}{4} r_2 + 1 = 0 \wedge r_1 < 6\}$.

*Aufgabe 19:* Wie lautet die Mengenschreibweise für die Halbgeraden

a)  offen: $S(A)$ mit $S(-2; 4)\ A(0; 4)$

b)  abgeschlossen: $T(B)$ mit $B(-2; -1)\ T(3; 3)$?

(Man prüfe jeweils nach, ob für die entsprechenden Werte von $r$ die Punkte richtig angegeben werden.)

c)  Man gebe die komplementären Halbgeraden $\overline{S(A)}$ und $\overline{T(B)}$ an.

*Halbebenen:* Der erzeugenden Geraden $g$ entspricht eine erzeugende Geradengleichung der drei möglichen Typen. Für einen Punkt $P(r_1; r_2)$ gibt es drei Möglichkeiten im Falle $g \equiv ax + bx + 1 = 0$:

*1)* $ar_1 + br_2 + 1 = 0$;    *2)* $ar_1 + br_2 + 1 > 0$ oder *3)* $ar_1 + br_2 + 1 < 0$.

Im ersten Fall gehört $P(r_1, r_2)$ zur Erfüllungsmenge und damit zu $g$, in den beiden anderen Fällen nicht. Offensichtlich lassen sich hier genauso wie bei der Entwicklung des Axiomensystems zwei elementfremde Klassen von Punkten bilden. Wie eine Gerade als Erfüllungsmenge einer linearen Gleichung in zwei Variablen in Erscheinung tritt, ist eine Halbebene unseres Modells identisch mit der Erfüllungsmenge einer linearen Ungleichung in zwei Variablen. Im gleichen Sinne, in dem wir von der Geradengleichung sprechen, können wir auch von der Halbebenenungleichung sprechen (entsprechendes gilt für die Typen $g_0$ und $g(m)$).

*Beispiel 3:* Die Gerade $g$ sei durch die Geradengleichung $2x - 3y + 1 = 0$ bestimmt. Dann gilt für

$A(3; 2)$  $2 \cdot 3 - 3 \cdot 2 + 1 = 1 > 0$  und für

$B(0; 1)$  $2 \cdot 0 - 3 \cdot 1 + 1 = -2 < 0$.  Jetzt lassen sich die beiden komplementären Halbebenen angeben:

$H(g; A) = \{(r_1; r_2) \mid 2r_1 - 3r_2 + 1 \geq 0\}$;

$H(g; B) = \bar{H}(g, A) = \{(r_1; r_2) \mid 2r_1 - 3r_2 + 1 \leq 0\}$.

Im Falle der Offenheit entfällt der Gleichheitsstrich.

*Aufgabe 20:* Die Gerade $g$ sei durch die Geradengleichung $\frac{1}{2}x - y = 0$ bestimmt und gegeben sind die Punkte $O(0; 0)$, $A(1; 1)$, $B(1; -2)$, $C(2; 1)$, $D(-3,5; 0,5)$, $E(-4; -2)$, $F(-1; -3)$, $G(0; 4)$, $H(4; 0)$.
Man zeige, daß $A$ und $B$ zu verschiedenen Halbebenen gehören. Welche Punkte gehören zu den offenen Halbebenen $H(g, A)$ und $H(g, B)$? Welche zu den abgeschlossenen?

*Abbildungsaxiome.* Sei $P(x; y)$ ein beliebiger Punkt und $P'(x'; y')$ sein Bildpunkt bezüglich der Kongruenzabbildung $K \in \mathbf{K}$, d.h. $K(P) = P'$, dann muß eine Vorschrift jedem Zahlenpaar $(x; y)$ das entsprechende Zahlenpaar $(x'; y')$ zuordnen. Dies erfolgt durch die Angabe zweier sogenannter »*Abbildungsgleichungen*«:

$$x' = a_{11} x + a_{12} y + b_1;$$
$$y' = a_{21} x + a_{22} y + b_2.$$

Alle Koeffizienten $a_{ij}$ und $b_i$ $(i = 1,2; j = 1,2)$ sind reelle Zahlen. Während die $b_i$ beliebig sein können, müssen die $a_{ij}$ die folgenden drei *Kongruenzbedingungen* erfüllen:

$$\Delta_1 = a_{11}^2 + a_{12}^2 = 1; \Delta_2 = a_{21}^2 + a_{22}^2 = 1 \text{ und } \Delta_3 = a_{11} a_{21} + a_{12} a_{22} = 0.$$

Einen allgemeinen Beweis dafür, daß diese so definierten Abbildungen den Abbildungsaxiomen genügen, können wir hier nicht liefern. Dagegen sollen die wesentlichen Dinge an Hand von Beispielen erläutert und die Benutzung der Abbildungsgleichungen geübt werden.

*K ist bijektiv:* 1) Jedem Punkt $P(x; y)$ wird genau ein Punkt $P'(x'; y')$ zugeordnet, man hat lediglich in der rechten Seite der Abbildungsgleichungen die Werte $x$ und $y$ einzusetzen und erhält die Werte $x'$ und $y'$ des Bildpunktes.

*Beispiel 4:* Die Abbildungsgleichungen

$$x' = 1x + 0y - 2 = x - 2;$$
$$y' = 0x - 1y + 3 = 3 - y;$$

definieren eine Kongruenzabbildung $K$, denn es gilt

$\Delta_1 = 1^2 + 0^2 = 1;$  $\Delta_2 = 0^2 + (-1)^2 = 1$  und  $\Delta_3 = 1 \cdot 0 + 0 \cdot (-1) = 0$
Den Punkten $A(0; 0)$, $B(1; 6)$ und $C(-2; 5)$ werden so die Bildpunkte $K(A) = A'(-2; 3)$, $K(B) = B'(-1; -3)$ und $K(C) = C'(-4; -2)$ zugeordnet.

2) Jeder Punkt von $E = R \times R$ tritt als Bildpunkt auf. Bei gegebenem Bildpunkt $P'(x'; y')$ erhält man die Werte $x, y$ des Urbildes $P(x; y)$ dadurch, daß man $x'$ und $y'$ in die Abbildungsgleichungen einsetzt und diese eindeutig nach $x$ und $y$ auflöst. (Daß dies stets möglich ist, verbürgen die Kongruenzbedingungen.)

*Beispiel 5:* $K$ sei die Kongruenzabbildung des Beispiels 4 und $P'(-2; 1)$, $Q'(0; 2)$, $R'(\sqrt{2}; 0)$ Bildpunkte, dann erhält man beispielsweise $P(0; 2)$ durch:

$$-2 = x - 2 \qquad \begin{vmatrix} x = 0 \\ 1 = 3 - y \end{vmatrix} \text{ oder } \begin{vmatrix} x = 0 \\ y = 2 \end{vmatrix}.$$

Ebenso erhält man $Q(2; 1)$ und $R(\sqrt{2} + 2; 3)$.

*Aufgabe 21:* Man prüfe nach, ob bei den Abbildungsgleichungen

$$x' = \tfrac{1}{2}\sqrt{3}\,x + \tfrac{1}{2}y$$
$$y' = -\tfrac{1}{2}x + \tfrac{1}{2}\sqrt{3}\,y$$

die Kongruenzbedingungen erfüllt sind. Welches sind die Bildpunkte von $A\,(-1; 0)$, $B(2; 3)$, welches das Urbild von $P'(2; 3)$?

Nach Satz 17 werden durch $K$ Geraden auf Geraden, Strecken auf Strecken usw. abgebildet. Die Frage ist nun, wie erhält man die betreffenden Bildelemente?

*Beispiel 6: 1)* Sei $K$ die Abbildung aus Beispiel 4, dann wollen wir die Bildgerade zu $\quad g = \{(r_1, r_2) \,|\, 2r_1 - 3r_2 + 1 = 0\}\quad$ bestimmen. Die Auflösung der Abbildungsgleichungen nach $x$ und $y$ ($x = x' + 2$, $y = 3 - y'$) und das Einsetzen in die Geradengleichung $2x - 3y + 1 = 0$ ergibt: $2x' + 3y' - 4 = 0$. Dies bedeutet aber, daß jedes Zahlenpaar $(x'; y')$ die Gleichung $2x + 3y - 4 = 0$ erfüllt und somit liegen die Bildpunkte $P'(x'; y')$ auf der Geraden

$$g' = \{(r_1; r_2) \,|\, 2r_1 + 3r_2 - 4 = 0\}.$$

*2)* Gesucht wird die Urbildgerade zu $g' = \{(r_1; r_2) \,|\, 3r_1 - r_2 = 0\}$ unter Verwendung der Abbildungsgleichungen aus Aufgabe 21. Für alle Bildpunkte $P'(x'; y')$ gilt also, daß das Zahlenpaar $(x'; y')$ die Gleichung $3x - y = 0$ erfüllt: $3x' - y' = 0$. In diesem Falle kann man sofort die Abbildungsgleichungen einsetzen und erhält:

$$3(\tfrac{1}{2}\sqrt{3}x + \tfrac{1}{2}y) - (-\tfrac{1}{2}x + \tfrac{1}{2}\sqrt{3}y) = 0 \quad \text{oder}$$
$$(\tfrac{3}{2}\sqrt{3} + \tfrac{1}{2})x - (\tfrac{1}{2}\sqrt{3} - \tfrac{3}{2})y = 0 \text{ oder}$$
$$\frac{\tfrac{3}{2}\sqrt{3} + \tfrac{1}{2}}{\tfrac{1}{2}\sqrt{3} - \tfrac{3}{2}}\,x - y = 0 \quad \text{oder} \quad -(\tfrac{5}{3}\sqrt{3} + 2)x - y = 0.$$

Somit erhält man als Urbild von $g'$ die Gerade:

$$g = \{(r_1; r_2) \,|\, -(\tfrac{5}{3}\sqrt{3} + \;)r_1 - r_2 = 0\}.$$

*Bemerkung:* Halbgeraden, Strecken und Halbebenen werden ebenfalls durch »Abbildung der zugehörigen Geradengleichung« in ihre Bilder bzw. Urbilder übergeführt. Allerdings müssen die Begrenzungen auch abgebildet werden.

*Aufgabe 22:* Gegeben ist die Abbildung $K$ mit den Abbildungsgleichungen: $x' = -x + 1$ und $y' = y - 1$. Man bestimme die Bilder von

$$h = \{(r_1; r_2) \,|\, 2r_1 - 3r_2 + 1 = 0 \wedge r_1 \leq 2\};$$
$$[AB] = \{(r_1; r_2) \,|\, -4r_1 - r_2 = 0 \wedge -1 \leq r_1 \leq +1\};$$
$$H = \{(r_1; r_2) \,|\, r_1 + r_2 + 1 \geq 0\}.$$

Die beiden folgenden Beispiele 7 und 8 und die Aufgabe 23 beziehen sich auf das Axiom III,1:

*Beispiel 7:* (zu Axiom III,1): Die identische Abbildung $I$ ist durch die Gleichungen $x' = x$ und $y' = y$ definiert. Der Gruppenmultiplikation, dem Nacheinanderausführen der Abbildung, entspricht hier das Nacheinander-Anwenden der Abbildungsgleichung. Wir zeigen dies zunächst an den beiden Abbildungen:

$$K_1 : x' = x - 2 \quad \text{und} \quad K_2 : x'' = x' + 2$$
$$y' = 3 - y \qquad\qquad y'' = 3 - y'$$

Wir bilden $K_2 \cdot K_1$; d.h. *zuerst* $P(x; y) \overset{K_1}{\to} P'(x'; y')$

*und dann* $P'(x'; y') \xrightarrow{K_2} P''(x''; y'')$,  also

$$x'' = x' + 2 = (x - 2) + 2 = x;$$
$$y'' = 3 - y' = 3 - (3 - y) = y.$$

Wir erkennen: $K_2 \cdot K_1 = I$, d.h. $K_2 = K_1^{-1}$. **Dann** muß aber auch $K_1 \cdot K_2 = I$ sein; dazu schreiben wir um

$$K_1 : \bar{\bar{x}} = \bar{x} - 2 \quad \text{und} \quad K_2 : \bar{x} = x + 2$$
$$\bar{\bar{y}} = 3 - \bar{y} \qquad\qquad \bar{y} = 3 - y$$

also
$$\bar{\bar{x}} = (x + 2) - 2 = x$$
$$\bar{\bar{y}} = 3 - (3 - y) = y \quad \text{wie erwartet.}$$

*Beispiel 8:* Die zu einer Abbildung $K$ inverse Abbildung $K'$ erhält man, indem man die Abbildungsgleichung nach $x$ und $y$ auflöst. Vorgegeben sei

$$K : x' = \tfrac{1}{2}\sqrt{2}x - \tfrac{1}{2}\sqrt{2}y + 2;$$
$$y' = \tfrac{1}{2}\sqrt{2}x + \tfrac{1}{2}\sqrt{2}y - 2;$$

so ergibt die Multiplikation beider Gleichungen mit $\sqrt{2}$:

$$\sqrt{2}x' = x - y + 2\sqrt{2};$$
$$\sqrt{2}y' = x + y - 2\sqrt{2}.$$

Die Addition beider Gleichungen führt zu

$$\sqrt{2}x' + \sqrt{2}y' = 2x;$$

und die Subtraktion zu

$$\sqrt{2}x' - \sqrt{2}y' = -2y + 4\sqrt{2}.$$

Nach Division durch 2 und umstellen erhält man

$$x = \tfrac{1}{2}\sqrt{2}x' + \tfrac{1}{2}\sqrt{2}y'$$
$$y = -\tfrac{1}{2}\sqrt{2}x' + \tfrac{1}{2}\sqrt{2}y' + 2\sqrt{2}.$$

und nach Umbezeichnung analog Beispiel 7 erhalten wir

$$K^{-1} : x'' = \tfrac{1}{2}\sqrt{2}x' + \tfrac{1}{2}\sqrt{2}y';$$
$$y'' = -\tfrac{1}{2}\sqrt{2}x' + \tfrac{1}{2}\sqrt{2}y' + 2\sqrt{2}.$$

Wir bilden $K^{-1} \cdot K$ durch Einsetzen:

$$x'' = \tfrac{1}{2}\sqrt{2}(\tfrac{1}{2}\sqrt{2}x - \tfrac{1}{2}\sqrt{2}y + 2) + \tfrac{1}{2}\sqrt{2}(\tfrac{1}{2}\sqrt{2}x + \tfrac{1}{2}\sqrt{2}y - 2);$$
$$y'' = -\tfrac{1}{2}\sqrt{2}(\tfrac{1}{2}\sqrt{2}x - \tfrac{1}{2}\sqrt{2}y + 2) + \tfrac{1}{2}\sqrt{2}(\tfrac{1}{2}\sqrt{2}x + \tfrac{1}{2}\sqrt{2}y - 2) + 2\sqrt{2};$$

oder $x'' = \tfrac{1}{2}x - \tfrac{1}{2}y + \sqrt{2} + \tfrac{1}{2}x + \tfrac{1}{2}y - \sqrt{2} = x;$

$$y'' = -\tfrac{1}{2}x + \tfrac{1}{2}y - \sqrt{2} + \tfrac{1}{2}x + \tfrac{1}{2}y - \sqrt{2} + 2\sqrt{2} = y;$$

also ist in der Tat $K^{-1} \cdot K = I$.

*Bemerkung:* Man pflegt im allgemeinen nicht so sorgfältig umzubezeichnen, muß dann eben darauf achten, daß in der richtigen Reihenfolge eingesetzt wird.

*Aufgabe 23:* Gegeben sind die beiden Kongruenzabbildungen

$$K_3 : x' = -\tfrac{1}{2}\sqrt{2}x + \tfrac{1}{2}\sqrt{2}y \quad \text{und} \quad K_4 : x' = \tfrac{1}{2}x - \tfrac{1}{2}\sqrt{3}y$$
$$y' = \tfrac{1}{2}\sqrt{2}x + \tfrac{1}{2}\sqrt{2}y \qquad\qquad y' = \tfrac{1}{2}\sqrt{3}x + \tfrac{1}{2}y.$$

Man bestimme die Abbildungen $K_5 = K_4 \cdot K_3$ und $K_6 = K_3 \cdot K_4$ und prüfe für $K_5$ und $K_6$ die Kongruenzbedingungen nach.

*Beispiel 9* (zu Axiom III,2): Die drei Punkte $A(0; 0)$, $B(1; 3)$ und $C(3; 9)$ liegen auf der Geraden $g = \{(r_1, r_2) \,|\, 3r_1 - r_2 = 0\}$ mit der Geradengleichung $3x - y = 0$. Bildet man die Punkte und die Gerade durch die Abbildung $K_3$ (Aufgabe 23) ab, dann erhält man die entsprechenden Bildpunkte $A'(0; 0)$, $B'(\sqrt{2}; 2\sqrt{2})$ und $C'(3\sqrt{2}; 6\sqrt{2})$ und die Bildgerade $g' = \{(r_1, r_2) \,|\, 2r_1 - r_2 = 0\}$. Man prüft leicht nach, daß $A'$, $B'$, $C' \in g'$ gilt.

Wir sehen also, daß $K$ eine inzidenztreue Abbildung ist, aber wir sehen auch, daß in Übereinstimmung mit dem Axiom die Anordnungen $ABC$ und $A'B'C'$ gelten (siehe dazu die Anordnungsaxiome).

*Beispiel 10* (zu Axiom III,3): Wir begnügen uns mit dem Nachweis, daß es für die im Beispiel 9 gegebenen Punkte $A$, $B$, $C$ keine Kongruenzabbildung gibt, für die $K(A) = A \wedge K(B) = C$ gilt. Wegen $A' = A(0; 0)$ müssen $b_1 = 0$ und $b_2 = 0$ sein und wegen $K(B) = C$ müßte $3 = a_{11} + 3a_{12} \wedge 9 = a_{21} + 3a_{22}$ gelten (Einsetzen in die allgemeine Form der Abbildungsgleichungen).

Die zweite Beziehung ist schon nicht mit der Kongruenzbedingung $\Delta_2 = 1$ verträglich, denn $a_{21} = 9 - 3a_{22}$ in $\Delta_2 = 1$ eingesetzt, liefert

$$(9 - 3a_{22})^2 + a_{22}^2 = 1$$

oder $\qquad\qquad 10a_{22}^2 - 54a_{22} + 80 = 0.$

Diese Bedingung, die eine Folge von $K(B) = C$ ist, ist aber nur für komplexe Werte $a_{22}$ erfüllbar. Also gibt es in der Tat keine Abbildungsgleichungen, die sowohl den Bedingungen $K(A) = A$ und $K(B) = C$ als auch den Kongruenzbedingungen genügen. Ganz analog wäre der allgemeine Nachweis zu führen.

*Aufgabe 24:* Man zeige, daß die durch die Abbildungsgleichung $x' = \frac{6}{5}x + \frac{3}{5}y$ und $y' = \frac{3}{5}x + \frac{14}{5}y$ definierte Abbildung $f$ von $R \times R$ auf $R \times R$ die Bedingungen $f(A) = A$ und $f(B) = C$ für die Punkte $A(0; 0)$, $B(1; 3)$ und $C(3; 9)$ des Beispiels 9 erfüllt, aber keine Kongruenzabbildung ist.

Das Beispiel der Aufgabe 24 zeigt uns, daß durch die Kongruenzbedingungen sozusagen nur die Abbildungen zugelassen werden, die, wie das Axiom III,3, ein »Schrumpfen oder Dehnen« verhindern.

Auf einen allgemeinen Nachweis der Existenz von Abbildungsgleichungen, die im Sinne des Axioms III,4 eine vorgegebene Fahne auf eine andere vorgegebene Fahne abbilden, müssen wir wegen des erforderlichen algebraischen Aufwandes verzichten. Mit dem folgenden einfachen Beispiel wollen wir versuchen aufzuzeigen, wie man in einem speziellen Fall eine solche Abbildung bestimmen kann und welche Rolle in diesem Falle die Kongruenzbedingungen spielen.

*Beispiel 11:* Gegeben seien die beiden Fahnen
$\varphi = (S, u, H)$ und $\varphi' = (S', u', H')$ mit $S(0; 0)$ und $S'(- 2; 2)$,
$u = \{(r_1; r_2) \,|\, r_1 - r_2 = 0 \wedge r_1 \geq 0\}$ und $u' = \{(r_1; r_2) \,|\, r_1 + r_2 = 0 \wedge r_1 \leq -2\}$
sowie $H = \{(r_1; r_2) \,|\, r_1 - r_2 \leq 0\}$ und $H' = \{(r_1; r_2) \,|\, r_1 + r_2 \geq 0\}$.
Zur Vereinfachung der Schreibweise bezeichnen wir die Koeffizienten in den Abbildungsgleichungen mit

$$\alpha = a_{11}, \quad \beta = a_{12}, \quad \gamma = a_{21} \quad \text{und} \quad \delta = a_{22}.$$

Da $S$ auf $S'$ abgebildet werden soll, lauten die Abbildungsgleichungen:
$x' = \alpha x + \beta y - 2$ und $y' = \gamma x + \delta y + 2$. Für alle Bildpunkte $P'(x'; y')$ der Halbgeraden $u'$ gilt: $x' + y' = 0$. Dies ergibt mit den Abbildungsgleichungen $\alpha x + \beta y - 2 + \gamma x + \delta y + 2 = 0$ und somit für alle Urbildpunkte $P(x; y)$:

*I)* $$(\alpha + \gamma)x + (\beta + \delta)y = 0.$$

Andererseits gilt für alle Urbildpunkte von $u$: *II)* $x - y = 0$. Seien $g_I$ und $g_{II}$ die durch die linearen Gleichungen *I)* und *II)* bestimmten Geraden, so ist also $u \in g_I \cap g_{II}$. Da aber $u$ mehr als einen Punkt enthält, muß $g_I = g_{II}$ sein. Wegen der Identität der beiden Geraden können sich die Koeffizienten der beiden Gleichungen *I)* und *II)* nur um einen Faktor $k \neq 0$ unterscheiden und es gilt:

*1)*    $\alpha + \gamma = k \cdot 1 = k$    und    *2)* $\beta + \delta = k \cdot (-1) = -k$.

Weiterhin müssen die Kongruenzbedingungen erfüllt sein:

*3)*    $\alpha^2 + \beta^2 = 1$;    *4)* $\gamma^2 + \delta^2 = 1$    und    *5)* $\alpha\gamma + \beta\delta = 0$.

Addition von *1)* und *2)* ergibt:    *6)* $\alpha + \beta + \gamma + \delta = 0$;

Subtraktion von *3)* und *4)* führt zu:    *7)* $(\alpha + \gamma)(\alpha - \gamma) + (\beta + \delta)(\beta - \delta) = 0$;

Einsetzen von *1)* und *2)* in *7)* und Division der Gleichung durch $k$ liefert:

*8)* $\alpha - \gamma - \beta + \delta = 0$;

Addition von *6)* und *8)* führt zu: *9)* $\alpha = -\delta$.

Einerseits führen *6)* und *9)* zu: $\beta = -\gamma$, andererseits *5)* und *9)* zu $\beta = \gamma$. Also muß *10)* $\beta = \gamma = 0$ sein. Damit vereinfachen sich die ersten vier Beziehungen zu:

*1)*    $\alpha = k$,    *2)* $\delta = -k$,    *3)* $k^2 = 1$    und    *4)* $k^2 = 1$.

Somit bleiben zwei Möglichkeiten zu berücksichtigen:

*Fall 1:* $k = 1$, $\alpha = 1$, $\beta = 0$, $\gamma = 0$, $\delta = -1$.

*Fall 2:* $k = -1$, $\alpha = -1$, $\beta = 0$, $\gamma = 0$, $\delta = 1$.

Dies führt zu den beiden möglichen Abbildungen:

$$K_1 : x' = x - 2; \quad \text{und} \quad K_2 : x' = -x - 2;$$
$$y' = -y + 2; \qquad\qquad y' = y + 2.$$

Wir wählen jetzt einen beliebigen Punkt von $u$ und prüfen nach, ob das Bild auch auf $u'$ liegt. Es ist $U(1; 1) \in u$ und die Anwendung der Abbildungen ergibt $K_1(U) = U_1'(-1; 1)$ sowie $K_2(U) = U_2'(-3; 3)$. Von diesen beiden Bildpunkten liegt $U_2'$ auf $u'$ und $U_1'$ auf $\bar{u}'$; folglich kommt nur die Abbildung $K_2$ in Frage, wobei noch nachzuprüfen ist, ob $K_2$ auch $H$ auf $H'$ abbildet. Für alle Punkte $P'(x'; y')$ von $H'$ gilt $x' + y' \geq 0$. Die Anwendung der Abbildungsgleichungen von $K_2$ ergibt: $(-x - 2) + (y + 2) \geq 0$ oder $x - y \leq 0$ für alle Urbildpunkte $P(x; y)$. Die Urbildpunkte liegen also in der Tat alle in $H$ (und nicht etwa in $\bar{H}$). Damit ist die Existenz einer Kongruenzabbildung für den speziellen Fall nachgewiesen und darüber hinaus sogar die Eindeutigkeit dieser Abbildung. Daß es genau eine Kongruenzabbildung gibt, die eine vorgegebene Fahne auf eine andere vorgegebene Fahne abbildet, läßt sich übrigens aus dem Axiomensystem unmittelbar herleiten (siehe dazu Folgerung 2 im Abschnitt Kongruenzsätze).

*Aufgabe 25:* Man bestimme die Kongruenzabbildung $K$, die die Fahne $\varphi = (A, h, H)$ auf die Fahne $\varphi' = (A', h', H')$ abbildet: $A(0; 0)$, $h = \{(r_1; r_2) \mid r_2 = 0 \wedge r_1 \geq 0\}$, $H = \{(r_1; r_2) \mid r_2 \leq 0\}$ und $A'(3; 2)$, $h' = \{r_1; r_2) \mid r_1 = 3 \wedge r_2 \geq 2\}$ und $H' = \{(r_1; r_2) \mid r_1 \leq 3\}$.

*Die Axiome des Messens.* Wie wir im vorangegangenen Abschnitt Zahlen in der Geometrie gezeigt haben (Sätze 18 und 19), ermöglichen das Archimedes-Axiom IV, 1 und das Cantor-Axiom IV, 2 die Einführung einer Längenmaßfunktion $\lambda$, mit deren Hilfe man jeder Strecke eine eindeutig bestimmte Längenmaßzahl zuordnen kann. Deshalb genügt es hier, die Existenz einer solchen Längenmaß-funktion $\lambda$ mit den dort bezeichneten Eigenschaften $(a, b, c, d)$ aufzuzeigen.

Seien $A(r_1; r_2)$ und $B(s_1; s_2)$ zwei beliebige Punkte von $E = R \times R$, dann de-finieren wir die Funktion $\lambda$ durch die Gleichung:

$$\overline{AB} = \lambda([AB]) = \sqrt{(r_1 - s_1)^2 + (r_2 - s_2)^2}.$$

*Zu a):* Ist $A = B$, dann ist $r_1 = s_1$ und $r_2 = s_2$ und damit $\lambda([AB]) = 0$, umgekehrt folgt aus $\lambda = 0 : r_1 = s_1$ und $r_2 = s_2$, da die Summe zweier Quadrat-zahlen nur null ist, wenn jeder Summand gleich null ist, und somit $A = B$.

*Zu b):* Sei $[AB] = [AC] \cup [CB] \wedge [AC] \cap [CB] = \{C\}$. Da $A(r_1, r_2)$, $B(s_1, s_2)$, $C(t_1, t_2)$ auf einer Geraden liegen, muß von den Zahlenpaaren die entsprechende Geradengleichung erfüllt sein. Wegen der Anordnung $ACB$ können wir $r_1 < t_1 < s_1$ annehmen. Wir beschränken uns auf den Typ $g(m)$ mit $mx - y = 0$, da die Überlegungen hier die gleichen sind wie in allen anderen Fällen.

Es gilt also: $mr_1 = r_2$, $ms_1 = s_2$ und $mt_1 = t_2$. Somit ist
$\overline{AB} = \sqrt{(r_1 - s_1)^2 + (mr_1 - ms_1)^2} = (s_1 - r_1)\sqrt{1 + m^2}$ (wegen $s_1 > r_1$)
und ebenso $\overline{AC} = (t_1 - r_1)\sqrt{1 + m^2}$ und $\overline{CB} = (s_1 - t_1)\sqrt{1 + m^2}$
(wegen $t_1 > r_1$ und $s_1 > t_1$). Damit ist
$\overline{AC} + \overline{BC} = (t_1 - r_1)\sqrt{1 + m^2} + (s_1 - t_1)\sqrt{1 + m^2} = (s_1 - r_1)\sqrt{1 + m^2}$
$= \overline{AB}$.

*Zu d):* Beispielsweise hat die Strecke $OE$ mit $O(0; 0)$ und $E(1; 0)$ die Länge 1, denn es ist $\overline{OE} = \sqrt{(0 - 1)^2 + (0 - 0)^2} = 1$.

*Zu c):* Da zwei Strecken dann und nur dann kongruent sind, wenn es eine Ab-bildung $K$ gibt, die die eine Strecke auf die andere abbildet, kann man diese Forderung auch anders ausdrücken. Die Funktion $\lambda = \sqrt{(r_1 - s_1)^2 + (r_2 - s_2)^2}$ muß bei Anwendung der Kongruenzabbildung invariant sein. Anstelle eines all-gemeinen Beweises begnügen wir uns wieder mit einem speziellen Beispiel, näm-lich für $K$ mit:

$$x' = \tfrac{1}{2}x + \tfrac{1}{2}\sqrt{3}y - 2;$$
$$y' = \tfrac{1}{2}\sqrt{3}x - \tfrac{1}{2}y + 3;$$

(bis auf die Annahme konkreter Zahlen repräsentiert dieses Gleichungssystem einen Hauptfall aller Abbildungen $K$). Wir wenden diese Abbildungsgleichung auf $(\lambda')^2 = (r_1' - s')^2 + (r_2' - s_2')^2$ an und erhalten

$(\lambda')^2 = [(\tfrac{1}{2}r_1 + \tfrac{1}{2}\sqrt{3}r_2 - 2) - (\tfrac{1}{2}s_1 + \tfrac{1}{2}\sqrt{3}s_2 - 2)]^2 + [(\tfrac{1}{2}\sqrt{3}r_1 - \tfrac{1}{2}r_2 + 3)$
$\quad - (\tfrac{1}{2}\sqrt{3}s_1 - \tfrac{1}{2}s_2 + 3)]^2$
$= [\tfrac{1}{2}(r_1 - s_1) + \tfrac{1}{2}\sqrt{3}(r_2 - s_2)]^2 + [\tfrac{1}{2}\sqrt{3}(r_1 - s_1) - \tfrac{1}{2}(r_2 - s_2)]^2$
$= \tfrac{1}{4}(r_1 - s_1)^2 + \tfrac{3}{4}(r_2 - s_2)^2 + \tfrac{1}{2}\sqrt{3}(r_1 - s_1)(r_2 - s_2) + \tfrac{3}{4}(r_1 - s_1)^2$
$\quad + \tfrac{1}{4}(r_2 - s_2)^2 - (\tfrac{1}{2}\sqrt{3}(r_1 - s_1)(r_2 - s_2))$
$= (r_1 - s_1)^2 + (r_2 - s_2)^2 = \lambda^2$ q.e.d.

*Aufgabe 26:* Man zeige die Invarianz von $\lambda$ am Beispiel
$$K: x' = -y - 2$$
$$y' = x + 1 \text{ auf.}$$
Man bilde die Strecke $[AB]$ ab und berechne $\lambda$ und $\lambda'$ für $A(2; -4)$ und $B(-2; 6)$.

*Das Parallelenaxiom.* Da wir die Geraden in unserem bisherigen Modell als Erfüllungsmengen linearer Gleichungen definiert und durch die Beschränkung der Gleichungen auf die Formen $ax + by + 1 = 0$, $mx - y = 0$ und $x = 0$ eine eineindeutige Zuordnung von Geraden und Geradengleichungen gewonnen haben, muß sich die Eigenschaft der Parallelität auch durch Eigenschaften der Geradengleichungen ausdrücken lassen. Wegen der drei Geradentypenklassen: $g(a; b)$, $g(m)$ und $g_0$, sind die folgenden Paarbildungen möglich:

*I)* $g(a_1; b_1) - g(a_2; b_2)$;    *II)* $g(a; b) - g(m)$;

*III)* $g(a; b) - g_0$;    *IV)* $g(m_1) - g(m_2)$;    *V)* $g(m) - g_0$

(da die Klasse von $g_0$ nur ein Element enthält!).

Die Parallelität zweier Geraden $g$ und $f$ ist definiert durch:

$$g \,\|\, f \Leftrightarrow g \cap f = \emptyset.$$

Dies bedeutet in den einzelnen Fällen für die betreffenden Gleichungspaare, daß der Durchschnitt der zugehörigen Erfüllungsmengen leer sein muß.

*Fall I:*    *1)* $a_1 x + b_1 y + 1 = 0$;

*2)* $a_2 x + b_2 y + 1 = 0$.

Dies ist hier dann und nur dann der Fall, wenn $a_1 b_2 - b_1 a_2 = 0$ ist. Wendet man nämlich das übliche Auflösungsverfahren an, so erhält man:

*3)* $(a_1 b_2 - a_2 b_1) x = b_1 - b_2$    und    *4)* $(b_1 a_2 - b_2 a_1) y = a_1 - a_2$.

*1)* Wäre $a_1 b_2 - b_2 a_1 \neq 0$, so hätte das Gleichungssystem die eindeutige Lösung

$$x = \frac{b_1 - b_2}{a_1 b_2 - b_1 a_2} \quad \text{und} \quad y = \frac{a_2 - a_1}{a_1 b_2 - b_1 a_2}.$$

In diesem Fall wäre $g(a_1; b_1) \cap g(a_2; b_2) \neq \emptyset$.

*2)* Für $a_1 b_2 - b_1 a_2 = 0$ müßte im Falle der Lösbarkeit von *3)* und *4)* aber $b_1 = b_2$ und $a_1 = a_2$ sein, d.h. $g(a_1; b_1) = g(a_2; b_2)$ wären identisch.

Somit ist gezeigt, daß zwei durch *1)* und *2)* bestimmte verschiedene Geraden genau im Falle von $(a_1 b_2 - b_1 a_2) = 0$ parallel sind. Für diesen Fall lautet also die Parallelitätsbedingung:

$$P_I = a_1 b_2 - b_1 a_2 = 0.$$

*Fall II:*    $ax + by + 1 = 0$;

$mx - y = 0$.

Die genau gleichen Überlegungen führen hier zu $a(-1) - b \cdot m = 0$ und somit zur Parallelitätsbedingung.

$$P_{II} = a + bm = 0.$$

*Fall III:*    $ax + by + 1 = 0$;

$x \qquad\quad = 0$.

Da das Zahlenpaar $\left(0; -\dfrac{1}{b}\right)$ beide Gleichungen für $b \neq 0$ erfüllt, ist für $b \neq 0$ stets $g(a, b) \cap g_0 \neq \emptyset$. Für $b = 0$ dagegen ist $g(a, 0) \cap g_0 = \emptyset$. Das bedeutet aber, daß

*1)* $g(a, b) \nparallel g_0$, für alle $b \neq 0$;

*2)* $g(a, 0) \,\|\, g_0$, für alle $a \neq 0$.

*Fall IV:*    $m_1 x - y = 0$;

$m_2 x - y = 0$.

Offensichtlich gilt $O(0; 0) \in g(m_1) \cap g(m_2)$, d.h. alle Geraden des Typs $g(m)$ gehen durch den Punkt $O(0; 0)$, sie sind also untereinander nicht parallel.

*Fall V:*    $mx - y = 0$;

$x \qquad = 0$.

Auch hier gilt $O(0; 0) \in g(m) \cap g_0$ und die Gerade $g_0$ ist zu keiner Gerade der Klasse $g(m)$ parallel.

Es läßt sich nun zeigen, daß es zu einer Geraden $g$ unseres Modells und einem Punkt $A \notin g$ *genau* eine Parallele $g'$ gibt. Dazu muß gezeigt werden, daß sich entsprechende Geradengleichungen bestimmen lassen. Es brauchen offensichtlich nur die Fälle I–III betrachtet werden.

*Beispiel 12:* Gegeben ist die Gerade $g$ mit der Geradengleichung $-\frac{1}{4}x - \frac{1}{3}y + 1 = 0$ und der Punkt $A(4; -3)$. Gesucht ist p $\parallel$ $g$ mit $A \in p$. Da wir nicht wissen, zu welchem Typ die Geradengleichung von $p$ gehört, versuchen wir es zunächst mit *Fall I*: Dann hätte die Geradengleichung von $p$ die Form $ax + by + 1 = 0$.

Wegen $A \in p$ folgt *1)* $4a - 3b + 1 = 0$.

Mit der Parallelitätsbedingung $P_I$ *2)* $a(-\frac{1}{3}) - b(-\frac{1}{4}) = 0$.

Zu lösen ist also das Gleichungssystem *1)* $4a - 3b = -1$; *2)* $4a - 3b = 0$. Offensichtlich ist es nicht lösbar. Also muß die Parallele einer anderen Klasse angehören.

*Fall II:* Die Geradengleichung von $p$ lautet hier $mx - y = 0$. Wegen $A \in p$ folgt *3)* $4m + 3 = 0$ oder $m = -\frac{3}{4}$. Die Parallelitätsbedingung $P_{II}$ ist erfüllt, da $-\frac{1}{4} - \frac{1}{3}(-\frac{3}{4}) = 0$ ist.

Somit lautet die Geradengleichung der gesuchten Parallele $p$: $-\frac{3}{4}x - y = 0$. Da $m$ eindeutig bestimmt ist, gibt es in der Typenklasse $g(m)$ keine andere Gerade, die die Parallelitätsbedingungen erfüllt. Es muß nur noch der Fall III untersucht werden. Da aber $b = -\frac{1}{3} \neq 0$ ist, kommt $x = 0$ als Geradengleichung nicht in Frage. Es gibt also in der Tat genau eine Parallele.

*Aufgabe 27:* Man bestimme zu der Geraden $g$ des Beispiels 12 die Parallele durch den Punkt $B(4; 3)$.

*Aufgabe 28:* Gegeben ist die Gerade $g$ mit der Geradengleichung $\frac{1}{4}x + 1 = 0$ und $C(1; 3)$. Man bestimme die Gleichung der Geraden, die zu $g$ parallel ist und durch $C$ geht.

## Variationen des Axiomensystems

*Euklidische und nichteuklidische Geometrien.* Die Geometrie unseres Erfahrungsraumes mit dem dargestellten Axiomensystem wird auch als zweidimensionale euklidische Geometrie bezeichnet und die behandelten Modelle als *zweidimensionale euklidische Modelle*. Eine entsprechende Ergänzung des Axiomensystems durch Axiome, die der Dreidimensionalität unseres ganzen Erfahrungsraumes entsprechen, führt zur dreidimensionalen euklidischen Geometrie. Diese wird nicht behandelt, da sie bezüglich des Prinzipiellen nichts Neues liefert. Die erwähnte bedingte Äquivalenz zwischen Parallelenaxiom und Winkelsummensatz hat einen wichtigen historischen Hintergrund. Lange Zeit vermuteten die Mathematiker, daß das Parallelenaxiom gar kein echtes Axiom sei, sondern sich aus den anderen Axiomen des Euklid herleiten lasse. Vergeblich waren die Bemühungen. Besonders hervorzuheben ist dabei die Idee des Italieners *G. Saccheris* (1667–1733), der einen indirekten Beweis versuchte. Er hoffte, daß die Annahme der Existenz von mehr als einer Parallelen zu einer Geraden $g$ durch einen Punkt $A \notin g$ mit Hilfe der anderen Axiome zu einem Widerspruch zu führen sei. Auch dies gelang nicht. Erst der Russe *N.I. Lobatschewskij* (1793–1856), der Ungar

*J. Bolyai* (1802–1860) und *C.F. Gauß* (1777–1855) erkannten weitgehend unabhängig voneinander, daß die Beibehaltung der Axiome I–IV und die Annahme G. Saccheris eine neue Formalgeometrie ergeben.

### Die hyperbolische Formalgeometrie und das Modell h.

**Axiom V, h:** Zu einer Geraden $g$ und einem Punkt $A \notin g$ gibt es *mindestens zwei Geraden*, die $g$ nicht schneiden.

Die Gesamtheit aller Folgerungen, die man aus den Axiomen I, 1 bis IV, 2 und Axiom V, h ziehen kann, bildet die sogenannte hyperbolische Formalgeometrie. Wir nennen die beiden äquivalenten Hauptfolgerungen ohne Beweis:

**Satz 26, h:** Die Summe der Winkelmaßzahlen im hyperbolischen Dreieck ist kleiner als $\pi$.

**Satz 21, h:** Zu einer Geraden $g$ und einem Punkt $A \notin g$ gibt es unendlich viele Geraden, die $g$ nicht schneiden.

In ganz analoger Weise wie im Falle des euklidischen Axiomensystems lassen sich *zweidimensionale hyperbolische Modelle* angeben. Eines davon wollen wir nennen, das wir allerdings bei weitem nicht so ausführlich besprechen können wie das Modell III im Falle der zweidimensionalen euklidischen Geometrie.

*Modell h:* Sei $k$ ein beliebiger Kreis der (euklidischen) Zeichenebene $E$ (linke Figur). Dann ist unsere hyperbolische Ebene $E_h$ die Menge aller Punkte der offenen Kreisscheibe, also der Punkte im Innern des Kreises (also $P, Q$ aber nicht $K$). Als Geraden definieren wir die Teilmengen von $E_h$, die auf einer (euklidischen) Geraden liegen, also die Menge aller Punkte der (euklidisch) offenen Kreissehnen.

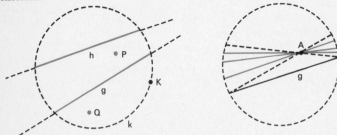

Die rechte Figur macht klar, daß die Aussage des Satzes 21, h im Modell gilt. Auf einen Beweis des Satzes 26, h müssen wir ebenso verzichten wie auf den vollständigen Nachweis dafür, daß die nun folgende Längenmaßfunktion alle bereits geforderten Bedingungen erfüllt.

Seien $K_1$ und $K_2$ die »Randpunkte« von $g$ auf $k$ (die also nicht zu $g$ gehören), dann definieren wir als Längenmaßzahl in $E_h$ (linke Figur)

$$\overset{h}{\overline{AB}} = \ln \frac{\overline{K_2 A}}{\overline{K_2 B}} : \frac{\overline{K_1 A}}{\overline{K_1 B}},$$

wobei $\overline{K_1 A}$, $\overline{K_1 B}$, $\overline{K_2 A}$ und $\overline{K_2 B}$ die Längenmaßzahlen in $E$ sind, und in $E$ die Anordnung $K_1 < A < B < K_2$ gilt.

*Aufgabe 29:* Man zeige, daß $\overset{h}{AB}$ stets positiv ist für $A \neq B$ und Null für $A = B$.

*Aufgabe 30:* Man zeige, daß $\overset{h}{AB} = \overset{h}{AC} + \overset{h}{CB}$ ist, falls $C$ ein Teilpunkt der Strecke $[AB]$ ist.

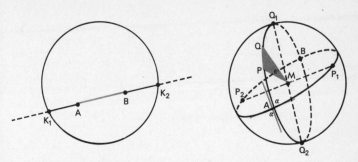

Links *Figur zur Definition der Längenmaßzahl;* rechts *Figur zum Modell e*

*Die elliptische Formalgeometrie und das Modell e.* Das Axiom V, h stellt die eine Alternative zum Axiom V dar. Die andere ist

**Axiom V, e:** Zu einer Geraden $g$ und einem Punkt $A \notin g$ gibt es *keine* Parallele.

Wie wir nach Satz 21 wissen, folgt aus den Axiomen I, 1–IV, 2 die Existenz einer Parallelen, somit verstößt die Gesamtheit der Axiome I, 1–IV, 2 und V, e gegen das Kriterium der Widerspruchsfreiheit. Es gibt folglich keine Geometrie, die diesem Axiomensystem entspricht. Bei Abänderung gewisser Axiome, kann man die Widerspruchsfreiheit erreichen. Wir begnügen uns mit der Angabe eines Modells und zeigen auf, welcher Art diese Abänderungen sein müssen.

*Modell e:* Im Gegensatz zu Modell II sind die »Punkte« unseres *elliptischen Modells* jetzt alle Punkte einer beliebigen Kugelsphäre (rechte Figur). Als Geraden definieren wir alle »Großkreise«, das sind Kreise der Sphäre, die durch zwei gegenüberliegende Punkte $P_1$ (bzw. $Q_1$) und $P_2$ (bzw. $Q_2$) (Endpunkte eines Kugeldurchmessers) gehen. Am Globus stellen die Längenkreise und der Äquator beispielsweise Geraden dar, während die anderen Breitenkreise keine Geraden sind.

Für die Längenmaßzahl einer »elliptischen« Strecke $[PQ]$ ist definiert $\overset{e}{PQ} = \varepsilon \cdot R$, wobei $R$ der Radius der Kugel und $\varepsilon$ die »euklidische« Winkelmaßzahl des Winkels $\sphericalangle (PMQ)$ ist. Die Winkel ($\alpha$ in der Figur) sind definiert als die Winkel zweier Tangenten in einem Schnittpunkt ($A$) zweier Großkreise. Offensichtlich gibt es keine Parallelen, da sich zwei Großkreise *stets* in zwei Punkten ($A$ und $B$) schneiden. Schon durch diese Betrachtung ist ersichtlich, daß mindestens das Axiom I, 1 abgeändert werden muß. Weitergehende Erörterungen können wir hier nicht führen. Als Folge des Axioms V, e und gewisser Abänderungen der Axiomengruppen I–IV erhält man den in der elliptischen Geometrie allgemeingültigen

**Satz 26, e:** Die Summe der Winkelmaßzahlen im elliptischen Dreieck ist größer als $\pi$.

Zur Veranschaulichung des Satzes denke man sich am Globus ein Dreieck durch den Äquator und zwei Längenkreise (alles Großkreise) gebildet. Das Dreieck ist stets gleichschenklig und hat zwei rechte Basiswinkel.

*Übersichtstabelle*

| Zweidimensionale Geometrie | Axiome | Anzahl der Parallelen | Summe der Winkelmaßzahlen im Dreieck |
|---|---|---|---|
| euklidisch | (I, II, III, IV) + V | 1 | $= \pi$ |
| hyperbolisch | (I, II, III, IV) + V, h | $\infty$ | $< \pi$ |
| elliptisch | (I, II, III, IV)* + V, e | 0 | $> \pi$ |

(I, II, III, IV)* bedeutet, daß Abänderungen erforderlich sind, damit das Gesamtsystem widerspruchsfrei ist.

## Inzidenzgeometrie

Wir haben erfahren, wie im wesentlichen die Variation eines einzigen Axioms (V) zu zwei weiteren Formalgeometrien führt. Eine grundsätzlich andere Fragestellung der axiomatischen Geometrie liegt vor, wenn man untersucht, mit welcher Minimalanzahl von Axiomen man überhaupt noch sinnvoll Geometrie treiben kann. Die Ergebnisse solcher Überlegungen führen zur sogenannten *Inzidenzgeometrie*, einer Minigeometrie, die sich grob gesagt aus den Axiomen I, 1; I, 2; I, 3 und V herleitet.

Im Folgenden wird ein Einblick ohne Beweise gewährt. Zum besseren Verständnis werden Modelle angegeben.

*Grundelemente, Inzidenz, Parallelität.* Im Gegensatz zum Abschnitt Grundelemente, wo die Ebene als Menge ihrer Punkte und die Geraden als Teilmengen definiert haben, geht man hier von zwei Mengen $P$ und $G$ aus. Die Elemente von
$P = \{A, B, C \ldots P, Q \ldots\}$  heißen die Punkte, die von
$G = \{a, b, c \ldots g, h \ldots s, t \ldots\}$  heißen Gerade.
(Konsequenter wäre eine Namensgebung wie etwa im Abschnitt Modell- und Formalgeometrie mit Blu und Kra.) Zwischen den Elementen von $P$ und $G$ (den Blus und Kras) besteht eine Relation: $A I g$, wir sagen »$A$ inzidiert mit $g$« oder »$g$ inzidiert mit $A$« (epsilontet). An die Stelle der Mengenbeziehung $A \in g \cap h$, die besagt, daß $g$ und $h$ den Punkt $A$ gemeinsam haben, tritt $A I g \wedge A I h$.

**Definition:** Sind $g$ und $h$ zwei Geraden und *gibt es keinen Punkt $A$*, für den $A I g \wedge A I h$ gilt, so nennen wir $g$ und $h$ *zueinander parallel*  $(g \| h)$.

*Ein Mini-Axiomensystem*

*Axiom I:*  Zu zwei verschiedenen Punkten $A$, $B$ gibt es genau eine Gerade $g$, die mit beiden Punkten inzidiert.

*Axiom II:*  Zu einer Geraden $s$ und einem mit ihr nicht inzidierenden Punkt $A$ gibt es genau eine Gerade $p$, die mit $A$ inzidiert und zu $s$ parallel ist.

*Axiom III:* Es gibt drei Punkte, die nicht mit ein und derselben Geraden inzidieren.

*Modelle des Mini-Axiomensystems.* Zunächst verschaffen wir uns an Hand einer Tabelle eine Übersicht darüber, ob die bisherigen Modelle dem Mini-Axiomensystem genügen.

| Axiom | I | II | III |
|---|---|---|---|
| Modell I | erfüllt | erfüllt | erfüllt |
| Modell II | erfüllt | erfüllt | erfüllt |
| Modell III | erfüllt | erfüllt | erfüllt |
| Modell h | erfüllt | nicht erfüllt | erfüllt |
| Modell e | nicht erfüllt | nicht erfüllt | erfüllt |

Daß die drei ersten Modelle alle dem Miniaxiomensystem genügen, hängt damit zusammen, daß sie paarweise *isomorph* sind, d.h. daß es eine bijektive Abbildung eines Modells auf das jeweils andere gibt, welches die Eigenschaften der Inzidenz, Anordnung, Kongruenz und Parallelität invariant läßt. Neben diesen Modellen gibt es aber noch weitere, die dem Mini-Axiomensystem genügen.

*Modell T (Tetraedermodell):*    $P$ = Menge der Eckpunkte des Tetraeders; $G$ = Menge der Kanten des Tetraeders. $P$ inzidiert mit $g$ dann und nur dann, wenn $P$ Randpunkt der betreffenden Kante ist (siehe linke Figur).

Man prüft leicht nach, daß das Modell dem Mini-Axiomensystem genügt.

*Aufgabe 31:* Welches sind die Parallelen des Modells $T$?

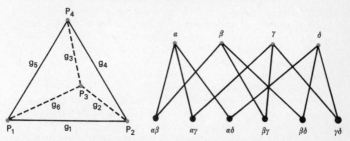

Links *das Tetraedermodell;* rechts *das Buchstabenmodell*

*Modell B (Buchstabenmodell):*    $P$ = Menge der vier griechischen Buchstaben $\alpha$, $\beta$, $\gamma$, $\delta$; $G$ = Menge der ungeordneten Buchstabenpaare $\alpha\beta$, $\alpha\gamma$, $\beta\gamma$, $\beta\delta$, $\gamma\delta$, $\alpha\delta$.

*Inzidenz:* $\alpha\ I\ \alpha\beta$, $\alpha\gamma$, $\alpha\delta$; $\beta\ I\ \alpha\beta$, $\beta\gamma$, $\beta\delta$; $\gamma\ I\ \alpha\gamma$, $\beta\gamma$, $\gamma\delta$ und $\delta\ I\ \alpha\delta$, $\beta\delta$, $\gamma\delta$. Eine gute Übersicht über die Inzidenzeigenschaften ermöglicht die rechte Figur. Ein Punkt (obere Reihe) inzidiert mit einer Geraden (untere Reihe), wenn zwischen beiden Elementen eine Verbindung existiert.

*Aufgabe 32:* Welches sind die Parallelen des Modells $B$?

*Modell Q (Quadratmodell):*    $P = \{A, B, C, \dots I\}$; $G = \{a, b, c \dots k, l\}$.

Dieses Modell hat im Gegensatz zu den Modellen $T$ und $B$ (4 Punkte, 6 Geraden) insgesamt 9 Punkte und 12 Geraden (8 gerade, 4 gekrümmte Linien). Daß die Axiome I–III erfüllt sind, läßt sich leicht überprüfen.

*Aufgabe 33:* Man teile die Menge aller Geraden $G$ des Modells $Q$ in Klassen zueinander paralleler Geraden ein.

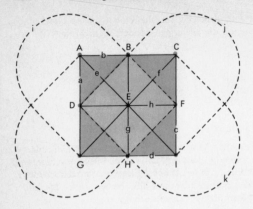

*Figur zum Quadratmodell*

*Vervollständigung des Mini-Axiomensystems:* Wir haben gezeigt, daß es mindestens 6 verschiedene Modelle gibt, die dem Mini-Axiomensystem genügen. Bemerkenswert ist dabei, daß diese Modelle schon allein aus Gründen der Anzahl der Elemente der Mengen der Punkte und der Geraden nicht isomorph zueinander sind. Alle Modelle, die die euklidische Geometrie repräsentieren, sind aber notwendigerweise zueinander isomorph. Dies hängt damit zusammen, daß das Mini-Axiomensystem im Vergleich zum System der Axiome der euklidischen Geometrie unvollständig ist. Eine Vervollständigung in diesem Sinne ist möglich, wenn man die beiden folgenden Axiome hinzunimmt:

*Axiom IV:* Jede Gerade inzidiert mit höchstens zwei Punkten.

*Axiom V:* Jeder Punkt inzidiert mit höchstens drei Geraden.

Von den beschriebenen Modellen genügen jetzt nur noch die beiden Modelle T und B dem *vollständigen Axiomensystem I–V.* Beide Modelle sind isomorph zueinander.

*Rein logisch* (d. h. ohne Zuhilfenahme der Anschauung durch Modelle – vgl. S. 263/ 264: Formalgeometrie) lassen sich aus dem Mini-Axiomensystem typische geometrische Aussagen herleiten, wie beispielsweise:

a) Zwei Geraden haben höchstens einen Punkt gemeinsam.

b) Die Parallelität ist eine Äquivalenzrelation.

c) Zu jeder Geraden gibt es mindestens einen Punkt, der nicht mit ihr inzidiert.

d) Zu jedem Punkt gibt es mindestens eine Gerade, die nicht mit ihm inzidiert.

e) Jede Gerade inzidiert mit genau zwei Punkten.

f) Jeder Punkt inzidiert mit genau drei Geraden.

g) Es gibt genau vier Punkte.

h) Es gibt genau sechs Geraden.

## Abschließende Bemerkungen zur geometrischen Axiomatik

In den vorhergehenden Teilabschnitten konnte keineswegs vollständig aufgezeigt werden, was alles Inhalt der axiomatischen Geometrie ist. Im Hinblick auf die folgende Behandlung der analytischen Geometrie sollte die erforderliche Grundlage bereitgestellt werden; dies geschah durch eine besonders ausführliche

Darstellung des Modells III, des Zahlenmodells. Absichtlich haben wir dabei auf Veranschaulichungen verzichtet, um damit zu zeigen, daß Punkte und Geraden mit Zahlenpaaren und Mengen von Zahlenpaaren faßbar sind und es bei diesem Modell keiner »geometrischer Geräte« bedarf. Wir haben am Beispiel der Minigeometrie gesehen, daß es auch künstliche, zahlenfreie Geometrien gibt. Schließlich haben wir am Beispiel der nichteuklidischen Geometrien erkennen können, daß für den Mathematiker die euklidische Geometrie nicht die einzig denknotwendige Geometrie im Sinne von Kant ist.

## Analytische Koordinatengeometrie

### Einleitung

Die Grundlage der Koordinatengeometrie ist durch die Existenz des Zahlenpaarmodells (Modell III) gegeben, das isomorph zum Modell der Zeichenebene (Modell I) ist. Eine isomorphe Abbildung erhält man wie folgt: $g_x$ und $g_y$ seien zwei beliebige Geraden der Zeichenebene, die sich in 0 schneiden (linke Figur), $g_x$ ordnen wir die Geradengleichung $y = 0$ und $g_y$ die Geradengleichung $x = 0$ zu. Dann muß 0 das Zahlenpaar $(0; 0)$ zugeordnet werden. Auf $g_x$ und $g_y$ wählen wir je einen Punkt $E_1$ und $E_2$ mit $\overline{OE_1} = \overline{OE_2}$ aus. Wir ordnen $E_1$ das Zahlenpaar $(1; 0)$ zu; dann muß $E_2$ $(0; 1)$ zugeordnet werden. Damit erhält man $\overline{E_1 E_2} = \sqrt{(0 - 1)^2 + (1 - 0)^2} = \sqrt{2}$ als Längenmaßzahl. Dies erfordert in Übereinstimmung mit dem Satz des Pythagoras, daß $g_x$ und $g_y$ aufeinander senkrecht stehen.

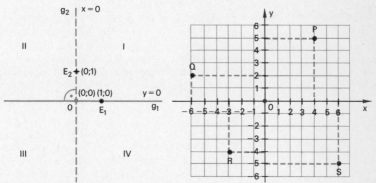

Links *die beiden Koordinatenachsen und die Zuordnung von Zahlenpaaren zu $E_1$ und $E_2$;* rechts *Einteilung des Koordinatensystems in Quadranten und Zuordnung von Abszisse und Ordinate*

Wir übernehmen nun noch die natürliche Anordnung mit $0 < E_1$ und $0 < E_2$ und ordnen den Punkten der beiden Geraden $g_x$ bzw. $g_y$ die reellen Zahlen $x$ und $y$ der Zahlenpaare $(x; 0)$ bzw. $(0; y)$ zu. Damit haben wir zwei senkrechte *Zahlenstrahlen* der Ebenen mit gemeinsamem Nullpunkt ausgewählt und vereinbaren noch, daß das Dreieck $[OE_1 E_2]$ im Gegenuhrzeigersinn »orientiert« ist.

Die vier Teile der Ebenen bezeichnen wir als Quadranten I, II, III und IV wie in der Figur. Die beiden Zahlenstrahlen $g_x$ und $g_y$ heißen Koordinatenachsen ($g_x$ = Abszissenachse = $x$-Achse, $g_y$ = Ordinatenachse = $y$-Achse). Jetzt ist es möglich, allen Punkten $P$ der Zeichenebene genau ein Zahlenpaar $(x; y)$ zuzuordnen, indem man von $P$ die Lote auf die Achsen fällt und als Lotfußpunkte $P_1$ mit $(x; 0)$ und $P_2$ mit $(0; y)$ erhält (rechte Figur). Die 1. Komponente des Zahlenpaares $(x)$ heißt *Abszisse*, die zweite $(y)$ heißt *Ordinate*, beide zusammen *Koordinaten* und das ganze System *Koordinatensystem*.

In den vorangegangenen Abschnitten haben wir für die Punkte als Zahlenpaare verschiedene Bezeichnungen gewählt. Wir wollen jetzt nur noch die in der Koordinatengeometrie üblichen Bezeichnungen verwenden. Mit $P_1(x_1; y_1)$ oder anderen Indizes oder anderen Buchstaben bezeichnen wir stets einen bestimmten Punkt, wobei an die Stelle der allgemein bezeichneten Koordinaten $x_1$ und $y_1$ häufig konkrete Zahlen treten werden. Mit $P(x; y)$ bezeichnen wir stets den Repräsentanten einer ganz bestimmten Menge von Punkten mit gewissen Eigenschaften. Somit können wir die Geraden durch $g = \{P(x; y) \mid Ax + By + C = 0\}$ beschreiben, wobei wir stillschweigend voraussetzen, daß $A$, $B$, $C \in R$ ist. Wie wir schon gesagt haben, wird durch eine lineare Gleichung eine Gerade eindeutig als Erfüllungsmenge bestimmt, aber nicht umgekehrt. Wenn wir diesen Sachverhalt im Auge behalten, dann können wir die etwas schwerfällige Mengenschreibweise umgehen, indem wir ein einfacheres Symbol »≡« benutzen und $g \equiv Ax + By + C = 0$ schreiben. Dies soll wieder nichts anderes bedeuten, als daß $g$ die Gerade ist, deren Punkte als Zahlenpaare die lineare Gleichung erfüllen. $Ax + By + C = 0$ nennen wir *Geradengleichung von g*, wobei wir daran denken, daß es unendlich viele Geradengleichungen von $g$ gibt.

### Bedeutung der analytischen Geometrie

Die analytische Geometrie stellt in gewisser Weise das Bindeglied zwischen Geometrie und Algebra dar. Einerseits lassen sich geometrische Probleme durch Anwendung der analytischen Geometrie algebraisieren und oft leichter algebraisch als rein geometrisch lösen. Andererseits lassen sich auch algebraische Probleme durch Übersetzung in die Geometrie leichter lösen. Für beide Fälle wollen wir je ein Beispiel angeben.

*Beispiel 13:* Eine Leiter, die auf waagrechtem Boden steht, sei an eine vertikale Wand gestellt. Welche Bahn beschreibt eine Sprosse genau in der Mitte, wenn die Leiter abrutscht?

*Lösung:* Wir idealisieren (linke Figur) und ersetzen die Leiter durch eine Strecke $AB$ der Länge $l$. Die Koordinaten des beweglichen Punktes $M$ seien $x$ und $y$: $M(x; y)$; dann ist wegen der Mittelpunkteigenschaft $A(2x; 0)$ und $B(0; 2y)$. Nach der Längenmaßfunktion gilt dann:

$$l = \sqrt{(2x - 0)^2 + (0 - 2y)^2}, \quad \text{oder} \quad 4x^2 + 4y^2 = l^2,$$

oder
$$x^2 + y^2 = \frac{l^2}{4};$$

d.h. beim Abgleiten der Leiter kann $M$ nur solche Punkte durchlaufen, deren Koordinaten die Gleichung $x^2 + y^2 = \dfrac{l^2}{4}$ erfüllen.

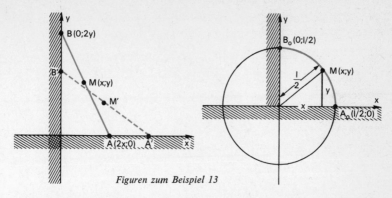

*Figuren zum Beispiel 13*

Die Bahn, die die Mitte der Leiter beschreibt, ist mit der Punktmenge identisch, die zur Erfüllungsmenge dieser Gleichung gehören. Wir wissen bislang nur, daß die linearen Gleichungen in zwei Variablen mit den Geraden identifiziert werden konnten. Die Frage ist nun, welcher *Kurve* diese quadratische Gleichung in zwei Variablen zugeordnet werden muß. Dazu hilft uns wieder die Längenmaßfunktion. Umformen ergibt:

$$\frac{l}{2} = \sqrt{x^2 + y^2} = \sqrt{(x - 0)^2 + (y - 0)^2}.$$

Das bedeutet aber, daß für alle Punkte $M(x; y)$ die Entfernung zu O $(0; 0)$ konstant $\frac{l}{2}$ ist.

Die Kurve ist also ein Kreis mit dem Radius $r = \frac{l}{2}$ um O (rechte Figur). Da allerdings nur positive Werte für $x$ und $y$ möglich sind, durchläuft $M$ nur den Viertelkreisbogen von $B_0\left(0; \frac{l}{2}\right)$ bis $A_0\left(\frac{l}{2}; 0\right)$.

*Beispiel 14:* Vorgegeben ist ein System von drei linearen Ungleichungen in zwei Variablen:
*1)* $3x - 2y - 6 \geq 0$;  *2)* $y - 3 \geq 0$;  *3)* $x + y \leq 0$.
Besitzt dieses System Lösungen in $R \times R$? Wenn ja, welche?
*Lösung:* Zu bestimmen ist also die Lösungsmenge (Erfüllungsmenge)
$L = \{(x; y) \,|\, 3x - 2y - 6 \geq 0 \wedge y - 3 \geq 0 \wedge x + y \leq 0 \wedge x, y \in R\}$.
Zur Lösung des Problems benutzen wir die Tatsache, daß diese Ungleichungen als *Halbebenenungleichungen* aufgefaßt werden können, denen gewisse Halbebenen des Modells III und damit in der Zeichenebene des Modells I zugeordnet sind. Diese Halbebenen seien $H_1$, $H_2$ und $H_3$. Die Frage nach $L$ übersetzen wir in eine Frage nach dem Durchschnitt $H_1 \cap H_2 \cap H_3$. In der Figur sind im Koordinatensystem die Halbebenen eingezeichnet, die den jeweiligen Gleichungen entsprechen:
$$H_1 \equiv 3x - 2y - 6 \geq 0; \quad H_2 \equiv y - 3 \geq 0; \quad H_3 \equiv x + y \leq 0.$$
Man erkennt, daß $H_1 \cap H_2 \cap H_3 = \emptyset$ ist, also ist $L = \emptyset$ und damit das System unlösbar. Ein System bestehend aus *1); 2)* und *4)* $x + y \geq 0$ hätte einen nichtleeren Durchschnitt $H_1 \cap H_2 \cap H_4 \neq \emptyset$, der in der Figur schraffiert ist.

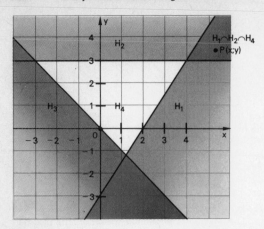

*Figur zum Beispiel 14*

Jedem Punkt $P(x; y)$ dieses Feldes entspricht eine Lösung $(x; y)$ des Systems *1), 2), 4)*.

Nach diesen grundsätzlichen Erörterungen können wir ins Detail der Koordinatengeometrie übergehen.

### Strecken und Flächen

*Länge, Steigung.* Wie das Modell III verlangt, berechnet sich die Länge einer Strecke nach der Beziehung

$$\overline{P_1 P_2} = \sqrt{(x_2 - x_1)^2 + (y_2 - y_1)^2}.$$

Mit Hilfe der linken Figur erkennen wir die geometrische Grundlage, den Satz des Pythagoras. Jede Gerade und damit auch jede Strecke verläuft bildhaft gesprochen flacher oder steiler in Bezug auf die $x$-Achse. Denken wir uns die Punkte der Geraden im Orientierungssinn der $x$-Achse durchlaufen, so gibt es (außer $g \parallel y$-Achse) zwei Klassen von Geraden, nämlich die *ansteigenden* und die *abfallenden*. Diese qualitativen Aussagen lassen sich mit dem Begriff der *Steigung* quantitativ erfassen. Zur Erfassung aller Geradenrichtungen (rechte Figur) genügen die Winkel $0 \leq \alpha < 180°$, gemessen von der positiven $x$-Achse im

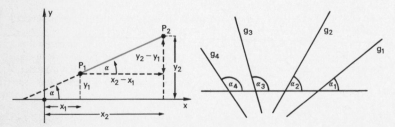

Links *Figur zur Berechnung der Länge einer Strecke;*
rechts *Darstellung von ansteigenden und abfallenden Geraden*

Gegenuhrzeigersinn. Diese Winkel, die die Geraden mit der $x$-Achse bilden, nennen wir *Richtungswinkel*.

**Definition**  »*Steigung*«: Unter der *Steigung einer Geraden* mit dem Richtungswinkel $\alpha$ und der *Steigung einer Strecke* $[P_1(x_1;y_1)P_2(x_2;y_2)]$ versteht man im Sinne der linken Figur den Wert:

$$m = \tan\alpha = \frac{y_2 - y_1}{x_2 - x_1}, \quad \text{mit} \quad x_1 \neq x_2.$$

*Bemerkung:* Sowohl Längen- wie auch Steigungsformel gelten allgemein, d.h. unabhängig davon, in welchem Quadranten die Punkte jeweils liegen. Man überzeuge sich an Beispielen davon.

*Teilverhältnis, Mittelpunkt.*

**Definition**  »*Teilpunkt*«: Seien $[AB]$ eine Strecke und $P$ ein Punkt der Geraden $(A, B)$ und ferner als Anordnung $A < B$ gewählt. Dann heißt $P$ *innerer Teilpunkt*, wenn $A < P < B$ ist, und sonst *äußerer Teilpunkt*.

**Definition**  »*Teilverhältnis*«: Seien $\overline{AP}$ und $\overline{BP}$ die Längen der Strecken $[AP]$ und $[PB]$, so heißt

$$\tau \begin{cases} = \overline{AP}:\overline{PB} & \text{für } APB; \\ = -(\overline{AP}:\overline{PB}) & \text{für } PAB \text{ oder } ABP. \end{cases}$$

*Teilverhältnis des Punktes P in bezug auf AB:* Aus der linken Figur erhält man mit Hilfe des Strahlensatzes

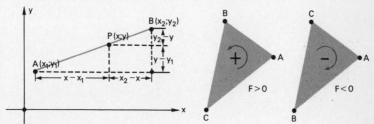

Links *Figur zur Definition des Teilverhältnisses;*
rechts *Beispiele für positive und negative Drehrichtung von Dreiecken*

$$\tau = \overline{AP}:\overline{PB} = \frac{x - x_1}{x_2 - x} = \frac{y - y_1}{y_2 - y}.$$

Die Umformung führt zu den beiden Beziehungen

$$x = \frac{x_1 + \tau \cdot x_2}{1 + \tau}; \quad y = \frac{y_1 + \tau \cdot y_2}{1 + \tau},$$

welche die *Koordinaten des Teilpunktes* $P(x;y)$ in Abhängigkeit von $A(x_1;y_1)$ und $B(x_2;y_2)$ und $\tau$ angeben.
Für den *Mittelpunkt* $M(x_m;y_m)$ folgt speziell mit $\tau = +1$

$$x_m = \frac{x_1 + x_2}{2}; \quad y_m = \frac{y_1 + y_2}{2}.$$

*Bemerkung:* Obwohl die Figur speziell nur den I. Quadranten benutzt, gelten die Beziehungen wieder ganz allgemein.

*Flächeninhalt.* Ohne Beweis geben wir die Formel für den Flächeninhalt des Dreiecks $[ABC]$ an: $A(x_1; y_1)$ $B(x_2; y_2)$ $C(x_3; y_3)$.

$$F([ABC]) = \tfrac{1}{2}\,[(x_1y_2 - x_2y_1) + (x_2y_3 - x_3y_2) + (x_3y_1 - x_1y_3)].$$

Bei der Anwendung der Formel ist die richtige Reihenfolge der Indizes wichtig! Für den Spezialfall $C = O(0; 0)$ erhält man $F([ABO]) = \tfrac{1}{2}(x_1y_2 - x_2y_1)$. Der rechte Term stellt den Ausgangsterm für die allgemeine Formel dar. Man erhält sie durch Addition der beiden Terme, die man durch »zyklische Vertauschung« aus dem Spezialfall erhält, d.h. man hat $1 \to 2 \to 3 \to 1$ jeweils zu ersetzen. Außerdem ist zu beachten, daß man für $F$ positive oder negative Werte erhält, je nachdem, ob das Dreieck positiv oder negativ orientiert ist (Figur S. 287). Mit Hilfe der Dreiecksflächenformel kann man die Fläche beliebiger Vielecke durch Zerlegung in Dreiecke berechnen.

*Beispiele und Aufgaben.* Alle Berechnungen lassen sich durch entsprechende Zeichnungen kontrollieren!

*Beispiel 15:* Gegeben ist das Dreieck $A(-5; 4)$, $B(-13; -6)$, $C(3; -10)$. Berechne den Flächeninhalt, den Schwerpunkt und die Länge der Seitenhalbierenden $\overline{CM}$ und die Steigungen von $[AB]$ und $[BC]$.

*Lösung:* 
$$F = \tfrac{1}{2}\,[\{(-5)\cdot(-6) - (-13)\cdot 4\} + \{(-13)\cdot(-10) - 3\cdot(-6)\}$$
$$+ \{3\cdot 4 - (-5)\cdot(-10)\}] =$$
$$= \tfrac{1}{2}\,(30 + 52 + 130 + 18 + 12 - 50) = 96.$$

Die Koordinaten des Schwerpunktes $S$ lassen sich leicht allgemein berechnen.

$A(x_1; y_1)$, $B(x_2; y_2)$ und $C(x_3; y_3)$ seien gegeben. Dann ist $M\left(\dfrac{x_1 + x_2}{2}; \dfrac{y_1 + y_2}{2}\right)$ der Mittelpunkt von $[AB]$. Da $S$ $[CM]$ immer im Verhältnis $2:1$ teilt, also $\overline{CS} : \overline{SM} = 2:1$ ist, ist $\tau = 2$ und somit

$$x_S = \frac{x_3 + 2\cdot\dfrac{x_1 + x_2}{2}}{1 + 2} = \frac{x_1 + x_2 + x_3}{3} \quad\text{und}\quad y_S = \frac{y_1 + y_2 + y_3}{3}.$$

Im speziellen Fall ist $S(-5; -4)$ und $M(-9; -1)$ und somit

$$\overline{CM} = \sqrt{(3 + 9)^2 + (-10 + 1)^2} = \sqrt{144 + 81} = 15.$$

Die Steigungen von $[\overline{AB}]$ und $[\overline{BC}]$ betragen:

$$m(A, B) = \frac{-6 - 4}{-13 + 5} = \frac{5}{4} \quad\text{und}\quad m(B, C) = \frac{-10 + 6}{3 + 13} = -\frac{1}{4}.$$

*Beispiel 16:* Gegeben ist die Strecke $[AB]$ und ein Teilpunkt $P$. Berechne den *4. harmonischen Punkt Q.* (Bemerkung: teilt $P$ $[AB]$ im Verhältnis $\tau$, so $Q$ im Verhältnis $-\tau$).

*a)* $A(9; 1)$, $B(1; 5)$, $P(3; 4)$;    *b)* $A(-1; 0)$, $B(1; 0)$, $C(0; 0)$.

*Lösung:* Bestimmung von $\tau$ durch Einsetzen in

$$x = \frac{x_1 + \tau\cdot x_2}{1 + \tau} : 3 = \frac{9 + \tau\cdot 1}{1 + \tau} \quad\text{oder}\quad 3 + 3\tau = 9 + \tau$$

oder   $2\tau = 6$   und somit   $\tau = 3 \left(\text{Kontrolle mit } y = \dfrac{y_1 + \tau \cdot y_2}{1 + \tau} \, ! \right)$.

Berechnung der Koordinaten von $Q$ mit $\tau = -3$:

$$x_Q = \frac{9 - 3 \cdot 1}{1 - 3} = \frac{6}{-2} = -3; \quad y_Q = \frac{1 - 3 \cdot 5}{1 - 3} = \frac{-14}{-2} = 7;$$

somit $Q(-3; 7)$.

*b)* $\tau = 1$ erkennt man auch ohne Rechnung. $Q$ müßte $\tau = -1$ zugeordnet werden. Dafür sind die Formeln nicht verwendbar, aber $\lim\limits_{\tau \to -1} x = \infty$ bedeutet, daß der 4. harmonische Punkt zum Mittelpunkt einer Strecke stets im Unendlichen liegt.

*Aufgabe 34:* Man überprüfe die Lösungen der Beispiele *3)* und *4)* durch eine Zeichnung im Koordinatensystem (am besten mit kariertem Papier oder Millimeterpapier).

*Aufgabe 35:* Gegeben ist das Dreieck $A(-4; 0)$, $B(4; -2)$, $C(0; 5)$. Man berechne die Seitenmitten $D$, $E$, $F$ mit $BDC$, $AEC$ und $AFB$ und den Schwerpunkt $S$. Man berechne Länge und Steigung der Seitenhalbierenden.

*Aufgabe 36:* Man berechne den Inhalt des Vierecks $A(-2; -1)$, $B(4; -2)$, $C(3; 3)$, $D(-1; 2)$ durch Zerlegung in zwei Dreiecke.

*Aufgabe 37:* Gegeben ist $A(0; 1{,}5)$, $B(3; 0)$. Man berechne die beiden Punkte, die $AB$ harmonisch teilen im Verhältnis
*a)* $\tau = \pm \frac{1}{2}$;   *b)* $\tau = \pm 2$.

*Aufgabe 38:* Gegeben ist das Dreieck $A(a; 0)$, $B(0; b)$, $C(c; 0)$. $D$, $E$ und $F$ seien die Seitenmitten wie in Aufgabe 35. Man zeige, daß $F([ABC]) : F([DEF]) = 4 : 1$ ist.

### Geraden

*Geradengleichungen.* Bei unserer Diskussion des Zahlenpaarmodells mußten wir wegen der erforderlichen eineindeutigen Zuordnung von Geraden und Geradengleichungen die linearen Gleichungen auf drei Grundtypen einschränken. Diese Typen, die dort zwangsläufig eingeführt wurden, sind allerdings für die praktische Handhabe nicht allesamt besonders gut geeignet. Im folgenden stellen wir die wichtigsten Formen von Geradengleichungen zusammen.

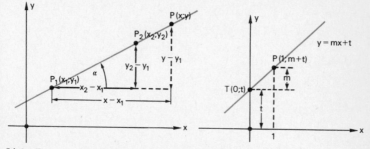

Links *Figur zur Zweipunkteform einer Geradengleichung;*
rechts *Figur zur entwickelten Form einer Geradengleichung*

*1)* Die *Zweipunkteform*, mit der man die Geradengleichung bestimmt, wenn zwei Punkte $P_1(x_1; y_1)$ und $P_2(x_2; y_2)$ der Geraden gegeben sind:

$$\frac{y - y_1}{x - x_1} = \frac{y_2 - y_1}{x_2 - x_1}; \quad \text{falls} \quad x_1 \neq x_2$$

(Herleitung mit Hilfe des 2. Strahlensatzes aus der linken Figur S. 289.)

*2)* Die *Punktrichtungsform*, die man bei Vorgabe eines Punktes $P_1(x_1; y_1)$ und des Richtungswinkels $\alpha$ oder der Steigung $m$ anwendet:

$$\frac{y - y_1}{x - x_1} = m = \tan \alpha; \quad \text{falls} \quad \alpha \neq 90°$$

(Herleitung aus *1)* mit der Definition von $m$!).

*3)* Die *Achsenabschnittsform*, die man anwendet, wenn die Schnittpunkte $S(s; 0)$ und $T(0; t)$ mit den Koordinatenachsen gegeben sind:

$$\frac{x}{s} + \frac{y}{t} = 1; \quad \text{falls} \quad s \neq 0 \quad \text{und} \quad t \neq 0$$

(Herleitung erfolgt in Beispiel 19 auf S. 296.)

*4) Die Formen für achsenparallele Geraden.*

*a)* Eine *Parallele* im Abstand $a \gtrless 0$ *zur y-Achse* hat die Form

$$x = a.$$

*b)* Eine *Parallele* im Abstand $b \gtrless 0$ *zur x-Achse* hat die Form

$$y = b.$$

*5)* Die *entwickelte Form*, auf die alle Geradengleichungen durch Umformungen gebracht werden können, falls $\alpha \neq 90°$ ist;

$$y = mx + t;$$

$t$ heißt Achsenabschnitt und die rechte Figur S. 289 veranschaulicht $m$ und $t$.

*6)* Die *allgemeine* Form, die schon genannt wurde:

$$Ax + By + C = 0 \quad \text{mit} \quad A, B, C \in R \quad \text{und} \quad A^2 + B^2 \neq 0.$$

Hierzu zwei wichtige Operationen mit der allgemeinen Form.

*a) Bestimmung von m und t.* Dies ist nur möglich, wenn $B \neq 0$ ist, denn dann geht die Form *6)* über in

$$y = -\frac{A}{B} x - \frac{C}{B},$$

und der Vergleich ergibt $m = -\dfrac{A}{B}$ und $t = -\dfrac{C}{B}$.

*b) Koeffizientenvergleich:* Gegeben sind die Gleichungen

$$A_1 x + B_1 y + C_1 = 0 \quad \text{und} \quad A_2 x + B_2 y + C_2 = 0$$

oder entwickelt

$$y = -\frac{A_1}{B_1} x - \frac{C_1}{B_1} \quad \text{und} \quad y = -\frac{A_2}{B_2} x - \frac{C_2}{B_2}.$$

Damit die beiden Gleichungen Geradengleichungen ein und derselben Geraden sind, müssen sie in der Steigung $m$ und im Achsenabschnitt $t$ übereinstimmen, d. h. es muß

$$A_1 : B_1 = A_2 : B_2 \quad \text{und} \quad C_1 : B_1 = C_2 : B_2$$

oder $\qquad\qquad A_1 : B_1 : C_1 = A_2 : B_2 : C_2$ sein.

**Satz 28:**   Die Gleichungen $A_1 x + B_1 y + C_1 = 0$ und $A_2 x + B_2 y + C_2 = 0$ entsprechen dann und nur dann derselben Geraden, wenn $A_1 : B_1 : C_1 = A_2 : B_2 : C_2$ ist.

*Schnittpunkte, Parallelität.* Wir verweisen auf die Erörterung im Abschnitt Parallelenaxiom bezüglich des Geradentyps $g(a; b)$. Die genau gleichen Überlegungen, die dort angestellt wurden, führen auch für die allgemeine Form der Geradengleichungen

$$g_1 \equiv A_1 x + B_1 y + C_1 = 0; \qquad g_2 \equiv A_2 x + B_2 y + C_2 = 0;$$

zur Parallelitätsbedingung: $A_1 B_2 - A_2 B_1 = 0$.

Sie läßt sich auch jetzt anschaulich deuten, denn aus ihr erhält man durch Umformung $A_1 : B_1 = A_2 : B_2$, d.h. die Steigungen der beiden Geraden sind gleich, $m_1 = m_2$.

Im Falle $A_1 B_2 - A_2 B_1 \neq 0$ haben die beiden Geraden stets einen Schnittpunkt $S(x_S; y_S)$ mit

$$x_S = \frac{B_1 C_2 - B_2 C_1}{A_1 B_2 - A_2 B_1} \quad \text{und} \quad y_S = \frac{C_1 A_2 - C_2 A_1}{A_1 B_2 - A_2 B_1}.$$

*Winkel zweier Geraden.* Wir haben schon beim Richtungswinkel auf die Übereinstimmung mit der Orientierung des Koordinatensystems geachtet. Der Tatsache, daß zwei sich schneidende Geraden zwei Paare gleicher Winkel bilden, werden wir durch die folgende Festlegung gerecht.

**Definition**   *»positiver Winkel zweier Geraden«:* Der positive Winkel
$\sphericalangle (g_1, g_2) = \delta$ *zweier Geraden $g_1$ und $g_2$ ist der kleinste Drehwinkel im Gegenuhrzeigersinn um den Schnittpunkt, durch den $g_1$ mit $g_2$ zur Deckung gebracht wird.*

*Bemerkung:* Es ist also $\sphericalangle (g_1, g_2) \neq \sphericalangle (g_2, g_1)$, doch es gilt $\sphericalangle (g_1, g_2) + \sphericalangle (g_2, g_1) = 180°$ (siehe linke Figur).

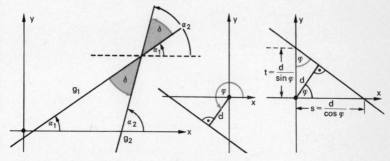

Links *Figur zur Definition des positiven Winkels zweier sich schneidender Geraden;* rechts *Figuren zur Hesseschen Normalform einer Geraden*

Mit Hilfe der trigonometrischen Beziehung

$$\tan (\alpha_2 - \alpha_1) = \frac{\tan (\alpha_2 - \alpha_1)}{1 + \tan \alpha_1 \cdot \tan \alpha_2}$$

erhält man, da $\delta = \alpha_2 - \alpha_1$ als Berechnungsformel für $\alpha$:

$$\tan \delta = \frac{m_2 - m_1}{1 + m_1 \cdot m_2}.$$

Der *Spezialfall* $\delta = 0$ oder $m_2 = m_1$ entspricht *parallelen Geraden*. Damit $\delta = 90°$ sein kann, ist $1 + m_1 \cdot m_2 = 0$ erforderlich. Somit erhält man als *Bedingung der Orthogonalität (orthogonal = senkrecht)*:

$$m_1 \cdot m_2 = -1 \quad \text{oder} \quad m_1 = -\frac{1}{m_2}.$$

Man sagt in diesem Fall, daß die Steigungen von $g_1$ und $g_2$ zueinander *negativ reziprok* sind.

*Hessesche Normalform (HNF)*. Es gibt eine weitere Möglichkeit, die Lage einer Geraden in der Ebene (mit Ausnahme der durch $O$ gehenden) eindeutig zu bestimmen (rechte Figuren). Dazu dienen die Angabe des (positiven) Abstandes $d = \overline{OD}$ der Geraden von $O$, die Angabe des (positiven) Winkels $\varphi$ zwischen $x$-Achse und Strecke $[OD]$. Die Gleichung der Geraden lautet dann in der HNF:

$$x \cdot \cos \varphi + y \cdot \sin \varphi - d = 0;$$

(Herleitung aus der Achsenabschnittsform mit $s = d : \cos \varphi$ und $t = d : \sin \varphi$ und entsprechender Umformung).

*Überführung einer Geradengleichung in die HNF.* Die praktische Bedeutung der HNF liegt darin, daß man jede Gleichung auf diese Form bringen kann.

**Satz 29:** Sei $Ax + By + C = 0$ die Gleichung einer Geraden $g$, so entspricht dieser die HNF:

$$\frac{Ax + By + C}{\pm \sqrt{A^2 + B^2}} = 0;$$

wobei im Falle $C < 0$ das Pluszeichen und im Falle $C > 0$ das Minuszeichen zu wählen ist.

*Beweis:* Damit $Ax + By + C = 0$ und $\cos \varphi \cdot x + \sin \varphi \cdot y - d = 0$ Gleichungen derselben Geraden $g$ sind, muß nach Satz 28 $A : B : C = \cos \varphi : \sin \varphi : (-d)$ sein. Dies ist der Fall bei einem noch zu bestimmenden Faktor $k \neq 0$, wenn *1)* $Ak = \cos \varphi$ *2)* $Bk = \sin \varphi$ und *3)* $Ck = -d$ ist. Quadrieren und addieren von *1)* und *2)* liefert $A^2 k^2 + B^2 k^2 = \cos^2 \varphi + \sin^2 \varphi = 1$, also $k^2 = \dfrac{1}{A^2 + B^2}$ oder $k = \dfrac{1}{\pm \sqrt{A^2 + B^2}}$ und somit obige Form der HNF. Da stets $d > 0$ ist, gilt die Vorzeichenregel des Satzes.

Im Falle $C = 0$ (linke Figur) ist $d = 0$ und deshalb gibt es zwei Winkel $\varphi_1$ und $\varphi_2$ ($\varphi_2 = \varphi_1 + 180°$), welche die Lage der Geraden bestimmen. Wegen $\sin \varphi_1 = -\sin \varphi_2$ und $\cos \varphi_1 = -\cos \varphi_2$ sind die beiden Gleichungen $x \cos \varphi_1 + y \sin \varphi_1 = 0$ und $-x \cos \varphi_2 - y \sin \varphi_2 = 0$ der gleichen Geraden zugeordnet. Deshalb entsprechen sowohl

$$\frac{Ax + By}{+\sqrt{A^2 + B^2}} = 0 \quad \text{als auch} \quad \frac{Ax + By}{-\sqrt{A^2 + B^2}} = 0$$

dieser Geraden.

*Abstand eines Punktes von einer Geraden.* Diesen Fall wollen wir etwas ausführlicher betrachten, da der 2. Lösungsweg typisch für eine gewisse Eleganz der Schlußweisen in der analytischen Geometrie ist.

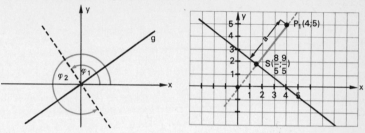

Links *Figur zum Beweis des Satzes 29;*
rechts *Figur zur Bestimmung des Abstands a eines Punktes P von einer Geraden nach dem 1. Lösungsweg*

*Beispiel 17:* Welchen Abstand $a$ hat der Punkt $P_1(4; 5)$ von der Geraden $g$ mit der Geradengleichung $3x + 4y - 12 = 0$?
*1. Lösungsweg* (rechte Figur): Die Steigung von $g$ ist $m_g = -\frac{3}{4}$. Jede Senkrechte zu $g$ hat die Steigung $m_s = \frac{4}{3}$. Die Gleichung der Senkrechten $s$ zu $g$ durch $P_1$ erhält man mit der Punktrichtungsform:

$$\frac{y - 5}{x - 4} = \frac{4}{3}, \quad \text{oder} \quad 4x - 3y - 1 = 0.$$

Wir berechnen den Schnittpunkt $\{S\} = g \cap s$ und erhalten $x_s = \frac{8}{5}$ und $y_s = \frac{9}{5}$. Den Abstand $a$ erhält man als Länge der Strecke $\overline{SP_1}$:
$$a = \sqrt{(4 - \tfrac{8}{5})^2 + (5 - \tfrac{9}{5})^2} = 4.$$
*2. Lösungsweg* (linke Figur): Wir benutzen die Tatsache, daß $P_1$ auf einer Parallelen $p$ zu $g$ liegt, und die HNF. Auf die HNF gebracht ist

$$g \equiv \tfrac{3}{5}x + \tfrac{4}{5}y - d_g = 0, \quad \text{wobei} \quad d_g = \tfrac{12}{5} \text{ ist.}$$

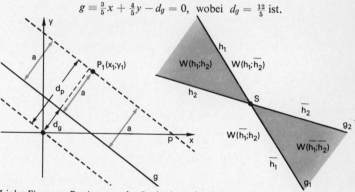

Links *Figur zur Bestimmung des Punktabstandes nach dem 2. Lösungsweg;*
rechts *Figur zur Definition des Winkelraumes zweier Geraden*

Nun ist aber $d_p = (d_g + a) = (\tfrac{12}{5} + a)$ und somit $p \equiv \tfrac{3}{5}x + \tfrac{4}{5}y - (\tfrac{12}{5} + a) = 0$. Da aber $P_1 \in p$ ist,

$$\text{gilt } \tfrac{3}{5}x_1 + \tfrac{4}{5}y_1 - (\tfrac{12}{5} + a) = 0$$

und damit $a = \tfrac{3}{5}x_1 + \tfrac{4}{5}y_1 - \tfrac{12}{5} = \tfrac{3}{5} \cdot 4 + \tfrac{4}{5} \cdot 5 - \tfrac{12}{5} = 4$.

Die Überlegungen des Lösungsweges 2 gelten allgemein und deshalb:

**Satz 30:** Hat eine Gerade $g$ die HNF $\dfrac{Ax + By + C}{\pm \sqrt{A^2 + B^2}} = 0$, so hat der Punkt

$P_1(x_1; y_1)$ den Abstand

$$a = \frac{Ax_1 + By_1 + C}{\pm \sqrt{A^2 + B^2}} \text{ von } g.$$

Es ist $a = 0$, wenn $P_1 \in g$ ist, $a > 0$, wenn 0 und $P_1$ in verschiedenen Halbebenen und $a < 0$, wenn 0 und $P_1$ in derselben Halbebene liegen, die von $g$ erzeugt wird.

*Bemerkung:* Da im Fall $C = 0$ die HNF nicht eindeutig bestimmt ist und $0 \in g$ ist, kann man hier nur sinnvoll mit dem Betrag von $a$ rechnen

$$|a| = \left| \frac{Ax_1 + By_1}{\pm \sqrt{A^2 + B^2}} \right|.$$

*Winkelhalbierende.* Hier wird die Tatsache benutzt, daß jeder Punkt einer Winkelhalbierenden von den beiden Schenkeln des Winkels gleichen Abstand hat. Die Vorzeichenabhängigkeit von $a$ macht eine weitere Festsetzung erforderlich.

**Definition** »*Winkelraum zweier Geraden*«: Seien $g_1$ und $g_2$ zwei sich in $S$ schneidende Geraden und $h_1, \overline{h}_1$ bzw. $h_2, \overline{h}_2$ die auf $g_1$ bzw. $g_2$ von $S$ erzeugten Halbgeraden, so heißt jede der beiden Vereinigungsmengen von Winkelfeldern: $W(\overline{h}_1, \overline{h}_2) \cup W(h_1, h_2)$ und $W(h_1, \overline{h}_2) \cup W(\overline{h}_1, h_2)$ Winkelraum von $g_1$ und $g_2$ (rechte Figur S. 293).

**Satz 31:** Seien $g_1(x, y)$ und $g_2(x, y)$ die linken Seiten der HNF der Geraden $g_1$ und $g_2$ und $\{S\} = g_1 \cap g_2$ mit $S \neq O\,(0; 0)$. Dann ist $g_1\,(x, y) - g_2(x, y) = 0$ die Gleichung der Winkelhalbierenden $w_1$, die in dem Winkelraum liegt, der den Ursprung enthält. $g_1(x, y) + g_2(x, y) = 0$ ist die Gleichung der anderen Winkelhalbierenden $w_2$, die also in dem Winkelraum liegt, der den Ursprung nicht enthält.

*Bemerkung:* Im Falle $S = O(0; 0)$ lassen sich die Winkelräume nicht unterscheiden, man erhält mit $g_1(x, y) \pm g_2(x, y) = 0$ beide Winkelhalbierenden und muß an Hand einer Zeichnung über die Steigung feststellen, welche Gleichung welcher Winkelhalbierenden entspricht.

An Stelle eines allgemeinen Beweises machen wir uns die Zusammenhänge an einem Beispiel (siehe dazu auch die linke Figur) klar.

*Beispiel 18:* Gegeben seien die beiden Geraden $g_1$ und $g_2$ mit der zugehörigen

HNF $g_1 \equiv \dfrac{12x + 5y - 36}{13} = 0$ und $g_2 \equiv \dfrac{3x + 4y - 12}{5} = 0$. Für alle

Punkte $P(\xi; \eta)$ von $w_1$ gilt: $a_{11} = a_{21}$, denn die beiden Abstände haben nicht nur gleichen Betrag, sondern sie haben im gesamten Winkelraum das gleiche Vorzeichen (entweder beide positiv oder beide negativ). Für die Abstände gilt:

$$a_{11} = \frac{12\xi + 5\eta - 36}{13} \text{ und } a_{21} = \frac{3\xi + 4\eta - 12}{5}.$$

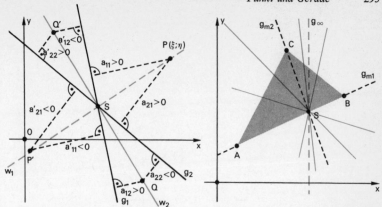

Links *Figur zum Satz 31 und Beispiel 18;*
rechts *Figur zur Anordnung der Geraden eines Geradenbüschels*

Somit gilt für alle Punkte $P(\xi; \eta)$ auf $w_1$:

$$\frac{12\xi + 5\eta - 36}{13} = \frac{3\xi + 4\eta - 12}{5};$$

d.h. die Zahlenpaare $(\xi; \eta)$ gehören alle zur Erfüllungsmenge von

$$w_1 \equiv \frac{12x + 5y - 36}{13} - \frac{3x + 4y - 12}{5} = 0.$$

Dies entspricht der Aussage des Satzes 31. Analog erhält man über $a_{12} = -a_{22}$ die Gleichung der anderen Winkelhalbierenden

$$w_2 \equiv \frac{12x + 5y - 36}{13} + \frac{3x + 4y - 12}{5} = 0.$$

Die Umformung auf die allgemeine Form ergibt:

$$w_1 \equiv 21x - 27y - 24 = 0 \quad \text{und} \quad w_2 \equiv 99x + 77y - 336 = 0.$$

Die Berechnung der Steigung ergibt $m_1 = \dfrac{21}{27}$ und $m_2 = -\dfrac{99}{77}$ und damit

$m_1 \cdot m_2 = -\dfrac{21 \cdot 99}{27 \cdot 77} = -1$, was ja auch sein muß, da stets $w_1 \perp w_2$ ist.

*Anordnung der Geraden eines Geradenbüschels.* Fällig ist noch eine Ergänzung zum Pasch-Axiom. Wir haben gesehen, daß dieses Axiom für die Anordnung von Halbgeraden in einem Winkelfeld erforderlich ist. Wir zeigen nun zunächst, daß in unserem Modell alle Geraden, die durch einen Punkt $S$ gehen (und damit alle Halbgeraden, die von $S$ ausgehen und in einer Halbebene liegen) angeordnet werden können. Sei nämlich $S(x_s; y_s)$, dann haben alle Geraden des durch $S$ bestimmten Geradenbüschels eine Geradengleichung der Form $y = m(x - x_s) + y_s$, falls $\alpha \neq 90°$ ist, oder $x = x_s$ für $\alpha = 90°$. Da $m = \tan \alpha$ und die Tangensfunktion in den Intervallen $0 \leq \alpha < 90°$ und $90° < \alpha < 180°$ jedem Winkel $\alpha$ genau einen Wert zuordnet und umgekehrt, können wir die Anordnung wie folgt definieren: Wir bezeichnen mit $g_\infty$ die Gerade mit der Geradengleichung $x = x_s$ und mit $g_m$ die Gerade mit der Steigung $m$ durch $S$. Es gilt stets $g_{m_1} > g_{m_2}$, falls $m_1 > m_2$ ist, $g_\infty > g_m$ für $m \geq 0$ und $g_m > g_\infty$ für $m < 0$. Mit dieser Anordnungsdefinition ist aber auch dem Pasch-Axiom Genüge getan (rechte Figur). Denn ist $S \in \,]AB[$ und $C \notin (A, B)$, so kann offensichtlich keine der Geraden des Büschels, das durch $S$ bestimmt ist, sowohl mit $]AC[$ als auch mit $]BC[$ einen Punkt gemeinsam haben. Denn nur die Geraden $g_m$ mit $g_{m_1} < g_m < g_{m_2}$ haben mit $]AB[$ und die Geraden $g_m{}'$ mit $g_{m_2} < g_m{}' < g_{m_1}$ haben mit $]AC[$ einen Punkt gemeinsam und die beiden Intervalle sind elementfremd.

### Beispiele und Aufgaben

*Beispiel 19:* Die Achsenabschnittsform läßt sich aus der Zweipunkteform herleiten. Mit $P_1 = T(0; t)$ und $P_2 = S(s; 0)$ erhält man: $\dfrac{y - t}{x - 0} = \dfrac{0 - t}{s - 0} = -\dfrac{t}{s}$,

oder

$y - t = -\dfrac{t}{s}x$ oder $\dfrac{x}{s}t + y = t$. Division durch $t$ ergibt: $\dfrac{x}{s} + \dfrac{y}{t} = 1$.

*Beispiel 20:* Eine Gerade geht durch $P(2; 4)$ und hat den Richtungswinkel $120°$. Wie lautet ihre Gleichung? Hier wendet man die Punktrichtungsform an:

$\tan 120° = -\sqrt{3}$, also $\dfrac{y - 4}{x - 2} = -\sqrt{3}$, oder $y - 4 = -\sqrt{3}\,x + 2\sqrt{3}$ und

somit die entwickelte Form:
$$y = -\sqrt{3}\,x + (2\sqrt{3} + 4).$$

Die Steigung ist $m = -\sqrt{3}$ und der Achsenabschnitt auf der $y$-Achse $t = 2\sqrt{3} + 4 \approx 7{,}464$.

*Aufgabe 39:* Man bestimme die Geradengleichung für:
a) $P_1(1; 2)$ $P_2(5; 4)$; b) $P_1(-2; 3)$ $P_2(4; 4{,}5)$; c) $P_1(2, 1; 0)$ $P_2(1, 5; 1)$; und bringe diese in die entwickelte Form.

*Aufgabe 40:* Man bestimme die Geradengleichungen der Geraden, die durch den Nullpunkt $O(0; 0)$ gehen und den Richtungswinkel $\alpha$ haben:
a) $\alpha = 30°$; b) $\alpha = 45°$; c) $\alpha = 135°$; d) $\alpha = 90°$.

*Aufgabe 41:* Wie verändern sich die Geradengleichungen von Aufgabe 40, wenn die Geraden
I) durch $S(2; 0)$ gehen II) die $y$-Achse in $T(0; -2)$ schneiden?

*Beispiel 21:* Untersuche, ob die 3 Punkte $P_1(-8; -4)$; $P_2(2; 2)$ und $P(7; 5)$ auf einer Geraden liegen.

*1. Lösung:* $m\ (P_1 P_2) = \dfrac{2 + 4}{2 + 8} = \dfrac{6}{10}$; $m(P_1 P_3) = \dfrac{5 + 4}{7 + 8} = \dfrac{9}{15}$;

da die beiden Steigungen gleich sind, liegen die drei Punkte auf einer Geraden.

*2. Lösung:* Gleichung der Geraden $(P_1, P_2)$:
$\dfrac{y + 4}{x + 8} = \dfrac{2 + 4}{2 + 8} = \dfrac{3}{5}$ oder $y = \dfrac{3}{5}x + \dfrac{4}{5}$.

Wir prüfen nach, ob $P_3$ auf $(P_1, P_2)$ liegt, dadurch, daß wir nachprüfen, ob $(7; 5)$ ein Element der Erfüllungsmenge der Geradengleichung ist:
$5 = \frac{3}{5} \cdot 7 + \frac{4}{5} = \frac{25}{5}$ und bestätigen das Ergebnis des 1. Lösungsweges.

*Aufgabe 42:* Liegen die Punkte auf einer Geraden?
a) $P_1(1; 1)$ $P_2(3; 2)$ $P_3(4; 2, 5)$; b) $Q_1(-6; -3)$ $Q_2(2; 2)$ $Q_3(7; 5)$.

*Beispiel 22:* Von einem Dreieck sind die Eckpunkte $A(-2; 4)$; $B(3; 5)$ und $C(2; -3)$ gegeben.

*a)* Zu berechnen ist der Dreieckswinkel $\alpha$; *b)* es ist zu beweisen, daß die drei Höhen durch einen Punkt $H$ gehen (siehe Figur).

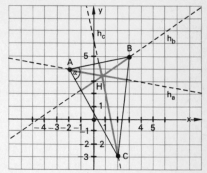

*Figur zum Beispiel 22a*

*Lösung zu a:* Die Berechnung der Steigungen ergibt $m(A, B) = \frac{1}{5}$ und $m(A, C) = -\frac{7}{4}$, daraus erhält man nach ($g_1 = (A, C)$ und $g_2 = (A, B)$!!)

$$\tan\alpha = \frac{m_2 - m_1}{1 + m_1 \cdot m_2} = \frac{\frac{1}{5} + \frac{7}{4}}{1 - \frac{7}{20}} = 3, \text{ also } \alpha = 71°\,34'.$$

*Lösungsidee zu b):* Aufstellung der Geradengleichungen von $h_a$, $h_b$ und $h_c$. Berechnung des Schnittpunktes $\{H\} = h_a \cap h_b$ und Überprüfung, ob $H \in h_c$ gilt.

*Durchführung:* $m(B, C) = 8$, dann ist die Steigung von $h_a$ negativ reziprok, da $h_a \perp (B, C)$, somit ergibt sich mit $P_1 = A(-2; 4)$ und der Punktrichtungsform:

$$\frac{y - 4}{x + 2} = -\frac{1}{8} \text{ oder } y = -\frac{1}{8}x + \frac{15}{4} \ (h_a).$$

Analog erhält man die anderen Geradengleichungen

$$y = \frac{4}{7}x + \frac{23}{7} \ (h_b) \text{ und } y = -5x + 7 \ (h_c).$$

Die Berechnung des Schnittpunktes ergibt $H(\frac{2}{3}; \frac{11}{3})$. Man prüft leicht nach, daß $H \in h_c$ ist, da die Koordinaten von $H$ die Geradengleichung von $h_c$ erfüllen.

*Aufgabe 43:* Man bestimme die Winkel $\beta$ und $\gamma$ des Dreiecks aus Beispiel 22.

*Aufgabe 44:* Man untersuche, ob die 3 Geraden mit den folgenden Gleichungen durch einen Punkt gehen:

*a)* $y = -\frac{1}{4}x$;     $y = \frac{1}{2}x - 2$;     $y = -\frac{3}{2}x + \frac{7}{2}$;

*b)* $3x = 4y$;     $3x + 4y = 4$;     $12x - 2y = 7$.

*Aufgabe 45:* Man berechne die Innenwinkel des Dreiecks mit den Seiten $a$, $b$, $c$ und deren Gleichungen: $y = \frac{1}{2}x$; $y = 3x$; $x + y = 6$ (Orientierung beachten!).

*Beispiel 23:* Eine Gerade $g$ hat den Abstand $d = 2$ von $O$ und $(O, D)$ bildet mit der $x$-Achse den Winkel $\varphi = 60°$. Wie lautet die Gleichung der Geraden und welchen Abstand haben die Punkte $P_1(5; 4)$ und $P_2(-2; 1)$ von $g$?

*Lösung:* $\sin 60° = \frac{1}{2}\sqrt{3}$; $\cos 60° = \frac{1}{2}$. Gleichung von $g$ in der HNF:

$$\tfrac{1}{2}x + \tfrac{1}{2}\sqrt{3}\,y - 2 = 0.$$

Abstände: $a_1 = \frac{1}{2} \cdot 5 + \frac{1}{2} \sqrt{3} \cdot 4 - 2 = 0,5 + 2 \sqrt{3} \approx 3,96$;

$\qquad\qquad a_2 = \frac{1}{2} \cdot (-2) + \frac{1}{2} \sqrt{3} \cdot 1 - 2 = -3 + \frac{1}{2} \sqrt{3} \approx -2,139$.

Es muß $a_1 > 0$ und $a_2 < 0$ nach Satz 29 sein!

*Aufgabe 46:* Berechne den Abstand des Punktes $P(-3; 2)$ von folgenden Geraden mit den Gleichungen:

a) $6x - 8y + 25 = 0$;    b) $y = \frac{1}{2}(x - 1)$;

c) $2x + 5y = 0$;         d) $5y - 4 = 0$;

(vergleiche Beispiel 17, 2. Lösungsweg).

*Beispiel 24:* Welches sind die Gleichungen der Winkelhalbierenden $w_1$ und $w_2$ des Geradenpaares $g_1$ und $g_2$ mit

$g_1 \equiv 7x - 4y - 10 = 0$    und    $g_2 \equiv 2x + 8y + 10 = 0$

*Lösung:* Die Geradengleichungen müssen auf die HNF gebracht werden. Dann erhält man die Gleichungen der Winkelhalbierenden gemäß Satz 31:

$$g_1 \equiv \frac{7x - 4y - 10}{\sqrt{65}} = 0; \quad g_2 \equiv \frac{2x + 8y + 10}{-\sqrt{68}} = 0;$$

$$w_{1/2} \equiv \frac{7x - 4y - 10}{\sqrt{65}} \pm \frac{2x + 8y + 10}{-\sqrt{68}} = 0.$$

Da im allgemeinen die beiden Wurzeln verschieden sind, erhält man komplizierte Schreibweisen für die Koeffizienten. Für $w_1$ (+) ergäbe dies:

$$(2\sqrt{65} - 7\sqrt{68})x + (8\sqrt{65} + 4\sqrt{68})y + 10(\sqrt{65} + \sqrt{68}) = 0,$$

man könnte die Koeffizienten natürlich durch Annäherungswerte ersetzen.

*Aufgabe 47:* Die Seiten eines Dreiecks haben die Gleichungen

$$x + 7y = 0; \quad x - y + 4 = 0 \quad \text{und} \quad 17x + 7y - 112 = 0.$$

Welche Gleichungen haben die Halbierungslinien der Innenwinkel? Man zeige, daß die drei Winkelhalbierenden durch einen Punkt $W$ gehen. Man berechne den Radius $\varrho$ des Inkreises. Anleitung: Man entscheide an Hand einer Figur und Satz 31, welche Kombinationen zur jeweils richtigen Winkelhalbierendengleichung führen (vergleiche Beispiel 22). Man beachte, daß der Inkreis die Seiten tangiert (rechter Winkel!), und zur Vereinfachung der Rechnung, daß $\sqrt{50} = 5 \cdot \sqrt{2}$ und $\sqrt{338} = 13 \cdot \sqrt{2}$ ist.

## Kreise

*Kreisgleichungen.* Genau wie die Geraden als Teilmengen von $E$ definiert sind, die dem Axiomensystem genügen, läßt sich auch die Kreislinie mit dem Begriff der Kongruenz als Teilmenge von $E$ definieren.

**Definition** »*Kreislinie*«: Sei $M \in E$ und $r \in R$ mit $r > 0$, so versteht man unter einer *Kreislinie* die Teilmenge:

$$k(M; r) = \{P \in E \mid \overline{MP} = r\};$$

die *abgeschlossene Kreisscheibe* ist die Teilmenge:

$$[k(M; r)] = \{P \in E \mid \overline{MP} \leq r\};$$

und für die *offene Kreisscheibe* gilt:

$$]k(M; r)[ = \{P \in E \mid \overline{MP} < r\}.$$

Bemerkung: Die Restmenge $E \backslash [k(M; r)]$ nennt man *offenes* und $E \backslash ]k(M; r)[$ *abgeschlossenes Äußeres des Kreises*.

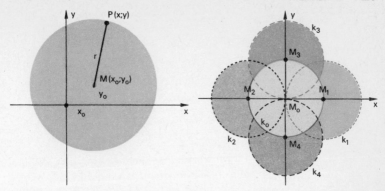

Links *Figur zur Ableitung der Normalgleichung einer Kreislinie;*
rechts *Figur zur Ableitung der Kreisgleichung bei speziellen Lagen des Kreises*

*Redewendungen:* An Stelle von Kreislinie sagen wir kürzer nur Kreis.Wir haben
bereits gesehen, daß ein Kreis als Erfüllungsmenge bezüglich einer quadratischen
Gleichung aufgefaßt werden kann. Wir können den dortigen Fall mit Hilfe unserer Abstandsformel verallgemeinern. Sei $M(x_0; y_0)$ der Mittelpunkt des Kreises
und $r$ der Radius (linke Figur), so muß nach Definition für alle $P(x; y) \in k$
gelten: $$r = \sqrt{(x - x_0)^2 + (y - y_0)^2}$$
oder $$(x - x_0)^2 + (y - y_0)^2 = r^2.$$

Diese Gleichung nennen wir *Normalgleichung* der Kreislinie $k(M; r)$.

*Kreise in speziellen Lagen* (siehe rechte Figur).

*1) Ursprungsform der Kreisgleichung:*
$$k_0 \equiv x^2 + y^2 = r^2.$$

*2) Scheitelgleichungen des Kreises:* Hier hat eine der Mittelpunktskoordinaten
den Wert $r$ oder $- r$ und die andere den Wert 0, also $M(\pm r; 0)$ oder $M(0; \pm r)$.
$k_1 \equiv x^2 + y^2 - 2rx = 0;$   $k_2$   $x^2 + y^2 + 2rx = 0;$
$k_3 \equiv x^2 + y^2 - 2ry = 0;$   $k_4 \equiv x^2 + y^2 + 2ry = 0.$
Wir haben gesehen, daß jede lineare Gleichung (Gleichung 1. Grades) mit zwei
Variablen genau einer Geraden zugeordnet werden kann. Dies gilt aber keineswegs für Kreise und Gleichungen 2. Grades, sondern es gilt vielmehr

**Satz 32:** Jede Gleichung der Form
$$Ax^2 + Ay^2 + Bx + Cy + D = 0$$
ist die Gleichung eines Kreises, falls $A \neq 0$ und $B^2 + C^2 - 4AD > 0$
ist. Umgekehrt läßt sich jede Kreisgleichung auf diese Form bringen.

*Beweis:* 1) $(x - x_0)^2 + (y - y_0)^2 = r^2$ ausmultipliziert ergibt: $x^2 + y_2$
$- 2x_0 x - 2y_0 y + x_0^2 + y_0^2 - r^2 = 0$. Es ist $A = 1 \neq 0$ und $B = - 2x_0;$
$C = = - 2y_0$ sowie $D = x_0^2 + y_0^2 - r^2$. Somit ist
$$B^2 + C^2 - 4AD = 4x_0^2 + 4y_0^2 - 4 \cdot 1(x_0^2 + y_0^2 + r^2) = 4r^2 > 0.$$

2) Die Gleichung des Satzes kann man, da $A \neq 0$ ist, durch $A$ dividieren:
$$x^2 + y^2 + \frac{B}{A}x + \frac{C}{A}y + \frac{D}{A} = 0.$$

Mit Hilfe der quadratischen Ergänzungen $\left(\dfrac{B}{2A}\right)^2$ und $\left(\dfrac{C}{2A}\right)^2$ erhält man:

$$x^2 + \frac{B}{A}x + \left(\frac{B}{2A}\right)^2 + y^2 + \frac{C}{A}y + \left(\frac{C}{2A}\right)^2 = \left(\frac{B}{2A}\right)^2 + \left(\frac{C}{2A}\right)^2 - \frac{D}{A}$$

oder $\qquad \left(x + \dfrac{B}{2A}\right)^2 + \left(y + \dfrac{C}{2A}\right)^2 = \dfrac{B^2 + C^2 - 4AD}{4A^2}.$

Dies ist aber die Gleichung eines Kreises mit $M\left(\dfrac{-B}{2A}; \dfrac{-C}{2A}\right)$

und $\qquad\qquad r^2 = \dfrac{1}{4A^2}(B^2 + C^2 - 4AD) > 0!$

*Kreis und Gerade.* Wir wollen eine allgemeine Betrachtung anstellen, uns jedoch auf Kreise mit $M = O(0; 0)$ beschränken. Der ganz allgemeine Fall mit $M \neq 0$ erfordert die genau gleichen Überlegungen und wird in den folgenden Beispielen behandelt.

Gegeben sei ein Kreis $k$ mit der Gleichung $x^2 + y^2 = r^2$ und eine Gerade $g$ mit der Gleichung $y = mx + t$. Wir fragen jetzt nach dem Durchschnitt $g \cap k = \{(x; y) \,|\, x^2 + y^2 = r^2 \wedge y = mx + t\}$. Um also möglicherweise vorhandene Schnittpunkte von $g$ und $k$ zu bekommen, müssen wir die Lösungsmenge des Gleichungssystems $\quad \begin{aligned} x^2 + y^2 &= r^2 \\ y &= mx + t \end{aligned} \quad$ bestimmen.

Dies geschieht im Falle einer quadratischen und einer linearen Gleichung immer am besten so, daß man die lineare Gleichung zum Einsetzen benutzt:

$$x^2 + (mx + t)^2 = r^2$$

oder $\qquad (1 + m^2)x^2 + 2mt \cdot x + t^2 - r^2 = 0.$

Diese quadratische Gleichung wird erfüllt durch

$$x_{1,2} = \frac{-mt \pm \sqrt{r^2(1 + m^2) - t^2}}{1 + m^2}.$$

*Fallunterscheidung:* *1)* Ist $r^2(1 + m^2) - t^2 > 0$, so ist $x_{1,2}$ reell und $g \cap k = \{S_1, S_2\}$. Man erhält die beiden Schnittpunkte $S_1(x_1; y_1)$ und $S_2(x_2; y_2)$, indem man *aus der linearen Gleichung* $y_1$ und $y_2$ bestimmt. In diesem Fall nennen wir $g$ *Sekante* von $k$.

*2)* Ist $r^2(1 + m^2) - t^2 < 0$, so ist $x_{1,2}$ nicht reell und somit ist $g \cap k = \emptyset$. In diesem Fall bezeichnen wir $g$ als *äußere Gerade* von $k$.

*3)* Ist $r^2(1 + m^2) - t^2 = 0$, dann ist $g \cap k = \{B\}$, d.h. $g$ und $k$ haben genau einen Punkt $B$ gemeinsam. In diesem Falle heißt $g$ *Tangente von $k$ im Berührpunkt* $B(x_1; y_1)$. Für diesen Spezialfall des Kreises in der Ursprungsform gilt für die Koordinaten des Berührpunktes:

$$x_1 = \frac{-mt}{1 + m^2} \quad \text{und} \quad y_1 = \frac{t}{1 + m^2}$$

*Tangentengleichungen.* Wir betrachten zuerst den Fall eines Ursprungskreises (linke Figur) $k_0 = x^2 + y^2 = r^2$ mit dem Berührpunkt $B(x_1; y_1)$. Da die Steigung der Tangente negativ-reziprok zu der des Radius $OB$ ist, erhält man mit der Punktrichtungsform der Geradengleichung

$$\frac{y - y_1}{x - x_1} = -\frac{x_1}{y_1} \text{ oder umgeformt } xx_1 + yy_1 = x_1^2 + y_1^2.$$

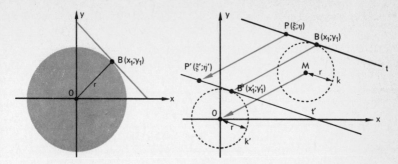

Links *Figur zur Ableitung der Tangentengleichung beim Ursprungskreis;*
rechts *Ableitung der Tangentengleichung bei beliebiger Lage des Kreises*

Wegen $B \in k_0$ ist aber $x_1^2 + y_1^2 = r^2$ und somit erhält man die *Ursprungsform der Tangentengleichung:*

$$x x_1 + y y_1 = r^2.$$

Es sei nun ein beliebiger Kreis $k \equiv (x - x_0)^2 + (y - y_0)^2 = r^2$ gegeben und $B(x_1; y_1)$ wiederum der Berührpunkt der Tangente $t$ an den Kreis $k$. Wir betrachten jetzt die folgende Kongruenzabbildung $K$:

$$x' = x - x_0, \quad y' = y - y_0.$$

Diese Abbildung ist eine sogenannte *Translation*, durch die jeder Punkt $P$ eine geradlinige Verschiebung von der Länge $\sqrt{x_0^2 + y_0^2}$ parallel zu $(M; 0)$ in der Richtung von $M$ nach $0$ erfährt (man überprüfe dies an speziellen Punkten für $x_0 = 2$ und $y_0 = -3$). Bei dieser Abbildung (rechte Figur) wird der vorgegebene Kreis auf einen Ursprungskreis mit demselben Radius abgebildet (Kongruenz!). Die Tangente $t$ und der Berührpunkt $B(x_1; y_1)$ werden dabei auf die Tangente $t'$ von $k'$ und auf den Berührpunkt $B'$ $(x_1'; y_1')$ abgebildet. Also gilt *1)* $x_1' = x_1 - x_0$ und *2)* $y_1' = y_1 - y_0$. Sei nun $P(\xi; \eta)$ ein Punkt von $t$, dann gilt für den Bildpunkt $P'(\xi'; \eta')$ auf $t'$ *3)* $\xi' = \xi - x_0$ und *4)* $\eta' = \eta - y_0$.
Die Gleichung der Tangente $t'$ lautet $x x_1' + y y_1' = r^2$. Da $P' \in t'$ ist, gilt *5)* $\xi' x_1' + \eta' y_1' = r^2$.
Setzt man *1)* bis *4)* in *5)* ein, so erhält man

$$(\xi - x_0)(x_1 - x_0) + (\eta - y_0)(y_1 - y_0) = r^2.$$

Dies bedeutet aber, daß die Zahlenpaare aller Punkte der Tangente $t$ die folgende Gleichung erfüllen:

$$(x - x_0)(x_1 - x_0) + (y - y_0)(y_1 - y_0) = r^2.$$

Dies ist also die *Normalform der Tangentengleichung*. Man erhält daraus die Ursprungsform für $x_0 = y_0 = 0$.

*Zwei Kreise in verschiedenen Lagen.* Wir wollen jetzt nicht alle möglichen Lagen von Kreisen zueinander diskutieren, sondern Überlegungen anstellen, wie man möglicherweise vorhandene gemeinsame Kreise zweier Punkte bestimmen kann. Das Wesentliche erkennen wir an
*Beispiel 25:* Gegeben sind die Kreise $k_1$ und $k_2$ mit den Gleichungen $x^2 + y^2 = 25$ und $(x - 3)^2 + (y + 1)^2 = 9$. Welche Lage haben die Kreise zueinander?

*Lösung:* Es geht zunächst wieder um die Frage nach

$$k_1 \cap k_2 = \{P(x; y) \mid x^2 + y^2 = 25 \wedge (x - 3)^2 + (y + 1)^2 = 9\}.$$

Das Verfahren zur Bestimmung der Lösungsmenge ist hier wegen der beiden quadratischen Gleichungen anders als im Abschnitt Kreis und Gerade. Wir wollen die Gleichungen bezeichnen

*1)* $x^2 + y^2 = 25$;

*2)* $(x - 3)^2 + (y + 1)^2 = 9$   oder   $x^2 + y^2 - 6x + 2y = -1$.

Die Subtraktion beider Gleichungen liefert eine lineare Gleichung:

*3)* $-6x + 2y = -26 \, (\equiv g)$.

Die Gerade $g$ nennt man *Chordale* oder *Potenzgerade* unabhängig davon, ob $k_1 \cap k_2 \neq \emptyset$ oder $k_1 \cap k_2 = \emptyset$ ist. Da *3)* durch Subtraktion aus *1)* und *2)* folgt, ist jedes Zahlenpaar $(x; y)$, das sowohl *1)* als auch *2)* erfüllt, ein Element der Erfüllungsmenge von *3)*, d. h. wenn es überhaupt Punkte $S \in k_1 \cap k_2$ gibt, so müssen diese auf der durch *3)* bestimmten Geraden liegen. Umgekehrt ist es aber möglich, daß es überhaupt keinen Punkt von $g$ gibt, der sowohl auf $k_1$ als auch auf $k_2$ liegt, nämlich dann, wenn $k_1 \cap k_2 = \emptyset$ ist (man prüft leicht durch eine Zeichnung nach, daß dies für *1)* $x^2 + y^2 = 1$ und $(x - 3)^2 + y^2 = 1$ und *3)* $-6x + 9 = 0$ der Fall ist). Durch diese Überlegung haben wir aber unser Problem auf den Fall $k \cap g$ zurückgeführt. Wir wählen natürlich $k$ mit der einfachsten Gleichung. In unserem Falle *1)* $x^2 + y^2 = 25$ und *3)* $y = 3x - 13$. Durch Einsetzen erhalten wir wieder eine quadratische Gleichung in der Variablen $x$:

$x^2 + 9x^2 - 78x + 169 = 25$,   oder   $10x^2 - 78x + 144 = 0$,

oder   $x^2 - \dfrac{78}{10}x + \dfrac{144}{10} = 0$,   oder

$$x_{1,2} = \frac{39}{10} \pm \sqrt{\frac{1521 - 1440}{100}} = \frac{39}{10} \pm \sqrt{\frac{81}{100}} = \frac{39}{10} \pm \frac{9}{10} \, ;$$

also $x_1 = 4,8$ und $x_2 = 3$. Aus der linearen Gleichung erhält man $y_1 = 1,4$ und $y_2 = -4$.

Somit ist $k_1 \cap k_2 = \{S_1, S_2\}$ mit $S_1(4,8; 1,4)$ und $S_2(3; -4)$. Genau wie bei den Fällen von $k$ und $g$ gibt es auch hier die drei verschiedenen Möglichkeiten für den Radikanden in der Lösungsformel der quadratischen Gleichung, die den drei Fällen des Schneidens, Berührens und Meidens entsprechen.

### Beispiele und Aufgaben

*Beispiel 26:* Wie lautet die Gleichung des Kreises $k$, der durch die Punkte $P_1(-2; 3)$; $P_2(0; -3)$ und $P_3(4; 1)$ geht? Wo liegt der Mittelpunkt, wie groß ist $r$?

*Lösung:* Ansatz mit $k \equiv x^2 + y^2 + ax + by + c = 0$ (auf diese Form läßt sich die Gleichung des Satzes 32 bringen). $P_1, P_2, P_3$ gehören zur Erfüllungsmenge, also erhält man drei Gleichungen zur Bestimmung von $a$, $b$ und $c$:

*1)* $4 + 9 - 2a + 3b + c = 0$;

*2)* $9 \qquad\quad - 3b + c = 0$;

*3)* $16 + 1 + 4a + \quad b + c = 0$;

*1) − 2)* ergibt: *4)* $4 - 2a + 6b = 0$;

*3) − 2)* ergibt: *5)* $8 + 4a + 4b = 0$.

Aus *4)* und *5)* folgt auf dem üblichen Weg $a = -1$, $b = -1$ und aus *2)* $c = -12$.

Die gesuchte Kreisgleichung ist also $x^2 + y^2 - x - y - 12 = 0$.

Die quadratische Ergänzung (analog Beweis des Satzes 32) ergibt
$(x - \frac{1}{2})^2 + (y - \frac{1}{2})^2 = \frac{25}{2}$;

also $M(\frac{1}{2}; \frac{1}{2})$ und $r = \frac{5}{2}\sqrt{2}$.

*Aufgabe 48:* Man bestimme die Gleichung des Kreises $k$ aus Beispiel 26 durch Ansatz mit der Normalgleichung $(x - x_0)^2 + (y - y_0)^2 = r^2$. Anleitung: Die drei quadratischen Bestimmungsgleichungen müssen paarweise subtrahiert werden, was zu zwei linearen Gleichungen für $x_0$ und $y_0$ führt; $r$ läßt sich aus einer quadratischen Gleichung durch Einsetzen der Werte $x_0$ und $y_0$ ermitteln.

*Aufgabe 49:* Man bestimme die Gleichung des Inkreises des Dreiecks der Aufgabe 47.

*Aufgabe 50:* Welche Gleichung hat der Kreis, der die beiden Koordinatenachsen berührt und durch $P_1(4, 5; 1)$ geht? (beachte: 2 Lösungen!).

*Aufgabe 51:* Man berechne Länge und Mittelpunkt der Sehne, die auf $g$ liegt und von $k$ erzeugt wird.

a)   $x^2 + y^2 = 10$, $y = 2x - 5$; b) $x^2 + y^2 - 4x = 0$, $x + y = 4$;

(beachte, daß die Beziehungen vom Abschnitt Kreis und Gerade bei b) nicht angewandt werden können. Lösungsweg analog!)

*Aufgabe 52:* Welche Lage haben der Kreis $k$ und die Gerade $g$

a)   $(x - 4)^2 + (y + 1)^2 = 25$;     $5x + 4y - 48 = 0$;

b)   $x^2 + y^2 + 6y = 0$;     $6x + 10y - 5 = 0$;

c)   $x^2 + y^2 - 5x = 0$;     $48x - 14y - 245 = 0$.

Man vergleiche die Rechnung mit einer Zeichnung im Koordinatensystem.

*Beispiel 27:* Bestimme die Tangente in $B(-1; y_1 > 0)$ an den Kreis
$k \equiv x^2 + 5x + y^2 = 0$.

*Lösung:* Aus der Kreisgleichung folgt $y^2 = 4$, $y_{1,2} = \pm 2$, also $y_1 = 2$. Die Normalform: $(x + \frac{5}{2})^2 + y^2 = \frac{25}{4}$. Für alle Tangenten an diesen Kreis lautet die Tangentengleichung: $(x + \frac{5}{2})(x_1 + \frac{5}{2}) + yy_1 = \frac{25}{4}$.

Mit $B(-1; 2)$ erhält man $3x + 4y - 5 = 0$ für die gesuchte Tangentengleichung.

*Aufgabe 53:* Man bestimme die Gleichungen der beiden Tangenten in $B_1$ und $B_2$ an den Kreis $k$ und den Winkel, den diese einschließen.

a)   $x^2 + y^2 = 10$  $B_1(3; 1)$  $B_2(1; -3)$;

b)   $(x - 3)^2 + (y - 1)^2 = 2$  $B_1(2; 2)$  $B_2(2,8; -0,4)$.

*Beispiel 28:* Gesucht sind die Gleichungen der Tangenten $t_1$ und $t_2$ von dem Punkt $Q(7; -3)$ (im Äußeren) an den Kreis $k \equiv x^2 + y^2 = 29$.

*1. Lösungsweg:* Jede Gerade durch $Q$ (außer für $\alpha = 90°$) hat die Gleichung $\dfrac{y + 3}{x - 7} = m$ oder $y = mx - (7m + 3)$, $t = -(7m + 3)$. Wir betrachten die Aufgabe als Schnittproblem und verlangen nur eine Lösung. Dann muß $r^2(1 + m^2) - t^2 = 0$ sein. Dies ergibt in unserem Fall 29 $(1 + m^2) - (7m + 3)^2 = 0$ und die Lösungen dieser quadratischen Gleichung ergeben $m_1 = \frac{2}{5}$ und $m_2 = -\frac{5}{2}$. Die beiden Tangenten stehen senkrecht aufeinander und ihre Tangentengleichungen lauten:

$$y = \tfrac{2}{5}x - \tfrac{29}{5} \quad \text{und} \quad y = -\tfrac{5}{2}x + \tfrac{29}{2}.$$

*2. Lösungsweg:* Eine der Tangenten, sagen wir $t_1$, hat den noch zu bestimmenden Berührungspunkt $B_1(x_1; y_1)$, dann hat die Tangentengleichung die Form

$xx_1 + yy_1 = 29$. Da $Q \in t_1$ ist, muß *1)* $7\,x_1 - 3\,y_1 = 29$ sein. Da aber $B_1 \in k$ ist, muß *2)* $x_1^2 + y_1^2 = 29$ sein. Aus *1)* und *2)* folgt wegen der quadratischen Gleichung *2)* $x_1 = 5$, $y_1 = 2$ und $x_2 = 2$, $y_2 = -5$.

Damit erhalten wir gleichzeitig die Koordinaten des zweiten Punktes. Also ist $B_1(5; 2)$ und $B_2(2; -5)$, und die Tangentengleichungen sind:

$$5x + 2y = 29 \quad \text{und} \quad 2x - 5y = 29.$$

Man prüft leicht nach, daß diese Gleichungen den gleichen Tangenten wie oben entsprechen.

*Aufgabe 54: Vom Punkt* $Q(9; 2)$ sind an den Kreis $k \equiv x^2 + y^2 - 4x - 6y - 12 = 0$ die beiden Tangenten zu legen. (Man beachte im Falle des 1. Lösungsweges, daß die Bedingung für Tangenten, die im Beispiel 28 verwendet wurde, nicht benutzt werden kann. Man kann in diesem Fall aber ebenso zu einer Bedingung für $m$ kommen, wenn man verlangt, daß es nur einen Berührpunkt gibt.)

*Beispiel 29:* Gegeben ist der Kreis $k \equiv x^2 + y^2 - 6x + 4y = 12$ und die Gerade $g \equiv 3x - 4y + 15 = 0$. Welche Gleichung haben die beiden Tangenten $t_1$ und $t_2$ an $k$, die zu $g$ parallel sind?

*Lösung:* Es gibt hier drei Lösungswege.

*1)* Jede Parallele zu $g$ hat die Gleichung $3x - 4y + c = 0$. Jetzt läßt sich dieses Problem auf ein Schnittproblem zurückführen (vergleiche Beispiel 28 und Aufgabe 54).

*2)* Der Mittelpunkt des Kreises $k$ ist $M(3; -2)$. Die Gleichung des Durchmessers $d$, der auf $g$ senkrecht steht, ist

$$\frac{y+2}{x-3} = -\frac{1}{m_g} = -\frac{4}{3} \quad \text{oder} \quad d \equiv y = -\frac{4}{3}x + 2.$$

Wir können jetzt unser Problem als Schnittproblem $\{B_1, B_2\} = d \cap k$ lösen. Die Durchführung des Lösungsweges analog Aufgabe 51 bzw. 52 ergibt $B_1(0; 2)$ und $B_2(6; -6)$. Wegen der Parallelität erhält man die Tangentengleichungen am einfachsten über die Punktrichtungsform:

$$\frac{y-2}{x} = \frac{3}{4} \quad \text{und} \quad \frac{y+6}{x-6} = \frac{3}{4}$$

oder $\qquad t_1 \equiv y = \frac{3}{4}x + 2 \quad$ und $\quad t_2 \equiv y = \frac{3}{4}x - \frac{21}{2}.$

*3)* Dieser Lösungsweg benutzt die Differentialrechnung, da $y'$ die Steigung der Tangente angibt. Explizites Differenzieren der Kreisgleichung (siehe Abschnitt Differentialgleichungen in Kapitel III) ergibt:

$$2x + 2yy' - 6 + 4y' = 0 \quad \text{oder} \quad y' = -\frac{x-3}{y+2}.$$

Für einen Berührpunkt $B_1(x_1; y_1)$ erhält man

*a)* $-\dfrac{x_1 - 3}{y_1 + 2} = \dfrac{3}{4}$ (Steigung der Tangenten = Steigung von $g$!). Da aber wiederum $B_1 \in k$ ist, folgt

*b)* $x_1{}^2 + y_1{}^2 - 6x_1 + 4y_1 = 12.$

Die Auflösung dieses Gleichungssystems *a)* − *b)* führt zu den gleichen Berührpunkten $B_1$ und $B_2$ wie oben. Will man an Stelle der Zweipunkteform die Normalform der Tangentengleichung verwenden, so wäre dies hier

$$(x - 3)(x_1 - 3) + (y + 2)(y_1 + 2) = 25.$$

Damit erhält man in Übereinstimmung mit dem 2. Lösungsweg:

$$t_1 \equiv -3x + 4y - 8 = 0 \quad \text{und} \quad t_2 \equiv -3x + 4y + 42 = 0.$$

*Aufgabe 55:* Man rechne den Lösungsweg 1 des Beispiels 29 durch.

*Aufgabe 56:* Man lege an den Kreis $k \equiv x^2 + y^2 = 5y$ Tangenten, die senkrecht auf der Geraden $g \equiv 3x - 4y = 0$ stehen.

*Aufgabe 57:* Welche Lage haben die beiden Kreise $k_1$ und $k_2$ zueinander? Man berechne im Falle des Schneidens den Schnittwinkel (= Winkel der Tangenten im Schnittpunkt).

*a)* $x^2 + y^2 = 25$ und $(x - 3)^2 + (y + 1)^2 = 9$;

*b)* $x^2 + y^2 + 2x + y - 10 = 0$ und $x^2 + y^2 - 5 = 0$;

*c)* $x^2 + y^2 + 2x - 4y - 4 = 0$ und $4x^2 + 4y^2 + 12x - 12y - 3 = 0$.

*Aufgabe 58:* Welche Gleichungen haben die Kreise $k_{1,2}(M; r_{1,2})$ mit $M(2; 1)$, die den Kreis $k_0(M_0; r_0)$ mit $M_0(5; 5)$ und $r_0 = 3$ berühren? Anleitung: Bestimme die Lage von $M$ bezüglich $k_0$ und beachte, daß $B$, $M$, $M_0$ auf einer Geraden liegen.

### Analytische Koordinatengeometrie des Raumes – ein Ausblick

In diesem Abschnitt wollen wir uns noch etwas mit dem dreidimensionalen Fall der Koordinatengeometrie befassen.

In Analogie zum Modell III, bei dem eine bijektive Zuordnung der Punkte der Ebene zu den Elementen von $R \times R$ erfolgte, handelt es sich hier um eine bijektive Zuordnung der Punkte des Raumes zu den Elementen von $R \times R \times R$.

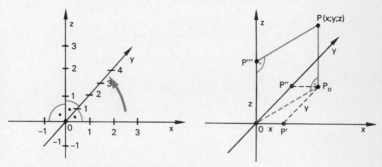

Links *dreidimensionales Koordinatensystem;*
rechts *Zuordnung eines Zahlentripels zu einem Punkt P im Raum*

Diese Zuordnung erfolgt über ein dreidimensionales Koordinatensystem (linke Figur). Die Orientierung der drei Koordinatenachsen, die paarweise aufeinander senkrecht stehen, erfolgt im Drehsinn einer Rechtsschraube, oder anders charakterisiert so, daß für einen Beobachter in einem Punkt der positiven $z$-Achse die von der $x$-Achse und $y$-Achse aufgespannte $x$-$y$-Ebene mathematisch positiv (Gegenuhrzeigersinn!) orientiert ist. Jedem Punkt $P$ des Raumes kann so eindeutig ein Zahlentripel $(x; y; z)$ wie folgt zugeordnet werden (rechte Figur): Von $P$ wird das Lot auf die $x$-$y$-Ebene und auf die $z$-Achse gefällt. Die Lotfußpunkte sind $P_0$ und $P'''$. $P'''$ ist eineindeutig durch die reelle Zahl $z \in R$ bestimmt, und $P_0$ (wie im Modell III) eineindeutig durch das Zahlenpaar $(x; y)$ $\in R \times R$ (über $P'$ und $P''$). Die drei Zahlen des Zahlentripels $(x; y; z)$ nennen wir wieder Koordinaten des Punktes $P$ und schreiben $P(x; y; z)$.

Für die Vorzeichen der drei Koordinaten gibt es 8 Kombinationsmöglichkeiten und entsprechend eine Einteilung des Raumes in 8 Oktanden:

| Oktand | I | II | III | IV | V | VI | VII | VIII |
|---|---|---|---|---|---|---|---|---|
| $x$-Koordinaten | + | − | − | + | + | − | − | + |
| $y$-Koordinaten | + | + | − | − | + | + | − | − |
| $z$-Koordinaten | + | + | + | + | − | − | − | − |

Die geometrischen Grundelemente des Raumes sind neben den Punkten die Geraden und die Ebenen. Geraden und Ebenen sind wieder spezielle Teilmengen der Menge aller Raumpunkte.

Fundamental sind hier die linearen Gleichungen mit den drei Variablen $x, y, z$:

$$Ax + By + Cz + D = 0$$

mit $A, B, C, D \in R$ und $A^2 + B^2 + C^2 \neq 0$, und deren Erfüllungsmengen. Die Ebenen des Raumes sind definiert durch:

$$E = \{P(x; y; z) \mid Ax + By + Cz + D = 0\}.$$

Die Geraden lassen sich am einfachsten als Durchschnitt zweier Ebenen (die nicht parallel sind) definieren:
$g = \{P(x; y; z) \mid A_1x + B_1y + C_1z + D_1 = 0 \wedge A_2x + B_2y + C_2z + D_2 = 0 \wedge A_1 : B_1 : C_1 \neq A_2 : B_2 : C_2\}$.

Wir begnügen uns mit einigen einfachen Beispielen, wobei wir zeigen, welche linearen Gleichungen den jeweiligen Ebenen oder Geraden zugeordnet werden müssen.

*Beispiel 30:* $x$-$y$-Ebene $E_{xy} \equiv z = 0$;   $y$-$z$-Ebene $E_{yz} \equiv x = 0$;   $z$-$x$-Ebene $E_{zx} \equiv y = 0$.

Ebene $E_1$ parallel zu $E_{xy}$ im Abstand $z_0$ : $E_1 \equiv z - z_0 = 0$;

Ebene $E_2$ parallel zu $E_{yz}$ im Abstand $x_0$ : $E_2 \equiv x - x_0 = 0$;

Ebene $E_3$ parallel zu $E_{zx}$ im Abstand $y_0$ : $E_3 \equiv y - y_0 = 0$.

Ebene $E_4$, welche die $z$-Achse und die Winkelhalbierende der positiven $x$-Achse und der positiven $y$-Achse enthält (linke Figur): $E_4 \equiv x - y = 0$.

Ebene $E_5$, die durch die drei Punkte $A(4; 0; 0)$, $B(0; 8; 0)$ und $C(0; 0; 3)$ bestimmt ist (rechte Figur): $E_5 \equiv \dfrac{x}{4} + \dfrac{y}{8} + \dfrac{z}{3} = 1$   (Achsenabschnittsform der Ebenengleichung!).

*Beispiel 31:* Einige Fälle der Zuordnung für Geraden:

$x$-Achse: $g_x \equiv y = 0 \wedge z = 0$;

$y$-Achse: $g_y \equiv z = 0 \wedge x = 0$;

$z$-Achse: $g_z \equiv x = 0 \wedge y = 0$.

$g_1$ parallel zur $x$-Achse durch $A(2; 3; 1)$ (linke Figur): $g_1 \equiv y = 3 \wedge z = 1$.

$g_2$ parallel zur Winkelhalbierenden der positiven $x$-Achse und positiven $y$-Achse durch $B(0; 0; 1,5)$ (rechte Figur):

$$g_2 \equiv x - y = 0 \wedge z = 1,5.$$

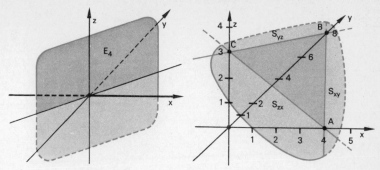

Oben *Figuren zum Beispiel 30;* unten *Figuren zum Beispiel 31*

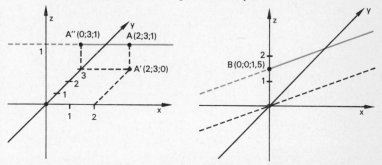

*Beispiel 32:* Die Schnittgeraden einer Ebene mit den Koordinatenebenen nennt man *Spurgeraden.* Die Spurgeraden von $E_5$ sind bestimmt durch:

$$s_{xy} \equiv z = 0 \wedge \frac{x}{4} + \frac{y}{8} = 1;$$

$$s_{yz} \equiv x = 0 \wedge \frac{y}{8} + \frac{z}{3} = 1;$$

$$s_{zx} \equiv y = 0 \wedge \frac{x}{4} + \frac{z}{3} = 1.$$

Zu erwähnen ist noch die Längenmaßfunktion. Hier ist (linke Figur, S. 308)
$$\lambda = \sqrt{(x_1 - x_2)^2 + (y_1 - y_2)^2 + (z_1 - z_2)^2}$$
die Länge $\overline{P_1 P_2}$ der Strecke $[P_1 P_2]$. Das Dreieck $[P_1' Q' P_2']$ ist in $Q'$ rechtwinklig, deshalb ist $(\lambda')^2 = (x_2 - x_1)^2 + (y_2 - y_1)^2$. Das Dreieck $P_1 R P_2$ ist in $R$ rechtwinklig, also ist $\lambda^2 = (\lambda')^2 + (z_2 - z_1)^2$ und somit
$$\lambda^2 = (x_2 - x_1)^2 + (y_2 - y_1)^2 + (z_2 - z_1)^2.$$

*Beispiel 33:* Der Kreislinie der Ebene entspricht die Kugeloberfläche im Raum (rechte Figur S. 308). Im Falle einer Kugeloberfläche $K$ mit dem Radius $r$ ist:
$$K = \{P(x; y; z) \mid x^2 + y^2 + z^2 = r^2\}.$$

Im Gegensatz dazu gilt für die »unendlich lange« Zylinderoberfläche (linke Figur S. 308):
$$Z = \{P(x; y; z) \mid x^2 + y^2 = r^2\}.$$

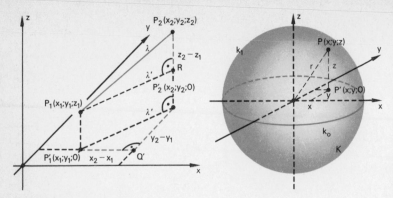

Links *Figur zur Längenmaßfunktion;*
rechts *Figur zum Beispiel 33 mit der Kugeloberfläche im Raum*

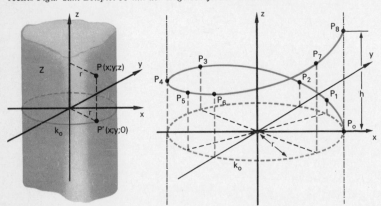

Links *Figur zum Beispiel 33 mit unendlich langer Zylinderoberfläche;*
rechts *Figur zum Beispiel 34*

Bei gleichem Radius ist die Kreislinie $k_0$ als Durchschnitt zweier Punktmengen des Raumes definierbar. Entweder $k_0 = K \cap E_{xy}$ oder $k_0 = Z \cap E_{xy}$, in beiden Fällen ist

$$k_0 = \{P(x; y; z) \mid x^2 + y^2 = r^2 \wedge z = 0\}.$$

Dagegen gilt für die Kreislinie $k_1$

$$k_1 = \{P(x; y; z) \mid x^2 + z^2 = r^2 \wedge y = 0\}.$$

Für einen beliebigen Großkreis $k$ der Kugeloberfläche $K$ gilt:

$$k = \{P(x; y; z) \mid x^2 + y^2 + z^2 = r^2 \wedge Ax + By + Cz = 0\},$$

da er ja als Durchschnitt von $K$ mit einer Ebene, die durch $O$ geht, aufgefaßt werden kann.

*Beispiel 34:* Will man Kurven des Raumes algebraisch erfassen, so eignet sich dazu weniger gut eine Beschreibung mittels Durchschnittbildung, sondern besser die Verwendung eines *Parameters* zur Festlegung der Kurvenpunkte im Raum. Als Beispiel betrachten wir die *Schraubenlinie s* der rechten Figur. Für eine Windung gilt, wobei wir $\varphi$ als Parameter benutzen:

$$s = \{P(x; y; z) \mid x = r\cos\varphi \wedge y = r\sin\varphi \wedge z = \frac{h}{2\pi}\,\varphi \wedge 0 \leq \varphi \leq 2\pi\}.$$

Die Projektion der Schraubenlinie auf die Ebene $E_{xy}$ ist der Kreis $k_0$ aus Beispiel 33. Die gesamte Linie liegt in der Zylinderoberfläche $Z$ des Beispiels 33. Die in der rechten Figur eingezeichneten Punkte erhält man für die Parameterwerte $\varphi_v = v \cdot \frac{\pi}{4}$ $(v = 0, 1, 2 \ldots 8)$. Dies sind dann $P_0(r; 0; 0)$;

$$P_1\left(\frac{r}{2}\,\sqrt{2}; \frac{r}{2}\,\sqrt{2}; \frac{h}{8}\right); \; P_2\left(0; r; \frac{h}{4}\right); P_3\left(-\frac{r}{2}\,\sqrt{2}; \frac{r}{2}\,\sqrt{2}; \frac{3h}{8}\right); \; P_4\left(-r; 0; \frac{h}{2}\right);$$

$$P_5\left(-\frac{r}{2}\,\sqrt{2}; -\frac{r}{2}\,\sqrt{2}; \frac{5h}{8}\right); \; P_6\left(0; -r; \frac{3h}{4}\right); \; P_7\left(\frac{r}{2}\,\sqrt{2}; -\frac{r}{2}\,\sqrt{2}; \frac{7h}{8}\right)$$

und $P_8 (r; 0; h)$. Läßt man die Beschränkung für $\varphi$ weg, so gilt für die »unendlich lange« Schraubenlinie

$$s = \left\{P(x; y; z) \mid x = r\cos\varphi \wedge y = r\sin\varphi \wedge z = \frac{h}{2\pi}\,\varphi\right\}.$$

# Vektorielle analytische Geometrie

### Einleitung

Unsere bisherige Betrachtungsweise der Geometrie, die mit der Aufstellung eines speziellen Axiomensystems für die zweidimensionale euklidische Geometrie begann, führte über das Zahlenpaarmodell zur zweidimensionalen euklidischen Koordinatengeometrie. Wir haben auch einen kleinen Einblick in die dreidimensionale euklidische Koordinatengeometrie gegeben. Die Koordinatengeometrie stellt mit ihrer Auszeichnung von 2 (bzw. 3) speziellen Geraden als Koordinatenachsen die eine Möglichkeit der Algebraisierung der Geometrie dar. Charakteristisch für diese Art der Algebraisierung ist die Aufnahme geeigneter Axiome des Messens in das Axiomensystem, welche über die Längenmaßfunktion die Einführung der reellen Zahlen als Längenmaßzahlen gestatten.

Die zweite Möglichkeit, die wir jetzt darstellen wollen, geht von einer speziellen algebraischen Struktur, vom *dreidimensionalen Vektorraum über dem Körper der reellen Zahlen* aus. Mit Hilfe dieses Vektorraumes definieren wir zunächst den *dreidimensionalen affinen Punktraum* durch die Angabe eines ganz anderen Axiomensystems. Alle Folgerungen, die wir aus diesem Axiomensystem ziehen können, bezeichnen wir als die *affine Geometrie* des Raumes. Für diese ist charakteristisch, daß keine metrischen Begriffe, wie Längenmaßzahl, Winkelmaßzahl usw., benutzt werden. Erst durch die Hinzunahme der metrischen Begriffe und der entsprechenden Axiome werden wir den *dreidimensionalen euklidischen*

*Punktraum* definieren und so wieder zur *dreidimensionalen euklidischen Geometrie* gelangen, die wir eben jetzt vektoriell betreiben wollen. Wir setzen dazu folgende im Abschnitt »Algebraische Strukturen« behandelte Begriffe voraus: Vektor, Vektorraum, lineare Abhängigkeit und Linearkombination von Vektoren, Basis und Dimension.

### Der dreidimensionale affine Punktraum

**Die Axiome des affinen Punktraumes.** Zunächst geben wir noch einmal die Axiome des *dreidimensionalen Vektorraumes* $V^3$ über $R$ an.

$V^3 = \{\vec{v}, \vec{w}, \ldots\}$ sei die Menge der Vektoren und
$R = \{a, b, \ldots\}$ sei die Menge der reellen Zahlen, dann gelten folgende Axiome:

$I', 0$:    Je zwei Vektoren $\vec{v}, \vec{w}$ ist als *Vektorsumme* $\vec{v} + \vec{w}$ genau ein Element aus $V^3$ zugeordnet.

Die *Vektoraddition* genügt folgenden Axiomen:

$I', 1$:    Für alle $\vec{v}, \vec{w} \in V^3$ gilt: $\vec{v} + \vec{w} = \vec{w} + \vec{v}$.

$I', 2$:    Für alle $\vec{v}, \vec{w}, \vec{u} \in V^3$ gilt: $\vec{v} + (\vec{w} + \vec{u}) = (\vec{v} + \vec{w}) + \vec{u}$.

$I', 3$:    Es gibt genau einen Nullvektor $0$ mit: $\vec{v} + \vec{0} = \vec{v}$, für alle $\vec{v}$.

$I', 4$:    Zu jedem Vektor $\vec{v}$ gibt es genau einen entgegengesetzten Vektor $(-\vec{v})$ mit $\vec{v} + (-\vec{v}) = \vec{0}$.

$II', 0$:    Zwischen den Elementen von $V^3$ und $R$ ist eine *skalare Multiplikation* erklärt, die jedem Paar $\vec{v}, a$ mit $\vec{v} \in V^3$ und $a \in R$ eindeutig den Vektor $a\vec{v} \in V^3$ zuordnet.

Die *skalare Multiplikation* genügt folgenden Axiomen:

$II', 1$:    Für alle $\vec{v} \in V^3$ und alle $a, b \in R$ gilt:
$(a + b) \cdot \vec{v} = a\vec{v} + b\vec{v}$.

$II', 2$:    Für alle $\vec{v}, \vec{w} \in V^3$ und alle $a \in R$ gilt:
$a(\vec{v} + \vec{w}) = a\vec{v} + a\vec{w}$.

$II', 3$:    Für alle $\vec{v} \in V^3$ und alle $a, b \in R$ gilt: $(ab)\vec{v} = a(b\vec{v})$.

$II', 4$:    Für alle $\vec{v} \in V^3$ gilt: $1 \cdot \vec{v} = \vec{v}$.

$III'$:    Es gibt drei Vektoren $\vec{e}_1, \vec{e}_2, \vec{e}_3 \in V^3$ derart, daß jeder Vektor $\vec{v} \in V^3$ sich auf eine und nur eine Weise in der Form
$\vec{v} = x_1 \vec{e}_1 + x_2 \vec{e}_2 + x_3 \vec{e}_3$ mit $x_1, x_2, x_3 \in R$ darstellen läßt.

Weiterhin sei $A = \{P, Q, \ldots\}$ eine Menge, deren Elemente wir als Punkte bezeichnen, dann gelte noch:

$IV', 0$:    Jedem geordneten Punktepaar $(P; Q)$ mit $P, Q \in A$ ist eindeutig ein Vektor $\overrightarrow{PQ} \in V^3$ zugeordnet, und es gilt:

$IV', 1$:    Zu jedem Punkt $P \in A$ und jedem Vektor $\vec{v} \in V^3$ gibt es *genau einen* Punkt $Q \in A$ mit $\overrightarrow{PQ} = \vec{v}$.

$IV', 2$:    Für alle $P, Q, S \in A$ gilt: $\overrightarrow{PQ} + \overrightarrow{QS} = \overrightarrow{PS}$.

*Bemerkungen zum Axiomensystem.* 1) Die Axiomengruppe $I'$ besagt, daß die Menge der Vektoren $V^3$ eine *abelsche* (kommutative) *Gruppe* mit der Addition als Verknüpfung ist.

2) Die Axiomengruppe $II'$ verbindet $V^3$ mit $R$ zum *Vektorraum über R*.

3) Das Axiom $III'$ besagt, daß $V^3$ über $R$ die Dimension 3 hat. $\vec{e}_1, \vec{e}_2, \vec{e}_3$ sind *drei Basisvektoren* von $V^3$.

4) Mit Hilfe der Axiomengruppe $IV'$ wird der Vektorraum mit der Geometrie (genauer mit der affinen Geometrie) in Beziehung gesetzt.

*5)* Aus Gründen der Vereinfachung wurden die verschärften Gruppenaxiome *I', 3* und *I', 4* gewählt, was an sich nicht erforderlich wäre (vgl. S. 29/30).

Die *Punktmenge A* nennen wir *den durch $V^3$ über R erzeugten dreidimensionalen affinen Punktraum.*

Zur Veranschaulichung und als Beweisstützen wollen wir die Punkte unseres Erfahrungsraumes mit denen von *A* identifizieren. Wir müssen dabei aber darauf achten, daß wir keine metrischen Begriffe wie Längenmaßzahl usw. verwenden. Wie in der linken Figur veranschaulichen wir ein geordnetes Punktepaar $(P; Q)$ durch einen *Pfeil*, dessen Anfangspunkt in *P* und dessen Spitze in *Q* liegt. Wir sagen auch, daß wir den Vektor $\vec{PQ}$ »*in P antragen*«. Dem Axiom *IV',2* entspricht dann das »*Vektordreieck*«, wobei auch *P, Q, S* auf einer Geraden liegen können. Wir weisen ausdrücklich darauf hin, daß die *Pfeile nicht mit den Vektoren* zu identifizieren sind, denn das Axiom *IV', 0* fordert zwar, daß jedem Punktepaar eindeutig ein Vektor zugeordnet wird, aber es wird durch keines der Axiome gefordert, daß auch umgekehrt jedem Vektor genau ein Punktepaar zugeordnet wird.

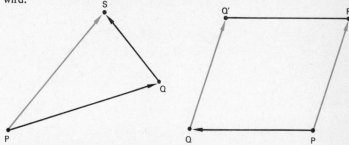

Links *Darstellung eines geordneten Punktepaares durch Pfeile;* rechts *Figur zum Beweis des Satzes 35*

Drei wichtige Sätze können sofort aus den Axiomen hergeleitet werden.

**Satz 33:** Jedem Punktepaar $(P; P)$ mit $P \in A$ ist der Nullvektor $\vec{0}$ zugeordnet und umgekehrt folgt aus $\vec{PQ} = \vec{0}$ auch $Q = P$.

*Beweis:* Setzen wir in *IV', 2* für $Q = P$, so gilt $\vec{PP} + \vec{PS} = \vec{PS}$, d.h. aber $\vec{PP} = \vec{0}$. Da aber nach *IV', 1* es zu jedem Punkt *P* genau einen Punkt *Q* gibt mit $\vec{PQ} = \vec{0}$, muß $Q = P$ sein.

**Satz 34:** Für zwei Punkte $P, Q \in A$ gilt stets $\vec{PQ} = - \vec{QP}$.

*Beweis:* Setzen wir in *IV', 2* für $S = P$, so ist $\vec{PQ} + \vec{QP} = \vec{PP} = \vec{0}$. Nach *I', 4* ist dann aber $\vec{QP} = - \vec{PQ}$ oder $\vec{PQ} = - \vec{QP}$.

**Satz 35:** Sind $P, Q, P', Q' \in A$ vier verschiedene Punkte, so gilt:
$$\vec{PQ} = \vec{P'Q'} \Leftrightarrow \vec{PP'} = \vec{QQ'}$$

*Bemerkung:* Vergleiche die Bemerkungen zu *IV', 0*.

*Beweis:* Nach Axiom *IV', 2* gilt für *P, Q, Q'* (rechte Figur): $\vec{PQ'} = \vec{PQ} + \vec{QQ'}$, und ebenso gilt für *P, P', Q'*: $\vec{PQ'} = \vec{PP'} + \vec{P'Q'}$. Somit gilt für die Punkte

$P, P', Q, Q'$, da $\vec{PQ'}$ eindeutig bestimmt ist: $\vec{PQ} + \vec{QQ'} = \vec{PP'} + \vec{P'Q'}$. Ist nun $\vec{PP'} = \vec{QQ'}$, so folgt $\vec{PQ} = \vec{P'Q'}$. Ist umgekehrt $\vec{PQ} = \vec{P'Q'}$, so folgt $\vec{PP'} = \vec{QQ'}$ q.e.d.

*Parallelgleiche Punktepaare – Parallelogramm.* Wie wir eben gesagt haben, kann der gleiche Vektor zwei verschiedenen Punktepaaren zugeordnet sein. Diese Tatsache führt im Zusammenhang mit Satz 35 zu zwei Begriffen:

**Definition**  »*parallelgleich – Parallelogramm*«: Zwei Punktepaare $(P; Q)$ und $(P'; Q')$ heißen *parallelgleich*, wenn $\vec{PQ} = \vec{P'Q'}$ ist (Zeichen ↑↑). Das geordnete Punktequadrupel $(P; Q; P'; Q')$ heißt *Parallelogramm* (rechte Figur S. 311).

Hier gilt das gleiche, wie im Falle der linken Figur bezüglich des Axioms $IV'$, 2. Die vier Punkte können auch auf einer Geraden liegen, man spricht dann von einem *ausgearteten Parallelogramm*, ja sie können sogar paarweise ($Q = Q'$ und $P = P'$) oder alle ($Q = Q' = P = P'$) zusammenfallen. (Vergleiche dazu auch die Bemerkungen im Anschluß an den Beweis des Satzes 42 im Abschnitt Ortsvektoren.

**Satz 36:**     Die Parallelgleichheit ist eine Äquivalenzrelation.

*Beweis: 1)* Die Relation ↑↑ ist *reflexiv*. Da nämlich stets $\vec{PQ} = \vec{PQ}$ ist, gilt $(P; Q)$ ↑↑ $(P; Q)$.
*2)* Die Relation ist *symmetrisch*. Ist nämlich $(P; Q)$ ↑↑ $(S; T)$ so ist $\vec{PQ} = \vec{ST}$ und somit $\vec{ST} = \vec{PQ}$ oder $(S; T)$ ↑↑ $(P; Q)$.
*3)* Die Relation ist *transitiv*. Ist nämlich $(P; Q)$ ↑↑ $(S; T)$ und auch $(S; T)$ ↑↑ $(U; V)$ so gilt $\vec{PQ} = \vec{ST} = \vec{UV}$ und somit $(P; Q)$ ↑↑ $(U; V)$.
Da jede Äquivalenzrelation in einer Menge zu einer Einteilung in elementfremde Äquivalenzklassen führt, kann man die Menge aller geordneten Punktepaare von $A$ einteilen in *Äquivalenzklassen parallelgleicher Punktepaare.*

**Satz 37:**     Jeder Äquivalenzklasse parallelgleicher Punktepaare von $A$ ist genau ein Vektor $\vec{v} \in V^3$ zugeordnet und umgekehrt.

*Beweis:* Durch obige Definition wird jedem Punktepaar der gleichen Äquivalenzklasse der gleiche Vektor zugeordnet. Seien $k_1$ und $k_2$ zwei verschiedene Klassen, und $\vec{v}_1$ und $\vec{v}_2$ die zugeordneten Vektoren. Dann gibt es $(P_1; Q_1) \in k_1$ mit $\vec{P_1 Q_1} = \vec{v}_1$ und $(P_2; Q_2) \in k_2$ mit $\vec{P_2 Q_2} = \vec{v}_2$. Wäre nun $\vec{v}_1 = \vec{v}_2$, dann wären $(P_1; Q_1)$ ↑↑ $(P_2; Q_2)$ und somit $k_1 = k_2$.
Der Satz 37, den wir ohne wesentlichen Rückgriff auf unsere Raumanschauung allein aus dem Axiomensystem abgeleitet haben, wird häufig zur Definition des Begriffes Vektor (= Klasse parallelgleicher Pfeile) benutzt. Dabei wird der Begriff der Parallelgleichheit über den Begriff der Parallelverschiebung eines Körpers hergeleitet. Dies ist insofern unexakt, da hierbei neben dem Begriff der Parallelität der der Gleichheit der Länge von Strecken vorausgesetzt wird, während im Bereich der affinen Geometrie der Begriff der Länge gar nicht eingeht.

*Ebenen, Geraden und Punkte als affine Unterpunkträume.* Im Abschnitt Axiome des Punktraumes haben wir die Punktmenge $A$ als von $V^3$ über $R$ erzeugt bezeichnet. Diese Auffassung können wir auf bestimmte Teilmengen von $A$ übertragen. Der Vektorraum $V^3$ besitzt zweidimensionale und eindimensionale Untervektorräume und genau einen nulldimensionalen Untervektorraum, nämlich $U° = \{\vec{0}\}$. Als Beispiel eines zweidimensionalen Untervektorraumes nennen wir $U^2 = \{\vec{v} \mid \vec{v} = x_1 \vec{e}_1 + x_2 \vec{e}_2 \wedge x_1, x_2 \in R\}$ und als Beispiel eines eindimensionalen Untervektorraumes $U^1 = \{\vec{v} \mid \vec{v} = x_1 \vec{e}_1 \wedge x_1 \in R\}$.

*Bemerkung:* Unter einem *Untervektorraum* versteht man ebenso wie im Falle einer Untergruppe eine Teilmenge von Vektoren, die als solche dem Axiomensystem genügt.

**Definition:** »*affiner Unterpunktraum*«: Eine Teilmenge $T \subset A$ heißt *affiner Unterpunktraum*, wenn die Teilmenge $U$ der Vektoren, die den Punktepaaren von $T$ zugeordnet ist, ein Untervektorraum von $V^3$ ist. $T$ heißt *Ebene, Gerade* oder *Punkt*, je nachdem, ob $U$ die Dimension 2, 1 oder 0 hat.

*Bezeichnungen:* Zur Unterscheidung von den Punkten $P, Q, \ldots$ von $A$ bezeichnen wir die Ebenen mit $E, F, \ldots$ Die Geraden bezeichnen wir wie bisher mit $g, h, \ldots$
*Sprechweise:* Wir sagen, daß $T$ *von* $U$ erzeugt wird, speziell, daß alle Ebenen von den zweidimensionalen Untervektorräumen und alle Geraden von den eindimensionalen Untervektorräumen erzeugt werden und schließlich alle Punkte vom Nullvektor erzeugt werden.

**Satz 38:**    Sind $T$ und $T'$ zwei affine Unterpunkträume, die von $U$ bzw. $U'$ erzeugt werden, so ist auch der Durchschnitt $T \cap T'$ ein solcher und er wird vom Durchschnitt $U \cap U'$ erzeugt.

*Beweis:* Sei nämlich $(P; Q)$ ein Punktepaar aus $T \cap T'$, so ist $(P; Q) \in T$ und somit $\vec{PQ} \in U$ und ebenso $(P; Q) \in T'$ und somit $\vec{PQ} \in U'$, also $\vec{PQ} \in U \cap U'$. Der Durchschnitt zweier Untervektorräume ist aber ebenfalls ein Untervektorraum.

Da die Durchschnittbildung dem Assoziativgesetz genügt, ist wegen des Satzes 38 auch der Durchschnitt beliebig vieler affiner Unterpunkträume wieder ein Unterpunktraum. Für die Vereinigungsmenge gilt dies nicht, da die Vereinigungsmenge von Untervektorräumen im allgemeinen kein Untervektorraum ist.
Als Ersatz sozusagen pflegt man von der *Verbindung zweier Unterpunkträume* $T + T'$ zu sprechen und versteht darunter den Durchschnitt aller Unterpunkträume, die sowohl $T$ als auch $T'$ enthalten. Da wir diesen Begriff später nicht weiter benutzen werden, haben wir keine ausdrückliche Definition ausgesprochen. Zur Abrundung dieses Abschnitts wollen wir aber nicht darauf verzichten. So läßt sich zeigen, daß die Geraden als Verbindung zweier verschiedener Punkte, die Ebenen als Verbindung zweier sich schneidender Geraden, und der ganze Raum als Verbindung zweier sich schneidender Ebenen oder zweier *windschiefer Geraden* (d.h. solche, die sich nicht schneiden und nicht parallel sind), aufgefaßt werden können. Man sagt auch, daß die Verbindung $T + T'$ von den beiden Unterpunkträumen $T$ und $T'$ aufgespannt wird. Eine Gerade wird von zwei Punkten aufgespannt, eine Ebene von zwei sich schneidenden Geraden und der ganze Raum von zwei sich schneidenden Ebenen oder von zwei windschiefen Geraden.
Bezüglich der möglichen Durchschnitte $T \cap T'$ müssen wir auch auf Beweise verzichten, die mit dem Begriff der Verbindung und dem sogenannten Dimensionssatz für Untervektorräume geführt werden müßten, über den wir nicht ver-

fügen. Mit diesen Mitteln könnte man ohne Bezug auf die Anschauung beweisen, daß:

1) $E \cap E' = \emptyset$    oder    $E \cap E' = E = E'$    oder    $E \cap E' = g$;

2) $g \cap E\ \ = \emptyset$    oder    $g \cap E = g$    oder    $g \cap E = \{P\}$;

3) $g \cap g'\ \ = \emptyset$    oder    $g \cap g' = g = g'$    oder    $g \cap g' = \{P\}$ ist.

Wie wir noch sehen werden, sind im Falle $g \cap g' = \emptyset$ zwei Fälle möglich, nämlich $g \parallel g'$ oder $g \nparallel g'$ *(windschiefe Geraden)*.

Aus den Axiomen IV' erhalten wir noch den wichtigen

**Satz 39:**    Sei $T$ der durch $U$ erzeugte affine Unterpunktraum, dann erhält man *alle Punkte von $T$* durch *Antragen aller Vektoren* von einem festen Punkt $A \in T$ aus.

*Beweis:* Ist $B \in T$ ein weiterer Punkt, so gibt es nach IV', 0 genau einen Vektor $\overrightarrow{AB} \in U$. Ist $\vec{v} \in U$, so gibt es nach IV', 1 genau einen Punkt $Q \in T$ mit $\overrightarrow{AQ} = \vec{v}$.

$$X_\nu \, \varepsilon \, E \longleftrightarrow \overrightarrow{AX}_\nu \, \varepsilon \, U^2; \ (\nu = 1 \dots 5)$$

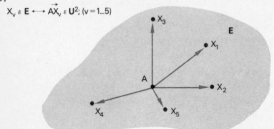

Die Abbildung veranschaulicht den Satz 39 im Falle der Ebene, die durch einen zweidimensionalen Untervektorraum $U^2$ erzeugt wird. Dieser Satz ermöglicht für Geraden und Ebenen die folgende mengentheoretische Schreibweise:

$$g = \{X \,|\, \overrightarrow{AX} \in U^1\} \quad \text{und} \quad E = \{X \,|\, \overrightarrow{AX} \in U^2\},$$

wobei der Exponent wieder die Dimension des erzeugenden Untervektorraumes angibt. Die entsprechende mögliche Schreibweise für Punkte bringt allerdings nichts ein.

*Parallelität affiner Unterpunkträume.* Die Diskussion des Durchschnitts $T \cap T'$ hat gezeigt, daß mit dem Begriff der leeren Menge die Parallelität im Raume nicht befriedigend gefaßt werden kann, deshalb folgt die

**Definition**    *»Parallelität affiner Unterpunkträume«:* Zwei affine Unterpunkträume $T$ und $T'$ heißen parallel, wenn von ihren erzeugenden Untervektorräumen $U$ und $U'$ mindestens einer im anderen enthalten ist.

Zur Veranschaulichung dieser Definition betrachten wir die drei möglichen Fälle: $E \parallel E'$, $E \parallel g$, und $g \parallel g'$.

*Fall $E \parallel E'$:* Es sei $E = \{X \,|\, \overrightarrow{AX} \in U^2\}$ und $E' = \{X' \,|\, \overrightarrow{A'X'} \in U^{2'}\}$. Die nicht weiter bezeichneten Pfeile sollen andeuten, daß man alle Punkte von $E$ bzw. $E'$ gemäß Satz 39 durch Antragen erhält (vergleiche obere Figur auf S. 315).

$E \parallel E'$ bedeutet hier, daß es zu jedem Punktepaar $(A; X)$ aus $E$ genau ein Punktepaar $(A'; X')$ aus $E'$ gibt mit $\overrightarrow{AX} = \overrightarrow{A'X'}$ und umgekehrt, d.h. $U^2 = U^{2'}$.

*Fall E∥g:* Es sei $E = \{X \mid \overrightarrow{AX} \in U^2\}$ und $g = \{X \mid \overrightarrow{BX} \in U^1\}$. $E\|g$ bedeutet hier, daß es zwar zu jedem Punktepaar $(B,X)$ aus $g$ genau ein Punktepaar $(A,X')$ aus $E$ mit $\overrightarrow{BX} = \overrightarrow{AX'}$ gibt, aber nicht umgekehrt, da $U^1$ und $U^2$ verschiedene Dimensionen haben (linke Figur). Hier ist $U^1 \subset U^2$.

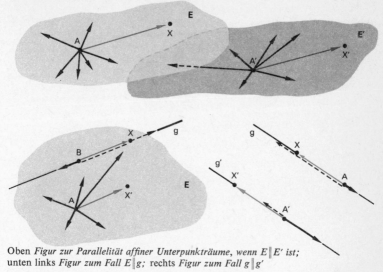

Oben *Figur zur Parallelität affiner Unterpunkträume, wenn $E\|E'$ ist;* unten links *Figur zum Fall $E\|g$;* rechts *Figur zum Fall $g\|g'$*

*Fall $g\|g'$:* Es sei $g = \{X \mid \overrightarrow{AX} \in U^1\}$ und $g' = \{X' \mid \overrightarrow{A'X'} \in U^{1'}\}$. $g\|g'$ bedeutet hier wie im 1. Fall, daß $U^1 = U^{1'}$ ist (rechte Figur).

Die Definition läßt sich auch auf Punkte anwenden. Da der Nullvektor zu jedem Untervektorraum gehört, kann man im Sinne der Definition sagen, daß alle Punkte zueinander, zu jeder Geraden und zu jeder Ebenen parallel sind.

**Satz 40:** Der Durchschnitt paralleler Unterpunkträume ist leer, oder es ist mindestens einer in dem anderen enthalten.

*Beweis:* *1)* $E \| E'$: Angenommen $E \cap E' \neq \emptyset$, dann existiert ein Punkt $A$ mit $A \in E \wedge A \in E'$. Sei $B \in E$ ein weiterer Punkt, dann muß es wegen der Identität der beiden erzeugenden Untervektorräume einen Punkt $B' \in E'$ mit $\overrightarrow{AB} = \overrightarrow{AB'}$ geben. Nach Axiom IV', 1 ist aber dann $B = B'$, d.h. es ist $E \subseteq E'$. Ebenso folgt $E' \subseteq E$, also $E = E'$.
*2)* $g \| E$: Angenommen $g \cap E \neq \emptyset$, dann sei $A \in g \wedge A \in E$. Zu dem weiteren Punkt $B \in g$ gibt es wieder einen Punkt $B' \in E$ mit $\overrightarrow{AB} = \overrightarrow{AB'}$ und nach Axiom IV',1 folgt wieder $B = B'$, also $g \subseteq E$. Aus Dimensionsgründen ist $g$ echt in $E$ enthalten.
*3)* $g \| g'$: Die Überlegungen entsprechen genau dem Fall *1)*.
Wir können den Inhalt des Satzes auch so fassen:
*1)* Ist $E \| E' \wedge E \cap E' \neq \emptyset$   so ist   $E = E'$;
*2)* Ist $g \| E \wedge g \cap E \neq \emptyset$   so ist   $g \subset E$;
*3)* Ist $g \| g' \wedge g \cap g' \neq \emptyset$   so ist   $g = g'$.

Zur Parallelität von Unterpunkträumen sei noch bemerkt, daß diese Relation *nur* zwischen Ebenen oder zwischen Geraden, d.h. zwischen Unterpunkträumen gleicher Dimension eine Äquivalenzrelation ist. Wie man sich an der linken Figur leicht klar macht, gilt dies nicht zwischen Geraden und Ebenen. Seien nämlich $E_1 \parallel E_2 \parallel E_3$ und $g_1 \parallel g_1'$ und $g_2 \parallel g_2'$, so gilt zwar $g_1 \parallel E_3$ und $g_2 \parallel E_3$, aber nicht $g_1 \parallel g_2$. Da $E_1 \parallel E_2$ ist, muß $g_1 \cap g_2 = \emptyset$ sein. Zwei nicht parallele Geraden $g_1$ und $g_2$ des Raumes mit $g_1 \cap g_2 = \emptyset$ nennt man *windschief*, während für zwei nichtparallele Geraden als Teilmengen einer Ebene stets $g_1 \cap g_2 \neq \emptyset$ gilt.

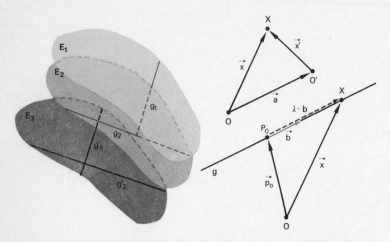

Links *Figur zur Demonstration windschiefer Geraden bei parallelen Unterpunkträumen*; rechts oben *Figur zum Ortsvektor von X bezüglich 0 bzw. 0'*; darunter *Figur zur Parameterdarstellung einer Geraden*

*Ortsvektoren, Parameterdarstellungen von Geraden und Ebenen.* Die Zuordnung von Vektoren und Punktepaaren ist, wie wir wissen, nicht umkehrbar eindeutig. Wie wir aber in Satz 39 gesehen haben, bekommt man eine eineindeutige Zuordnung durch Abtragen von einem festen Punkt des betreffenden Unterpunktraumes aus.

Dieses Prinzip des Abtragens von einem Punkt aus können wir auf den gesamten Raum $A$ ausdehnen, indem wir einen Punkt O (Origo) als *Ursprungspunkt von A* auszeichnen. Jedem Punkt $X \in A$ entspricht dann umkehrbar eindeutig genau ein Vektor $\vec{x} = \overrightarrow{OX} \in V^3$, den wir als *Ortsvektor von X bezüglich O* bezeichnen.

Natürlich kann man an Stelle von O einen anderen Punkt O' auszeichnen. Bezeichnet man mit $x' = \overrightarrow{O'X}$ den Ortsvektor von X bezüglich O', so gilt nach Axiom IV', 2: $\vec{x} = \vec{x}' + \vec{a}$ mit $\overrightarrow{OO'} = \vec{a}$, wie man sich an Hand der oberen rechten Figur leicht klar macht.

Da die Wahl des Ursprungspunktes willkürlich ist, wird man im Anwendungsfall darauf achten, daß die Wahl von O möglichst Vereinfachungen in der Vektoralgebra mit sich bringt.

**Satz 41:** Ist $T$ ein beliebiger Unterpunktraum von $A$, der von $U \subseteq V^3$ erzeugt wird, und $P_0 \in T$ mit dem Ortsvektor $\vec{p}_0 = \overrightarrow{OP}_0$, so »durchläuft«

$$\vec{x} = \vec{p}_0 + \vec{u} \quad \text{mit} \quad \vec{u} \in U$$

die Menge aller Ortsvektoren der Punkte von $T$.

*Beweis:* Wir begnügen uns mit dem Nachweis für eine Ebene, da im Falle der Geraden die Überlegungen analog sind. Es ist $E = \{X \mid \overrightarrow{P_0 X} \in U^2\}$, wobei $E$ von $U^2$ erzeugt wird. Mit $\vec{u} = \overrightarrow{P_0 X}$ und $\overrightarrow{OP}_0 = \vec{p}_0$ ergibt sich sofort die Behauptung des Satzes.

*Parameterdarstellung der Geraden.* Jede Gerade wird von einem eindimensionalen Vektorraum $U^1$ erzeugt (untere Figur). Alle Vektoren von $U^1$ lassen sich mit einem einzigen Basisvektor $\vec{b}$ darstellen. In diesem Falle ist $\vec{u}$ aus Satz 41 darstellbar durch $\vec{u} = \lambda \vec{b}$, wobei man alle Vektoren aus $U^1$ erhält, wenn $\lambda$ alle reellen Zahlen durchläuft. Für die Ortsvektoren einer Geraden $g$ gilt also

$$g \equiv \vec{x} = \vec{p}_0 + \lambda \vec{b} \quad \text{mit} \quad \lambda \in R. \quad \vec{b} \text{ heißt } \textit{Richtungsvektor von } g.$$

**Satz 42:** $\vec{b}_1$ sei der Richtungsvektor der Geraden $g_1$ und $\vec{b}_2$ der von $g_2$. Die beiden Geraden sind dann und nur dann parallel, wenn die beiden Richtungsvektoren linear abhängig sind, d. h. wenn es eine reelle Zahl $\alpha$ gibt, derart, daß $\vec{b}_1 = \alpha \cdot \vec{b}_2$ ist (Veranschaulichung durch die linke Figur).

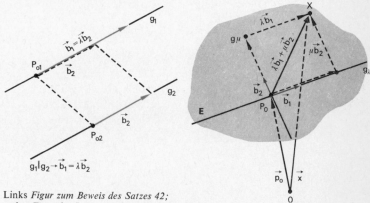

Links *Figur zum Beweis des Satzes 42;*
rechts *Figur der Parameterdarstellung der Ebene*

*Beweis: 1)* $\vec{b}_1 = \alpha \vec{b}_2$ bedeutet, daß $\vec{b}_1$ im $g_2$ erzeugenden Vektorraum $U_2^1$ liegt. Da $\lambda \alpha$ mit $\lambda$ alle reellen Zahlen durchläuft, erhält man mit $\lambda b_1 = (\lambda \alpha) \vec{b}_2$ alle Vektoren von $U_2^1$, also gilt $U_1^1 \subseteq U_2^1$ und nach Definition sind $g_1$ und $g_2$ parallel.

*2)* Ist $g_1 \parallel g_2$, so ist $U_1^1 = U_2^1$ und $\vec{b}_1$ und $\vec{b}_2$ sind linear abhängig.

Jetzt wird auch die Definition der Parallelgleichheit und des Parallelogramms verständlich, denn es sind eben die Paare der Vektoren $\overrightarrow{PQ}$ und $\overrightarrow{P'Q'}$ wegen $\overrightarrow{PQ} = \overrightarrow{P'Q'}$ linear abhängig und ebenso $\overrightarrow{PP'}$ und $\overrightarrow{QQ'}$ (vergleiche dazu Satz 35).

*Parameterdarstellung der Ebene.* Jede Ebene wird von einem zweidimensionalen Vektorraum $U^2$ erzeugt (rechte Figur). Deshalb lassen sich alle Vektoren $\vec{u} \in U^2$ mit Hilfe zweier Basisvektoren $\vec{b}_1$ und $\vec{b}_2$ darstellen. In diesem Falle ist $\vec{u}$ aus Satz 41 darstellbar durch $\vec{u} = \lambda \vec{b}_1 + \mu \vec{b}_2$, wobei $\lambda$ und $\mu$ unabhängig voneinander alle reelle Zahlen durchlaufen. Für die Ortsvektoren einer Ebene $E$ gilt also:

$$E \equiv \vec{x} = \vec{p}_0 + \lambda \vec{b}_1 + \mu \vec{b}_2 \quad \text{mit} \quad \lambda, \mu \in R.$$

Speziell erhält man für $\lambda = 0$: $\quad g_\mu \equiv \vec{x} = \vec{p}_0 + \mu \vec{b}_2$

und für $\mu = 0$: $\quad\quad\quad\quad\quad g_\lambda \equiv \vec{x} = \vec{p}_0 + \lambda \vec{b}_1$.

Da $g_\mu \cap g_\lambda = \{P_0\}$ ist, spannen die beiden durch $P_0$ gehenden Geraden die Ebene $E$ auf, deshalb bezeichnen wir ebenfalls $\vec{b}_1$ und $\vec{b}_2$ als *Richtungsvektoren der Ebene E.*

Zwei Ebenen, deren Richtungsvektoren paarweise linear abhängig sind, sind parallel. Die lineare Abhängigkeit der Richtungsvektoren ist aber nicht notwendig. Es gilt vielmehr:

**Satz 43:** Sei $E$ eine Ebene mit den Richtungsvektoren $\vec{b}_1$ und $\vec{b}_2$ und $E'$ eine Ebene mit den Richtungsvektoren $\vec{b}_1'$ und $\vec{b}_2'$. Die beiden Ebenen sind dann und nur dann parallel, wenn jeder Richtungsvektor der einen Ebene sich als Linearkombination der Richtungsvektoren der anderen darstellen läßt und umgekehrt.

*Beweis:* 1) $\vec{b}_1 = \alpha_1 \vec{b}_1' + \beta_1 \vec{b}_2'$ $\quad \vec{b}_2 = \alpha_2 \vec{b}_1' + \beta_2 \vec{b}_2'$. Sei $\vec{u} \in U^2$, dann ist $\vec{u} = \lambda \vec{b}_1 + \mu \vec{b}_2$ und deshalb
$\vec{u} = \lambda(\alpha_1 \vec{b}_1' + \beta_1 \vec{b}_2') + \mu(\alpha_2 \vec{b}_1' + \beta_2 \vec{b}_2') = \gamma \vec{b}_1' + \delta \vec{b}_2'$
mit $\gamma = \lambda \alpha_1 + \mu \alpha_2$ und $\delta = \lambda \beta_1 + \mu \beta_2$,
d.h. $\vec{u} \in U'^2$, also ist $U^2 \subseteq U'^2$ und somit nach Definition $E \parallel E'$.
2) Ist $E \parallel E'$, dann ist $U^2 = U^{2'}$ und jeder der Vektoren $\vec{b}_1$ und $\vec{b}_2$ ist durch $\vec{b}_1'$ und $\vec{b}_2'$ darstellbar und umgekehrt.
Zur Veranschaulichung wurde in der linken Figur $\vec{b}_1 = \alpha_1 \vec{b}_1' + \beta_1 \vec{b}_2'$ dargestellt.

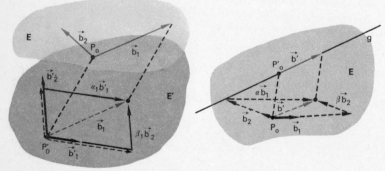

Links *Figur zum Beweis des Satzes 43;* rechts *Figur zum Satz 44*

Da jede Gerade $g$, die zu $E$ parallel ist, sich in eine Ebene $E' \parallel E$ »einbetten« läßt, können wir ohne weiteren Beweis angeben:

**Satz 44:** Eine Gerade $g$ und eine Ebene $E$ sind dann und nur dann parallel, wenn sich der Richtungsvektor der Geraden als Linearkombination der Richtungsvektoren der Ebene darstellen läßt (vergleiche rechte Figur).

*Teilverhältnis (affin) – affine Koordinaten.* Sind $A$, $B$, $C$ drei in dieser Reihenfolge gegebene Punkte einer Geraden $g$, so sind $\overrightarrow{AB}$ und $\overrightarrow{AC}$ Vektoren des $g$ erzeugenden eindimensionalen Untervektorraumes. Falls $A \neq B$ ist, d.h. $\overrightarrow{AB} \neq \vec{0}$, dann gibt es genau eine reelle Zahl $\sigma \in R$ mit $\overrightarrow{AC} = \sigma \cdot \overrightarrow{AB}$.

**Definition** »*affines Teilverhältnis*«: Sind $A$, $B$, $C$ drei Punkte einer Geraden $g$ und $A \neq B$, so heißt die durch $\overrightarrow{AC} = \sigma\overrightarrow{AB}$ eindeutig bestimmte Zahl:

$$\sigma = (A, B; C)$$

*Teilverhältnis des Punktes C bezüglich A und B.*

*Bemerkung:* Die Reihenfolge des Punktetripels ist sehr wichtig und muß beachtet werden.

**Satz 45:** Für das Teilverhältnis gelten die drei Beziehungen
*1)* $(A, B; A) = 0$;    *2)* $(A, B; B) = 1$    und
*3)* $(A, B; C) + (B, A; C) = 1$.

*Beweis: 1)* und *2)* folgen sofort aus der Definition, da $\overrightarrow{AB} \neq 0$ ist. *3)* Sei ( 4. B; C) $= \sigma_1$ und $(B, A; C) = \sigma_2$, so ist $\overrightarrow{AC} = \sigma_1\overrightarrow{AB}$ und $\overrightarrow{BC} = \sigma_2\overrightarrow{BA}$ oder $\overrightarrow{CB} = \sigma_2\overrightarrow{AB}$. Nach Axiom IV', 2 ist $\overrightarrow{AC} + \overrightarrow{CB} = \overrightarrow{AB}$ und somit $\sigma_1\overrightarrow{AB} + \sigma_2\overrightarrow{AB} = \overrightarrow{AB}$ oder $(\sigma_1 + \sigma_2)\,\overrightarrow{AB} = \overrightarrow{AB}$. Da $\overrightarrow{AB} \neq 0$ ist, muß $\sigma_1 + \sigma_2 = 1$ sein. q.e.d.

Wir wollen die Beziehung *3)* aus Satz 45 näher betrachten. Wir haben ja schon gesagt, daß für den Wert von $\sigma$ die Reihenfolge entscheidend ist. Die Beziehung *3)* dient sozusagen zum Umrechnen, wenn man $A$ und $B$ vertauscht. Wir fragen jetzt danach, ob es möglicherweise doch einen Punkt $C$ gibt, für den bei der Vertauschung von $A$ und $B$ $\sigma$ den gleichen Wert behält. Mit den Bezeichnungen beim Beweis des Satzes 45 muß $\sigma_1 = \sigma_2 \wedge \sigma_1 + \sigma_2 = 1$ sein. Für diese Bedingungen gibt es nur eine Lösung, nämlich $\sigma_1 = \sigma_2 = \frac{1}{2}$. Dies führt uns zu folgender

**Definition:** Der Punkt $M$ heißt *Mittelpunkt von A und B*, wenn $(A, B; M) = (B, A; M)$ ist.

*Bemerkung:* Der Mittelpunkt von $AB$ ist nach obigen Überlegungen der einzige Punkt mit dieser Eigenschaft.

**Satz 46:** Die Punkte einer affinen Geraden lassen sich bijektiv auf die Menge der reellen Zahlen abbilden.

*Beweis:* Seien $A$ und $B \neq A$ zwei feste Punkte von $g$ und $X$ ein beliebiger, ordnen wir dem Punkt $X$ die durch das Teilverhältnis $\sigma(X) = (A, B; X)$ eindeutig bestimmte reelle Zahl $\sigma(X) = x$ zu. Nach Definition sind verschiedenen Punkten $X$ und $X'$ verschiedene reelle Zahlen $x$ und $x'$ zugeordnet. Zu jeder reellen Zahl $x$ gibt es aber nach Axiom IV, 1 zu $\overrightarrow{AB}$ auch einen Punkt $X$ mit $\overrightarrow{AX} = x \cdot \overrightarrow{AB}$.
Aufgrund des Satzes 46 bezeichnet man das Teilverhältnis auch als affine Koordinate des Punktes $C$ bezüglich des Ursprungs $A$ und des Einheitspunktes $B$. Da eine affine Ebene von zwei affinen Geraden aufgespannt wird, können wir

auch die Menge aller Punkte einer affinen Ebene mit Hilfe eines affinen zweidimensionalen Koordinatensystems bijektiv auf $R \times R$ abbilden.

In der linken Figur seien $g_1$ und $g_2$ die zwei die Ebene $E$ aufspannenden Geraden, die sich in $A$ schneiden. Wählen wir für die Parameterdarstellung der Ebene $O = A$, so ist $\vec{x} = \overrightarrow{AX} = \lambda \overrightarrow{AB}_1 + \mu \overrightarrow{AB}_2$ die Darstellung für alle Ortsvektoren $\vec{x}$ der Ebene. $\lambda$ ist dann die affine Koordinate von $X_1$ bezüglich $A$ und $B_1$ auf $g_1$ und entsprechend $\mu$ die affine Koordinate von $X_2$ bezüglich $A$ und $B_2$ auf $g_2$. Dem Punkt $X$ wird das geordnete Zahlenpaar $(\lambda, \mu)$ zugeordnet. Wegen der Eindeutigkeit der Darstellung der Vektoren $\overrightarrow{AX}$ durch die Basisvektoren $\overrightarrow{AB}_1$ und $\overrightarrow{AB}_2$ ist die Zuordnung von $X$ zu $(\lambda, \mu)$ eineindeutig. Jedem Zahlenpaar ist ein Punkt zugeordnet, und jedem Punkt ein Zahlenpaar.

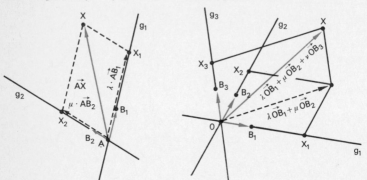

Links *Figur zur bijektiven Abbildung der Menge aller Punkte einer affinen Ebene auf $R \times R$;* rechts *Figur zur bijektiven Abbildung der Menge aller Punkte des Raumes auf $R \times R \times R$*

Ebenso kann man mit drei Geraden $g_1$, $g_2$ und $g_3$ (rechte Figur), die sich in einem Punkt $O$ schneiden und die nicht alle drei in einer Ebene liegen, alle Punkte des Raumes $A$ auf $R \times R \times R$ bijektiv mit Hilfe der Ortsvektordarstellung

$$\vec{x} = \overrightarrow{OX} = \lambda \overrightarrow{OB}_1 + \mu \overrightarrow{OB}_2 + v \overrightarrow{OB}_3$$

abbilden, indem man dem Punkt $X$ das Zahlentripel $(\lambda, \mu, v)$ zuordnet (die drei Vektoren $\overrightarrow{OB}_1$, $\overrightarrow{OB}_2$, $\overrightarrow{OB}_3$ sind nach Voraussetzung linear unabhängig).

Die bijektive Abbildung der Punkte der Ebene (des Raumes) auf $R \times R$ ($R \times R \times R$) hat eine gewisse Ähnlichkeit mit der im Zahlenpaarmodell vorgenommenen und später auf den dreidimensionalen euklidischen Raum übertragenen. Die wesentlichen Unterschiede bestehen hier darin, daß *keine Normierung* vorliegt, d.h. kein Vergleich (etwa Länge) zwischen den Vektoren $\overrightarrow{AB}_1$ und $\overrightarrow{AB}_2$ ($\overrightarrow{OB}_1$, $\overrightarrow{OB}_2$, $\overrightarrow{OB}_3$) möglich ist, und daß ebensowenig etwas über die Lage von $g_1$ und $g_2$ ($g_1$, $g_2$, $g_3$) ausgesagt werden kann, da der Begriff der *Orthogonalität nicht eingeht.*

Abschließend noch ein Vergleich zwischen dem hier definierten (affinen) Teilverhältnis $\sigma$ und dem in der analytischen Koordinatengeometrie eingeführten Teilverhältnis $\tau$.

*Zusammenhang der beiden Teilverhältnisse $\sigma$ und $\tau$:* Eine mögliche andere (allerdings hier nicht strukturgerechte) Definition des Teilverhältnisses wäre mit *2)* $\overrightarrow{AC} = \tau\,\overrightarrow{CB}$ möglich. Diese Definition entspräche der bereits gegebenen. Neben der Definitionsgleichung *1)* $\overrightarrow{AC} = \sigma\,\overrightarrow{AB}$ gilt nach Axiom IV′, 2: *3)* $\overrightarrow{AC} = \overrightarrow{AB} + \overrightarrow{BC}$. Aus *1)* und *3)* folgt:

$$\sigma\,\overrightarrow{AB} = \overrightarrow{AB} + \overrightarrow{BC} \quad\text{oder}\quad 4)\quad \overrightarrow{BC} = (\sigma - 1)\,\overrightarrow{AB}.$$

Aus *2)* und *3)* folgt: $\tau\,\overrightarrow{CB} = \overrightarrow{AB} + \overrightarrow{BC}$ oder $\overrightarrow{AB} = \tau\,\overrightarrow{CB} - \overrightarrow{BC}$ oder $\overrightarrow{AB} = (\tau + 1)\,\overrightarrow{CB} = -(\tau + 1)\,\overrightarrow{BC}$

$$\text{oder} \quad (\text{für } \tau \neq -1!) \quad 5)\quad \overrightarrow{BC} = -\frac{1}{\tau + 1}\,\overrightarrow{AB}.$$

Da wir $\overrightarrow{AB}$ als Basis ansehen können, muß wegen der Eindeutigkeit der Darstellung von $\overrightarrow{BC}$ nach *4)* und *5)* $\sigma - 1 = -\dfrac{1}{\tau + 1}$ sein. Die entsprechenden Umformungen ergeben:

$$\sigma = \frac{\tau}{1 + \tau} \quad\text{bzw.}\quad \tau = \frac{\sigma}{1 - \sigma}.$$

Man prüft leicht nach, daß im Falle des Mittelpunktes $\sigma = \tfrac{1}{2}$ und $\tau = 1$ die beiden Gleichungen erfüllen, d.h. die Mittelpunktsdefinitionen einander entsprechen.

### Veranschaulichung der vektoralgebraischen Operationen (Beispiele und Aufgaben)

In unserer bisherigen Erörterung haben wir vom Axiomensystem I′–IV′ ausgehend die Begriffe weitgehend ohne Benutzung der Anschauung entwickelt. Für die praktische Handhabe ist es aber erforderlich, daß man sozusagen die Vektoralgebra richtig in die Geometrie übersetzt und umgekehrt. Bei allen Figuren, bei denen hier und auch später Vektorsymbole benutzt werden, wollen wir immer daran denken, *daß die jeweiligen Pfeile nicht mit dem Vektor identisch sind*, den wir dann auch als algebraisches Element benutzen, sondern daß es sich jeweils um einen *Repräsentanten der jeweiligen Äquivalenzklasse* (Satz 37) handelt, welcher der Vektor zugeordnet ist. Ausgangspunkte sind:

*1)* Das Antragen von Vektoren an Punkte, das dem Axiom IV′, 1 entspricht.

*2)* Die Zuordnung von Vektorsummen und Punktepaaren nach Axiom IV′, 2.

*3)* Der Begriff der Parallelgleichheit und des Parallelogramms.

*4)* Nach $\vec{v} = \overrightarrow{PQ} = -\overrightarrow{QP} = -(-\vec{v})$ entspricht das Umkehren der Pfeile der Multiplikation mit $(-1)$.

Die Punkte werden nur bezeichnet, wenn dies zum Verständnis erforderlich ist.

*Vektoraddition, Vektorsubtraktion, Parameterdarstellung.* Die linken Figuren veranschaulichen das Kommutativgesetz, und die rechte Figur das sogenannte *Vektorparallelogramm*: Trägt man die beiden Vektoren $\vec{a}$ und $\vec{b}$ von einem gemeinsamen Punkt $A$ aus an, so ist die Vektorsumme $\vec{a} + \vec{b}$ durch einen Pfeil bestimmt, der von $A$ ausgeht und Diagonale des Parallelogramms ist.

Im Falle der linearen Abhängigkeit der beiden Vektoren $\vec{a}$ und $\vec{b}$ artet das Dreieck der linken Figur aus und die Punkte $P, Q, P'$ bzw. $Q'$ liegen auf einer Geraden. Die beiden folgenden Figuren, die man sich nicht nur eben, sondern auch räumlich vorstellen muß, veranschaulichen sogenannte *Vektorketten*, die bei der vektoriellen Behandlung geometrischer Probleme sehr nützlich sind.

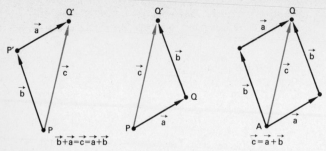

Links *Darstellung der Kommutativregel;*
rechts *Veranschaulichung eines Kräfteparallelogramms*

*Darstellung von Vektorketten*

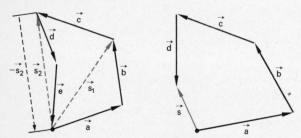

Für die in der linken Figur verwendeten Vektoren gilt

*1)* $\vec{a} + \vec{b} = \vec{s}_1$;    *2)* $\vec{s}_1 + \vec{c} = \vec{s}_2$;    aber *3)* $\vec{d} + \vec{e} = -\vec{s}_2$.

Addiert man die drei Gleichungen *1), 2)* und *3)*, so erhält man $\vec{a} + \vec{b} + \vec{c} + \vec{d} + \vec{e} = \vec{0}$, da $\vec{s}_1$ und $\vec{s}_2$ eliminiert werden. Ist die Summe mehrerer Vektoren gleich dem Nullvektor, so ist die *Vektorkette geschlossen*, d.h. die Spitze des letzten Pfeiles führt zum Ausgangspunkt des ersten Pfeiles zurück. Die vier Vektoren $\vec{a}, \vec{b}, \vec{c}$ und $\vec{d}$ der rechten Figur bilden eine *nichtgeschlossene Vektorkette*. Hier ist $\vec{a} + \vec{b} + \vec{c} + \vec{d} - \vec{s} = \vec{0}$, und somit $\vec{a} + \vec{b} + \vec{c} + \vec{d} = \vec{s} \neq \vec{0}$.

Die beiden folgenden Figuren veranschaulichen zwei Möglichkeiten der Subtraktion von Vektoren.

Die linke Figur entspricht der Zurückführung der Subtraktion auf die Addition

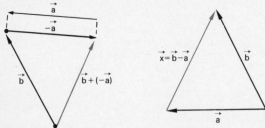

*Figuren zur Subtraktion von Vektoren*

des entgegengesetzten Vektors $\vec{b} - \vec{a} = \vec{b} + (-\vec{a})$. Die rechte Figur entspricht dem Weg, den man beim Lösen linearer Gleichungen in einer Variablen einschlägt. Es ist $\vec{a} + \vec{x} = \vec{b}$ und somit $\vec{x} = \vec{b} - \vec{a}$.

*Aufgabe 59:* In der linken Figur sind $O, A, B, C$ die Eckpunkte eines Tetraeders. Man drücke die Vektoren $\vec{u}, \vec{v}$ und $\vec{w}$ durch die gegebenen Vektoren $\vec{a}, \vec{b}, \vec{c}$ aus.

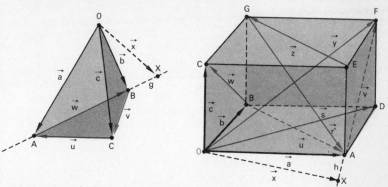

Links *Figur zur Aufgabe 59;* rechts *Figur zur Aufgabe 60*

*Aufgabe 60:* In der rechten Figur sind $O, A, B, C, D, E, F, G$ die Eckpunkte eines Quaders, der von $\vec{a} = \overrightarrow{OA}$, $\vec{b} = \overrightarrow{OB}$ und $\vec{c} = \overrightarrow{OC}$ aufgespannt wird. Man drücke die Vektoren $\vec{s} = \overrightarrow{OD}$, $\vec{y} = \overrightarrow{OF}$, $\vec{z} = \overrightarrow{EG}$, $\vec{u} = \overrightarrow{BA}$, $\vec{v} = \overrightarrow{AF}$, $\vec{w} = \overrightarrow{BC}$ und $\vec{r} = \overrightarrow{GA}$ durch $\vec{a}, \vec{b}$ und $\vec{c}$ aus.

*Beispiel 35:* Für die Geraden $g = (A; B)$ der linken obigen Figur und $h = (A; F)$ der rechten obigen Figur kann man die Parameterdarstellung mit Hilfe der gegebenen Vektoren $\vec{a}, \vec{b}$ und $\vec{c}$ angeben.

Im Falle der Geraden $g$ ist $\vec{w} = \vec{b} - \vec{a}$ der Richtungsvektor und somit
$$\vec{x} = \vec{x}(\lambda) = \vec{a} + \lambda\vec{w} = \vec{a} + \lambda(\vec{b} - \vec{a}).$$
Es ist $\vec{x}(0) = \vec{a}$ und $\vec{x}(1) = \vec{b}$.
Ebenso erhält man für die Gerade $h$ mit dem Richtungsvektor $\vec{v} = \vec{b} + \vec{c}$
$$\vec{x} = \vec{x}(\lambda) = \vec{a} + \lambda(\vec{b} + \vec{c}).$$
Hier ist $\vec{x}(0) = \vec{a}$ und $\vec{x}(1) = \vec{y} = \vec{a} + \vec{b} + \vec{c}$.

*Aufgabe 61:* Wie lautet die Parameterdarstellung der Geraden $g_1 = (B; C)$ und $g_2 = (A; C)$ der linken oberen Figur?

*Aufgabe 62:* Wie lautet die Parameterdarstellung der Geraden $h_1 = (A; B)$, $h_2 = (O; A)$, $h_3 = (O; F)$ und $h_4 = (A; G)$ der rechten oberen Figur? Man bestimme im Falle der Geraden $h_4$ $\vec{x}(0)$ und $\vec{x}(1)$ und vergleiche mit Aufgabe 60. (Die Darstellung ist im Falle $h_4$ nicht eindeutig.)

*Beispiel 36:* Mit Hilfe zweier Richtungsvektoren erhält man die Parameterdarstellung von Ebenen, ähnlich wie im Beispiel 35.

Die Parameterdarstellung der Grundebene $(A, B, C)$ des Tetraeders der linken oberen Figur:
$$\vec{x} = \vec{x}(\lambda, \mu) = \vec{a} + \lambda\vec{w} + \mu(-\vec{u}) = \vec{a} + \lambda(\vec{b} - \vec{a}) + \mu(\vec{c} - \vec{a})$$
Hier ist $\vec{x}(0,0) = \vec{a}$, $\vec{x}(1,0) = \vec{b}$ und $\vec{x}(0,1) = \vec{c}$.

Die Parameterdarstellung der Seitenfläche $(B, G, F, D)$ des Quaders der rechten Figur von S. 323:

$$\vec{x} = \vec{x}(\lambda, \mu) = \vec{b} + \lambda \vec{a} + \mu \vec{c}.$$

*Aufgabe 63:* Wie lautet die Parameterdarstellung der Ebene $(O, B, C)$ des Tetraeders der Figur von S. 323?

*Aufgabe 64:* Wie lautet die Parameterdarstellung der Ebenen $(A, D, E, F)$, $(O, C, D, F)$ und $(A, E, G, B)$ des Quaders der Figur von S. 323?

Man berechne bei der letzten Ebene $\vec{x}(0,0)$, $\vec{x}(1,0)$, $\vec{x}(0,1)$ und $\vec{x}(1,1)$ und vergleiche mit der Aufgabe 60.

*Skalare Multiplikation.* Wir wollen jetzt diskutieren, wie man das Produkt $\vec{w} = a\vec{v}$ mit $\vec{w}, \vec{v} \in V^3$ und $a \in R$ veranschaulichen kann. Dazu greifen wir zunächst auf Satz 45 und die Definition des affinen Teilverhältnisses zurück.

Den Vektor $\vec{w}_1 = \frac{1}{2}\vec{v}$ erhält man durch Antragen an $A$ in derselben Richtung wie der Vektor $\vec{v}$, nur endet die Spitze am Mittelpunkt $M_1$ von $[AB]$. Entsprechend erhält man den Vektor $\vec{w}_2 = \frac{1}{4}\vec{v} = (\frac{1}{2})^2\vec{v}$ durch Antragen bis zum Mittelpunkt $M_2$ von $[AM_1]$, usw. Somit steht fest, wie bei Vorgabe des Vektors $\vec{v}$ alle Vektoren $\vec{w}_i = (\frac{1}{2})^i\vec{v}$ zu veranschaulichen sind (vergleiche Figur).

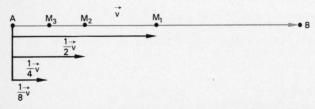

Jetzt erinnern wir uns an den Hilfssatz, nach dem jede positive reelle Zahl als Summe einer natürlichen Zahl (oder der Zahl 0) und einem Dezimalbruch darstellbar ist. Ein Dualbruch ist wiederum darstellbar als Summe gewisser Potenzen von $\frac{1}{2}$ (siehe Abschnitt »Zahlen in der Geometrie«).

Sei also für $a > 0$: $a = n + 0, n_1 n_2 n_3 \ldots$, so ist $\vec{w} = a\vec{v} = n\vec{v} + \vec{v}_1 + \vec{v}_2 + \vec{v}_3 + \cdots$, dann erhält man $\vec{w}$ durch $n$-maliges Antragen von $\vec{v}$ und zusätzliches Antragen der Vektoren $\vec{v}_i$, wobei $\vec{v}_i = (\frac{1}{2})^i\vec{v}$ für $n_i = 1$ und $\vec{v}_i = \vec{0}$ für $n_i = 0$ ist. In der folgenden Figur ist der Vektor $\vec{w} = 4{,}625 \vec{v}$ veranschaulicht (dezimal $0{,}625 =$ dual $0{,}101$!).

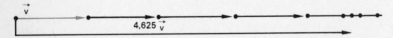

Wenngleich wir, wie schon eingangs betont, keine Längenangaben machen können, sind wir doch in der Lage, zwei linear abhängige Vektoren $\vec{w}$ und $\vec{v}$, für die ja

$$\vec{w} = a\vec{v} \quad \text{oder} \quad \vec{v} = \frac{1}{a}\vec{w} \text{ gilt, miteinander zu vergleichen. Wir sagen } \vec{w} \text{ ist das}$$

$a$-fache von $\vec{v}$ oder $\vec{v}$ ist der $a$-te Teil von $\vec{w}$. Der Fall $a < 0$ kann durch »Richtungsumkehr« auf den Fall $a > 0$ zurückgeführt werden.

*Lineare Abhängigkeit von Vektoren.* Wenngleich wir in den vorhergehenden Abschnitten bereits von zwei linear abhängigen Vektoren gesprochen haben, soll hier noch einmal an die Definition erinnert werden ($\rightarrow$ Algebraische Strukturen).

$n$ Vektoren $a_1, a_2, \ldots a_n$ heißen *linear abhängig*, wenn es $n$ reelle Zahlen $\lambda_1, \lambda_2, \ldots \lambda_n$ gibt, so daß

$$\lambda_1 a_1 + \lambda_2 a_2 + \cdots + \lambda_n a_n = \vec{0} \wedge \lambda_1^2 + \lambda_2^2 + \cdots + \lambda_n^2 \neq 0 \text{ ist.}$$

Gibt es solche Zahlen $\lambda_v$ nicht, dann heißen die Vektoren *linear unabhängig*.

*Bemerkung:* Die zweite Bedingung besagt, daß nicht gleichzeitig alle $\lambda_1, \lambda_2, \ldots \lambda_n$ gleich Null sein dürfen.

Weiterhin übernehmen wir folgende Aussagen über $V^3$:

*1)* Vier Vektoren des $V^3$ sind stets linear abhängig.

*2)* Drei Vektoren eines $U^2$ sind stets linear abhängig.

*3)* Zwei Vektoren eines $U^1$ sind stets linear abhängig.

*4)* Der Nullvektor ist stets linear abhängig.

**Definition:** Zwei linear abhängige Vektoren heißen *parallel* oder *kollinear*. Sind zwei Vektoren linear unabhängig, dann heißen sie *nicht-kollinear*.

*Bemerkung:* Ist nämlich $\lambda_1 \vec{a}_1 + \lambda_2 \vec{a}_2 = \vec{0}$, so können wir $\lambda_1$ (oder $\lambda_2$) $\neq 0$ annehmen. Dann ist aber $\vec{a}_1 = -\dfrac{\lambda_2}{\lambda_1} \vec{a}_2$. Trägt man $\vec{a}_1$ und $\vec{b}_1 = -\dfrac{\lambda_1}{\lambda_2} \vec{a}_2$ von verschiedenen Punkten ab, so sind die von $\vec{a}_1$ und $\vec{b}_1$ erzeugten Geraden parallel (vergleiche Satz 42), oder die Ausgangspunkte und die Endpunkte der Pfeile liegen auf einer Geraden (kollinear!).

**Satz 47:** Sind $\vec{a} \neq \vec{0}$ und $\vec{b} \neq \vec{0}$ zwei nicht parallele Vektoren, dann folgt aus $\lambda_1 \vec{a} + \lambda_2 \vec{b} = \vec{0}$ stets $\lambda_1 = \lambda_2 = 0$.

*Beweis:* Nichtparallele Vektoren sind linear unabhängig.

Die linke Figur veranschaulicht eine Menge untereinander linear abhängiger Vektoren. Sie liegen alle parallel zueinander (und zu dritt nicht notwendig in einer Ebene). Der Vektor $\vec{v}$ (rot) ist von allen linear unabhängig.

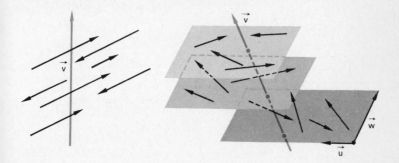

**Definition:** Drei linear abhängige Vektoren heißen *komplanar*. Sind sie linear unabhängig, so heißen drei Vektoren *nicht-komplanar*.

*Bemerkung:* Im Falle der Komplanarität gilt $\lambda_1 \vec{a} + \lambda_2 \vec{b} + \lambda_3 \vec{c} = \vec{0}$. Mit $\lambda_1 \neq 0$ erhält man $\vec{a} = -\dfrac{\lambda_2}{\lambda_1} \vec{b} - \dfrac{\lambda_3}{\lambda_1} \vec{c}$. Sind $\vec{b}$ und $\vec{c}$ linear abhängig, dann ist $\vec{b} = \alpha \vec{c}$ und $\vec{a} = \gamma \vec{c} = \delta \vec{b}$, d.h. die Vektoren sind parallel, die Komplanarität artet in die Kollinearität aus. Sind $\vec{b}$ und $\vec{c}$ linear unabhängig, dann kann man beide Vektoren als Richtungsvektoren einer Ebene auffassen, und dann ist $\vec{a}$ ein Vektor, der in der von $\vec{b}$ und $\vec{c}$ aufgespannten Ebene liegt (komplanar!).

Die rechte Figur veranschaulicht eine Menge von Vektoren, die zu dritt linear abhängig sind, sie liegen entweder in einer Ebene oder in zueinander parallelen Ebenen. Der Vektor $\vec{v}$ (rot) bildet mit zwei Vektoren der Menge, die nicht linear abhängig voneinander sind (etwa $\vec{u}$ und $\vec{w}$) ein Tripel von drei linear unabhängigen Vektoren.

**Satz 48:**   Sind $\vec{a} \neq \vec{0}, \vec{b} \neq \vec{0}$ und $\vec{c} \neq \vec{0}$ drei nicht-komplanare Vektoren, so folgt aus $\lambda_1 \vec{a} + \lambda_2 \vec{b} + \lambda_3 \vec{c} = \vec{0}$ stets $\lambda_1 = \lambda_2 = \lambda_3 = 0$.

*Beweis:* Drei nicht-komplanare Vektoren sind linear unabhängig.

Wir wollen jetzt den Begriff der linearen Abhängigkeit an ausgewählten Beispielen anwenden.

*Beispiel 37:* Man beweise, daß sich die Diagonalen eines Parallelogramms im Mittelpunkt schneiden.

*Lösung:* Seien $\vec{a}$ und $\vec{b}$ zwei linear unabhängige Vektoren (linke Figur), die das Parallelogramm durch Antragen in 0 aufspannen, dann gilt $\overrightarrow{AB} = \vec{b} - \vec{a}$ und $\overrightarrow{OC} = \vec{a} + \vec{b}$. Mit Hilfe des Teilverhältnisses erhält man mit den Bezeichnungen in der Figur *1)* $\vec{u} = \sigma_1(\vec{b} - \vec{a})$ und *2)* $\vec{v} = \sigma_2(\vec{a} + \vec{b})$. Das Dreieck $[OAM]$ wird von einer geschlossenen Vektorkette gebildet, deshalb ist *3)* $\vec{a} + \vec{u} + (-\vec{v}) = \vec{0}$ *1)* und *2)* in *3)* eingesetzt ergibt: $\vec{a} + \sigma_1(\vec{b} - \vec{a}) - \sigma_2(\vec{a} + \vec{b}) = \vec{0}$ oder $(1 - \sigma_1 - \sigma_2) \vec{a} + (\sigma_1 - \sigma_2) \vec{b} = \vec{0}$. Da aber nach Voraussetzung $\vec{a}$ und $\vec{b}$ linear unabhängig sind, muß nach Satz 47 $1 - \sigma_1 - \sigma_2 = 0 \wedge \sigma_1 - \sigma_2 = 0$ sein. Diese Bedingungen sind für $\sigma_1 = \sigma_2 = \frac{1}{2}$ erfüllt.

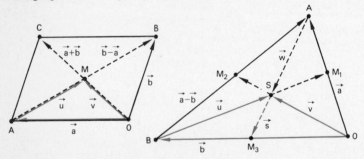

Links *Figur zum Beispiel 37;* rechts *Figur zum Beispiel 38*

*Beispiel 38:* In welchem Verhältnis teilen sich die Seitenhalbierenden eines Dreiecks? Man zeige, daß alle drei durch einen Punkt gehen.

*Lösung:* Mit den Teilverhältnissen $\lambda$, $\mu$ und $\nu$ erhält man nach den Beziehungen in der rechten Figur

*1)* $\vec{u} = \lambda\overline{BM}_1 = \lambda\left(\dfrac{\vec{a}}{2} - \vec{b}\right);$  *2)* $\vec{v} = \mu\,\overline{OM}_2 = \mu\left(\dfrac{\vec{a}}{2} + \dfrac{\vec{b}}{2}\right)$

*3)* $\vec{w} = v\overline{AM}_3 = v\left(\dfrac{\vec{b}}{2} - \vec{a}\right).$

Aus dem Dreieck [OSB] folgt *4)* $\vec{b} + \vec{u} - \vec{v} = \vec{0}$. *1)* und *2)* in *4)* eingesetzt ergibt:

$$\vec{b} + \lambda\left(\frac{\vec{a}}{2} - \vec{b}\right) - \mu\left(\frac{\vec{a}}{2} + \frac{\vec{b}}{2}\right) = \vec{b} + \lambda\frac{\vec{a}}{2} - \lambda\vec{b} - \mu\frac{\vec{a}}{2} - \mu\frac{\vec{b}}{2} = \vec{0}$$

oder $\left(\dfrac{\lambda}{2} - \dfrac{\mu}{2}\right)\vec{a} + \left(1 - \lambda - \dfrac{\mu}{2}\right)\vec{b} = \vec{0}.$

Wegen der linearen Unabhängigkeit von $\vec{a}$ und $\vec{b}$ muß wieder

$$\frac{\lambda}{2} - \frac{\mu}{2} = 0 \wedge 1 - \lambda - \frac{\mu}{2} = 0$$

sein. Diese Bedingung ist erfüllt für $\lambda = \mu = \frac{2}{3}$. Die Seitenhalbierenden teilen sich im gleichen Verhältnis, und zwar: $\overrightarrow{OS} = \frac{2}{3}\,\overrightarrow{OM}_2$; $\overrightarrow{BS} = \frac{2}{3}\,\overrightarrow{BM}_1$ und $\overrightarrow{AS} = \frac{2}{3}\,\overrightarrow{AM}_3$ (letzteres aus Gründen der Gleichwertigkeit).

Um zu zeigen, daß alle drei Seitenhalbierenden durch einen Punkt $S$ gehen, zeigen wir, daß $\vec{w}$ und $\vec{s}$ kollinear sind.

Dem Dreieck [$OSM_3$] entnehmen wir: *5)* $\vec{v} + \vec{s} = \dfrac{\vec{b}}{2}.$ Wir setzen *2)* mit $\mu = \frac{2}{3}$ ein, und erhalten:

$$\vec{s} = \frac{\vec{b}}{2} - \vec{v} = \frac{\vec{b}}{2} - \frac{2}{3}\left(\frac{\vec{a}}{2} + \frac{\vec{b}}{2}\right) = \frac{\vec{b}}{6} - \frac{\vec{a}}{3} = \frac{1}{3}\left(\frac{\vec{b}}{2} - \vec{a}\right).$$

Wir setzen in *4)* noch $v = \dfrac{2}{3}$ ein und erhalten: $\vec{w} = \dfrac{2}{3}\left(\dfrac{\vec{b}}{2} - \vec{a}\right)$, also ist

$$2\vec{s} - \vec{w} = \frac{2}{3}\left(\frac{\vec{b}}{2} - \vec{a}\right) - \frac{2}{3}\left(\frac{\vec{b}}{2} - \vec{a}\right) = \vec{0}$$

und somit sind $\vec{s}$ und $\vec{w}$ kollinear, da linear abhängig.

*Beispiel 39:* Die linke Figur stellt eine Pyramide mit einem Parallelogramm als Grundfläche dar. $M_1$, $M_2$, $M_3$ sind Kantenmitten, $M$ ist der Diagonalenschnittpunkt des Parallelogramms und $S$ der Schwerpunkt des Dreiecks [$ADC$]. Man beweise, daß sich die Geraden $(C, M)$ und $(M_1, S)$ schneiden und bestimme das Teilverhältnis.

*Lösung:* Wir drücken zunächst $\vec{x}$ und $\vec{y}$ durch $\vec{a} = \overrightarrow{OA}$, $\vec{b} = \overrightarrow{OB}$ und $\vec{c} = \overrightarrow{OC}$ aus. Aus Dreieck [$M_1\,SM_2$] folgt:

*1)* $\vec{x} + \frac{1}{3}\,\overrightarrow{CM}_2 - \vec{a} = \vec{0}$. Die Punkte $C$, $M_2$, $A$, $O$ führen zu einer geschlossenen Vektorkette: *2)* $\overrightarrow{CM}_2 - \frac{1}{2}\,\vec{b} - \vec{a} + \vec{c} = \vec{0}$. *2)* in *1)* eingesetzt ergibt:

*3)* $\vec{x} = \frac{2}{3}\,\vec{a} - \frac{1}{6}\,\vec{b} + \frac{1}{3}\,\vec{c}.$

Aus dem Dreieck [$OMC$] folgt $\vec{y} - \frac{1}{2}\,(\vec{a} + \vec{b}) + \vec{c} = 0$ also

*4)* $\vec{y} = \frac{1}{2}\,\vec{a} + \frac{1}{2}\,\vec{b} - \vec{c}.$

Angenommen, $(C, M)$ und $(M_1, S)$ schneiden sich in $T$, dann muß für die Vektorkette $\overrightarrow{M_1T} + \overrightarrow{TM} + \overrightarrow{MM}_1 = \vec{0}$ sein, und außerdem $\overrightarrow{M_1T} = \lambda\,\vec{x}$ und

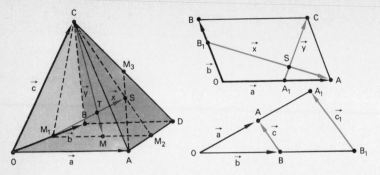

Links *Figur zum Beispiel 39;* rechts oben *Figur zur Aufgabe 65;* darunter *Figur zur Aufgabe 66*

$\overrightarrow{TM} = \mu\,\vec{y}$, also: *5)* $\lambda\,\vec{x} + \mu\,\vec{y} - \frac{1}{2}\,\vec{a} = \vec{0}$. *1)* und *4)* in *5)* eingesetzt und geordnet ergibt:

$$(\tfrac{2}{3}\,\lambda + \tfrac{1}{2}\,\mu - \tfrac{1}{2})\,\vec{a} + (-\tfrac{1}{6}\,\lambda + \tfrac{1}{2}\,\mu)\,\vec{b} + (\tfrac{1}{3}\,\lambda - \mu)\,\vec{c} = \vec{0}.$$

Nach Satz 48 muß wegen der linearen Unabhängigkeit von $\vec{a}, \vec{b}$ und $\vec{c}$

$$\tfrac{2}{3}\,\lambda + \tfrac{1}{2}\,\mu - \tfrac{1}{2} = 0 \wedge - \tfrac{1}{6}\,\lambda + \tfrac{1}{2}\,\mu = 0 \wedge \tfrac{1}{3}\,\lambda - \mu = 0 \text{ sein.}$$

Wenn zwei Zahlen $\lambda$ und $\mu$ existieren, die diesen drei Bedingungen genügen, schneiden sich die beiden Geraden. In der Tat erfüllen $\lambda = \frac{3}{5}$ und $\mu = \frac{1}{5}$ alle drei Bedingungen und es ist $\overrightarrow{M_1T} = \frac{3}{5} \cdot \overrightarrow{M_1S}$ und $\overrightarrow{TM} = \frac{1}{5} \cdot \overrightarrow{CM}$ oder $\overrightarrow{CT} = \frac{4}{5} \cdot \overrightarrow{CM}$.

Aus diesen drei Beispielen kann man schon erkennen, welchen *Vorteil die vektorielle Behandlung der Geometrie* hat. Einmal ist keine so strenge Unterscheidung von zweidimensionalen und dreidimensionalen Aufgaben erforderlich wie in der Koordinatengeometrie (beispielsweise wird $x^2 + y^2 = r^2$ in der Ebene einem Kreis, im Raum einem Zylinder zugeordnet, und ebenso $2x - y = 0$ in der Ebene einer Geraden und im Raum einer Ebene). Zum anderen können wir die Allgemeinheit des Falles viel leichter behandeln als in der Koordinatengeometrie, da dort die algebraischen Beziehungen viel umfangreicher und schwerfälliger zu handhaben sind. Dies war auch der Grund, weswegen wir dort häufig nur spezielle Zahlenbeispiele behandelten.

Bei den folgenden Aufgaben *verweisen wir auf die speziellen Bezeichnungen in den Figuren, um Mißverständnissen bei der Angabe der Lösungen vorzubeugen.*

*Aufgabe 65:* Die Vektoren $\vec{a} = \overrightarrow{OA}$ und $\vec{b} = \overrightarrow{OB}$ spannen ein Parallelogramm [$OACB$] (obere rechte Figur) auf. Ferner sei $\overrightarrow{OA_1} = \frac{2}{3}\,\vec{a}$ und $\overrightarrow{OB_1} = \frac{1}{2} \cdot \vec{b}$. In welchem Verhältnis schneiden sich die Transversalen $(A_1; C)$ und $(A; B_1)$? Wähle $\overrightarrow{A_1S} = \mu\,\vec{y}$ und $\overrightarrow{SA} = \lambda\,\vec{x}$.

*Aufgabe 66:* Beweise die Strahlensätze unter Benutzung der Beziehungen der unteren Figur. Das heißt:

*1)* $\lambda = (O, A; A_1) = (O, B; B_1) = \mu \rightarrow \vec{c} \,||\, \vec{c}_1 \wedge \vec{c}_1 = \lambda\,\vec{c}$;

*2)* $\vec{c}\,||\,\vec{c}_1 \rightarrow \lambda = \mu \wedge \vec{c}_1 = \lambda\vec{c}$.

*Aufgabe 67:* In der linken Figur wird das Tetraeder [$OABC$] von den Vektoren $\vec{a}, \vec{b}, \vec{c}$ aufgespannt. $M_1, M_2, M_3$ sind Kantenmitten, $S_1$ und $S_2$ Dreiecksschwer-

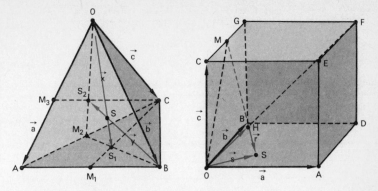

Links *Figur zur Aufgabe 67;* rechts *Figur zur Aufgabe 68*

punkte. Man zeige, daß sich die Schwerlinien $(B, S_2)$ und $(O, S_1)$ in $S$ schneiden und im Verhältnis $\overline{OS}_1 : \overline{SS}_1 = 4:1$ teilen. Wähle $\overline{SS}_1 = \lambda\vec{x}$ und $\overline{BS} = \mu\vec{y}$.

*Aufgabe 68:* Die Vektoren $\vec{a}$, $\vec{b}$ und $\vec{c}$ spannen den Spat der rechten Figur [$OABCDEFG$] auf. $M$ sei der Mittelpunkt der Kante [$CG$] und $H$ ein Punkt, der die Raumdiagonale [$OF$] im Verhältnis $\sigma = (O, F; H) = \frac{1}{3}$ teilt. $S$ sei der »Durchstoßpunkt« der Geraden $(M, H)$ durch die Grundfläche [$OABD$]. Berechne die Vektoren $\overline{OS} = \vec{s}$ und $\overline{HS} = \vec{r}$. Anleitung: Beachte, daß $\vec{s}$, $\vec{a}$ und $b$ linear abhängig sind und deshalb der Ansatz $\vec{s} = \lambda\vec{a} + \mu\vec{b}$ möglich ist.

## Komponentendarstellung von Vektoren

*Skalare und vektorielle Komponenten.* Nach Axiom III$'$ existieren drei Vektoren $\vec{e}_1$, $\vec{e}_2$, $\vec{e}_3$ (Basisvektoren), mit deren Hilfe man jeden Vektor $\vec{v} \in V^\varepsilon$ auf genau eine Weise in der Form

$$\vec{v} = x_1\vec{e}_1 + x_2\vec{e}_2 + x_3\vec{e}_3$$

darstellen kann. $x_1, x_2, x_3$ heißen *skalare Komponenten* des *Vektors $\vec{v}$ bezüglich der Basis* $(\vec{e}_1, \vec{e}_2, \vec{e}_3)$. Außer dieser Basis gibt es noch andere (sogar unendlich viele) und eine »Umrechnung« einer Darstellung in eine andere ist sofort möglich, wenn man weiß, wie sich die einzelnen Basisvektoren der einen Basis durch die der anderen darstellen lassen. Diesen Gedankengang wollen wir nicht weiter verfolgen, sondern vielmehr auf die praktische Seite der Komponentendarstellung eingehen. Dazu benutzt man die sogenannte *Spaltendarstellung,* die sich auf eine feste Basis bezieht. Die *Spalte* hat drei »Zeilen«.

$$\vec{v} = \begin{pmatrix} x_1 \\ x_2 \\ x_3 \end{pmatrix} = x_1\vec{e}_1 + x_2\vec{e}_2 + x_3\vec{e}_3.$$

Bezogen auf die gleiche Basis sind die folgenden drei Sätze wichtig.

**Satz 49:**   Summe und Differenz von zwei Vektoren $\vec{v}_1$ und $\vec{v}_2$ in der Spaltendarstellung erhält man durch Addition bzw. Subtraktion entsprechender Zeilen.

*Beweis:* $\vec{v}_1 \pm \vec{v}_2 = (x_{11}\vec{e}_1 + x_{12}\vec{e}_2 + x_{13}\vec{e}_3) \pm (x_{21}\vec{e}_1 + x_{22}\vec{e}_2 + x_{23}\vec{e}_3)$

$$= (x_{11} \pm x_{21})\,\vec{e}_1 + (x_{12} \pm x_{22})\,\vec{e}_2 + (x_{13} \pm x_{23})\,\vec{e}_3$$

$$= \begin{pmatrix} x_{11} \pm x_{21} \\ x_{12} \pm x_{22} \\ x_{13} \pm x_{23} \end{pmatrix}.$$

**Satz 50:**  Das skalare Produkt von $a \in R$ mit $\vec{v} \in V^3$ erhält man in der Spaltendarstellung durch Multiplikation jeder Zeile mit $a$.

*Beweis:* $a\vec{v} = a(x_1\vec{e}_1 + x_2\vec{e}_2 + x_3\vec{e}_3) = (ax_1)\vec{e}_1 + (ax_2)\vec{e}_2 + (ax_3)\vec{e}_3$

$$= \begin{pmatrix} ax_1 \\ ax_2 \\ ax_3 \end{pmatrix}.$$

**Satz 51:**  Zwei Vektoren $\vec{v}_1$ und $\vec{v}_2$ sind genau dann parallel (kollinear), wenn alle skalaren Komponenten des einen Vektors aus denen des anderen durch Multiplikation mit derselben reellen Zahl $\lambda$ hervorgehen.

*Beweis:* Die Behauptung des Satzes ergibt sich unmittelbar aus Satz 50 und Definition kollinearer Vektoren.

Bei der Behandlung ebener Probleme wird man zweckmäßigerweise zwei der Basisvektoren, sagen wir $\vec{e}_1$ und $\vec{e}_2$, so wählen, daß $\vec{e}_1$ und $\vec{e}_2$ Vektoren des die betreffende Ebene erzeugenden Untervektorraumes sind. Dann lassen sich alle Vektoren in der Form

$$\vec{u} = x_1\vec{e}_1 + x_2\vec{e}_2 + 0 \cdot \vec{e}_3 = \begin{pmatrix} x_1 \\ x_2 \\ 0 \end{pmatrix} = \begin{pmatrix} x_1 \\ x_2 \end{pmatrix}$$

darstellen.

Im ebenen Fall hat unsere Spalte nur zwei Zeilen. Die obigen Sätze gelten auch dafür uneingeschränkt.

Im Gegensatz zu den skalaren Komponenten $x_1$, $x_2$, $x_3$ bezeichnet man $x_1\vec{e}_1 = \vec{v}_1$, $x_2\vec{e}_2 = \vec{v}_2$ und $x_3\vec{e}_3 = \vec{v}_3$ als drei linear unabhängige *vektorielle Komponenten* des Vektors $\vec{v}$, falls alle drei skalaren Komponenten ungleich null sind.

$\vec{v} = \vec{v}_1 + \vec{v}_2 + \vec{v}_3$ heißt dann *Zerlegung eines Vektors in drei linear unabhängige Komponenten*. Dazu denke man sich gemäß der linken Figur von $O$ neben $\vec{v}$ einen weiteren Vektor $\vec{u}$ abgetragen, der von $\vec{v}$ linear unabhängig ist. Dann ist $\vec{v}_3 = \vec{v} - \vec{u}$ eindeutig bestimmt. Also ist $\vec{v} = \vec{u} + \vec{v}_3$, was die Zerlegung von $\vec{v}$ in zwei linear unabhängige Vektoren darstellt. Nun gibt es aber im Raum mindestens drei linear unabhängige Vektoren, neben $\vec{v}$ und $\vec{u}$ sei dies $\vec{v}_2$. Dann ist $\vec{v}_1 = \vec{u} - \vec{v}_2$ eindeutig bestimmt, also $\vec{u} = \vec{v}_1 + \vec{v}_2$ und somit $\vec{v} = \vec{v}_1 + \vec{v}_2 + \vec{v}_3$. Würde man jetzt $\vec{v}_1$, $\vec{v}_2$, $\vec{v}_3$ als Basis wählen, so hätte $\vec{v}$ die skalaren Komponenten $x_1 = x_2 = x_3 = 1$.

**Beispiele und Aufgaben**

*Aufgabe 69:* Gegeben sind die Vektoren in der Spaltendarstellung:

$$\vec{a} = \begin{pmatrix} 1 \\ 0 \\ 2 \end{pmatrix}, \quad \vec{b} = \begin{pmatrix} 2 \\ -3 \\ 1 \end{pmatrix}, \quad \vec{c} = \begin{pmatrix} 1 \\ -1 \\ 0 \end{pmatrix}, \quad \vec{d} = \begin{pmatrix} -2 \\ 1 \\ -1 \end{pmatrix}.$$

Wie lautet die Spaltendarstellung der Vektoren $\vec{a} + \vec{b}$, $\vec{a} - \vec{c}$, $\vec{a} - \vec{b} + \vec{d}$, $2\vec{c}$, $3\vec{a} + 4\vec{d}$, $\vec{b} - 2\vec{c}$?

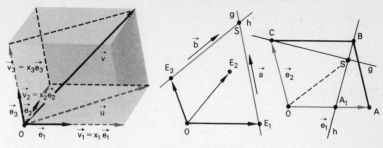

Links *Figur zur Zerlegung eines Vektors in drei linear unabhängige Komponenten; in der Mitte Figur zu Beispiel 40;* rechts *Figur zu Beispiel 41*

*Aufgabe 70:* Welche der Vektoren sind parallel?

$$\vec{a} = \begin{pmatrix} 0 \\ 1 \\ 2 \end{pmatrix}, \quad \vec{b} = \begin{pmatrix} -1 \\ 2 \\ 3 \end{pmatrix}, \quad \vec{c} = \begin{pmatrix} 5 \\ -10 \\ -15 \end{pmatrix}, \quad \vec{d} = \begin{pmatrix} 0 \\ 2 \\ 1 \end{pmatrix}, \quad \vec{e} = \begin{pmatrix} 0 \\ -2 \\ -1 \end{pmatrix}.$$

*Beispiel 40:* Seien $\overrightarrow{OE_1} = \vec{e}_1$, $\overrightarrow{OE_2} = \vec{e}_2$ und $\overrightarrow{OE_3} = \vec{e}_3$ Basisvektoren und

$$\vec{a} = \begin{pmatrix} -1,5 \\ 2 \\ 3 \end{pmatrix} \quad \text{und} \quad \vec{b} = \begin{pmatrix} 1,5 \\ 6 \\ 3 \end{pmatrix}.$$ Sei $g$ eine Gerade mit dem Richtungsvektor $\vec{a}$,

die durch $E_1$ geht, und $h$ eine Gerade mit dem Richtungsvektor $\vec{b}$, die durch $E_3$ geht.

*1)* Man beweise, daß sich $g$ und $h$ in $S$ schneiden.

*2)* Welches sind die Spaltendarstellungen von $E_1 S$ und $\overrightarrow{E_3 S}$?

*Lösung:* Wenn sich $g$ und $h$ schneiden sollen (mittlere Figur), dann muß eine geschlossene Vektorkette $\overrightarrow{OE_1} + \overrightarrow{E_1 S} + (-\overrightarrow{E_3 S}) + (-\overrightarrow{OE_3}) = \vec{0}$ existieren. In der Komponentenschreibweise bedeutet dies mit $\alpha \vec{a} = \overrightarrow{E_1 S}$ und $\beta \vec{b} = \overrightarrow{E_3 S}$:

$$\begin{pmatrix} 1 \\ 0 \\ 0 \end{pmatrix} + \alpha \begin{pmatrix} -1,5 \\ 2 \\ 3 \end{pmatrix} - \beta \begin{pmatrix} 1,5 \\ 6 \\ 3 \end{pmatrix} - \begin{pmatrix} 0 \\ 0 \\ 1 \end{pmatrix} = \begin{pmatrix} 0 \\ 0 \\ 0 \end{pmatrix}$$

oder

$$\begin{pmatrix} 1 - 1,5\alpha - 1,5\beta - 0 \\ 0 + 2\alpha - 6\beta - 0 \\ 0 + 3\alpha - 3\beta - 1 \end{pmatrix} = \begin{pmatrix} 0 \\ 0 \\ 0 \end{pmatrix}.$$

Somit erhält man für $\alpha$ und $\beta$ die Bedingung:

$1 - 1,5\alpha - 1,5\beta = 0 \wedge 2\alpha - 6\beta = 0 \wedge 3\alpha - 3\beta - 1 = 0$. Diese ist für $\alpha = \frac{1}{2}$ und $\beta = \frac{1}{6}$ erfüllt. Damit ist die Existenz der geschlossenen Vektorkette und damit $g \cap h \neq \emptyset$ gesichert.

*2)* Es ist $\overrightarrow{E_1 S} = \frac{1}{2} \vec{a} = \begin{pmatrix} -0,75 \\ 1 \\ 1,5 \end{pmatrix}$, $\quad \overrightarrow{E_3 S} = \frac{1}{6} \vec{b} = \begin{pmatrix} 0,25 \\ 1 \\ 0,5 \end{pmatrix}$.

*Aufgabe 71:* In Beispiel 40 sei noch $\vec{c} = 0,75\vec{e}_1 + 1\vec{e}_2 + 3,5\vec{e}_3$ und $f$ eine Gerade, die durch $E_2$ geht und den Richtungsvektor $\vec{c}$ hat.

*1)* Man beweise, daß sich die Geraden $h$ und $f$ in einem Punkt $T$ schneiden.

*2)* Welches sind die Spaltendarstellungen von $\overrightarrow{E_2 T}$, $\overrightarrow{E_3 T}$ und $\overrightarrow{OT}$?

*3)* Man zeige, daß $g$ und $f$ windschief sind.

(Anleitung zu 3): Man zeige, daß die Annahme eines Schnittpunktes $R$ und einer entsprechenden geschlossenen Vektorkette zum Widerspruch führt!)

*Beispiel 41:* Die Basisvektoren $\overrightarrow{OA} = \vec{e}_1$ und $\overrightarrow{OC} = \vec{e}_2$ spannen ein Parallelogramm $[OABC]$ auf. $A_1$ ist bestimmt durch $\overrightarrow{OA}_1 = \frac{3}{5}\vec{e}_1$. Durch $C$ geht eine Gerade $g$ mit dem Richtungsvektor $\vec{c} = \frac{5}{4}\vec{e}_1 - \frac{1}{3}\vec{e}_2$.

Die Geraden $g$ und $h = (A_1, B)$ schneiden sich in $S$.

*1)* Man berechne das Teilverhältnis $(A_1, B; S)$.

*2)* Welches ist die Spaltendarstellung von $\overrightarrow{OS}$?

*Lösung: 1)* Vektorkette: $\overrightarrow{OA}_1 + \overrightarrow{A_1B} - \vec{e}_1 - \vec{e}_2 = \vec{0}$, also $\overrightarrow{A_1B} = \vec{e}_1 + \vec{e}_2 - \overrightarrow{OA}_1$

$= \vec{e}_1 + \vec{e}_2 - \frac{3}{5}\vec{e}_1 = \frac{2}{5}\vec{e}_1 + \vec{e}_2 = \begin{pmatrix} 0{,}4 \\ 1 \end{pmatrix}$. Nach der Definition des Teilverhältnisses

ist $\overrightarrow{A_1S} = \sigma \overrightarrow{A_1B}$ (rechte Figur). Vektorkette: $\overrightarrow{OA}_1 + \overrightarrow{A_1S} + \overrightarrow{SC} + \overrightarrow{CO} = 0$ oder

$$\begin{pmatrix} 0{,}6 \\ 0 \end{pmatrix} + \sigma \begin{pmatrix} 0{,}4 \\ 1 \end{pmatrix} + \mu \begin{pmatrix} \frac{5}{4} \\ -\frac{1}{3} \end{pmatrix} - \begin{pmatrix} 0 \\ 1 \end{pmatrix} = \begin{pmatrix} 0 \\ 0 \end{pmatrix}.$$

Bedingung: $0{,}6 + 0{,}4\sigma + \frac{5}{4}\mu = 0 \wedge \sigma - \frac{1}{3}\mu - 1 = 0$;

erfüllt für $\sigma = \frac{63}{83}$ und $\mu = -\frac{60}{83}$. Also $(A_1, B; S) = \frac{63}{83}$.

*2)* $\overrightarrow{OS} = \begin{pmatrix} 0{,}6 \\ 0 \end{pmatrix} + \frac{63}{83} \cdot \begin{pmatrix} 0{,}4 \\ 1 \end{pmatrix} = \begin{pmatrix} \frac{75}{83} \\ \frac{63}{83} \end{pmatrix}.$

*Aufgabe 72:* Gegeben sind die Basis $\overrightarrow{OE}_1 = \vec{e}_1$ und $\overrightarrow{OE}_2 = \vec{e}_2$ und die Vektoren

$\overrightarrow{OP} = 18\vec{e}_1$ und $\vec{q} = \overrightarrow{PQ} = \begin{pmatrix} -9 \\ -8 \end{pmatrix}$. Welches ist die Spaltendarstellung des Vektors $\lambda\vec{q} = \overrightarrow{PS}$, dessen Endpunkt $S$ auf der von $\vec{e}_2$ erzeugten Geraden $g = (O, E_2)$ liegt?

## Die Erweiterung des affinen Punktraumes zum euklidischen Punktraum

Wie wir schon angedeutet haben, führt die Ergänzung des Axiomensystems des affinen Punktraumes durch metrische Axiome zum euklidischen Punktraum.

Schon beim Teilverhältnis haben wir darauf hingewiesen, daß im Bereich der affinen Geometrie nur linear abhängige Vektoren im Sinne des Teilverhältnisses als Vielfache und Teile eines anderen Vektors aufgefaßt werden können. Ein entsprechender Vergleich linear unabhängiger Vektoren ist erst dann möglich, wenn der Begriff der Länge eines Vektors definiert ist, d. h. wenn eine *Normierung* vorliegt. Außerdem muß der Begriff der *Orthogonalität von Vektoren* aus den Axiomen herleitbar sein. Dies wird über den Begriff des *Skalarproduktes zweier Vektoren* geschehen (nicht zu verwechseln mit dem Produkt eines Skalars mit einem Vektor!).

**Metrische Axiome – Norm und Skalarprodukt.** Wir formulieren jetzt die erforderlichen Axiome:

$V', 0:$    Jedem Vektor $\vec{v} \in V^3$ ist eine nicht-negative reelle Zahl $\vec{v}^2 \in R$, die *Norm des Vektors*, zugeordnet $(\vec{v} \to \vec{v}^2)$

$V'$, 1:     Für alle $\vec{v} \in V^3$ und alle $a \in R$ gilt:
$$(a\vec{v})^2 = a^2 \cdot \vec{v}^2.$$

$VI'$, 0:     Jedem Paar von Vektoren $\vec{v}, \vec{w} \in V^3$ ist eine reelle Zahl $\vec{v} \cdot \vec{w} \in R$, das *Skalarprodukt der beiden Vektoren,* zugeordnet $(\vec{v}; \vec{w}) \to \vec{v} \cdot \vec{w}$.
Für alle $\vec{u}, \vec{v}, \vec{w} \in V^3$ und alle $a \in R$ gilt:
$VI'$, 1:     $\vec{v} \cdot \vec{w} = \vec{w} \cdot \vec{v}$;     $VI'$, 2: $\vec{u} \cdot (\vec{v} + \vec{w}) = \vec{u} \cdot \vec{v} + \vec{u} \cdot \vec{w}$;
$VI'$, 3:     $(a\vec{v}) \cdot \vec{w} = a(\vec{v} \cdot \vec{w})$;     $VI'$, 4: $\vec{v} \cdot \vec{v} = \vec{v}^2$.

**Definition**  »*Betrag (Länge) eines Vektors*«: Ein Vektor $\vec{v}$ hat die *Länge* oder den *Betrag* $|\vec{v}| = \sqrt{\vec{v}^2}$  ($\vec{v}^2 =$ Norm von $\vec{v}$).

**Definition**  »*Einheitsvektor*«: Ein Vektor $\vec{v}$ mit $\vec{v}^2 = 1$ heißt Einheitsvektor.

*Bemerkungen zu den Axiomen: 1)* An Hand der Definition der Länge eines Vektors ist ersichtlich, daß die Norm eines Vektors dem Quadrat einer Länge entspricht, die in der Satzgruppe des Pythagoras in der zweiten Potenz auftritt.
*2)* Das Axiom $V'$, 1 bedeutet dann, daß das a-fache eines Vektors auch zur a-fachen Länge führt.
*3)* Die Axiome $VI'$, 1 und $VI'$, 2 entsprechen, bei parallelen Vektoren, die man von einem Punkt abträgt, dem gewöhnlichen arithmetischen Produkt.
*4)* Axiom $VI'$, 3 sichert die Verträglichkeit der Skalarproduktbildung mit der skalaren Multiplikation ebenso ab, wie Axiom $VI'$, 2 bezüglich der Vektoraddition.
*5)* Mit dem Axiom $VI'$, 4 wird das Skalarprodukt mit der Norm in Beziehung gesetzt.

**Satz 52:**     Für die Norm und den Betrag der Vektoren gilt
*1)* $\vec{0}^2 = 0$, $|\vec{0}| = 0$     *2)* $(-\vec{v})^2 = \vec{v}^2$, $|-\vec{v}| = |\vec{v}|$.

*Beweis: 1)* Man setze in $V'$, 1 für $a = 0$;  *2)* Man setze in $V'$, 1 für $a = -1$.

**Satz 53:**     Zu jedem Vektor $\vec{v} \neq 0$ gibt es einen (gleichgerichteten) Einheitsvektor $\vec{v}_0$ und es gilt
$$\vec{v}_0 = \frac{\vec{v}}{\sqrt{\vec{v}^2}} = \frac{\vec{v}}{|\vec{v}|}.$$

*Beweis:* Sei $\vec{v}^2 = r^2$, dann können wir $r > 0$ annehmen. $\vec{v}_0 = \frac{1}{r} \vec{v}$ hat den Betrag 1, denn es ist nach $V'$, 1 $\vec{v}_0^2 = \frac{1}{r^2} \vec{v}^2 = \frac{\vec{v}^2}{\vec{v}^2} = 1$. Mit $r = \sqrt{\vec{v}^2} = |\vec{v}|$ folgt die im Satz angegebene Darstellung von $v_0$.

**Satz 54:**     Die Normen aller Vektoren und die Skalarprodukte aller Paare von Vektoren sind durch die Normen und die Skalarprodukte der *Basisvektoren* bestimmt.

*Beweis:* Seien $\vec{e}_1, \vec{e}_2, \vec{e}_3$ drei Basisvektoren und $\vec{v}_1$ und $\vec{v}_2$ zwei beliebige Vektoren, dann ist $\vec{v}_1 = x_{11}\vec{e}_1 + x_{12}\vec{e}_2 + x_{13}\vec{e}_3$ und $\vec{v}_2 = x_{21}\vec{e}_1 + x_{22}\vec{e}_2 + x_{23}\vec{e}_3$ und unter Anwendung der Axiome $VI'$, 1–4:
$\vec{v}_1 \cdot \vec{v}_2 = x_{11}x_{21}\vec{e}_1^2 + x_{12}x_{22}\vec{e}_2^2 + x_{13}x_{23}\vec{e}_2^3 + (x_{11}x_{22} + x_{12}x_{21})\vec{e}_1\vec{e}_2 + (x_{11}x_{23} + x_{13}x_{21})\vec{e}_1\vec{e}_3 + (x_{12}x_{23} + x_{13}x_{22})\vec{e}_2\vec{e}_3$.

Für die Norm eines Vektors $v_1 = x_{11}\vec{e}_1 + x_{12}\vec{e}_2 + x_{13}\vec{e}_3$ gilt speziell:
$$\vec{v}_1^2 = x_{11}^2\vec{e}_1{}^2 + x_{12}^2\vec{e}_2^2 + x_{13}^2\vec{e}_3^2 + 2x_{11}x_{12}\vec{e}_1\vec{e}_2 + 2x_{11}x_{13}\vec{e}_1\vec{e}_3 + 2x_{12}x_{13}\vec{e}_2\vec{e}_3.$$
Da die $x_{ij}$ $(i = 1, 2, 3;\ j = 1, 2, 3)$ nach Axiom III′ eindeutig bestimmt sind, ist in der Tat $\vec{v}_1 \cdot \vec{v}_2$ und $\vec{v}_1^2$ bestimmt, wenn man die Normen $\vec{e}_1^2, \vec{e}_2^2, \vec{e}_3^2$ und die Skalarprodukte $\vec{e}_1 \cdot \vec{e}_2,\ \vec{e}_2 \cdot \vec{e}_3,\ \vec{e}_1 \cdot \vec{e}_3$ kennt.

*Orthogonalität von Vektoren.* Nach Satz 52 gibt es zu jedem Vektor $\vec{v}$ einen weiteren Vektor mit der gleichen Norm, nämlich $-\vec{v}$. Die beiden Vektoren sind linear abhängig. Es gilt aber auch die weitergehende Aussage des folgenden Satzes.

**Satz 55:**    Es gibt linear unabhängige Vektoren mit gleicher Norm.

*Beweis:* Seien $\vec{v}$ und $\vec{w}$ linear unabhängig, dann folgt aus $\lambda_1\vec{v} + \lambda_2\vec{w} = \vec{0}$ $\lambda_1 = \lambda_2 = 0$. Betrachte $\vec{w}_1 = \vec{w}_0 \cdot |\vec{v}| = \dfrac{|\vec{v}|}{|\vec{w}|} \cdot \vec{w}$. Dann ist $|\vec{w}_1| = \dfrac{|\vec{v}|}{|\vec{w}|} \cdot |\vec{w}| = |\vec{v}|$. Angenommen, $\vec{v}$ und $\vec{w}_1$ wären linear abhängig, dann wäre $\vec{w}_1 = \alpha \cdot \vec{v}$ mit $\alpha \neq \vec{0}$ und somit $\dfrac{|\vec{v}|}{|\vec{w}|} \cdot \vec{w} - \alpha \cdot \vec{v} = \vec{0}$; $\lambda_2 = \dfrac{|\vec{v}|}{|\vec{w}|}$ und $\lambda_1 = -\alpha$ ergäbe einen Widerspruch zur linearen Unabhängigkeit von $\vec{v}$ und $\vec{w}$.

**Satz 56:**    Seien $\vec{v}$ und $\vec{w}$ zwei Vektoren mit gleicher Norm,
$\vec{a} = \vec{v} + \vec{w}$ und $\vec{b} = \vec{v} - \vec{w}$, so ist $\vec{a} \cdot \vec{b} = 0$.

*Beweis:* $\vec{a} \cdot \vec{b} = (\vec{v} + \vec{w})(\vec{v} - \vec{w}) = \vec{v}^2 - \vec{w}^2 - \vec{v} \cdot \vec{w} + \vec{v} \cdot \vec{w} = \vec{v}^2 - \vec{w}^2 = 0$ wegen $\vec{v}^2 = \vec{w}^2$.

*Interpretation des Satzes 56: Fall I:* $\vec{v}$ und $\vec{w}$ sind linear abhängig: $\vec{v} = \lambda\vec{w}$. Dann ist $\vec{a} = (\lambda + 1)\vec{w}$, $\vec{b} = (\lambda - 1)\vec{w}$ und $\vec{a} \cdot \vec{b} = (\lambda^2 - 1)\vec{w}^2 = 0$. Ist $\vec{w} = 0$, dann ist $\vec{a} = \vec{b} = 0$ und wir haben $\vec{0} \cdot \vec{0} = 0$ in Übereinstimmung mit Satz 52. Ist $\vec{w} \neq 0$, dann muß $\lambda^2 - 1 = 0$ sein, also $\lambda = 1$ oder $\lambda = -1$. $\lambda = 1$ ergibt $\vec{a} = 2\vec{w}$ und $\vec{b} = \vec{0}$, also $\vec{a} \cdot \vec{0} = 0$ und $\lambda = -1$ ergibt $\vec{0} \cdot \vec{b} = 0$.

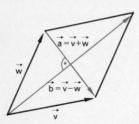

*Figur zur Interpretation des Satzes 56*

In diesem Falle stimmt die Produktbildung mit der skalarer Größen überein.
*Fall II:* Im Falle der linearen Unabhängigkeit (siehe Figur) von $\vec{v}$ und $\vec{w}$ spannen die beiden Vektoren eine Raute auf ($|\vec{v}| = |\vec{w}|$!). Aus der Elementargeometrie weiß man, daß in einer Raute die Diagonalen senkrecht stehen; deshalb ist es mit Hilfe des Skalarproduktes möglich, die *Orthogonalität* zu definieren.

**Definition**    »*Orthogonalität von Vektoren*«: Zwei Vektoren $\vec{a} \neq \vec{0}$ und $\vec{b} \neq \vec{0}$ heißen *orthogonal* dann und nur dann, wenn $\vec{a} \cdot \vec{b} = 0$ ist $(\vec{a} \perp \vec{b})$.

*Bemerkung:* Die Relation $\vec{a} \perp \vec{b}$ ist symmetrisch wegen $\vec{a} \cdot \vec{b} = \vec{b} \cdot \vec{a} = 0$ aber nicht reflexiv und nicht transitiv.

**Satz 57:** Ist $\vec{a} \perp \vec{b}$, so ist $\vec{a}$ zu jedem zu $\vec{b}$ parallelen Vektor orthogonal.

*Beweis:* Sei $\vec{c} \parallel \vec{b}$, dann ist nach Definition $\vec{c} = \lambda \vec{b}$ und somit ist nach Axiom VI', 3 $\vec{a} \cdot \vec{c} = \vec{a} \cdot (\lambda \vec{b}) = \lambda(\vec{a} \cdot \vec{b}) = \lambda \cdot 0 = 0$.

**Satz 58:** Ist $\vec{a} \perp \vec{b} \wedge \vec{a} \perp \vec{c}$, so ist $\vec{a}$ zu allen Linearkombinationen $\vec{d} = \lambda \vec{b} + \mu \vec{c}$ orthogonal.

*Beweis:* $\vec{d} \cdot \vec{a} = \lambda \vec{b} \cdot \vec{a} + \mu \vec{c} \cdot \vec{a} = \lambda \cdot 0 + \mu \cdot 0 = 0$.

Den Satz 58 kann man auch folgendermaßen interpretieren. Steht ein Vektor auf zwei Vektoren senkrecht, die eine Ebene aufspannen, so steht er auf allen Vektoren senkrecht, die zu dem die Ebene erzeugenden Untervektorraum gehören.

**Definition** »*orthonormierte Basis*«: Drei Vektoren $\vec{e}_1, \vec{e}_2, \vec{e}_3$, die dem Axiom III' genügen, nennt man eine *orthonormierte Basis*, wenn sie die *Norm* 1 haben und *paarweise orthogonal* sind. Neben der Eigenschaft der eindeutigen Darstellung der Vektoren von $V^3$ gilt also noch:

*I)* $\vec{e}_1^2 = \vec{e}_2^2 = \vec{e}_3^2 = 1$    *II)* $\vec{e}_1 \cdot \vec{e}_2 = \vec{e}_1 \cdot \vec{e}_3 = \vec{e}_2 \cdot \vec{e}_3 = 0$.

Ehe wir die Frage beantworten können, ob es überhaupt solche Vektoren gibt, müssen wir noch einen Hilfssatz aus der Vektoralgebra formulieren, den wir hier nicht beweisen wollen (siehe Algebraische Strukturen).

**Hilfssatz:** Drei linear unabhängige Vektoren des $V^3$ stellen stets eine *Basis* (im Sinne des Axioms III') des $V^3$ dar.

**Satz 59:** Es gibt orthonormierte Basen.

*Beweis:* Zweierlei muß gezeigt werden. Einmal die Existenz von Vektoren mit den Eigenschaften *I)* und *II)* der Definition der orthonormierten Basis und zum anderen die Basiseigenschaft dieser Vektoren.

*1) Existenz:* Seien $\vec{a}_1, \vec{a}_2, \vec{a}_3$ drei linear unabhängige Vektoren. Wir wählen

*1)* $\vec{e}_1 = \dfrac{1}{|\vec{a}_1|} \cdot \vec{a}_1$, dann ist $\vec{e}_1^2 = 1$. Wir wählen weiterhin *2)* $\vec{e}_2 = \dfrac{1}{|\vec{b}|} \cdot \vec{b}$ mit

*3)* $\vec{b} = \vec{a}_2 - (\vec{a}_2 \cdot \vec{e}_1)\vec{e}_1$, dann ist $\vec{e}_2^2 = 1$ und

$$\vec{e}_2 \cdot \vec{e}_1 = \frac{1}{|\vec{b}|}(\vec{b} \cdot \vec{e}_1) = \frac{1}{|\vec{b}|} [\vec{a}_2 \cdot \vec{e}_1 - (\vec{a}_2 \cdot \vec{e}_1) \cdot \vec{e}_1^2] = 0.$$

Schließlich wählen wir *4)* $\vec{e}_3 = \dfrac{1}{|\vec{c}|} \cdot \vec{c}$ mit

*5)* $\vec{c} = \vec{a}_3 - (\vec{a}_3 \cdot \vec{e}_1) \cdot \vec{e}_1 - (\vec{a}_3 \cdot \vec{e}_2) \cdot \vec{e}_2$, dann ist $\vec{e}_3^2 = 1$ und

$$\vec{e}_3 \cdot \vec{e}_1 = \frac{1}{|\vec{c}|} [\vec{a}_3 \cdot \vec{e}_1 - (\vec{a}_3 \cdot \vec{e}_1) \cdot \vec{e}_1^2 - (\vec{a}_3 \cdot \vec{e}_2) \cdot (\vec{e}_2 \cdot \vec{e}_1)] = 0 \text{ sowie}$$

$$\vec{e}_3 \cdot \vec{e}_2 = \frac{1}{|\vec{c}|} [\vec{a}_3 \cdot \vec{e}_2 - (\vec{a}_3 \cdot \vec{e}_1) \cdot (\vec{e}_1 \cdot \vec{e}_2) - (\vec{a}_3 \cdot \vec{e}_2) \cdot \vec{e}_2^2] = 0.$$

Die so konstruierten Vektoren erfüllen also die Bedingungen *I)* und *II)*.

*2) Basiseigenschaft:* Zu zeigen ist, daß sich jeder Vektor von $V^3$ durch die konstruierten Vektoren $\vec{e}_1, \vec{e}_2$ und $\vec{e}_3$ darstellen läßt und daß diese Darstellung eindeutig ist. Nach dem Hilfssatz gilt dies für einen beliebigen Vektor $\vec{v}$ bezüglich der Basisvektoren $\vec{a}_1, \vec{a}_2$ und $\vec{a}_3$: $\vec{v} = x_1 \vec{a}_1 + x_2 \vec{a}_2 + x_3 \vec{a}_3$.

Aus *1)* folgt $\vec{a}_1 = |\vec{a}_1| \cdot \vec{e}_1$,

aus *2)* und *3)* folgt $\vec{a}_2 = |\vec{b}| \vec{e}_2 + (\vec{a}_2 \cdot \vec{e}_1)\vec{e}_1$

und aus *4)* und *5)* folgt $\vec{a}_3 = |\vec{c}|\vec{e}_3 + (\vec{a}_3 \cdot \vec{e}_1)\vec{e}_1 + (\vec{a}_3 \cdot \vec{e}_2)\vec{e}_2$.

Somit lassen sich in der Tat alle Vektoren $\vec{v}$ in der Form

$\vec{v} = \alpha_1\vec{e}_1 + \alpha_2\vec{e}_2 + \alpha_3\vec{e}_3$ darstellen,

wobei $\alpha_1 = x_1 \cdot |\vec{a}_1| + x_2(\vec{a}_2 \cdot \vec{e}_1) + x_3(\vec{a}_3 \cdot \vec{e}_1)$,   $\alpha_2 = x_2 \cdot |\vec{b}| + x_3(\vec{a}_3 \cdot \vec{e}_2)$   und

$\alpha_3 = x_3 \cdot |\vec{c}|$ ist.

Gäbe es noch eine zweite Darstellung  $v = \beta_1\vec{e}_1 + \beta_2\vec{e}_2 + \beta_3\vec{e}_3$,  so führt die Differenz der beiden Darstellungen zu

$$(\alpha_1 - \beta_1)\vec{e}_1 + (\alpha_2 - \beta_2)\vec{e}_2 + (\alpha_3 - \beta_3)\vec{e}_3 = \vec{0}.$$

Multipliziert man diese Gleichung mit $\vec{e}_1$, so folgt $\alpha_1 = \beta_1$, mit $\vec{e}_2$, so folgt $\alpha_2 = \beta_2$ und mit $\vec{e}_3$, so folgt $\alpha_3 = \beta_3$, d.h. die Darstellung ist eindeutig. Damit ist aber der Satz vollständig bewiesen.

**Satz 60:**   Sei $(\vec{e}_1, \vec{e}_2, \vec{e}_3)$ eine orthonormierte Basis und

$\vec{v}_1 = x_{11}\vec{e}_1 + x_{12}\vec{e}_2 + x_{13}\vec{e}_3$   und   $\vec{v}_2 = x_{21}\vec{e}_1 + x_{22}\vec{e}_2 + x_{23}\vec{e}_3$,

so lassen sich die Normen und das Skalarprodukt der Vektoren durch die skalaren Komponenten wie folgt darstellen:

$\vec{v}_1^2 = x_{11}^2 + x_{12}^2 + x_{13}^2$;   $\vec{v}_2^2 = x_{21}^2 + x_{22}^2 + x_{23}^2$;

$\vec{v}_1 \cdot \vec{v}_2 = x_{11}x_{21} + x_{12}x_{22} + x_{13}x_{23}$.

*Beweis:* Man wende auf die Beziehungen beim Beweis des Satzes 54 die in der Definition ausgesprochenen Eigenschaften einer orthonormierten Basis an.

*Winkelmaßzahl zweier Vektoren, Projektion eines Vektors und Veranschaulichung des Skalarproduktes.* Mit Hilfe des Skalarproduktes lassen sich sehr viel einfacher als bisher Winkelmaßzahlen von Vektoren und damit von Geraden (die durch einen Punkt gehen) einführen.

**Definition**   »*Winkelmaßzahl zweier Vektoren*«: Seien $\vec{a} \neq 0$ und $\vec{b} \neq 0$ zwei beliebige Vektoren aus $V^3$, so wird dem Vektorpaar $\vec{a}$, $\vec{b}$ die *Winkelmaßzahl* $\varphi = \varphi(\vec{a}, \vec{b}) = \varphi(\vec{b}, \vec{a})$ durch die Beziehung

$$\cos\varphi = \frac{\vec{a} \cdot \vec{b}}{|\vec{a}| \cdot |\vec{b}|} = \vec{a}_0 \cdot \vec{b}_0 \text{ zugeordnet.}$$

*Bemerkung:* Wegen der Eindeutigkeit der cos-Funktion im Intervall $0 \leq \varphi \leq \pi$ entspricht jedem Wert von $\cos\varphi$ genau eine Winkelmaßzahl $\varphi$ und umgekehrt. Jedem Vektorpaar wird genau eine Zahl $\varphi$ zugeordnet, aber natürlich nicht umgekehrt.

**Satz 61:**   Die Winkelmaßzahl paralleler Vektoren ist $\varphi = 0$ oder $\varphi = \pi$, die Winkelmaßzahl orthogonaler Vektoren ist $\varphi = \dfrac{\pi}{2}$.

*Beweis:* $\vec{a} \parallel \vec{b}$, dann ist $\vec{a} = \lambda\vec{b}$ und

$$\cos\varphi = \frac{\lambda\vec{b} \cdot \vec{b}}{|\lambda\vec{b}| \cdot |\vec{b}|} = \frac{\lambda\vec{b}^2}{|\lambda|\vec{b}^2} = \frac{\lambda}{|\lambda|} = \begin{cases} +1 \text{ falls } \lambda > 0 \\ -1 \text{ falls } \lambda < 0. \end{cases}$$

Ist dagegen $\vec{a} \perp \vec{b}$, so ist $\vec{a} \cdot \vec{b} = 0$ und damit $\cos\varphi = 0$.

**Definition**   »*Projektion eines Vektors*«: Unter der *Projektion* $\vec{a}'$ von $\vec{a}$ auf $\vec{b}$ versteht man einen Vektor $\vec{a}'$ (siehe linke Figur), der

*1)* parallel zu $\vec{b}$ $(\vec{a}' \parallel \vec{b})$ und

*2)* senkrecht zu $\vec{a} - \vec{a}'$ ist $(\vec{a}' \perp \vec{a} - \vec{a}')$.

**Satz 62:** Die Länge der Projektion $\vec{a}\,'$ ist von der Länge von $\vec{b}$ unabhängig und

es ist $\vec{a}\,' = \dfrac{\vec{b} \cdot \vec{a}}{\vec{b}^2} \cdot \vec{b}$.

*Beweis:* $\vec{a}\,' \| \vec{b}$ bedeutet, daß die beiden Vektoren linear abhängig sind, also $\vec{a}\,' = \lambda \vec{b}$. $\vec{a}\,' \perp (\vec{a} - \vec{a}\,')$ bedeutet $\vec{a}\,' \cdot (\vec{a} - \vec{a}\,') = \lambda \vec{b}(\vec{a} - \lambda \vec{b}) = 0$.

*1)* Ist $\lambda \neq 0$, dann ist $\vec{b} \cdot \vec{a} - \lambda \vec{b}^2 = 0$ und somit $\lambda = \dfrac{\vec{b} \cdot \vec{a}}{\vec{b}^2}$. Also gilt die eine

Behauptung des Satzes $\vec{a}\,' = \lambda \vec{b} = \dfrac{\vec{b} \cdot \vec{a}}{\vec{b}^2} \cdot \vec{b}$.

Für die Norm von $\vec{a}\,'$ gilt:

$\vec{a}\,'^2 = \dfrac{(\vec{b} \cdot \vec{a})^2}{(\vec{b}^2)^2} \cdot \vec{b}^2 = \dfrac{(\vec{b} \cdot \vec{a})^2}{(\vec{b})^2} = \left( \dfrac{\vec{b}}{\sqrt{\vec{b}^2}} \cdot \vec{a} \right)^2 = (\vec{b}_0 \cdot \vec{a})^2$    mit dem

Einheitsvektor $\vec{b}_0 = \dfrac{\vec{b}}{\sqrt{\vec{b}^2}} = \dfrac{\vec{b}}{|\vec{b}|}$ von $\vec{b}$.

*2)* Ist $\lambda = 0$, dann ist aber auch $\vec{a}\,' = 0$ und $\vec{a}\,'^2 = 0$.

*Veranschaulichung des Skalarproduktes:* Im Falle von $\varphi < \dfrac{\pi}{2}$ ist $\cos\varphi > 0$ und

dann auch $\vec{a} \cdot \vec{b} > 0$ und $\vec{a} \cdot \vec{b}_0 > 0$. Die Länge der Projektion $\vec{a}\,'$ von $\vec{a}$ auf $\vec{b}$ erhält man aus obiger Norm:

$$|\vec{a}\,'| = \sqrt{(\vec{b}_0 \cdot \vec{a})^2} = \vec{b}_0 \cdot \vec{a}.$$

Dies ermöglicht die Umformung

$$\cos\varphi = \frac{\vec{a} \cdot \vec{b}}{|\vec{a}| \cdot |\vec{b}|} = \frac{\vec{a} \cdot \vec{b}_0}{|\vec{a}|} = \frac{|\vec{a}\,'|}{|\vec{a}|}.$$

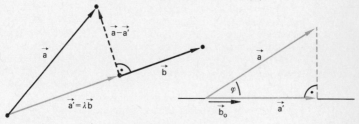

Links *Figur zur Projektion eines Vektors;*
rechts *Figur zur Veranschaulichung des Skalarprodukts*

Hieran erkennt man die übliche elementare Definition der Kosinusfunktion am rechtwinkligen Dreieck gemäß der rechten Figur.

Im Falle von $\varphi > \dfrac{\pi}{2}$ ist $\cos\varphi < 0$ und damit $\vec{a} \cdot \vec{b} < 0$. Also hat die Projektion

$\vec{a}\,' = \dfrac{\vec{b} \cdot \vec{a}}{\vec{b}^2} \cdot \vec{b}$ die entgegengesetzte Richtung von $\vec{b}$. Dies entspricht der elementaren Erweiterung der Kosinusfunktion auf stumpfe Winkel mit $\cos\varphi = -\cos\varphi'$ für $\varphi = 180° - \varphi'$.

Wir haben betont von der elementaren Definition der Kosinusfunktion gesprochen. Man könnte nämlich meinen, daß die Einführung des Winkelmaßes mit dem Skalarprodukt doch gewisse metrische Voraussetzungen benutzt. Dies ist nicht der Fall, denn die exakte Definition der Kosinusfunktion erfordert keineswegs eine Definition in der Trigonometrie. Die Kosinusfunktion läßt sich vielmehr auf die e-Funktion zurückführen, worauf hier allerdings nicht eingegangen werden kann.

## Normalengleichungen von Geraden und Ebenen, Kreis- und Kugelgleichungen in Vektorform

*1) Zweidimensionaler Fall:* Wir gehen von der Parameterdarstellung einer Geraden in der ebenen Geometrie aus: $g \equiv \vec{x} = \vec{a} + \lambda \vec{u}$. Unter einem *Normalenvektor* $\vec{n}$ von $g$ verstehen wir einen beliebigen Vektor $\vec{n} \perp \vec{u}$. Dann ist $\vec{x} \cdot \vec{n} = \vec{a} \cdot \vec{n} + 0$, da $\vec{n} \cdot \vec{u} = 0$ ist. Durch Umformung erhält man:

$(\vec{x} - \vec{a}) \cdot \vec{n} = 0$, die sogenannte *Normalengleichung* von $g$.

Im zweidimensionalen Fall ist ja auch die Lage einer Geraden durch den Ortsvektor $\vec{a}$ des Punktes $A$ der Geraden $g$ und einen Normalenvektor bestimmt. Im Falle der Geraden haben wir die Orthogonalität mit Hilfe des Skalarproduktes benutzt. Eine andere Möglichkeit besteht im Falle eines Kreises in der Benutzung der Norm von Vektoren. Sei nämlich $\vec{m}$ der Ortsvektor des Mittelpunktes $M$ eines Kreises, so werden durch die Vektorgleichung $(\vec{x} - \vec{m})^2 = r^2$ alle Punkte $X$ bestimmt, die auf einem Kreis um $M$ mit dem Radius $r$ liegen *(Vektorform der Kreisgleichung)*.

*2) Dreidimensionaler Fall:* Geht man hier von der Parameterdarstellung einer Ebene $E$ aus, und ist $\vec{n}$ jetzt ein *Normalenvektor der Ebene E*, so führt die Multiplikation mit $\vec{n}$ auf die gleiche Gleichungsform wie oben, da ja $\vec{n}$ auf beiden Richtungsvektoren der Ebene senkrecht steht. $(\vec{x} - \vec{a}) \cdot \vec{n} = 0$ ist hier die *Normalengleichung der Ebene E*, die durch den Punkt $A$ mit dem Ortsvektor $a$ geht und deren weitere Lage im Raum durch den Normalenvektor $\vec{n}$ bestimmt ist. Die Vektorgleichung $(\vec{x} - \vec{m})^2 = r^2$ bestimmt hier alle Punkte $X$, die auf einer Kugelsphäre liegen *(Vektorform der Kugelgleichung)*.

Für eine Gerade im Raum gilt: $(\vec{x} - \vec{a}) \cdot \vec{n}_1 = 0 \wedge (\vec{x} - \vec{a}) \cdot \vec{n}_2 = 0$ wobei $\vec{n}_1$ und $\vec{n}_2$ zwei linear unabhängige Normalenvektoren sind.

$(\vec{x} - \vec{m})^2 = r^2 \wedge (\vec{x} - \vec{m}) \cdot \vec{n} = 0$ bestimmt alle Punkte $X$ eines Kreises im Raum.

## Beispiele und Aufgaben

*Beispiel 42:* Man beweise, daß die drei Höhen eines Dreiecks durch einen Punkt gehen.

*Lösung:* $\vec{p}$, $\vec{q}$ und $\vec{r}$ seien in einem Punkt $H$ angetragene Vektoren, die in den Eckpunkten des Dreiecks enden (linke Figur). Dann lassen sich die Vektoren der Seiten angeben. Es ist $\overrightarrow{AB} = \vec{q} - \vec{p}$, $\overrightarrow{BC} = \vec{r} - \vec{q}$ und $\overrightarrow{CA} = \vec{p} - \vec{r}$. Wir setzen voraus, daß $\vec{p} \perp \overrightarrow{BC}$ und $\vec{q} \perp \overrightarrow{CA}$ ist, also *1)* $\vec{p} \cdot (\vec{r} - \vec{q}) = 0$ und *2)* $\vec{q} \cdot (\vec{p} - \vec{r}) = 0$. Der Beweis ist geliefert, wenn wir zeigen können, daß auch $\vec{r} \perp \overrightarrow{AB}$ ist. Die Addition von *1)* und *2)* ergibt in der Tat:

$0 = \vec{p} \cdot \vec{r} - \vec{p} \cdot \vec{q} + \vec{q} \cdot \vec{p} - \vec{q} \cdot \vec{r} = (\vec{p} - \vec{q}) \cdot \vec{r}$.

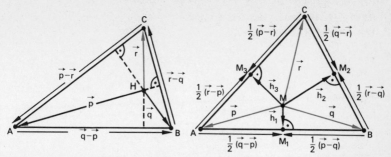

*Beispiel 43:* Man beweise, daß die drei Mittelsenkrechten eines Dreiecks durch einen Punkt $M$ gehen und daß $\overline{MA} = \overline{MB} = \overline{MC}$ ist.

*Lösung:* In der rechten Figur sind die Vektoren bereits so angegeben, daß $M_1$, $M_2$ und $M_3$ Mittelpunkte der betreffenden Seiten des Dreiecks sind. Wir setzen voraus, daß $\vec{h}_1 \perp \overline{AB}$ und $\vec{h}_2 \perp \overline{BC}$ ist. Dann haben wir zu zeigen, daß $\vec{h}_3 \perp \overline{CA}$ und $\vec{p}^2 = \vec{q}^2 = \vec{r}^2$ ist. Letzteres können wir sofort zeigen. Wir betrachten die Vektorkette *1)* $\vec{p} + \frac{1}{2}(\vec{q} - \vec{p}) - \vec{h}_1 = 0$ und multiplizieren diese mit dem Vektor $\overline{AB} = \vec{q} - \vec{p}$: $\vec{p}(\vec{q} - \vec{p}) + \frac{1}{2}(\vec{q} - \vec{p})^2 - \vec{h}_1(\vec{q} - \vec{p}) = 0$. Das letzte Glied ist wegen $\vec{h}_1 \perp \overline{AB}$ gleich Null; deshalb ergibt die Vereinfachung $\vec{p}\vec{q} - \vec{p}^2 + \frac{1}{2}\vec{q}^2$ $- \vec{q} \cdot \vec{p} + \frac{1}{2}\vec{p}^2 = 0$ oder $-\frac{1}{2}\vec{p}^2 + \frac{1}{2}\vec{q}^2 = 0$, d.h. $\vec{p}^2 = \vec{q}^2$. Ebenso zeigt man $\vec{q}^2 = \vec{r}^2$ und damit $\vec{p}^2 = \vec{q}^2 = \vec{r}^2$ oder $|\vec{p}| = |\vec{q}| = |\vec{r}|$, d.h. $\overline{MA} = \overline{MB} = \overline{MC}$. Wir betrachten die Vektorkette *2)* $\vec{p} + \frac{1}{2}(\vec{r} - \vec{p}) - \vec{h}_3 = 0$. Umgeformt ist dies $\vec{h}_3 = \frac{1}{2}(\vec{r} + \vec{p})$. Die Multiplikation mit $(\vec{r} - \vec{p})$ ergibt:
$\vec{h}_3 \cdot (\vec{r} - \vec{p}) = \frac{1}{2}(\vec{r} + \vec{p})(\vec{r} - \vec{p}) = \frac{1}{2}(\vec{r}^2 - \vec{p}^2) = 0$, d.h. $\vec{h}_3$ und $\overline{AC} = (\vec{r} - \vec{p})$ sind orthogonal.

*Aufgabe 73:* Man führe den Beweis zu Beispiel 42 unter der Voraussetzung, daß $\vec{p} \perp \overline{BC}$ und $\vec{r} \perp \overline{AB}$ ist.

*Aufgabe 74:* Man führe den Beweis zu Beispiel 43 unter der Voraussetzung, daß $\vec{h}_1 \perp \overline{AB}$ und $\vec{h}_3 \perp \overline{AC}$ ist.

*Aufgabe 75:* Man zeige, daß die Diagonalen einer Raute Winkelhalbierende sind. Anleitung: Wähle die Bezeichnungen der linken Figur und benutze die Definition der Winkelmaßzahl $\varphi$ mit der Kosinusfunktion.

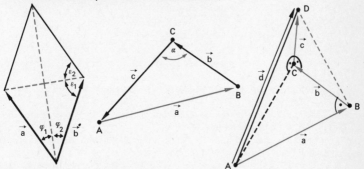

Links *Figur zur Aufgabe 75;* Mitte *Figur zu Beispiel 44;* rechts *Figur zu Beispiel 45*

*Beispiel 44:* Herleitung des Kosinussatzes (mittlere Figur). Die Vektoren $\vec{a}, \vec{b}$ und $\vec{c}$ spannen das Dreieck $[ABC]$ auf. Vektorkette: $\vec{a} + \vec{b} + \vec{c} = \vec{0}$ oder $\vec{a} = -(\vec{b} + \vec{c})$. Für die Norm von $\vec{a}$ gilt dann

$$\vec{a}^2 = (\vec{b} + \vec{c})^2 = \vec{b}^2 + \vec{c}^2 + 2\vec{b} \cdot \vec{c} = \vec{b}^2 + \vec{c}^2 - 2(-\vec{b} \cdot \vec{c}).$$

Nun ist $\cos \alpha = \dfrac{(-\vec{b}) \cdot \vec{c}}{|-\vec{b}| \cdot |\vec{c}|} = -\dfrac{\vec{b} \cdot \vec{c}}{|b| \cdot |c|}$ oder $-\vec{b} \cdot \vec{c} = |\vec{b}||\vec{c}|\cos \alpha$.

Damit erhält man

$$|\vec{a}|^2 = |\vec{b}|^2 + |\vec{c}|^2 - 2|\vec{b}||\vec{c}|\cos \alpha.$$

*Aufgabe 76:* Man beweise den Satz des Pythagoras
1) als Spezialfall des Kosinussatzes;
2) direkt mit der Voraussetzung $\vec{b} \perp \vec{c}$.

*Beispiel 45:* »Räumlicher Satz des Pythagoras«: Die rechte Figur stellt eine Pyramide mit einem in $B$ rechtwinkligen Dreieck als Grundfläche dar und die Kante $\overrightarrow{CD}$ ist Höhe der Pyramide. Es besteht die Vektorkette: $\vec{d} = \vec{a} + \vec{b} + \vec{c}$, somit ist $\vec{d}^2 = \vec{a}^2 + \vec{b}^2 + \vec{c}^2 + 2\vec{a} \cdot \vec{b} + 2\vec{b} \cdot \vec{c} + 2\vec{a} \cdot \vec{c}$. Es ist $\vec{a} \cdot \vec{b} = 0$ wegen $\vec{a} \perp \vec{b}$, $\vec{b} \cdot \vec{c} = 0$ wegen $\vec{b} \perp \vec{c}$ und $\vec{a} \cdot \vec{c} = 0$ wegen $\vec{a} \perp \vec{c}$. Folglich gilt

$$|\vec{d}|^2 = |\vec{a}|^2 + |\vec{b}|^2 + |\vec{c}|^2.$$

*Aufgabe 77:* Man leite den Sinussatz her. Anleitung: Man drücke mit den Bezeichnungen der linken Figur den Höhenvektor durch zwei Vektorketten aus und bilde $\vec{h}^2$.

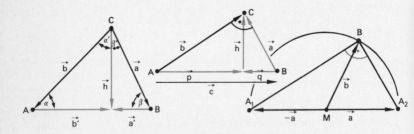

*Beispiel 46:* Herleitung des Höhensatzes (mittlere Figur). Das Dreieck ist in $C$ rechtwinklig, deshalb ist *1)* $\vec{a} \cdot \vec{b} = 0$. Vektorketten *2)* $\vec{b} = \vec{p} + \vec{h}$
*3)* $\vec{a} = \vec{q} + \vec{h}$ in *1)* eingesetzt ergibt

$$(\vec{p} + \vec{h})(\vec{q} + \vec{h}) = 0 \quad \text{oder} \quad \vec{p} \cdot \vec{q} + \vec{h}^2 = 0,$$

da $\vec{p} \cdot \vec{h} = \vec{q} \cdot \vec{h} = 0$ ist. Nun ist $\varphi(\vec{p}, \vec{q}) = \pi$ also $\cos \varphi = -1$ und somit $\vec{p} \cdot \vec{q} = |\vec{p}| \cdot |\vec{q}| \cos \varphi = -|\vec{p}| \cdot |\vec{q}|$, also $\vec{h}^2 = -\vec{p} \cdot \vec{q} = |\vec{p}| \cdot |\vec{q}|$.

*Aufgabe 78:* Man leite den Satz des Euklid unter Benutzung der mittleren Figur her.
Anleitung: Stelle die Vektorketten des Gesamtdreiecks und der Teildreiecke auf, benütze $\vec{a} \cdot \vec{b} = 0$ und bilde $\vec{b}^2$ bzw. $\vec{a}^2$.

*Aufgabe 79:* Man beweise den Satz des Thales unter Benutzung der Bezeichnungen der rechten Figur. Anleitung: Man drücke die Vektoren $\overrightarrow{A_1B}$ und $\overrightarrow{A_2B}$ aus und zeige, unter der Voraussetzung, daß $A_1$, $A_2$ und $B$ auf einem Kreis um den Mittelpunkt $M$ liegen, daß $\overrightarrow{A_1B} \perp \overrightarrow{A_2B}$ ist.

# Zusammenhang von Koordinatengeometrie und Vektorgeometrie

### Koordinatensystem, Ortsvektoren und Spaltendarstellung von Vektoren

Vorgegeben sei ein dreidimensionales Koordinatensystem des euklidischen Raumes mit dem Nullpunkt $O$ und den Einheitspunkten $E_1$, $E_2$, $E_3$ auf den Achsen (linke Figur). Wir wählen jetzt $O$ als Ursprung und können damit allen Punkten des Raumes den Ortsvektor $\vec{p} = \overrightarrow{OP}$ zuordnen. Die nach Axiom IV', 0 eindeutig bestimmten Vektoren $\overrightarrow{OE_1} = \vec{e}_x$, $\overrightarrow{OE_2} = \vec{e}_y$ und $\overrightarrow{OE_3} = \vec{e}_z$ sind linear unabhängig und es gilt $\vec{e}_x \cdot \vec{e}_y = \vec{e}_x \cdot \vec{e}_z = \vec{e}_y \cdot \vec{e}_z = 0$ und $\vec{e}_x^2 = \vec{e}_y^2 = \vec{e}_z^2 = 1$. $(e_x, e_y, e_z)$ ist somit eine orthonormierte Basis und es gilt

$$\vec{p} = x \cdot \vec{e}_x + y \cdot \vec{e}_y + z \cdot \vec{e}_z = \begin{pmatrix} x \\ y \\ z \end{pmatrix}.$$

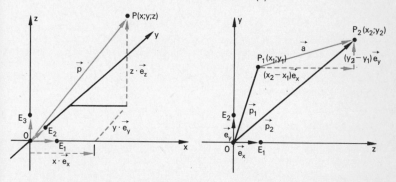

Links *Figur zur Darstellung der Ortsvektoren;*
rechts *Figur zur Beschreibung der skalaren Komponenten eines beliebigen Vektors*

Die Koordinaten des Punktes $P(x; y; z)$ sind also die skalaren Komponenten des Ortsvektors $\vec{p}$. Sei nun $(P_1, P_2)$ ein Punktepaar, dem der Vektor $\vec{a} = \overrightarrow{P_1 P_2}$ zugeordnet ist, dann ist $\vec{a} = \vec{p}_2 - \vec{p}_1$. Mit $P_1(x_1; y_1; z_1)$ und $P_2(x_2; y_2; z_2)$ erhält man

$$\vec{a} = \begin{pmatrix} x_2 \\ y_2 \\ z_2 \end{pmatrix} - \begin{pmatrix} x_1 \\ y_1 \\ z_1 \end{pmatrix} = \begin{pmatrix} x_2 - x_1 \\ y_2 - y_1 \\ z_2 - z_1 \end{pmatrix}.$$

Die skalaren Komponenten eines beliebigen Vektors erhält man also als Koordinaten-Differenzen der Koordinaten des Endpunktes $P_2$ und des Anfangspunktes $P_1$ des Punktepaares $(P_1, P_2)$. Entsprechendes gilt für die zweidimensionale Geometrie mit zwei Basisvektoren $\vec{e}_x$ und $\vec{e}_y$. Die rechte Figur veranschaulicht den zweidimensionalen Fall

$$\vec{a} = \vec{p}_2 - \vec{p}_1 = (x_2 - x_1)\,\vec{e}_x + (y_2 - y_1)\,\vec{e}_y = \begin{pmatrix} x_2 - x_1 \\ y_2 - y_1 \end{pmatrix}$$

**Vektorielle Herleitung von Gleichungen der Koordinatengeometrie (Beispiele und Aufgaben)**

Wir begnügen uns mit einigen Beispielen und Aufgaben.

*Beispiel 47:* Zweipunkteform der Geradengleichung. Parameterdarstellung von $g$:

$$\vec{x} = \vec{p}_1 + \lambda(\vec{p}_2 - \vec{p}_1) \quad \text{oder} \quad \begin{pmatrix} x \\ y \end{pmatrix} = \begin{pmatrix} x_1 \\ y_1 \end{pmatrix} + \lambda \begin{pmatrix} x_2 - x_1 \\ y_2 - y_1 \end{pmatrix} = \begin{pmatrix} x_1 + \lambda(x_2 - x_1) \\ y_1 + \lambda(y_2 - y_1) \end{pmatrix}.$$

Daraus folgt

$$x = x_1 + \lambda(x_2 - x_1) \quad \text{und} \quad y = y_1 + \lambda(y_2 - y_1).$$

Löst man beide Gleichungen nach $\lambda$ auf und setzt gleich, dann erhält man

$$\lambda = \frac{x - x_1}{x_2 - x_1} = \frac{y - y_1}{y_2 - y_1}, \quad \text{oder} \quad \frac{y - y_1}{x - x_1} = \frac{y_2 - y_1}{x_2 - x_1}.$$

*Beispiel 48:* Länge einer Strecke $\overline{P_1 P_2}$. Für die Norm von $\vec{p}_2 - \vec{p}_1$ erhält man nach Satz 60 im zweidimensionalen Fall $(\vec{p}_2 - \vec{p}_1)^2 = (x_2 - x_1)^2 + (y_2 - y_1)^2$ und damit

$$\overline{P_1 P_2} = |\vec{p}_2 - \vec{p}_1| = \sqrt{(x_2 - x_1)^2 + (y_2 - y_1)^2},$$

im dreidimensionalen Fall kommt noch das Glied $(z_2 - z_1)^2$ dazu.

*Aufgabe 80:* Man leite vektoriell die Achsenabschnittsform *1)* einer Geraden der $x$-$y$-Ebene *2)* einer Ebene des Raumes her.

*Aufgabe 81:* Man leite *1)* die Kreisgleichung der $x$-$y$-Ebene und *2)* die Kugelgleichung des Raumes her.

**Weitere Beispiele und Aufgaben der Raumgeometrie.**

In diesem letzten Abschnitt wollen wir den Abschnitt Analytische Koordinatengeometrie durch weitere Beispiele und Aufgaben ergänzen, wobei wir die vektorielle Behandlung der Geometrie weiter erläutern wollen.

*Beispiel 49:* Man bestimme den (kürzesten) Abstand der beiden windschiefen Geraden $g_1$ und $g_2$ (linke Figur) mit: $g_1 \equiv \vec{x} = \vec{p}_1 + \lambda \vec{v}_1$, $g_2 \equiv \vec{x} = \vec{p}_2 + \mu \vec{v}_2$ und

$$\vec{p}_1 = \begin{pmatrix} 0 \\ 2 \\ 0 \end{pmatrix}, \ \vec{v}_1 = \begin{pmatrix} 3 \\ -2 \\ 1 \end{pmatrix}, \ \vec{p}_2 = \begin{pmatrix} 0 \\ 0 \\ 6 \end{pmatrix}, \ \vec{v}_2 = \begin{pmatrix} 1 \\ 4 \\ -3 \end{pmatrix}.$$

*Lösung:* Da $Q_1 \in g_1$ und $Q_2 \in g_2$ ist, gelten die Vektorgleichungen $\vec{q}_1 = \vec{p}_1 + \lambda \vec{v}_1$ und $\vec{q}_2 = \vec{p}_2 + \mu \vec{v}_2$. Deshalb ist

*1)* $\vec{a} = \vec{q}_2 - \vec{q}_1 = (\vec{p}_2 - \vec{p}_1) + \mu \vec{v}_2 - \lambda \vec{v}_1$. Im Falle des kürzesten Abstands muß aber $(Q_1, Q_2) \perp g_1$ und $(Q_1, Q_2) \perp g_2$ sein, d.h. $\vec{a} \cdot \vec{v}_1 = 0$ und $\vec{a} \cdot \vec{v}_2 = 0$.

Die Multiplikation von *1)* mit $\vec{v}_1$ und danach mit $\vec{v}_2$ liefert:

*2)* $0 = (\vec{p}_2 - \vec{p}_1) \vec{v}_1 + \mu \vec{v}_1 \vec{v}_2 - \lambda \vec{v}_1^2$;

*3)* $0 = (\vec{p}_2 - \vec{p}_1) \vec{v}_2 + \mu \vec{v}_2^2 - \lambda \vec{v}_1 \vec{v}_2$.

Die Ausrechnung der Skalarprodukte ergibt nach Satz 60

$$(\vec{p}_2 - \vec{p}_1) \cdot \vec{v}_1 = \begin{pmatrix} 0 \\ -2 \\ 6 \end{pmatrix} \cdot \begin{pmatrix} 3 \\ -2 \\ 1 \end{pmatrix} = 0 \cdot 3 + (-2)(-2) + 6 \cdot 1 = 10;$$

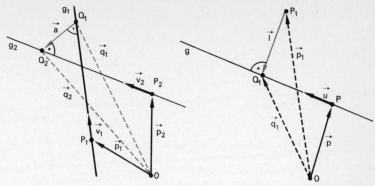

$$(\vec{p}_2 - \vec{p}_1) \cdot \vec{v}_2 = \begin{pmatrix} 0 \\ -2 \\ 6 \end{pmatrix} \cdot \begin{pmatrix} 1 \\ 4 \\ -3 \end{pmatrix} = -26; \quad \vec{v}_1 \cdot \vec{v}_2 = -8; \quad \vec{v}_1^2 = 14;$$

$\vec{v}_2^2 = 26.$

Damit erhält man die zwei Bestimmungsgleichungen für $\mu$ und $\lambda$:

*2)* $0 = 10 - 8\mu - 14\lambda$ und *3)* $0 = -26 + 26\mu + 8\lambda$.

*2)* und *3)* werden gemeinsam erfüllt von $\lambda = \frac{13}{75}$ und $\mu = \frac{71}{75}$.

Damit erhält man

$$1) \quad \vec{a} = \begin{pmatrix} 0 \\ -2 \\ 6 \end{pmatrix} + \frac{71}{75} \begin{pmatrix} 1 \\ 4 \\ -3 \end{pmatrix} - \frac{13}{75} \begin{pmatrix} 3 \\ -2 \\ 1 \end{pmatrix} = \frac{1}{75} \begin{pmatrix} 32 \\ 160 \\ 224 \end{pmatrix} = \frac{32}{75} \begin{pmatrix} 1 \\ 5 \\ 7 \end{pmatrix}.$$

Somit ist $|\vec{a}| = \sqrt{\vec{a}^2} = \frac{32}{75}\sqrt{1 + 25 + 49} = \frac{32}{75}\sqrt{75} \approx 3{,}70.$

*Aufgabe 82:* Gegeben ist die Gerade $g \equiv \vec{x} = \vec{p} + \lambda\vec{u}$ mit

$\vec{p} = \begin{pmatrix} 9 \\ 0 \\ 0 \end{pmatrix}$ und $\vec{u} = \begin{pmatrix} -1 \\ 3 \\ 2 \end{pmatrix}$.   Von $P_1(0; 0; 6)$ wird das Lot auf die Gerade $g$

gefällt. Welche Koordinaten hat der Lotfußpunkt $Q_1$? Anleitung: Figur rechts, Vektorkette und $\vec{l} \cdot \vec{u} = 0$.

*Beispiel 50:* Man bestimme die Schnittgerade $g = E \cap E'$ mit

$$E \equiv \vec{x} = \begin{pmatrix} 0 \\ 0 \\ 4 \end{pmatrix} + \lambda \begin{pmatrix} 4 \\ 0 \\ -6 \end{pmatrix} + \mu \begin{pmatrix} 0 \\ 3 \\ -1 \end{pmatrix}; \quad E' \equiv \vec{x} = \begin{pmatrix} 0 \\ 0 \\ 6 \end{pmatrix} + \lambda' \begin{pmatrix} 2 \\ 0 \\ -5 \end{pmatrix} + \mu' \begin{pmatrix} 0 \\ 1 \\ -1 \end{pmatrix}.$$

*Lösung:* Gesucht sind alle Ortsvektoren, die sowohl durch die eine als auch die andere Gleichung dargestellt werden; also muß sein

$$\begin{pmatrix} 0 + 4\lambda + 0 \\ 0 + 0 + 3\mu \\ 4 - 6\lambda - \mu \end{pmatrix} = \begin{pmatrix} 0 + 2\lambda' + 0 \\ 0 + 0 + \mu' \\ 6 - 5\lambda' - \mu' \end{pmatrix}.$$

Dies bedeutet, daß die vier Parameter die folgenden drei Gleichungen erfüllen müssen:

*1)* $\quad 4\lambda - 2\lambda' \qquad\qquad = 0;$

*2)* $\qquad\qquad 3\mu - \mu' = 0;$

*3)* $-6\lambda + 5\lambda' - \mu + \mu' = 2;$

*2) + 3)* führt zu *4)* $-6\lambda + 5\lambda' + 2\mu = 2$. Aus *1)* folgt

*5)* $\lambda' = 2\lambda$.  *5)* in *4)* eingesetzt ergibt

*6)* $-6\lambda + 10\lambda + 2\mu = 2$ oder $4\lambda + 2\mu = 2$ oder

*7)* $\mu = 1 - 2\lambda$. Aus *2)* folgt mit *7)*: $3(1 - 2\lambda) - \mu' = 0$ oder $\mu' = 3 - 6\lambda$

Die Bedingungen *1), 2)* und *3)* sind erfüllt, wenn $\lambda$ beliebig und $\lambda' = 2\lambda$ *(5)*; $\mu = 1 - 2\lambda$ *(7)* und $\mu' = 3 - 6\lambda$ ist.

Somit ergibt sich über die Darstellung von $E$ für die Schnittgerade

$$g \equiv \vec{x} = \begin{pmatrix} 0 \\ 0 \\ 4 \end{pmatrix} + \lambda \begin{pmatrix} 4 \\ 0 \\ -6 \end{pmatrix} + (1 - 2\lambda) \begin{pmatrix} 0 \\ 3 \\ -1 \end{pmatrix} = \begin{pmatrix} 0 \\ 3 \\ 3 \end{pmatrix} + \lambda \begin{pmatrix} 4 \\ -6 \\ -4 \end{pmatrix}.$$

Man prüft leicht nach, daß man diese Darstellung auch bekommt, wenn man von der Darstellung von $E'$ ausgeht.

*Aufgabe 83:* Bestimme den Schnittpunkt $\{S\} = g \cap E$, mit

$$E \equiv \vec{x} = \begin{pmatrix} 5 \\ 0 \\ 5 \end{pmatrix} + \lambda \begin{pmatrix} -3 \\ 2 \\ 6 \end{pmatrix} + \mu \begin{pmatrix} 1 \\ 4 \\ 0 \end{pmatrix}, \quad g \equiv \vec{x} = \begin{pmatrix} 5 \\ -5 \\ 5 \end{pmatrix} + \lambda' \begin{pmatrix} 1 \\ 1 \\ 0 \end{pmatrix}.$$

Anleitung: Ähnliche Überlegungen wie beim Beispiel 50 führen hier zu drei Bedingungen für $\lambda$, $\mu$ und $\lambda'$. Die Parameterwerte lassen sich hier im Gegensatz zu Beispiel 50 eindeutig bestimmen.

*Beispiel 51:* Gegeben ist die Ebene $E \equiv \vec{x} = \vec{p} + \lambda\vec{u} + \mu\vec{v}$ und die Gerade $g \equiv \vec{x} = \mu\vec{w}$ mit

$$\vec{p} = \begin{pmatrix} 1 \\ 1 \\ 0 \end{pmatrix}; \quad \vec{u} = \begin{pmatrix} 4 \\ 3 \\ 2 \end{pmatrix}; \quad \vec{v} = \begin{pmatrix} 0 \\ -3 \\ -1 \end{pmatrix}; \quad \vec{w} = \begin{pmatrix} -2 \\ 2 \\ 1 \end{pmatrix}.$$

Welchen Winkel schließt $g$ mit $E$ ein?

*Lösung:* Wir bestimmen zuerst einen Normalenvektor $\vec{n}$ der Ebene. Sei $\varphi_1 = \varphi(\vec{n}, \vec{w})$, dann ist der gesuchte Winkel $\varphi = \dfrac{\pi}{2} - \varphi_1$ falls $\varphi_1 < \dfrac{\pi}{2}$ und $\varphi = \varphi_1 - \dfrac{\pi}{2}$ falls $\varphi_1 > \dfrac{\pi}{2}$. Ist $\varphi_1 = \dfrac{\pi}{2}$, so ist $\vec{w}$ parallel zu der Ebene $E$.

Für $\vec{n}$ gilt $\vec{u} \cdot \vec{n} = 0 \wedge \vec{v} \cdot \vec{n} = 0$. Mit den skalaren Komponenten $n_1, n_2, n_3$ von $\vec{n}$ erhält man deshalb $4n_1 + 3n_2 + 2n_3 = 0 \wedge -3n_2 - n_3 = 0$. Eine der drei Komponenten kann man frei wählen, etwa $n_3 = 3$, dann muß $n_2 = -1$ sein und deshalb

$$4n_1 - 3 + 6 = 0; \quad 4n_1 = -3; \quad n_1 = -\tfrac{3}{4};$$

$$\cos\varphi_1 = \frac{\vec{n} \cdot \vec{w}}{|\vec{n}| \cdot |\vec{w}|} = \frac{(-\tfrac{3}{4}) \cdot (-2) + (-1) \cdot 2 + 3 \cdot 1}{\sqrt{(\tfrac{3}{4})^2 + 1^2 + 3^2} \ \sqrt{2^2 + 2^2 + 1^2}} = \frac{\tfrac{5}{2}}{\tfrac{13}{4} \cdot 3} = \frac{10}{39};$$

$\cos\varphi_1 \approx 0,2564$, $\varphi_1 \approx 75°36'$

Der gesuchte Winkel zwischen $g$ und $E$ ist somit $\varphi \approx 14°24'$.

*Aufgabe 84:* Gegeben sind die Ebenen $E \equiv \vec{x} = \lambda\vec{u} + \mu\vec{v}$ und die Geraden $g \equiv \vec{x} = \vec{a} + \sigma\vec{w}$ und $h \equiv \vec{x} = \vec{b} + \tau\vec{t}$ mit

$$\vec{u} = \begin{pmatrix} 6 \\ -5 \\ 7 \end{pmatrix}, \quad \vec{v} = \begin{pmatrix} -12 \\ 10 \\ 3 \end{pmatrix}, \quad \vec{w} = \begin{pmatrix} 2 \\ -2 \\ 1 \end{pmatrix}, \quad \vec{t} = \begin{pmatrix} 0 \\ 0 \\ 1 \end{pmatrix}$$

($\vec{a}$ und $\vec{b}$ beliebig.)

Welchen Winkel schließen $g$ und $h$, $g$ und $E$, $h$ und $E$ ein?

# Lineares Optimieren

## Einleitung

Am Anfang unserer Erörterungen über Geometrie haben wir darauf hingewiesen, daß sich die Geometrie als Wissenschaft aus dem Problemgrund des praktisch-experimentellen Tuns heraus entwickelt hat. Was danach in den bisherigen vier Abschnitten dargestellt wurde, ist dem Teil der Mathematik zuzuordnen, den man meist als »reine Mathematik« bezeichnet. Eigentlich sollte man von »theoretischer Mathematik« sprechen. Dieser letzte Abschnitt soll den anderen Teil, die sogenannte »angewandte Mathematik« oder besser »praktische Mathematik« zu Worte kommen lassen. Warum dies gerade im Teil Geometrie geschieht, soll kurz begründet werden.

Klammert man das sogenannte »bürgerlich-kaufmännische Rechnen« wie beispielsweise Gewinn- und Verlustrechnung, Zinseszins- und Rentenrechnung usw. aus, so hätte man noch um die Jahrhundertwende sagen können, daß die Anwendung der Mathematik im wesentlichen auf die Naturwissenschaften und die Technik beschränkt ist. In der Tat war und ist dieser Anwendungsbereich sehr bedeutend, zumal auch die Mathematik, besonders von der Physik her, viele Entwicklungsimpulse erhielt. Seither hat aber die Mathematik eine Expansion in viele andere neuzeitliche Bereiche erfahren, die früher kaum als für mathematische Methoden zugänglich angesehen wurden. Dazu gehören Volks- und Betriebswirtschaftslehre, Unternehmensforschung, Medizin, Psychologie, Soziologie und sogar Linguistik. Da die einzelnen Methoden, die Anwendung finden, sehr zahlreich und unterschiedlich sind, ist es völlig aussichtslos, im Rahmen dieses Buches näher darauf einzugehen. Das *lineare Optimieren* wurde aus zwei Gründen als Beispiel einer solchen Methode ausgewählt. Dieses Teilgebiet der Mathematik wird heute auch unter den Bezeichnungen *Operations Research* oder *Verfahrensforschung* geführt.

Zunächst, weil, wie wir sehen werden, diese Thematik durchaus Bezug zur Geometrie hat. Dabei bietet es sich direkt an, die Geometrie unseres Erfahrungsraumes als Spezialfall der $n$-dimensionalen Geometrie zu interpretieren. Dann aber, weil es sich um eine relativ neuartige Methode handelt. Das lineare Optimieren wurde nämlich erst in den letzten 35 Jahren entwickelt. Es ist aus der modernen Wirtschaftspraxis und aus der modernen Produktion nicht mehr wegzudenken. Bemerkenswert ist, daß eine Veröffentlichung des russischen Mathematikers *L. v. Kantorowicz* aus dem Jahre 1939 nicht nur außerhalb, sondern sogar innerhalb von Rußland fast zwei Jahrzehnte unbekannt blieb, während in den USA im 2. Weltkrieg die lineare Optimierung im Hinblick auf die Notwendigkeit der Lösung militärischer Organisationsprobleme entwickelt wurde. Der eigentliche Durchbruch erfolgte allerdings erst einige Jahre nach Kriegsende. 1947 veröffentlichte *G. B. Dantzig* den sogenannten *Simplexalgorithmus* des linearen Optimierens, auf den wir noch näher eingehen werden. Dieser Algorithmus erwies sich im Zusammenhang mit der Benutzung von Computern als eine sehr nützliche Methode, die auf *Produktions-, Transport-, Mischungs- und Ernährungsprobleme, sowie Organisationsprobleme jeglicher Art* angewendet werden kann. Sogar die Gewinnchancen beim Schachspiel und vielen Kartenspielen lassen sich im Rahmen der *Spieltheorie* durch lineares Optimieren berechnen.

## Charakterisierung der Problemstellung

Die wesentliche Struktur der Probleme läßt sich in unserem Falle bereits an einfachen Beispielen darstellen, weswegen auf eine abstrakte Fassung der Probleme verzichtet wird.

Wir gehen vom folgenden konkreten Fall aus, bei dem es sich um ein *Produktionsproblem* handelt.

*Beispiel 52:* Eine Firma stellt Fernsehgeräte ($F$) und Rundfunkapparate ($R$) her. Bei der derzeitigen Marktlage kann sie je Gerät mit folgenden Teilgewinnen rechnen: $F \ldots$ DM 120,— und $R \ldots$ DM 90,—.

Bei der Monatsproduktion muß einiges beachtet werden:

*a)* Die Gehäuseabteilung kann insgesamt höchstens 1000 Gehäuse beider Erzeugnisse herstellen.

*b)* Die $F$-Montageabteilung kann höchstens 600 Geräte montieren.

*c)* Die $R$-Montageabteilung kann höchstens 800 Geräte montieren.

*d)* Die Abteilung für elektrische Installation kann höchstens 800 $F$ oder höchstens 1200 $R$ fertigstellen.

*e)* Wegen abgeschlossener Lieferverträge darf die Anzahl von $R$ um höchstens 600 über der von $F$ liegen.

Wie viele Fernseh- und Rundfunkgeräte müssen hergestellt werden, so daß einerseits den einschränkenden Bedingungen Rechnung getragen wird und andererseits die *Produktion optimal*, d.h. der Gewinn maximal ist?

Jeder, der nähere Einsicht in Produktionsbetriebe hat, wird möglicherweise einwenden, daß ein solches Beispiel viel zu einfach ist. Dies muß bestätigt werden. Für das Verständnis der Methode aber ist dies, wie wir im weiteren sehen werden, nicht hinderlich, sondern eher förderlich.

Das Produktionsproblem übersetzen wir unter Benutzung von Variablen in ein algebraisches Problem wie folgt:

Anzahl von $F$: $x_1$, Anzahl von $R$: $x_2$, Gewinn: $Z$.

| | | | | Lösungsmenge: |
|---|---|---|---|---|
| *Zielfunktion:* | $Z = 120\,x_1 + 90\,x_2 \to$ Maximum | | | |
| *Einschränkende* | *a)* | $x_1 + x_2$ | $\leq 1000$ | $La$ |
| *Bedingungen:* | *b)* | $x_1$ | $\leq 600$ | $Lb$ |
| | *c)* | $x_2$ | $\leq 800$ | $Lc$ |
| | *d)* | $\dfrac{x_1}{800} + \dfrac{x_2}{1200} \leq 1$ | | $Ld$ |
| | *e)* | $x_2 - x_1 \leq 600$ | | $Le$ |

*Nicht-Neg.Bed.*     $x_1 \geq 0,\ x_2 \geq 0$.

*Gesucht ist die Menge aller Zahlenpaare* $(x_1, x_2) \in R \times R$, die die drei Bedingungen erfüllen:

> *1)* $(x_1, x_2) \in La \cap Lb \cap Lc \cap Ld \cap Le$;
>
> *2)* $x_1 \geq 0,\ x_2 \geq 0$;
>
> *3)* $Z = f(x_1, x_2) \to$ Max.

Die einschränkenden Bedingungen bezeichnet man als *Restriktionsgleichungen*, die mit den *Nicht-Negativitäts-Bedingungen* (N.-N.-Bed.) ein Ungleichungssystem für die Variablen $x_1$ und $x_2$ darstellen. Eine erste Lösungsidee könnte darin bestehen, daß man versucht, die Menge aller Zahlenpaare zu bestimmen, die das System der Restriktionsgleichungen erfüllen, die Zahlenpaare mit negativen Komponenten ausscheidet und dann das oder die Zahlenpaare bestimmt, für die

$Z$ maximal wird. Leider gibt es für Ungleichungssysteme kein analoges Auflösungsverfahren wie etwa den sogenannten *Gaußschen Algorithmus* zur Bestimmung der Lösungsmenge eines Systems von linearen Gleichungen. Bei diesem eliminiert man durch sogenannte *Äquivalenzumformungen* des Gleichungssystems schrittweise eine Variable nach der anderen, bis man den Wert (oder die Werte) einer Variablen kennt und dann rückwärts die anderen bestimmt. Wir können uns diesen Sachverhalt an einem Beispiel leicht klarmachen. Wir betrachten dazu

Gleichungssystem *1):*

$x_1 + x_2 = 6;$

$x_1 - x_2 = 2;$

Gleichungssystem *2):*

$x_1 = 4;$

$+ x_2 = 2.$

Die beiden *Gleichungssysteme sind äquivalent*, d.h., *1)* und *2)* haben die gleiche Erfüllungsmenge $\{(2; 4)\}$. Die zugehörigen Äquivalenzoperationen sind in diesem Falle einfach das Addieren und Subtrahieren der beiden Gleichungen des Systems 1. Betrachten wir jetzt

Ungleichungssystem *1):*

$x_1 + x_2 \leq 6;$

$x_1 - x_2 \leq 2;$

Ungleichungssystem *2):*

$x_1 \leq 4;$

$x_2 \leq 2.$

Zwar erhält man das Ungleichungssystem *2)* aus dem Ungleichungssystem *1)* wieder durch Addition und Subtraktion, aber wenn man sich mit Hilfe der zugehörigen Halbebenen (siehe S. 250ff.) die Lösungsmengen gemäß den beiden folgenden Figuren veranschaulicht, erkennt man, daß die beiden Lösungsmengen nicht identisch sind.

Es gibt drei wichtige Lösungswege für derartige Probleme. Das *graphische Verfahren*, das im wesentlichen, jedenfalls was seine Praktikabilität anbelangt, auf zwei Variable beschränkt ist. Die *Eckpunkt-Berechnungsmethode*, die relativ unökonomisch ist, und schließlich jene analytisch-algebraische Methode, die Dantzig zum *numerischen Verfahren (Simplexalgorithmus)* des linearen Optimierens entwickelt hat.

Links *Figur zum Ungleichungssystem 1;* rechts *Figur zum Ungleichungssystem 2*

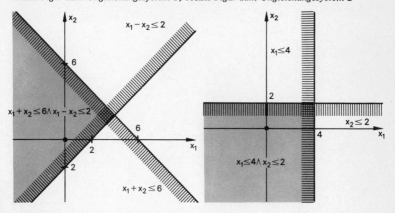

### Graphisches Verfahren

Bei diesem Verfahren nutzen wir die Möglichkeiten der Koordinatengeometrie aus. Wir wissen, daß im Zahlenpaarmodell die Erfüllungsmenge einer linearen Ungleichung in zwei Variablen einer Halbebene entspricht. In der Figur sind die Geraden $a$, $b$, $c$, $d$ und $e$ eingezeichnet, die den jeweiligen einschränkenden Bedingungen entsprechend die Halbebenen erzeugen, und mit der Schraffur ist angedeutet, um welche der jeweils zwei möglichen Halbebenen es sich handelt. Nehmen wir noch die beiden durch die N.-N.-Bed. bestimmten Halbebenen ($x_1 \geq 0$, $x_2 \geq 0$) dazu, dann bildet der Durchschnitt aller 7 Halbebenen den sogenannten *zulässigen Bereich*. Die und nur die Zahlenpaare ($x_1$; $x_2$), deren entsprechende Punkte im zulässigen Bereich liegen, erfüllen die Bedingungen *1)* und *2)*; siehe Problemstellung. Somit bleibt nur noch die Bestimmung der Zahlenpaare übrig, die der Bedingung 3) genügen. Die *Eckpunkte* des zulässigen Bereiches sind in der Figur mit den zugehörigen Koordinaten angegeben. Sie spielen, wie wir noch sehen werden, eine besondere Rolle.

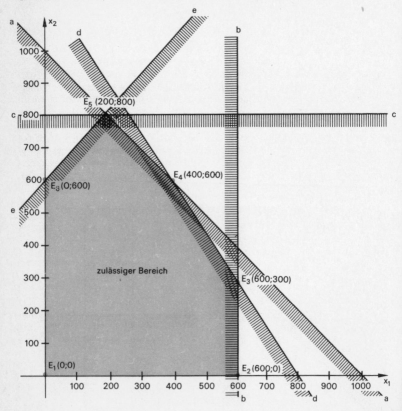

Sei nun ein beliebiger fester Zielwert $Z_1$ angenommen, dann ist die Gleichung $Z_1 = 120x_1 + 90x_2$, die wir auch in der Form $120x_1 + 90x_2 - Z_1 = 0$ schreiben können, eine lineare Gleichung in zwei Variablen. In der linken Figur ist die Gerade $g_1$ eingezeichnet, die durch die Zielgleichung für $Z_1 = 36000$ bestimmt ist. Die Gerade $g_2$ ist durch die Zielgleichung mit dem Zielwert $Z_2 = 72000$ bestimmt. Da die Koeffizienten der Variablen in den beiden linearen Gleichungen

$$120x_1 + 90x_2 - 36000 = 0 \quad \text{und} \quad 120x_1 + 90x_2 - 72000 = 0$$

übereinstimmen, sind die beiden Geraden $g_1$ und $g_2$ parallel. Kennt man also eine solche Gerade mit festem Zielwert, so weiß man, daß jede zu dieser parallele Gerade einem anderen Zielwert entspricht. In unserem Beispiel nimmt der Abstand der Geraden vom Nullpunkt proportional dem Zielwert zu, denn nach der Hesseschen Normalform ist $d = Z : \sqrt{120^2 + 90^2}$ der Abstand der Geraden vom Nullpunkt. In der rechten Figur ist eine Menge solcher Geraden eingezeichnet und der zugehörige Zielwert vermerkt. Offensichtlich gibt es nur ein Zahlenpaar mit dem Zielwert 0, nämlich 0 (0; 0) und ebenso nur eines mit dem Zielwert 102000, nämlich $E_4$ (400; 600).Während es für die dazwischenliegenden Zielwerte jeweils unendlich viele Zahlenpaare gibt, die zu dem gleichen Zielwert führen, gibt es keine zulässigen Zahlenpaare mit einem Zielwert, der größer als 102000 ist. Somit ist unser spezielles Produktionsproblem auf graphischem Wege gelöst:
*Die Produktion ist optimal, wenn monatlich 400 Fernsehgeräte und 600 Rundfunkapparate hergestellt werden.*

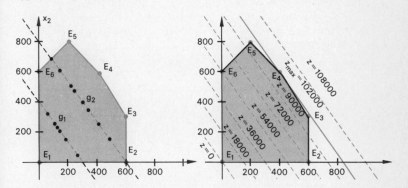

*Figuren zur Eckpunktmethode*

Wir stellen die einzelnen Lösungsschritte noch einmal zusammen:
*1)* Übersetzung des Optimierungsproblems in ein algebraisches Problem.
*2)* Bestimmung des zulässigen Bereichs in der $x_1$-$x_2$-Ebene.
*3)* Zeichnung einer beliebigen Geraden mit einem beliebigen Zielwert.
*4)* Konstruktion einer Parallelen zu dieser Geraden, die mindestens einen und höchstens 2 Eckpunkte mit dem zulässigen Bereich gemeinsam hat.
Ist der zulässige Bereich nicht leer, so ist das Problem stets lösbar. Bei unveränderlichem zulässigem Bereich hängt es von den Koeffizienten ab, ob die Lösung ein-

deutig oder mehrdeutig ist. In der linken Figur sind die Geraden $g_1$, $g_2$, $g_3$, $g_{max}$ eingezeichnet, die der Zielfunktion $Z = 90x_1 + 60x_2$ entsprechen. Alle Zahlenpaare, die den Punkten der Strecke $[E_3 E_4]$ zugeordnet sind, ergeben den gleichen optimalen Zielwert: $Z_{max} = 72000$. Im Falle der Zielfunktion $Z = 50x_1 + 100x_2$ dagegen ist $Z_{max} = 90000$ wie im Beispiel 52 wieder durch genau einen Eckpunkt bestimmt (zugehörige Geraden $h_1$, $h_2$, $h_3$, $h_{max}$).

Im Beispiel 52 bestand die Optimierung darin, daß die Zielfunktion einen Maximalwert erreichen muß. Solche Probleme bezeichnet man als Maximierungsaufgaben im Gegensatz zu Minimierungsaufgaben, wo also ein minimaler Zielwert zu bestimmen ist. Dazu

*Beispiel 53:* Zu lösen ist das folgende *Transportproblem*: Ein Baugeschäft lagert an zwei Orten $A_1$ und $A_2$ insgesamt 4000 Bimssteine. Diese sind zu drei Baustellen $B_1$, $B_2$ und $B_3$ hinzutransportieren, so daß sowohl die Lieferkontingente eingehalten werden, als auch die Transportkosten möglichst gering sind.

| Baustelle | Transportkosten in DM je Stein | | Kontingent |
|---|---|---|---|
| | $A_1$ | $A_2$ | |
| $B_1$ | 0,225 | 0,15 | 1200 |
| $B_2$ | 0,25 | 0,10 | 2000 |
| $B_3$ | 0,30 | 0,25 | 800 |
| Lagerbestand | 2400 | 1600 | 4000 |

Dieses Transportproblem ist etwas komplizierter als das vorhergehende Produktionsproblem, deshalb ist auch der Übersetzungsvorgang in das algebraische Problem etwas komplizierter:

| Transport von – nach | Anzahl der Steine | Transportkosten |
|---|---|---|
| $A_1 - B_1$ | $x_1$ | $0,225 x_1$ |
| $A_1 - B_2$ | $x_2$ | $0,25 x_2$ |
| $A_1 - B_3$ | $2400 - x_1 - x_2$ | $-0,3 x_1 - 0,3 x_2 + 720$ |
| $A_2 - B_1$ | $1200 - x_1$ | $-0,15 x_1 + 180$ |
| $A_2 - B_2$ | $2000 - x_2$ | $-0,1 x_2 + 200$ |
| $A_2 - B_3$ | $x_1 + x_2 - 1600$ $= 800 - (2400 - x_1 - x_2)$ | $0,25 x_1 + 0,25 x_2 - 400$ |
| | | $0,025 x_1 + 0,1 x_2 + 700 = Z$ |

Da die Anzahl der Steine nicht negativ sein kann, erhalten wir somit das folgende Optimierungssystem:

*Zielfunktion:*    $Z = 0,025 x_1 + 0,1 x_2 + 700 \rightarrow$ Minimum;

*Restriktions-*
*gleichungen*
$$\begin{cases} x_1 + x_2 \leq 2400; \\ x_1 + \quad\quad \leq 1200; \\ \quad\quad x_2 \leq 2000; \\ x_1 + x_2 \geq 1600; \end{cases}$$

*N.-N.-Bed.*    $x_1 \geq 0, \quad x_2 \quad 0.$

Im Gegensatz zum System des Beispiels 52 haben wir bei den Restriktionsglei-

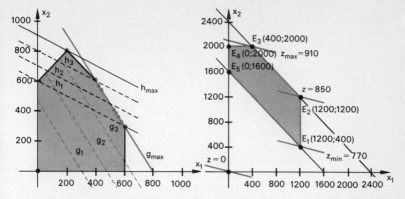

chungen »verschieden-gerichtete« Ungleichungen. Der zulässige Bereich wird hier von der $x_1$-Achse nicht begrenzt (rechte Figur), deshalb existiert ein von Null verschiedener minimaler Zielwert. Die Transportkosten von DM 770 sind minimal und sie werden bei folgenden Transportmengen erreicht:

| Baustelle | Transportmengen | | Kontingent |
|---|---|---|---|
| | $A_1$ | $A_2$ | |
| $B_1$ | 1200 | 0 | 1200 |
| $B_2$ | 400 | 1600 | 2000 |
| $B_3$ | 800 | 0 | 800 |
| Bestand | 2400 | 1600 | 4000 |

Die Grenzen des graphischen Verfahrens sind offensichtlich: Enthalten die Restriktionsgleichungen mehr als zwei Variable, so kann graphisch nicht so einfach verfahren werden. Im Falle von drei Variablen wäre ein dreidimensionales Koordinatensystem zu wählen. Der zulässige Bereich ist jetzt der *Durchschnitt von Halbräumen*, die durch Ebenen bestimmt werden. An die Stelle der geradlinig begrenzten Fläche des zweidimensionalen Falles (sogenanntes *zweidimensionales Polyeder*) tritt im dreidimensionalen Fall, falls der Durchschnitt der Halbräume nicht leer ist und nicht in einen Punkt oder eine Strecke oder eine Fläche ausartet, ein von Ebenen begrenzter Körper *(dreidimensionales Polyeder)*. An die Stelle der parallelen »Zielgeraden« tritt hier eine Schar paralleler »Zielebenen«. Mit den Mitteln der sogenannten »darstellenden Geometrie« lassen sich Aufgaben mit drei Variablen noch graphisch lösen, nur können wir hier nicht darauf eingehen, wie dies geschieht. Im nächsten Teilabschnitt ist für den dreidimensionalen Fall das entsprechende Polyeder dargestellt. Das graphische Verfahren hat somit keinen besonderen praktischen Wert. Für die noch zu behandelnden Verfahren stellt es aber eine nützliche Ausgangsbasis dar, auf die zurückgeblendet werden kann.

*Aufgabe 85:* Zu lösen ist das folgende *Mischungsproblem*: Zur Herstellung eines bestimmten Kunststeines wird ein Rohmaterial mit den Bestandteilen $B_1$, $B_2$ und $B_3$ benötigt, das zwei Steinbrüche $S_1$ und $S_2$ mit verschiedenen Anteilen und zu verschiedenen Preisen anbieten. Die Tabelle gibt die Zusammenhänge an. Welche

Mengen müssen von den beiden Steinbrüchen bezogen werden, damit die Rohmaterialkosten möglichst gering sind?

| Bestandteil | Menge der Bestandteile je t | | Mindestbedarf in t |
| --- | --- | --- | --- |
| | $S_1$ | $S_2$ | |
| $B_1$ | 0,2 | 0,1 | 1,4 |
| $B_2$ | 0,1 | 0,1 | 1,0 |
| $B_3$ | 0,0 | 0,1 | 0,3 |
| Preis in DM je t | 6,— | 8,— | |

Anleitung: Der Steinbruch $S_1$ liefere $x_1$ t und $S_2$ liefere $x_2$ t.

*Aufgabe 86:* Zu lösen ist das folgende *Organisationsproblem*: Ein Bürohaus mit einer Bodenfläche von 1500 m² soll mit Teppichboden belegt werden. Mindestens 400 m² sollen mit dem Teppichboden $A$ und der Rest mit den Teppichböden $B$ und $C$ belegt werden. Für Reinigungskosten stehen jährlich 7500.— DM zur Verfügung. Die Tabelle gibt die Zusammenhänge an. Wie ist die Auswahl zu treffen, damit die Anschaffungskosten unter den gegebenen Bedingungen möglichst gering sind?

| Teppichboden | Lieferungs- und Verlegungskosten je m² | Reinigungskosten je m² im Jahr |
| --- | --- | --- |
| $A$ | 60,— | 4,— |
| $B$ | 30,— | 6,— |
| $C$ | 20,— | 7,— |

Anleitung: Wählen Sie zunächst die drei Variablen $x_1$, $x_2$ und $x_3$ für die Teppichsorten $A$, $B$ und $C$. Dann eliminieren Sie aus allen aufgestellten Beziehungen $x_3$ mit $x_3 = 1500 - x_1 - x_2$, wobei dann wegen $x_3 \geq 0$ noch zusätzlich $x_1 + x_2 \leq 1500$ zu berücksichtigen ist.

## Die Eckpunkt-Berechnungsmethode

*Entwicklung der Methode an zwei speziellen Beispielen.* Aus den bisher behandelten Beispielen dürfte klar hervorgehen, daß die Eckpunkte des zulässigen Bereichs für die Bestimmung des Optimalen Zielwertes von entscheidender Bedeutung sind. Dies legt folgende Lösungsidee nahe:

*I)* Man bestimme alle Ecken des betreffenden Polyeders, das durch die Restriktionsgleichungen bestimmt ist.

*II)* Man berechne mit Hilfe der durch die Polyederecken bestimmten Zahlenpaare (Zahlentripel) die zugehörigen Zielwerte und wähle den optimalen Zielwert aus.

Während zum zweiten Lösungsschritt nichts mehr zu bemerken ist, ist noch zu klären, wie man zu den *Polyederecken* kommt. Da das *Polyeder* der Durchschnitt von Halbebenen (Halbräumen) ist, sind die Ecken Schnittpunkte von je zwei Geraden (je drei Ebenen). Da ohne Zeichnung nicht ohne weiteres zu entscheiden ist, welche Geradenkombinationen (Ebenenkombinationen) zu Polyederecken führen, bestimmt man alle in Frage kommenden Schnittpunkte dadurch, daß man alle Kombinationen von Geraden (Ebenen) zur Bestimmung heranzieht. Durch Überprüfung am jeweiligen Restriktionssystem bleiben dann nur noch die zulässigen Zahlenpaare (Zahlentripel) übrig, die den Polyederecken entsprechen. Danach kann gemäß II verfahren werden.

*Beispiel 54:* Wir wenden unsere Überlegungen zunächst an dem zweidimensionalen Fall des Beispiels 53 an, das wir ja schon graphisch gelöst haben. Die zugehörige Zielgleichung ist:

$$Z = 0,025\, x_1 + 0,1\, x_2 + 700.$$

$Z$ soll dabei minimal werden. Das zugehörige Restriktionssystem und die N.-N.-Bedingungen führen zu folgenden 6 Geradengleichungen:

a) $x_1 + x_2 = 2400$;  d) $x_1 + x_2 = 1600$;
b) $x_1 \quad = 1200$;  e) $x_1 \quad = 0$;
c) $\quad x_2 = 2000$;  f) $\quad x_2 = 0$.

| Geraden-Kombination | Koordinaten der Schnittpunkte $x_1$ | $x_2$ | Zum Polyeder gehörig? | Polyederecke nach Figur S. 351 | Zielwert |
|---|---|---|---|---|---|
| a, b | 1200 | 1200 | ja | $E_2$ | 850 |
| a, c | 400 | 2000 | ja | $E_3$ | 910 |
| a, d | – | – | – | – | – |
| a, e | 0 | 2400 | nein | – | – |
| a, f | 2400 | 0 | nein | – | – |
| b, c | 1200 | 2000 | nein | – | – |
| b, d | 1200 | 400 | ja | $E_1$ | 770 |
| b, e | – | – | – | – | – |
| b, f | 1200 | 0 | nein | – | – |
| c, d | – 400 | 2000 | nein | – | – |
| c, e | 0 | 2000 | ja | $E_4$ | 900 |
| c, f | – | – | – | – | – |
| d, e | 0 | 1600 | ja | $E_5$ | 860 |
| d, f | 1600 | 0 | nein | – | – |
| e, f | 0 | 0 | nein | – | – |

Aus der letzten Spalte entnimmt man, daß 770 der kleinste Wert ist. Übereinstimmend mit der graphischen Lösung erhält man auf diesem Wege eine eindeutige Lösung. Würde bei diesem Verfahren der optimale Zielwert zweimal auftreten, dann ist die Lösung nicht eindeutig (Zielgerade parallel zu einer Seite des Polyeders!) und alle Punkte, die auf der durch die beiden Eckpunkte begrenzten Strecke liegen, ergeben den gleichen Wert.

*Beispiel 55:* Wir wollen nun mit der Eckpunkt-Berechnungsmethode das folgende Maximierungssystem mit drei Variablen lösen:

$$Z = 3x_1 + x_2 + 2x_3 \to \text{Max.};$$
$$x_1 \quad + \quad x_3 \le 5;$$
$$x_2 + \quad x_3 \le 4;$$
$$x_1 \ge 0,\ x_2 \ge 0,\ x_3 \ge 0.$$

*Lösung:* Zur Veranschaulichung wird in der Figur das dreidimensionale Polyeder dargestellt. Es ist der Durchschnitt von 5 Halbräumen, die durch die N.-N.-Bedingungen und die zwei Ungleichungen des Restriktionssystems bestimmt sind.

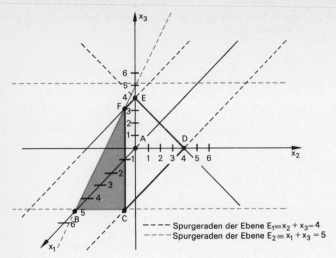

- - - - Spurgeraden der Ebene $E_1 \equiv x_2 + x_3 = 4$
- - - - Spurgeraden der Ebene $E_2 \equiv x_1 + x_3 = 5$

Die Ecken sind jetzt zu suchen unter den Schnittpunkten jeweils dreier Ebenen. Diese Ebenen haben die folgenden Gleichungen:

*a)* $x_1 + x_3 = 5$;   *c)* $x_1 = 0$,   *d)* $x_2 = 0$   und   *e)* $x_3 = 0$.
*b)* $x_2 + x_3 = 4$;

| Ebenen-Kombination | Koordinaten der Schnittpunkte | | | Zum Polyeder gehörig? | Polyeder-ecke nach obiger Figur | Zielwert |
|---|---|---|---|---|---|---|
| | $x_1$ | $x_2$ | $x_3$ | | | |
| *a, b, c* | 0 | –1 | 5 | nein | – | – |
| *a, b, d* | 1 | 0 | 4 | ja | *F* | 11 |
| *a, b, e* | 5 | 4 | 0 | ja | *C* | 19 |
| *a, c, d* | 0 | 0 | 5 | nein | – | – |
| *a, c, e* | – | – | – | – | – | – |
| *a, d, e* | 5 | 0 | 0 | ja | *B* | 15 |
| *b, c, d* | 0 | 0 | 4 | ja | *E* | 8 |
| *b, c, e* | 0 | 4 | 0 | ja | *D* | 4 |
| *b, d, e* | – | – | – | – | – | – |
| *c, d, e* | 0 | 0 | 0 | ja | *A* | 0 |

Den maximalen Zielwert $Z_{max} = 19$ erhält man also für $x_1 = 5$, $x_2 = 4$ und $x_3 = 0$.

*Aufgabe 87:* Man löse die Aufgabe des Beispiels 52 mit der Eckpunkt-Berechnungsmethode.

*Aufgabe 88:* Man löse die Aufgabe 85 nach der Eckpunkt-Berechnungsmethode.
*Aufgabe 89:* Man löse die Aufgabe 86 nach der Eckpunkt-Berechnungsmethode.
*Allgemeiner Fall – n-dimensionale Geometrie.* Sowohl bei der graphischen Methode wie auch bei der eben dargestellten Eckpunkt-Berechnungsmethode haben wir uns der Hilfsmittel der zwei- und drei-dimensionalen Koordinatengeometrie

bedient. Während wir im ersten Falle erkannt haben, daß die Behandlung von Problemen mit drei Variablen sehr viel schwieriger ist als solcher von zweien, kann dies nicht auch bei der zweiten Methode gesagt werden. Prinzipiell besteht kein Unterschied. Vielmehr wird bei der Eckpunkt-Berechnungsmethode die Anzahl der Ungleichungen im Restriktionssystem eine erhebliche Rolle spielen, da mit dieser Anzahl die Zahl der Kombinationsmöglichkeiten wächst. Daß sich diese Methode auch auf Systeme mit mehr als drei Variablen ausdehnen läßt (vom Rechenaufwand abgesehen keine Schwierigkeit!), hat einen tiefer liegenden Grund und hängt damit zusammen, daß man die Koordinatengeometrie formal auf mehr als drei Dimensionen erweitern kann. Einige wichtige Überlegungen sollen jetzt hierzu noch angestellt werden.

In der zwei- bzw. dreidimensionalen Koordinatengeometrie wird die Menge der Punkte mit der Menge $R \times R$ bzw. $R \times R \times R$ identifiziert und die Geraden bzw. Ebenen als Erfüllungsmengen linearer Gleichungen mit zwei bzw. drei Variablen. Ohne Rücksicht auf Veranschaulichung definieren wir *formal* die Menge $R \times R \times \ldots \times R$ (*n* Faktoren) als Menge der Punkte des *n-dimensionalen Punktraumes*. Jeder Punkt dieses *n*-dimensionalen Punktraumes ist eindeutig durch ein geordnetes Zahlen-*n*-Tupel $(r_1; r_2; \ldots; r_n)$ mit $r_\nu \in R$ ($\nu = 1, 2, \ldots, n$) bestimmt. Von besonderer Bedeutung sind wieder die linearen Gleichungen mit *n* Variablen der Form

$$a_1 x_1 + a_2 x_2 + \cdots + a_n x_n + a_{n+1} = 0,$$

$$\text{mit} \quad a_\nu \in R \,(\nu = 1, 2, \ldots, n),$$

wobei mindestens einer der Koeffizienten $a_\nu$ von Null verschieden sein muß. Die Erfüllungsmenge einer solchen linearen Gleichung heißt *Hyperebene des n-dimensionalen Punktraumes*. Man kann leicht zeigen, daß die Dimension dieser Teilmenge von Punkten genau *n*-1 ist. Die Hyperebenen des dreidimensionalen Punktraumes sind also die »normalen« Ebenen, die des zweidimensionalen Punktraumes sind die Geraden und schließlich die des eindimensionalen Punktraumes die Punkte selbst. Analog zum zwei- bzw. dreidimensionalen Fall, bei dem Schnittpunkte mit Hilfe zweier Geradengleichungen bzw. dreier Ebenengleichungen bestimmt werden können, benötigt man im *n*-dimensionalen Fall zu einer Schnittpunktsbestimmung *n* Hyperebenengleichungen. Dabei treten mit zunehmender Dimension auch mehr Ausnahmefälle auf, so daß nicht jede Kombination von *n* Hyperebenengleichungen zu einem Schnittpunkt führen muß, was wir ja auch schon an den beiden behandelten Beispielen erfahren haben.

Ein Restriktionssystem mit *n* Variablen bestimmt ein *n-dimensionales Polyeder*, welches als *Durchschnitt einer bestimmten Anzahl von durch Hyperebenen erzeugten Halbräumen* aufzufassen ist. Dieses Polyeder, das wieder den zulässigen Bereich der für das Optimierungsproblem in Frage kommenden Zahlen-*n*-Tupel darstellt, besitzt die bemerkenswerte Eigenschaft der *Konvexität*. Die Figur veranschaulicht für den zweidimensionalen Fall diesen Begriff. Während ein Zylinder im dreidimensionalen Fall ein konvexer Körper ist, ist ein Hohlzylinder ein nicht-konvexer Körper. Ganz allgemein bezeichnen wir eine *Punktmenge (beliebiger Dimension) als konvex*, wenn mit zwei Punkten, die zu ihr gehören, auch alle Punkte der geradlinigen Verbindungsstrecke zu der Menge gehören. Während die Vereinigungsmenge konvexer Punktmengen im allgemeinen nicht wieder eine konvexe Punktmenge ist, ist der Durchschnitt beliebig vieler kon-

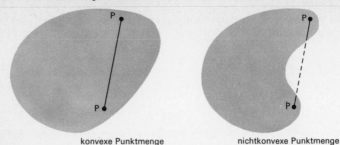

konvexe Punktmenge                nichtkonvexe Punktmenge

*Figuren zur Veranschaulichung der Konvexität*

vexer Punktmengen wieder eine konvexe Punktmenge. Da jeder durch eine Hyperebene bestimmte Halbraum konvex ist, ist es auch das durch das Restriktionssystem bestimmte Polyeder. Diese allgemeine Eigenschaft verbürgt, daß das Eckpunkt-Berechnungsverfahren auf beliebig viele Dimensionen angewandt werden kann. Hinsichtlich einer praktischen Nutzung des Verfahrens muß allerdings gesagt werden, daß es in gewisser Weise unökonomisch ist, denn es müssen sehr viel mehr Schnittpunkte berechnet werden, als für die Zielfunktion Werten-Tupel in Frage kommen. Überdies ist beispielsweise für die Berechnung eines 20-Tupels aus einem System von 20 linearen Gleichungen bereits ein enorm hoher Rechenaufwand erforderlich. Alle diese Fakten führten schließlich zu dem wichtigsten Verfahren des linearen Optimierens, zum *Simplexalgorithmus* von *Dantzig*. Im Rahmen der von uns kurz diskutierten Erweiterung der Koordinatengeometrie auf $n$ Dimensionen sollte das noch vorzustellende Verfahren eigentlich *Polyederalgorithmus* genannt werden.

Sowohl der Begriff des Polyeders als auch der des Simplex entstammen der *Topologie*. Die Simplexe sind sozusagen jeweils auf eine bestimmte Dimension bezogen die einfachsten Polyeder. So ist die Strecke der Simplex des eindimensionalen Punktraumes, das Dreieck ist der Simplex des zweidimensionalen Punktraumes und das Tetraeder ist der Simplex des dreidimensionalen Punktraumes. Eine allgemeine Charakterisierung könnte wie folgt sein: Der $n$-dimensionale Simplex ist eine konvexe Punktmenge des $n$-dimensionalen Punktraumes, die durch genau $n + 1$ Punkte bestimmt ist, von denen jeweils nur $n$ Punkte in einer Hyperebene liegen. Der $n$-dimensionale Simplex wird durch $(n-1)$-dimensionale Hyperebenen begrenzt.

Wegen dieses Zusammenhanges der beiden Begriffe Polyeder und Simplex und der Bedeutung der Polyeder bezüglich der Restriktionssysteme (einschließlich der N.-N.-Bed.) dürfte jetzt die Bezeichnung Simplexalgorithmus verständlich sein.

Abschließend sei noch erwähnt, daß im Rahmen des linearen Optimierens bei weitem nicht alles zur Diskussion steht, was man unter $n$-dimensionaler Geometrie versteht. Neben der $n$-dimensionalen Koordinatengeometrie ist auf formaler Basis ebenso eine $n$-dimensionale Vektorgeometrie definierbar und im Zusammenhang mit dem entsprechenden Skalarprodukt auch die Einführung einer *Längenmaßfunktion für den n-dimensionalen Raum* mit der Beziehung

$$\overline{PP'} = \sqrt{\sum_{\nu=1}^{\nu=n} (x_\nu - x'_\nu)^2} \text{ möglich.}$$

## Algebraische Behandlung von Optimierungsproblemen

Da die allgemeine Behandlung eine relativ umfassende Kenntnis der linearen Algebra erfordert, diese aber hier nicht vorausgesetzt wird, beschränken wir uns später auf ein spezielles Maximierungssystem, an dem das Prinzipielle der algebraischen Behandlung auch aufgezeigt werden kann. Vorher ist allerdings noch eine gewisse Abklärung von Begriffen erforderlich, die später verwendet werden. Es handelt sich dabei um den *Gaußschen Algorithmus* zur Bestimmung der Lösungsmenge eines Systems linearer Gleichungen und den Begriff der *Äquivalenzumformung* solcher Gleichungssysteme.

*Beispiel zum Gaußschen Algorithmus:*

$$S \begin{cases} I) & x_1 + x_2 - x_3 = 26; \\ II) & 2x_1 - 3x_2 + 4x_3 = 60; \\ III) & 4x_1 + 3x_2 - 2x_3 = 128; \end{cases}$$

zugehörige
Äquivalenzumformung

$$S' \begin{cases} I') & x_1 + x_2 - x_3 = 26; \\ II') & 0 \cdot x_1 - 5x_2 + 6x_3 = 8; \\ III') & 0 \cdot x_1 - x_2 + 2x_3 = 24; \end{cases}$$

$I') = I)$
$II') = II) - 2 \cdot I)$
$III') = III) - 4 \cdot I)$

$$S'' \begin{cases} I'') & x_1 + 0 \cdot x_2 + x_3 = 50; \\ II'') & 0 \cdot x_1 + 0 \cdot x_2 - 4x_3 = -112; \\ III'') & 0 \cdot x_1 + x_2 - 2x_3 = -24; \end{cases}$$

$I'') = I') + III')$
$II'') = II') - 5 \cdot III')$
$III'') = -III')$

$$S''' \begin{cases} I''') & \boxed{x_1} + 0 \cdot x_2 + 0 \cdot x_3 = 22; \\ II''') & 0 \cdot x_1 + 0 \cdot x_2 + \boxed{x_3} = 28; \\ III''') & 0 \cdot x_1 + \boxed{x_2} + 0 \cdot x_3 = 32; \end{cases}$$

$I''') = I'') + \frac{1}{4} \cdot II'')$
$II''') = II'' : (-4)$
$III''') = III'') - \frac{1}{2} \cdot II'')$.

Wie aus dem Beispiel ersichtlich ist, gelangt man von einem vorgegebenen Gleichungssystem $S$ durch geeignete Äquivalenzumformung (Addition und Subtraktion von geeigneten Vielfachen gewisser Gleichungen zu anderen Gleichungen) zu einem neuen Gleichungssystem $S'$. $S$ und $S'$ sind, wie man allgemein beweisen kann, *äquivalent*, d.h., beide Systeme haben die genau gleiche Lösungsmenge. $S'$ ist wieder äquivalent zu $S''$ und $S''$ ist äquivalent zu $S'''$. Wegen der Transitivität der Äquivalenz von Gleichungssystemen ist das letzte System $S'''$ dem Ausgangssystem $S$ äquivalent und man kann die Lösungsmenge direkt ablesen: $L = \{(22; 32; 28)\}$.   Bei dem Verfahren müssen die Äquivalenzumformungen gezielt so durchgeführt werden, daß nach möglichst wenigen Schritten möglichst viele Koeffizienten der Variablen den Wert 0 haben. Unser Ausgangssystem war speziell ein System mit gleicher Anzahl von Gleichungen und Variablen und einer eindeutigen Lösung, d.h., $L$ enthält genau ein Element. Dies muß nicht immer so sein. Wichtig ist noch der Fall, wo die *Anzahl der Variablen größer als die Anzahl der Gleichungen ist*. Führt man an dem folgenden System $T$ mit drei Gleichungen mit fünf Variablen die Äquivalenzumformungen durch, so kann man nicht wie im vorhergehenden Fall alle Variablen isolieren, d.h. ein äquivalentes System angeben, bei dem in jeder Gleichung nur eine Variable mit einem von Null verschiedenen Koeffizienten vorkommt.

$$T \begin{cases} I) & x_1 + x_2 + \phantom{2}x_3 + 6x_4 + 2x_5 = \phantom{-}8; \\ II) & \phantom{x_1 +} x_2 - \phantom{2}x_3 - 2x_4 + \phantom{6}x_5 = -2; \\ III) & x_1 + x_2 + 2x_3 + 9x_4 + 3x_5 = 10. \end{cases}$$

Bei diesem System kann man genau drei Variable isolieren. Die beiden folgenden Systeme $T'$ und $T''$ sind dem System $T$ äquivalent.

$$T' \begin{cases} I') & \boxed{x_1} + 0 \cdot x_2 + 0 \cdot x_3 + 2x_4 - \phantom{2}x_5 = 6; \\ II') & 0 \cdot x_1 + \boxed{x_2} + 0 \cdot x_3 + \phantom{2}x_4 + 2x_5 = 0; \\ III') & 0 \cdot x_1 + 0 \cdot x_2 + \boxed{x_3} + 3x_4 + \phantom{2}x_5 = 2. \end{cases}$$

Die Lösungen des Ausgangssystems erhält man, wenn man im System $T'$ für $x_4$ und $x_5$ unabhängig voneinander beliebige reelle Zahlen wählt und dann $x_1$, $x_2$ und $x_3$ leicht bestimmt. In einem solchen Fall der Umformung des Systems $T$ in ein äquivalentes System $T'$ bezeichnet man $x_4$ und $x_5$ als *freie Variable* und die Variablen $x_1$, $x_2$ und $x_3$ als *Basisvariable*. Wie das folgende System $T''$ zeigt, welches ebenfalls zu $T$ äquivalent ist, kann auch ein anderes Paar ($x_2$ und $x_5$) als freie Variable gewählt werden. Dann sind die restlichen Variablen ($x_1$, $x_3$ und $x_4$) Basisvariable.

$$T'' \begin{cases} I'') & \boxed{x_1} - 2x_2 + 0 \cdot x_3 + 0 \cdot x_4 - 5x_5 = 6; \\ II'') & 0 \cdot x_1 + \phantom{2}x_2 + 0 \cdot x_3 + \boxed{x_4} + 2x_5 = 0; \\ III'') & 0 \cdot x_1 - 3x_2 + \boxed{x_3} + 0 \cdot x_4 - 5x_5 = 2. \end{cases}$$

Mit Hilfe sogenannter *Lösungsparameter* $\sigma$ u. $\tau$ im Falle von $T'$ und $\mu$ u. $\lambda$ im Falle von $T''$ läßt sich die Lösungsmenge von $T$ beschreiben.

Lösungsmenge von $T$

bezogen auf das System $T'$

$$\begin{aligned} x_1 &= 6 - 2\sigma + \phantom{2}\tau; \\ x_2 &= \phantom{6} - \phantom{2}\sigma - 2\tau; \\ x_3 &= 2 - 3\sigma - \phantom{2}\tau; \qquad \sigma, \tau \in R \\ x_4 &= \phantom{6-2}\sigma; \\ x_5 &= \phantom{6-2\sigma+}\tau; \end{aligned}$$

bezogen auf das System $T''$

$$\begin{aligned} x_1 &= 6 + 2\mu + 5\lambda; \\ x_2 &= \phantom{6+2}\mu; \\ x_3 &= 2 + 3\mu + 5\lambda; \qquad \mu, \lambda \in R \\ x_4 &= \phantom{6} - \phantom{2}\mu - 2\lambda; \\ x_5 &= \phantom{6+2\mu+5}\lambda; \end{aligned}$$

Jetzt haben wir die erforderlichen Begriffe bereitgestellt, um die algebraische Methode von Optimierungsproblemen zu erörtern. Dazu gehen wir von dem folgenden *Maximierungssystem* aus, das wir in der sogenannten Normalform angeben:

*Beispiel 56:*

$$\begin{array}{ll} Z - \phantom{4}x_1 - 3x_2 = 0 & \text{Zielgleichung } (\to \text{Max.}) \\ \phantom{Z - 4}x_1 \phantom{- 3x_2} \leq 10 \\ \phantom{Z - 4x_1 - }x_2 \leq 8 \\ \phantom{Z - }4x_1 + 5x_2 \leq 60 \end{array} \left. \begin{array}{l} \\ \\ \text{Restrikt.-Gl.} = \text{System } R \\ \\ \end{array} \right\} \text{System } S.$$

$x_1 \geq 0$, $x_2 \geq 0$   N.-N.-Bed.

Wie bereits diskutiert wurde, ist der Gaußsche Algorithmus auf das System $R$ nicht anwendbar. Dies führte zur Einführung von sogenannten *Schlupfvariablen*, mit deren Hilfe das System $R$ in ein System $R'$ von Gleichungen übergeführt wird. Mit den drei Schlupfvariablen $u_1$, $u_2$ und $u_3$ erhält man:

$$\begin{array}{llll}
Z - & x_1 - 3x_2 & = 0 & \text{Zielgleichung} \\
& x_1 \quad\ + u_1 & = 10 & \\
& \quad\ + u_2 & = 8 & \text{System } R' \\
& 4x_1 + 5x_2 \quad + u_3 = 60 &
\end{array} \Bigg\} \text{System } S'$$

$x_1 \geq 0,\ x_2 \geq 0,\ u_1 \geq 0,\ u_2 \geq 0,\ u_3 \geq 0$ N.-N.-Bed.

Die beiden Systeme $R$ und $R'$ sind natürlich nicht äquivalent, denn sie stimmen ja schon in der Anzahl der Variablen nicht überein. Die Lösungsmenge von $R$ ist eine Menge von geordneten Zahlenpaaren und die von $R'$ eine Menge von geordneten Zahlenquintupeln (bei $S$ Zahlentripel, bei $S'$ Zahlensextupel).

Dennoch besteht zwischen den Systemen ein *wichtiger Zusammenhang*:

*1)* Ist $(x_1; x_2; u_1; u_2; u_3)$ eine Lösung von $R'$ mit nicht-negativen $u$-Werten, so ist $(x_1; x_2)$ ein *zulässiges Zahlenpaar*, d.h. eine Lösung von $R$.

*2)* Führt man Äquivalenzumformungen des Systems $S'$ durch, so ändert sich ja die Lösungsmenge nicht, auch wenn andere Gleichungen an die Stelle der bisherigen treten. Dies bedeutet für die Zielgleichung, daß man über eine Lösung von $R'$, die zu zulässigen Zahlenpaaren führt, auch mit den dann in der Zielgleichung auftretenden Werten der Schlupfvariablen $Z$ berechnen kann.

Das System $R'$ und damit das System $S'$ enthält mehr Variable als Gleichungen. In einem solchen Fall kann man immer so viele Variable isolieren, wie es Gleichungen gibt (vgl. obige Erörterung).

Wir wählen jetzt zunächst $x_1$ und $x_2$ als freie Variable und erhalten durch Umstellung:

$$\left.\begin{array}{rl}
Z \ =\ & x_1 + 3x_2; \\
u_1 \ =\ 10 - & x_1; \\
u_2 \ =\ 8 & - x_2; \\
u_3 \ =\ 60 - & 4x_1 - 5x_2;
\end{array}\right\} \text{System } S'.$$

Mit Hilfe der beiden *Lösungsparameter* $\sigma$ und $\tau$, die voneinander unabhängig und beliebig reell gewählt werden können, erhält man alle Lösungen des Systems $S'$ mit:

$Z = \sigma + 3\tau,\quad x_1 = \sigma,\quad x_2 = \tau,\quad u_1 = 10 - \sigma,\quad u_2 = 8 - \tau,$
$u_3 = 60 - 4\sigma - 5\tau.$

*1. Zielwert:* Für $\sigma = \tau = 0$ erhält man eine spezielle Lösung von $S'$, nämlich $(0; 0; 0; 10; 8; 60)$ und damit neben dem zulässigen Zahlenpaar $(0; 0)$ den zulässigen Zielwert $Z_1 = 0$. Man erkennt an der obigen Parameterdarstellung der Lösungen von $S'$, daß es noch andere zulässige Lösungen gibt, für die $Z$ einen größeren Wert annimmt (z.B. $\sigma = \tau = 3$).

*2. Zielwert:* Wir setzen willkürlich $\sigma = 0$ und schränken damit auf eine Lösungsteilmenge von $S'$ ein. Wir suchen dann den günstigsten Wert von $\tau$. Für $\sigma = 0$ erhalten wir:

$Z = 3\tau,\quad x_1 = 0,\quad x_2 = \tau,\quad u_1 = 10,\quad u_2 = 8 - \tau,\quad u_3 = 60 - 5\tau.$

*Wegen der N.-N.-Bed.* muß $\tau = \text{Min } (8; 60 : 5) = 8$ sein. Damit erhalten wir eine weitere spezielle Lösung von $S'$, nämlich $(24; 0; 8; 10; 0; 20)$ und damit ein weiteres zulässiges Zahlenpaar $(0; 8)$ und den zugehörigen verbesserten Zielwert $Z_2 = 24$.

*3. Zielwert:* Wie man leicht nachprüft, führt die Setzung $\tau = 0$ zu keiner Verbesserung des Zielwertes. Vergleicht man die beiden speziellen Lösungen, die zu den beiden Zielwerten $Z_1$ und $Z_2$ führen, so erkennt man, daß, bezogen auf das Teilsystem $R'$ (d.h. ohne Berücksichtigung der Variablen $Z$) neben drei von Null verschiedenen Werten jeweils zwei Werte gleich Null sind. Im ersten Fall sind es die Werte der beiden freien Variablen und im zweiten Fall die Werte der Variablen $x_1$ und $u_2$. Wegen der Invarianz der Lösungsmenge von $S'$ muß aber bei Wahl dieser zwei Variablen als freie Variable mit $x_1 = 0$ und $u_2 = 0$ ebenso die Lösung (24; 0; 8; 10; 0; 20) resultieren. Deshalb isolieren wir an Stelle von $u_2$ die Variable $x_2$. Die entsprechenden Äquivalenzumformungen führen zu dem zu $S'$ äquivalenten System $S''$:

$$\left.\begin{aligned}
Z &= 24 + & x_1 - 3u_2; \\
u_1 &= 10 - & x_1; \\
x_2 &= 8 & - u_2; \\
u_3 &= 20 - 4x_1 + 5u_2;
\end{aligned}\right\} \text{ System } S''.$$

Wir bezeichnen jetzt die Lösungsparameter mit $\lambda$ und $\mu$ und erhalten eine andere aber gleichwertige Darstellung aller Lösungen, wenn wiederum $\lambda$ und $\mu$ unabhängig voneinander alle reellen Zahlen durchlaufen:

$Z = 24 + \lambda - 3\mu$,   $x_1 = \lambda$,   $x_2 = 8 - \mu$,   $u_1 = 10 - \lambda$,   $u_2 = \mu$,
$u_3 = 20 - 4\lambda + 5\mu$.

Man prüft leicht nach, daß $\lambda = 0$ und $\mu = 8$ die erste und $\lambda = 0$ und $\mu = 0$ die zweite Lösung darstellen. Dies lediglich zur Verifikation des oben Gesagten. Wir wollen unseren Zielwert weiter verbessern. Wegen der N.-N.-Bedingung muß $\mu \geq 0$ sein. Aus der Darstellung der möglichen Lösungswerte für $Z$ erkennt man aber, daß ein größerer Wert von $Z$ als 24 nur zu erreichen ist, wenn man $\mu = 0$ und $\lambda$ möglichst groß wählt. Wir betrachten wieder eine Lösungsteilmenge (für $\mu = 0$):

$Z = 24 + \lambda$,   $x_1 = \lambda$,   $x_2 = 8$,   $u_1 = 10 - \lambda$,   $u_2 = 0$,   $u_3 = 20 - 4\lambda$.

Die Beachtung der N.-N.-Bed. ergibt $\lambda = \text{Min}\,(10; 20:4) = 5$. Damit erhalten wir eine dritte geeignete Lösung, nämlich (29; 5; 8; 5; 0; 0) mit dem zulässigen Zahlenpaar (5; 8) und dem verbesserten Zielwert $Z_3 = 29$.

Dies ist aber schon der gesuchte Maximalwert, denn im nächsten Schritt müßte das System $S''$ so umgeformt werden, daß $u_2$ und $u_3$ freie Variable werden. Die Zielgleichung nimmt dann die Form $Z = 29 - \frac{17}{4}u_2 - \frac{1}{4}u_3$ an. Für nichtnegative Werte der beiden freien Variablen ist eine weitere Verbesserung des Zielwertes also nicht möglich. Das Verfahren ist damit abgeschlossen.

Wir stellen noch einmal die in den einzelnen Schritten erhaltenen wichtigen Werte zusammen und vergleichen mit dem in der Figur dargestellten zulässigen Bereich.

| Zielwert | zulässiges Zahlenpaar | | Eckpunkt des zulässigen Bereiches |
|---|---|---|---|
| $Z_1 = 0$; | $x_1 = 0$, | $x_2 = 0$; | $E_1(0; 0)$; |
| $Z_2 = 24$; | $x_1 = 0$, | $x_2 = 8$; | $E_2(0; 8)$; |
| $Z_3 = 29$; | $x_1 = 5$, | $x_2 = 8$; | $E_3(5; 8)$. |

Das Verfahren funktioniert offensichtlich so, daß der Reihe nach die Koordinaten der Eckpunkte des zulässigen Bereiches als zulässige Zahlenpaare ausgewählt werden, bis der Maximalwert erreicht ist.

*Aufgabe 90:* Man überprüfe das Ergebnis graphisch und zeige, daß bei Anwendung des algebraischen Verfahrens die Eckpunkte $E_1$, $E_5$, $E_4$ und $E_3$ in dieser Reihenfolge durchlaufen werden, wenn man mit den oben gewählten Bezeichnungen zur Bestimmung des 2. Zielwertes nicht $\sigma$, sondern $\tau = 0$ setzt (in diesem Falle benötigt man einen Schritt mehr!).

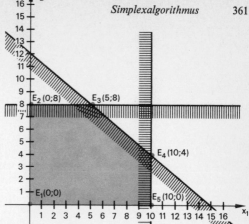

*Figur zur algebraischen Behandlung von Optimierungsproblemen*

## Der Simplexalgorithmus als wichtigstes numerisches Verfahren

Das im letzten Abschnitt durchgeführte Verfahren läßt sich auf Maximierungssysteme mit beliebig vielen Variablen und Restriktionsgleichungen anwenden, wenn die Koeffizienten bestimmte Bedingungen erfüllen.

Naturgemäß nimmt dann die Anzahl der Verbesserungsschritte zu. Bei Verwendung von Computern spielt dies aber keine wesentliche Rolle. Im folgenden stellen wir ein Berechnungsschema, ein Flußdiagramm und die numerische Behandlung des Beispiels 52 vor.

*Erklärung der erforderlichen Begriffe:*

*1)* Unter einem *Maximierungssystem in Normalform* versteht man ein Mischsystem von Gleichungen und Ungleichungen von folgender Form und mit folgenden Eigenschaften:

Zielgleichung
$$Z + a_{01}x_1 + a_{02}x_2 + \cdots + a_{0n}x_n = 0;$$

Restriktionsgl.

(Einschr. Bed.)
$$\begin{cases} a_{11}x_1 + a_{12}x_2 + \cdots + a_{1n}x_n \leq b_1; \\ a_{21}x_1 + a_{22}x_2 + \cdots + a_{2n}x_n \leq b_2; \\ \cdots\cdots\cdots\cdots\cdots\cdots\cdots\cdots\cdots\cdots \\ \cdots\cdots\cdots\cdots\cdots\cdots\cdots\cdots\cdots\cdots \\ a_{m1}x_1 + a_{m2}x_2 + \cdots + a_{mn}x_n \leq b_m; \end{cases}$$

Nicht-Neg.-Bed.
$$x_1 \geq 0, \quad x_2 \geq 0, \ldots x_n \geq 0;$$

Konstanten-Bed.
$$b_1 \geq 0, \quad b_2 \geq 0, \ldots b_m \geq 0.$$

*2)* *Äquivalenzumformungen eines Blocks* in den nächsten erfolgen wie beim Gaußschen Algorithmus dadurch, daß man mit geeigneten Zahlen alle Zahlen einer Zeile multipliziert und zu anderen Zeilen addiert (oder von ihnen subtrahiert).

*3)* Bei der algebraischen Behandlung haben wir gesehen, daß zu den *n* Variablen des Restriktionssystems gemäß der Anzahl der einschränkenden Bedingungen noch *m* Schlupfvariable hinzukommen. Das zum Gleichungssystem erweiterte System hat insgesamt *m* + *n* Variable. Davon können stets *n* in beliebiger Auswahl als freie Variable gewählt werden. Die jeweils restlichen *m* Variablen, die nicht mit den Schlupfvariablen identisch sein müssen, heißen *Basisvariable*.

*4)* Eine *Spalte heißt normiert*, wenn sie in genau einer Zeile den Wert 1 und in allen anderen den Wert 0 enthält.

*Muster für das Berechnungsschema zum Simplexalgorithmus*

| | Zeile | BV | | | $A$ | | | | $B$ | | | $C$ | $Q$ |
|---|---|---|---|---|---|---|---|---|---|---|---|---|---|
| | | | $x_1$ $x_2$ $x_3 \cdots x_n$ | | | $u_1$ | $u_2$ | $u_3$ | $\cdots$ | $u_m$ | | | |
| | 0 | $Z_1$ | | | | 0 | 0 | 0 | $\cdots$ | 0 | | | |
| | 1 | $u_1$ | | | | 1 | 0 | 0 | $\cdots$ | 0 | | | |
| | 2 | $u_2$ | | | | 0 | 1 | 0 | $\cdots$ | 0 | | | |
| $B_1$ | 3 | $u_3$ | | | | 0 | 0 | 1 | $\cdots$ | 0 | | | |
| | $\vdots$ | | | | | | | | | | | | |
| | $m$ | $u_m$ | | | | 0 | 0 | 0 | $\cdots$ | 1 | | | |
| | 0 | $Z_2$ | | | | | | | | | | | |
| | 1 | | | | | | | | | | | | |
| | 2 | | | | | | | | | | | | |
| $B_2$ | 3 | | | | | | | | | | | | |
| | $\vdots$ | | | | | | | | | | | | |
| | $m$ | | | | | | | | | | | | |
| | 0 | $Z_3$ | | | | | | | | | | | |

$B_3$

| $Z_1, Z_2, Z_3$ | Werte der Zielfunktion, die laufend verbessert werden |
|---|---|
| $n$ | Anzahl der Variablen in der Zielfunktion und den einschränkenden Bedingungen |
| $m$ | Anzahl der einschränkenden Bedingungen |
| $B_1, B_2, B_3$ | Berechnungsblöcke |
| $x_1, x_2, \cdots x_n$ | Variablen des Problems |
| $u_1, u_2, \cdots u_m$ | Schlupfvariable |
| $BV$ | Spalte der Basisvariablen, die sich von Block zu Block ändern |
| $A$ | Gesamtheit der Variablen-Spalten |
| $B$ | Gesamtheit der Schlupfvariablen-Spalten |
| $C$ | Spalte der Konstanten, die auf der rechten Seite des Maximierungsproblems in der Normalform auftreten |
| $Q$ | Quotienten-Spalte |

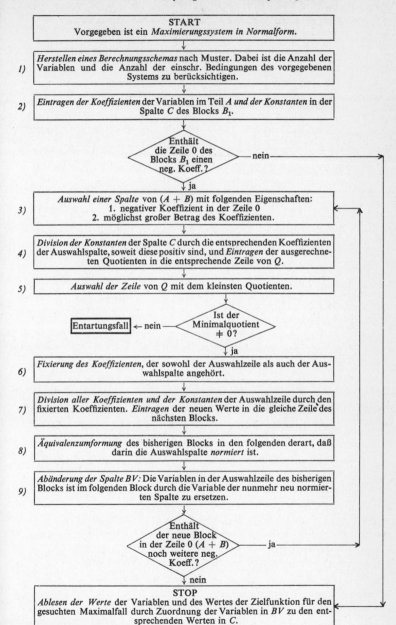

**START**
Vorgegeben ist ein *Maximierungssystem in Normalform.*

1) *Herstellen eines Berechnungsschemas* nach Muster. Dabei ist die Anzahl der Variablen und die Anzahl der einschr. Bedingungen des vorgegebenen Systems zu berücksichtigen.

2) *Eintragen der Koeffizienten* der Variablen im Teil *A und der Konstanten* in der Spalte *C* des Blocks $B_1$.

Enthält die Zeile 0 des Blocks $B_1$ einen neg. Koeff.? — nein —

ja

3) *Auswahl einer Spalte* von $(A + B)$ mit folgenden Eigenschaften:
1. negativer Koeffizient in der Zeile 0
2. möglichst großer Betrag des Koeffizienten.

4) *Division der Konstanten* der Spalte *C* durch die entsprechenden Koeffizienten der Auswahlspalte, soweit diese positiv sind, und *Eintragen* der ausgerechneten Quotienten in die entsprechende Zeile von *Q*.

5) *Auswahl der Zeile* von *Q* mit dem kleinsten Quotienten.

Entartungsfall ← nein — Ist der Minimalquotient $\neq 0$?

ja

6) *Fixierung des Koeffizienten*, der sowohl der Auswahlzeile als auch der Auswahlspalte angehört.

7) *Division aller Koeffizienten und der Konstanten* der Auswahlzeile durch den fixierten Koeffizienten. *Eintragen* der neuen Werte in die gleiche Zeile des nächsten Blocks.

8) *Äquivalenzumformung* des bisherigen Blocks in den folgenden derart, daß darin die Auswahlspalte *normiert* ist.

9) *Abänderung der Spalte BV:* Die Variablen in der Auswahlzeile des bisherigen Blocks ist im folgenden Block durch die Variable der nunmehr neu normierten Spalte zu ersetzen.

Enthält der neue Block in der Zeile 0 $(A + B)$ noch weitere neg. Koeff.? — ja —

nein

**STOP**
*Ablesen der Werte* der Variablen und des Wertes der Zielfunktion für den gesuchten Maximalfall durch Zuordnung der Variablen in *BV* zu den entsprechenden Werten in *C*.

*Anwendung des Simplexalgorithmus auf das spezielle Produktionsproblem*

|  | Zeile | BV | $x_1$ | $x_2$ | $u_1$ | $u_2$ | $u_3$ | $u_4$ | $u_5$ | C | Q |
|---|---|---|---|---|---|---|---|---|---|---|---|
|  |  |  | A | | B | | | | | C | Q |
|  | 0 | $Z_1$ | $-120$ | $-90$ | 0 | 0 | 0 | 0 | 0 | 0 | |
|  | 1 | $u_1$ | 1 | 1 | 1 | 0 | 0 | 0 | 0 | 1000 | : 1 = 1000 |
|  | 2 ← | $u_2$ | 1 | 0 | 0 | 1 | 0 | 0 | 0 | 600 | : 1 = 600 |
| $B_1$ | 3 | $u_3$ | 0 | 1 | 0 | 0 | 1 | 0 | 0 | 800 | : ‒‒‒‒‒‒‒ |
|  | 4 | $u_4$ | 3 | 2 | 0 | 0 | 0 | 1 | 0 | 2400 | : 3 = 800 |
|  | 5 | $u_5$ | $-1$ | 1 | 0 | 0 | 0 | 0 | 1 | 600 | : ‒‒‒‒‒‒‒ |
|  | 0 | $Z_2$ | 0 | $-90$ | 0 | 120 | 0 | 0 | 0 | 72000 | |
|  | 1 | $u_1$ | 0 | 1 | 1 | $-1$ | 0 | 0 | 0 | 400 | : 1 = 400 |
|  | 2 → | $x_1$ | 1 | 0 | 0 | 1 | 0 | 0 | 0 | 600 | : ‒‒‒‒‒‒‒ |
| $B_2$ | 3 | $u_3$ | 0 | 1 | 0 | 0 | 1 | 0 | 0 | 800 | : 1 = 800 |
|  | 4 ← | $u_4$ | 0 | 2 | 0 | $-3$ | 0 | 1 | 0 | 600 | : 2 = 300 |
|  | 5 | $u_5$ | 0 | 1 | 0 | 1 | 0 | 0 | 1 | 1200 | : 1 = 1200 |
|  | 0 | $Z_3$ | 0 | 0 | 0 | $-15$ | 0 | 45 | 0 | 99000 | |
|  | 1 ← | $u_1$ | 0 | 0 | 1 | 0,5 | 0 | $-0,5$ | 0 | 100 | : 0,5 = 200 |
|  | 2 | $x_1$ | 1 | 0 | 0 | 1 | 0 | 0 | 0 | 600 | : 1 = 600 |
| $B_3$ | 3 | $u_3$ | 0 | 0 | 0 | 1,5 | 1 | $-0,5$ | 0 | 500 | : 1,5 = 333,3 |
|  | 4 → | $x_2$ | 0 | 1 | 0 | $-1,5$ | 0 | 0,5 | 0 | 300 | : ‒‒‒‒‒‒‒ |
|  | 5 | $u_5$ | 0 | 0 | 0 | 2,5 | 0 | $-0,5$ | 1 | 900 | : 2,5 = 360 |
|  | 0 | $Z_4$ | 0 | 0 | 30 | 0 | 0 | 30 | 0 | 102000 | |
|  | 1 → | $u_2$ | 0 | 0 | 2 | 1 | 0 | $-1$ | 0 | 200 | |
|  | 2 | $x_1$ | 1 | 0 | $-2$ | 0 | 0 | 1 | 0 | 400 | |
| $B_4$ | 3 | $u_3$ | 0 | 0 | $-3$ | 0 | 1 | 1 | 0 | 200 | |
|  | 4 | $x_2$ | 0 | 1 | 3 | 0 | 0 | $-1$ | 0 | 600 | |
|  | 5 | $u_5$ | 0 | 0 | 5 | 0 | 0 | 2 | 1 | 400 | |

← *bedeutet, daß die betreffende Variable als Basisvariable ausscheidet;*
→ *bedeutet, daß die betreffende Variable als Basisvariable hinzukommt.*

**Das Verfahren ist abgeschlossen,** da im Block $B_4$ in der Zeile 0 keine negativen Koeffizienten mehr vorkommen.

Durch Zuordnung der Werte der beiden Spalten *BV* und *C* erhält man den *maximalen Zielwert* $Z_4 = 102000$, der für $x_1 = 400$ und $x_2 = 600$ erreicht wird.

*Erläuterungen zum Übergang von einem Berechnungsblock zum nächsten:*

$B_1 - B_2$: Zeile 2 kann von $B_1$ nach $B_2$ übernommen werden, da der fixierte Koeffizient schon den Wert 1 hat. Zeile 1 von $B_2$ erhält man durch Subtraktion der Auswahlzeile von $B_1$ von der Zeile 1 von $B_1$. Zeile 3 kann beibehalten werden, da der Koeffizient in der 1. Spalte den Wert 0 hat. Zeile 4 von $B_2$ erhält man, indem man das 3fache der Auswahlzeile von der Zeile 4 von $B_1$ subtrahiert. Zeile 5 von $B_2$ erhält man schließlich, indem man die Auswahlzeile zur Zeile 5 von $B_1$ addiert.

$B_2 - B_3$: Da jetzt der fixierte Koeffizient den Wert 2 hat, erhält man die Zeile 4 von $B_3$ durch Division der Zeile 4 von $B_2$ durch 2. Die anderen Zeilen des Blocks $B_3$ erhält man durch analoge Operationen wie oben.

$B_3 - B_4$: Hier ist zu beachten, daß der fixierte Koeffizient den Wert 0,5 hat. Folglich erhält man die Zeile 1 von $B_4$ durch Multiplikation der Zeile 1 von $B_3$ mit 2. Die anderen Zeilen des letzten Blocks erhält man wieder durch analoge Operationen wie oben.

*Aufgabe 91:* Man wende den Simplexalgorithmus auf das Beispiel 55 an und vergleiche die berechneten Zwischenwerte mit den Ecken und Zielwerten in der Tabelle zu diesem Beispiel.

*Aufgabe 92:* Man wende den Simplexalgorithmus auf das algebraisch behandelte Beispiel 56 an und vergleiche die Zwischenwerte mit den dort allmählich verbesserten Zielwerten.

*Aufgabe 93:* Ein Erzeuger gefragter Badezusatzmittel will aus drei Grundsubstanzen $A$, $B$ und $C$ eine Mischung herstellen, hat aber nur beschränkte Mengen zur Verfügung: Von $A$ und $B$ je 100 kg und von $C$ 50 kg. Die Preise der Grundsubstanzen betragen für $A$ 15 DM/kg, für $B$ 12 DM/kg und für $C$ 10 DM/kg. Die Mischung will er zu DM 14 je kg auf den Markt bringen. Damit sie aber die gewünschten Eigenschaften hat, müssen mindestens 25% der Substanz $A$ und dürfen höchstens 50% der Substanz $C$ in ihr enthalten sein. Welche Mengen von jeder Substanz muß die Mischung enthalten, damit der Gesamterlös maximal ist?

*Aufgabe 94:* Ein Bauer hat sich auf die Aufzucht von Schlachtvieh (Kälber, Schweine und Schafe) spezialisiert. In seinen Stallungen kann er höchstens 250 Tiere unterbringen. Wegen des unterschiedlichen Arbeitsaufwandes hinsichtlich der Versorgung und Pflege der Tiere kann er höchstens 200 Kälber und höchstens 100 Schweine halten. Die Tabelle gibt die augenblicklichen durchschnittlichen Aufzuchtkosten und die durchschnittlichen Verkaufspreise an.

|  | Aufzuchtkosten DM je Tier | Verkaufspreis DM je Tier |
|---|---|---|
| Kalb | 60,— | 180,— |
| Schwein | 100,— | 260,— |
| Schaf | 20,— | 60,— |

Wie viele Tiere von jeder Art sollte er halten, damit er seinen Betrieb maximal ausnützt?

## Abschließende Bemerkungen zum linearen Optimieren

Naturgemäß kann in einem Buch wie diesem ein mathematischer Bereich wie das lineare Optimieren nicht erschöpfend dargestellt werden, dazu würde man den

Umfang eines Buches allein benötigen. Worum es hier ging, wurde schon eingangs gesagt, es sollte an einem Beispiel aufgezeigt werden, daß die Geometrie nicht nur mathematikinterne Bedeutung hat, sondern daß sie sehr wohl in modernen Bereichen auch eine praktische Anwendung erfahren kann. Sowohl beim graphischen Verfahren als auch bei der Eckpunkt-Berechnungsmethode ist es nicht erforderlich, daß die Optimierungsaufgaben auf einen so speziellen Typus wie den der *Maximierungsaufgabe in der Normalform* eingeschränkt werden. Unsere bisherige Darstellung könnte den Eindruck erwecken, als könnte man mit dem Simplexalgorithmus zwar Systeme mit vielen Variablen und vielen einschränkenden Bedingungen sehr viel ökonomischer lösen (besonders durch Einsatz von Computern), daß man sich aber auf den genannten Typus beschränken muß, bei dem, wenn man Pech hat, sogar wegen des Entartungsfalles gewisse Aufgaben nicht lösbar sind. Dazu muß einiges ergänzend bemerkt werden. Es gibt spezielle Methoden, mit denen man den Fall der Entartung beherrscht, wir müssen allerdings hier auf eine Darstellung verzichten. Weiterhin ist es möglich, mit Hilfe des sogenannten *Dualitätssatzes Minimierungssysteme* auf Maximierungssysteme zurückzuführen. Schließlich ist es auch möglich, Maximierungssysteme, die nicht der Normalform entsprechen ($b_\nu < 0$), auf Probleme in der Normalform zurückzuführen. Damit dürfte verständlich sein, wenn man den dargestellten Simplexalgorithmus als die wichtigste numerische Methode des linearen Optimierens bezeichnet.

## Lösungen der Aufgaben

### Axiomatische Geometrie

*1)* Gäbe es zwei gemeinsame Punkte, dann wäre dies ein Widerspruch zu Axiom I, 1, da es dann zwei verschiedene Geraden durch zwei Punkte gäbe.

*2)* *1)* dürfte klar sein und bei *2)* beachte man die Teilmengeneigenschaft.

*3)* Gerade $g$ und $P \in g$ (Axiom I, 3). Satz 4: Unendlich viele verschiedene Punkte $A, B, C, \ldots \neq P$. Die Geraden $(A; P), (B; P), (C; P), \ldots$ sind alle verschieden. Wäre etwa $(A; P) = (B; P)$, dann $B \in (A; P)$ und $(A; P) = (A; B) = g$, d.h. $P \in g$ mit Widerspruch.

*4)* Sei $X \in [C, S]$, dann ist sowohl $X \in S(C)$ als auch $X \in C(S)$, also $X \in S(C) \cap C(S)$ und somit $[C, S] \subseteq S(C) \cap C(S)$. Sei nun $Y \in S(C) \cap C(S)$. Wir können die Anordnung $S < C$ annehmen. Wäre $Y < S$, so wäre $Y \notin S(C)$, und wäre $C < Y$ so wäre $Y \notin C(S)$, deshalb kann nur $S < Y$ und $Y < C$ gelten. Somit gilt $SYC$ und damit $Y \in [S, C]$. Also gilt auch $S(C) \cap C(S) \subseteq [C, S]$ und mit obigen $[C, S] = S(C) \cap C(S)$.

*5)* Sei $A \in h$ und $B \in \bar{h}$, dann gilt nach der Klasseneinteilung beim Beweis des Satzes 6 $A < S < B$. Somit hat $]AB[$ einen Punkt mit $g$ (nämlich $S$) gemeinsam, also gehören nach der Klasseneinteilung beim Beweis von Satz 8 $A$ und $B$ verschiedenen Klassen an. Nun ist aber $H(g, A) = H(g, h)$ nach Satz 9 und ebenso $H(g, B) = H(g, \bar{h})$, und somit ist, da $H(g, A)$ und $H(g, B)$ komplementär sind, alles bewiesen.

6) Sei $g$ die Gerade, die $h_1$ enthält $h_1 \subset g$, dann ist $H(h_1, h_2) = H(g, h_2)$ und somit nach Satz 10 $H(g, \overline{h}_2) = H(h_1, \overline{h}_2)$ die zu $H(h_1, h_2)$ komplementäre Halbebene. Da aber auch $H(\overline{h}_1, h_2) = H(g, h_2)$ gilt, ist auch $H(\overline{h}_1, \overline{h}_2)$ zu $H(h_1, h_2)$ komplementär.

7) Nach Definition ist $W(u, v) = H(u, v) \cap H(v, u)$. Mit $A \in W(u, v)$ folgt, daß $A \in H(u, v)$ und $A \in H(v, u)$ ist. Nach Satz 9 gilt dann aber, daß $S(A)$ vollständig in beiden Halbebenen und damit vollständig im Winkelfeld liegt.

8) Wegen $h \subset W(u, v)$ muß $h \subset H(u, v)$ und $h \subset H(v, u)$ sein. Nach den Sätzen 10 und 11 folgt dann $\overline{h} \subset H(u, \overline{v}) = H(\overline{u}, \overline{v})$ und $\overline{h} \subset H(v, \overline{u}) = H(\overline{v}, \overline{u})$ somit ist aber $\overline{h} \subset W(\overline{u}, \overline{v}) = H(\overline{u}, \overline{v}) \cap H(\overline{v}, \overline{u})$.

9) Da nicht explizit angegeben ist, welchen Wert $n$ hat, ist natürlich nur die Dualzahl bestimmbar.
1. Näherung: $\overline{AB} \approx n - 1$; 2. Näherung: $\overline{AB} \approx n - 1 + 0,1$;
3. Näherung: $\overline{AB} \approx n - 1 + 0,11$; 4. Näherung: $\overline{AB} \approx n - 1 + 0,110$;
5. Näherung: $\overline{AB} \approx n - 1 + 0,1101$.

10) Sei $p$ eine beliebige Parallele zu $g$. Diese wird dann von den Halbgeraden geschnitten. Jeder Halbgeraden entspricht genau ein Schnittpunkt mit $g$ und umgekehrt gibt es zu jedem Punkt auf $g$ genau eine Halbgerade. Somit ist die Zuordnung über die Schnittpunkte eine bijektive Abbildung der Menge aller Halbgeraden auf die Menge aller Punkte von $g$.

11) 1) $P_g \subseteq E$ ist klar, da $P_g$ Vereinigung von Teilmengen ist. 2) $E \subseteq P_g$. Sei $P \in E$ beliebig, dann existiert nach Satz 21 eine Parallele zu $g$ mit $P \in p \subset P_g$, und damit ist auch $P \in P_g$ q.e.d.

12) 1) $G_A \subseteq E$ ist klar, da $G_A$ Vereinigung von Teilmengen ist.
2) $E \subseteq G_A$. Sei $P \in E$ beliebig, dann existiert die Gerade $(P, A) \subset G_A$, wegen $P \in (P, A) \subset G_A$ ist $P \in G_A$ q.e.d.

13) Strecken sind Bogenstücke der Kreise durch $N$. Zwei komplementäre Halbgeraden ergänzen sich zu einem Kreis durch $N$ (mit Ausnahme von $N$). Halbebenen sind Kugelkappen, deren erzeugende Kreise durch $N$ gehen, die jeweils komplementäre Halbebene ergänzt die eine Kugelkappe zur Vollsphäre (mit Ausnahme von $N$).

14) Parallelenschar: Alle Kreise durch $N$, die eine gemeinsame Tangente in $N$ haben.
Geradenbüschel: Alle Kreise durch $N$, die durch einen weiteren gemeinsamen Punkt gehen.

15) Ja, beispielsweise ein Kreis, der durch $N$ und $S$ geht (Großkreis) mit allen Kreisen durch $N$, die zu diesem symmetrisch liegen.

16) Einer beliebigen Geraden entspricht eine der drei Typen von Geradengleichungen 3), 4), 5).
1. Fall: $g_0 \rightarrow x = 0$, $P_1(0; 0)$ und $P_2(0; 1)$ liegen auf $g_0$.
2. Fall: $g(m) \rightarrow mx - y = 0$, $P_1(0; 0)$ und $P_2(1; m)$ liegen auf $g(m)$.

3. Fall: $g(a, b) \rightarrow ax + by + 1 = 0$ $P_1\left(0; -\dfrac{1}{b}\right)$ und $P_2\left(-\dfrac{1}{a}; 0\right)$ liegen auf $g(a, b)$.

*17)* Betrachte beispielsweise die Punkte $A(0;0)$, $B(0;-1)$ und $C(-1;0)$. Der Geraden $(B,C)$ entspricht die Geradengleichung $x+y+1=0$.

*18) a)* $[P_1Q_1] = \{P(0;r) \mid r \in R \wedge 1 \le r \le 2,5\};$

    *b)* $]P_2Q_2[ = \{P(r;-3r) \mid r \in R \wedge 0 < r < 1\};$

    *c)* $]P_3Q_3[ = \{P(r;7(1-\frac{3}{14}r)) \mid r \in R \wedge 2 < r < 4\};$

    *d)* $[P_4Q_4] = \{P(r;1) \mid r \in R \wedge -2 \le r \le 4\}.$

*19) a)* $S(A) = \{P(r;4) \mid r \in R \wedge r > -2\};$

    *b)* Geradengleichung $\frac{4}{3}x - \frac{5}{3}y + 1 = 0$;

$$T(B) = \{P(r;\tfrac{3}{5}(1+\tfrac{4}{3}r)) \mid r \in R \wedge r \le 3\};$$

    *c)* $S(A)$ geht in $\overline{S(A)}$ über, wenn man das Ungleichheitszeichen umkehrt $r < -2$ und ebenso bei $\overline{T(B)}$ $r \ge 3$ setzt.

*20)* $A$: $\frac{1}{2} \cdot 1 - 1 = -\frac{1}{2} < 0$; $B$: $\frac{1}{2} \cdot 1 - (-2) = 2\frac{1}{2} > 0$; zu $H(g,A)$ offen: $A, D, G$; $H(g,B)$ offen: $B, F, H$; zu $H(g,A)$ abgeschlossen: $A, D, G, O, E, C$; $H(g,B)$ abgeschlossen: $B, F, H, O, E, C$.

*21)* $\Delta_1 = 1$; $\Delta_2 = 1$; $\Delta_3 = 0$;

$A'\left(-\frac{1}{2}\sqrt{3}; \frac{1}{2}\right)$; $B'\left(\sqrt{3}+\frac{3}{2}; -1+\frac{3}{2}\sqrt{3}\right)$; $P\left(\sqrt{3}-\frac{3}{2}; 1+\frac{3}{2}\sqrt{3}\right).$

*22)* $h' = \{P(r_1;r_2) \mid -\frac{2}{3}r_1 - r_2 = 0 \wedge r_1 \ge -1\};$

$[AB] = \{P(r_1;r_2) \mid -\frac{4}{5}r_1 + \frac{1}{5}r_2 + 1 = 0 \wedge 0 \le r_1 \le 2\};$

$H = \{P(r_1;r_2) \mid -\frac{1}{3}r_1 + \frac{1}{3}r_2 + 1 \ge 0\}.$

*23)* $K_5$: $x' = -\frac{1}{4}\sqrt{2}(1+\sqrt{3})x + \frac{1}{4}\sqrt{2}(1-\sqrt{3})y;$

        $y' = \frac{1}{4}\sqrt{2}(1-\sqrt{3})x + \frac{1}{4}\sqrt{2}(1+\sqrt{3})y;$

        $\Delta_1 = 1$; $\Delta_2 = 1$; $\Delta_3 = 0.$

    $K_6$: $x' = -\frac{1}{4}\sqrt{2}(1-\sqrt{3})x + \frac{1}{4}\sqrt{2}(1+\sqrt{3})y;$

        $y' = \frac{1}{4}\sqrt{2}(1+\sqrt{3})x + \frac{1}{4}\sqrt{2}(1-\sqrt{3})y;$

        $\Delta_1 = 1$; $\Delta_2 = 1$; $\Delta_3 = 0.$

*24)* $A' = A(0;0)$ $B' = C(3;9)$, aber $\Delta_1 = \frac{9}{5}, \Delta_2 = \frac{41}{5}$ und $\Delta_3 = \frac{12}{5} \neq 0.$

*25)* Die gesuchten Abbildungsgleichungen lauten:

$$x' = y + 3 \quad \text{und} \quad y' = x + 2.$$

*26)* $A'(2;3)$ $B'(-8;-1)$

$\lambda = \sqrt{(2+2)^2 + (-4-6)^2} = \sqrt{4^2 + 10^2} = \sqrt{116};$

$\lambda' = \sqrt{(2+8)^2 + (3+1)^2} = \sqrt{10^2 + 4^2} = \sqrt{116}.$

*27)* Gleichung der parallelen Geraden $-\frac{1}{8}x - \frac{1}{6}y + 1 = 0.$

*28)* $-x + 1 = 0.$

*29)* Wegen der Anordnung ist stets $\dfrac{\overline{K_2A}}{\overline{K_2B}} > 1$ und $\dfrac{\overline{K_1A}}{\overline{K_1B}} < 1$ und somit

$\dfrac{h}{\overline{AB}} > \ln 1 = 0$, falls $A \neq B$ ist.

*30)* $\dfrac{h}{AC} + \dfrac{h}{CB} = \ln \dfrac{\overline{K_2A}}{\overline{K_2C}} : \dfrac{\overline{K_1A}}{\overline{K_1C}} + \ln \dfrac{\overline{K_2C}}{\overline{K_2B}} : \dfrac{\overline{K_1C}}{\overline{K_1B}}$

$\qquad = \ln \overline{K_2A} - \ln \overline{K_2C} - (\ln \overline{K_1A} - \ln \overline{K_1C})$

$\qquad \quad + \ln \overline{K_2C} - \ln \overline{K_2B} - (\ln \overline{K_1C} - \ln \overline{K_1B})$

$\qquad = \ln \overline{K_2A} - \ln \overline{K_2B} - (\ln \overline{K_1A} - \ln \overline{K_1B})$

$\qquad = \ln \dfrac{\overline{K_2A}}{\overline{K_2B}} : \dfrac{\overline{K_1A}}{\overline{K_1B}} = \dfrac{h}{AB}\ .$

*31)* $g_1 \parallel g_3, g_2 \parallel g_5, g_4 \parallel g_6.$

*32)* Alle Buchstaben-Kombinationen, die keinen Buchstaben gemeinsam haben, sind parallel, also:
$$\alpha\beta \parallel \gamma\delta; \ \alpha\gamma \parallel \beta\delta; \ \alpha\delta \parallel \beta\gamma.$$

*33)* $\{a, g, c\}; \ \{b, h, d\}; \ \{f, j, l\}; \ \{e, i, k\}$

## Analytische Koordinatengeometrie

*34)* Keine Angaben erforderlich.

*35)* $D(2; 1,5), \ E(-2; 2,5), \ F(0; -1), \ S(0; 1) \quad s_a = \overline{AD} = \sqrt{38,25} \approx 6,185;$
$s_b = \overline{BE} = 7,5; \quad s_c = \overline{CF} = 6, \ m(AD) = \frac{1}{4}; \quad m(BE) = -\frac{3}{4}; \ m(CF)$ nicht definiert, da $\alpha = 90°$.

*36)* $F = 20.$

*37)* a) $P(1; 1) \ Q(-3; 3)$ \quad b) $P(2; \frac{1}{2}) \ Q(6; -\frac{3}{2})$

*38)* $D\left(\dfrac{c}{2}; \dfrac{b}{2}\right); \ E\left(\dfrac{a+c}{2}; 0\right); \ F\left(\dfrac{a}{2}; \dfrac{b}{2}\right)$

$F([ABC]) = \frac{1}{2}(ab - bc)$

$F([DEF]) = \frac{1}{2}\left(\dfrac{a}{2} \cdot \dfrac{b}{2} - \dfrac{c}{2} \cdot \dfrac{b}{2}\right) = \frac{1}{4} \cdot \frac{1}{2}(ab - bc).$

*39)* a) $y = \frac{1}{2}x + \frac{3}{2}$, b) $y = \frac{1}{4}x + 3,5$,
c) $y = -\frac{5}{3}x + 3,5.$

*40)* a) $y = \frac{1}{3}\sqrt{3}x$; \quad b) $y = x$; \quad c) $y = -x$
d) $x = 0.$

*41)* I \quad a) $y = \frac{1}{3}\sqrt{3}x - \frac{2}{3}\sqrt{3}$; \qquad b) $y = x - 2$;
\qquad c) $y = -x + 2$; \qquad\qquad d) $x = 2$;

II \quad a) $y = \frac{1}{3}\sqrt{3}x - 2$; \qquad b) $y = x - 2$;
\qquad c) $y = -x - 2$; \qquad\qquad d) $x = 0.$

*42)* a) ja \quad b) nein.

*43)* $\beta \approx 71°34'; \quad \gamma \approx 36°52'.$

*44)* a) nein, drei Schnittpunkte $P(\frac{8}{3}; -\frac{2}{3}), Q(\frac{11}{4}; -\frac{5}{8}), R(\frac{14}{5}; -\frac{7}{10}).$
b) ja $S(\frac{2}{3}; \frac{1}{2}).$

*45)* $\tan \delta_1 = 1; \ \delta_1 = 45°; \tan \delta_2 = 3; \ \delta_2 \approx 71°34'; \tan \delta_3 = 2; \ \delta_3 \approx 63°26'.$

*46) a)* 0,9, *b)* $-1,6 \cdot \sqrt{5} \approx -3,58$,

$c)$ $\pm \dfrac{4}{\sqrt{29}} \approx \pm 0,74$, *d)* 1,2.

*47)* Gleichungen der Winkelhalbierenden:

$x - 3y + 5 = 0$;  $5x - y - 10 = 0$;  $7x + 9y - 40 = 0$,

$W(2,5; 2,5)$,  $\varrho = 2\sqrt{2} \approx 2,828$.

*48)* Siehe Beispiel 26.

*49)* $(x - 2,5)^2 + (y - 2,5)^2 = 8$.

*50)* $(x - r)^2 + (y - r)^2 = r^2$  mit  $r_1 = 8,5$  und  $r_2 = 2,5$.

*51) a)* $S_1(3; 1)$,  $S_2(1; -3)$,  $M(2; -1)$,  $\overline{S_1 S_2} = 2\sqrt{5}$

*b)* $S_1(4; 0)$,  $S_2(2; 2)$,  $M(3; 1)$,  $\overline{S_1 S_2} = 2\sqrt{2}$.

*52) a)* Schneiden sich knapp!  $P_1(8; 2)$  $P_2(7\frac{33}{41}; 2\frac{10}{41})$. *b)* Meiden sich knapp.
*c)* Berühren sich in $B(4,9; -0,7)$.

*53) a)* $3x + y - 10 = 0$;  $x - 3y - 10 = 0$  $\delta = 90°$;
*b)* $y = -\frac{1}{7}x$;  $y = x$  $\delta \approx 53°10'$.

*54)* $y = -\frac{4}{3}x + 14$;  $y = \frac{3}{4}x - \frac{19}{4}$.

*55)* Siehe Beispiel 29.

*56)* $B_1(2; 4)$  $B_2(-2; 1)$  $4x + 3y - 20 = 0$;  $4x + 3y + 5 = 0$.

*57) a)* Schneiden sich in $S_1(4,8; 1,4)$ und $S_2(3; -4)$  $\delta \approx 36°52'$.
*b)* Berührung in $B(2; 1)$,  $\delta = 0°$.
*c)* Meiden sich knapp.

*58)* Gerade $(M, M_0) \equiv 4x - 3y - 5 = 0$, $B_1(6,8; 7,4)$ $B_2(3,2; 2,6)$, $r_1 = 8$, $r_2 = 2$.

## Vektorielle analytische Geometrie

*59)* $\vec{u} = \vec{a} - \vec{c}$,  $\vec{v} = \vec{c} - \vec{b}$,  $\vec{w} = \vec{b} - \vec{a}$.

*60)* $\vec{s} = \vec{a} + \vec{b}$,  $\vec{y} = \vec{a} + \vec{b} + \vec{c}$,  $\vec{z} = \vec{b} - \vec{a}$;  $\vec{u} = \vec{a} - \vec{b}$,  $\vec{v} = \vec{b} + \vec{c}$,
$\vec{w} = \vec{c} - \vec{b}$;  $\vec{r} = \vec{u} + (-\vec{c}) = \vec{a} - \vec{b} - \vec{c}$.

*61)* $g_1 \equiv \vec{x} = \vec{b} + \lambda(\vec{c} - \vec{b})$,  $g_2 \equiv \vec{x} = \vec{c} + \lambda(\vec{a} - \vec{c})$

*62)* $h_1 \equiv \vec{x} = \vec{b} + \lambda(\vec{a} - \vec{b})$,  $h_2 \equiv \vec{x} = \lambda \vec{a}$;  $h_3 \equiv \vec{x} = \lambda(\vec{a} + \vec{b} + \vec{c})$;
$h_4 \equiv \vec{x} = \vec{a} + \lambda(-\vec{r}) = \vec{a} + \lambda(\vec{b} + \vec{c} - \vec{a})$;  $(\vec{x}(0) = \vec{a},\ \vec{x}(1) = \vec{b} + \vec{c} = \vec{v})$.
Oder: $\vec{x} = \vec{b} + \vec{c} + \mu \vec{r}$ mit $\vec{x}(0) = \vec{v}$ und $\vec{x}(1) = \vec{a}$.

*63)* $\vec{x} = \lambda \vec{b} + \lambda \vec{c}$.

*64)* $\vec{x} = \vec{a} + \lambda \vec{b} + \mu \vec{c}$,  $\vec{x} = \lambda(\vec{a} + \vec{b}) + \mu \vec{c}$,  $\vec{x} = \vec{a} + \lambda(-\vec{u}) + \mu \vec{c}$
$= \vec{a} + \lambda(\vec{b} - \vec{a}) + \mu \vec{c}$,  $\vec{x}(0; 0) = \vec{a}$,  $\vec{x}(1; 0) = \vec{b}$,  $\vec{x}(1; 1) = \vec{b} + \vec{c}$,
$\vec{x}(0; 1) = \vec{a} + \vec{c}$ (vgl. Bemerkung zu Aufgabe 62).

*65)* $\vec{x} = \vec{a} - \frac{1}{2}\vec{b}$,  $\vec{y} = \frac{1}{3}\vec{a} + \vec{b}$. Die Vektorkette $\overrightarrow{A_1 S} + \overrightarrow{SA} - \frac{1}{3}\vec{a} = \vec{0}$ führt
zu $(\frac{1}{3}\mu + \lambda - \frac{1}{3})\vec{a} + (\mu - \frac{1}{2}\lambda)\vec{b} = \vec{0}$ und $\lambda = \frac{2}{7}$ sowie $\mu = \frac{1}{7}$.

*66)* Vektorkette $\overrightarrow{OB_1} + \overrightarrow{B_1 A_1} + \overrightarrow{A_1 O} = \vec{0}$ oder $\mu \vec{b} + \vec{c}_1 - \lambda \vec{a} = \vec{0}$ oder
$\vec{c}_1 = \lambda \vec{a} - \mu \vec{b}$ und $\vec{c} = \vec{a} - \vec{b}$.
*1)* $\lambda = \mu$,  $\vec{c}_1 = \lambda(\vec{a} - \vec{b}) = \lambda \vec{c}$ d.h. $\vec{c}_1 \| \vec{c}$;

2) $\vec{c}_1 \| \vec{c}, \ \vec{c}_1 = \alpha\vec{c}, \ \vec{c}_1 - \alpha\vec{c} = \vec{0}$;

$\lambda\vec{a} - \mu\vec{b} - \alpha(\vec{a} - \vec{b}) = \vec{0}, \ (\lambda - \alpha)\vec{a} + (\alpha - \mu)\vec{b} = \vec{0}$;

$\Rightarrow \lambda = \alpha$ und $\mu = \alpha$ oder $\lambda = \mu = \alpha \Rightarrow \vec{c}_1 = \lambda\vec{c}$.

67) $\vec{x} = \frac{1}{3}\vec{a} + \frac{1}{3}\vec{b} + \frac{1}{3}\vec{c}; \quad \vec{y} = \frac{1}{3}\vec{a} + \frac{1}{3}\vec{c} - \vec{b}$

Vektorkette:

$$\lambda\vec{x} + \frac{2}{3}\ \overrightarrow{M_2 B} + \mu\vec{y} = \vec{0}$$

muß sein, falls sich die Schwerlinien schneiden sollen. Dies führt zu

$(\frac{1}{3}\lambda - \frac{1}{3} + \frac{1}{3}\mu)\vec{a} + (\frac{1}{3}\lambda + \frac{2}{3} - \mu)\vec{b} + (\frac{1}{3}\lambda - \frac{1}{3} + \frac{1}{3}\mu)\vec{c} = \vec{0}$

und wegen des Satzes 48 zu $\lambda = \frac{1}{4}$ und $\mu = \frac{3}{4}$.

68) $\overrightarrow{OM} = \vec{c} + \frac{1}{2}\vec{b}; \quad \overrightarrow{OH} = \frac{1}{3}\vec{a} + \frac{1}{3}\vec{b} + \frac{1}{3}\vec{c}; \quad \overrightarrow{MH} = \frac{1}{3}\vec{a} - \frac{1}{6}\vec{b} - \frac{2}{3}\vec{c}$;

geschlossene Kette:

$\overrightarrow{OH} + \vec{r} - \vec{s} = \vec{0}, \ \vec{r} = v \cdot \overrightarrow{MH}$ ergibt mit $\vec{s} = \lambda\vec{a} + \mu\vec{b}$ und der Kette:

$$\left(\frac{1}{3} + \frac{v}{3} - \lambda\right)\vec{a} + \left(\frac{1}{3} - \frac{v}{6} - \mu\right)\vec{b} + \left(\frac{1}{3} - \frac{2v}{3}\right)\vec{c} = \vec{0},$$

d.h. $1 + v - 3\lambda = 0 \wedge 2 - v - 6\mu = 0 \wedge 1 - 2v = 0$

oder $v = \frac{1}{2}; \quad \lambda = \frac{1}{2}, \quad \mu = \frac{1}{4}$.

Somit ist $\vec{s} = \frac{1}{2}\vec{a} + \frac{1}{4}\vec{b}$ und $\vec{r} = \frac{1}{6}\vec{a} - \frac{1}{12}\vec{b} - \frac{1}{3}\vec{c}$.

69)

$$\vec{a} + \vec{b} = \begin{pmatrix} 3 \\ -3 \\ 3 \end{pmatrix}; \quad \vec{a} - \vec{c} = \begin{pmatrix} 0 \\ 1 \\ 2 \end{pmatrix}; \quad \vec{a} - \vec{b} + \vec{d} = \begin{pmatrix} -3 \\ 4 \\ 0 \end{pmatrix}; \quad 2\vec{c} = \begin{pmatrix} 2 \\ -2 \\ 0 \end{pmatrix};$$

$$3\vec{a} + 4\vec{d} = \begin{pmatrix} -5 \\ 4 \\ 2 \end{pmatrix} \quad \vec{b} - 2\vec{c} = \begin{pmatrix} 0 \\ -1 \\ 1 \end{pmatrix}.$$

70) $\vec{b} \| \vec{c}, \ \vec{d} \| \vec{e}$.

71) 1) Vektorkette $\overrightarrow{OE_2} + \gamma\vec{c} - \beta\vec{b} - \overrightarrow{OE_3} = \vec{0}$ führt zu der Bedingung:

$0 + 0{,}75\gamma - 1{,}5\beta = 0 \wedge 1 + \gamma - 6\beta = 0 \wedge 3{,}5\gamma - 3\beta - 1 = 0$.

Diese wird erfüllt von $\beta = \frac{1}{4}$ und $\gamma = \frac{1}{2}$.

2) $\overrightarrow{E_2 T} = \gamma\vec{c} = \begin{pmatrix} 0{,}375 \\ 0{,}5 \\ 1{,}75 \end{pmatrix} \qquad \overrightarrow{E_3 T} = \beta\vec{b} = \begin{pmatrix} 0{,}375 \\ 1{,}5 \\ 0{,}75 \end{pmatrix}$

$\overrightarrow{OT} = \overrightarrow{OE_2} + \overrightarrow{E_2 T} = \begin{pmatrix} 0{,}375 \\ 1{,}5 \\ 1{,}75 \end{pmatrix}$.

3) Vektorkette $\overrightarrow{OE_1} + \alpha\vec{a} - \gamma\vec{c} - \overrightarrow{OE_2} = \vec{0}$ führt zu der Bedingung:

$1 - 1{,}5\alpha - 0{,}75\gamma = 0 \wedge -1 + 2\alpha - \gamma = 0 \wedge 3\alpha - 3{,}5\gamma = 0$.

Diese Bedingung ist nicht erfüllbar, denn $\alpha = 0{,}875$ und $\gamma = 0{,}75$ erfüllen zwar die beiden letzten Gleichungen, aber nicht die erste!

72) Vektorkette $\overrightarrow{OP} + \overrightarrow{PS} + \overrightarrow{SO} = \vec{0}$,

Bedingung: $18 - \lambda \cdot 9 = 0 \wedge -8\lambda + \mu = 0$ (mit $\mu\vec{e}_2 = \overrightarrow{SO}$):

$\overrightarrow{PS} = \begin{pmatrix} -18 \\ -16 \end{pmatrix}$

73) Vergleiche Beispiel 42.

74) Vergleiche Beispiel 43.

75) $\cos\varphi_1 = \dfrac{\vec{a}^2 + \vec{a}\vec{b}}{|\vec{a}| \cdot |\vec{a} + \vec{b}|} = \dfrac{\vec{b}\vec{a} + \vec{b}^2}{|\vec{b}| \cdot |\vec{a} + \vec{b}|} = \cos\varphi_2$    da    $\vec{a}^2 = \vec{b}^2$;

$\cos\varepsilon_1 = \dfrac{-\vec{b}\vec{a} + \vec{b}^2}{|-\vec{b}| \cdot |\vec{a} - \vec{b}|} = \dfrac{\vec{a}^2 - \vec{a}\vec{b}}{|\vec{a}| \cdot |\vec{a} - \vec{b}|} = \cos\varepsilon_2$

da auch $|-\vec{b}| = |\vec{a}|$.

76) 1) $\alpha = 90°$,    $\cos\alpha = 0 \Rightarrow |\vec{a}|^2 = |\vec{b}|^2 + |\vec{c}|^2$;

2) $\vec{a}^2 = \vec{b}^2 + \vec{c}^2 - 2\vec{b}\vec{c} = b^2 + \vec{c}^2$    da    $\vec{b} \cdot \vec{c} = 0$.

77) $\vec{h}^2 = \vec{h} \cdot (\vec{b} + \vec{b}') = \vec{h}(\vec{a} + \vec{a}') \Rightarrow \vec{h}\vec{b} = \vec{h}\vec{a} \Rightarrow$

$|\vec{h}| \cdot |\vec{b}|\cos\alpha' = |\vec{h}||\vec{a}|\cos\beta' \Rightarrow |\vec{a}| : |\vec{b}| = \sin\alpha : \sin\beta$.

78) 1) $\vec{b} = \vec{a} + \vec{c} \Rightarrow \vec{b}^2 = \vec{a} \cdot \vec{b} + \vec{c} \cdot \vec{b} = \vec{c}\vec{b}$;

2) $\vec{b} = \vec{p} + \vec{h} \Rightarrow \vec{b} \cdot \vec{c} = \vec{p} \cdot \vec{c}$;

3) folglich ist $\vec{b}^2 = \vec{b}\vec{c} = \vec{p}\vec{c}$ und da $\varphi(\vec{p}, \vec{c}) = 0$ ist, ist $\vec{p} \cdot \vec{c} = |\vec{p}||\vec{c}|$,

also: $|b|^2 = |\vec{p}||\vec{c}|$.

Ebenso zeigt man $|\vec{a}|^2 = |\vec{q}||\vec{c}|$ mit dem einzigen Unterschied, daß

$|\vec{q}| \cdot |\vec{c}| = -\vec{p} \cdot \vec{c}$ ist.

79) $\overrightarrow{A_1B} = \vec{a} + \vec{b}$,    $\overrightarrow{A_2B} = -\vec{a} + \vec{b}$;

$(\vec{a} + \vec{b})(-\vec{a} + \vec{b}) = -\vec{a}^2 + \vec{b}^2 = 0$    da    $|\vec{a}| = |\vec{b}|$.

## Zusammenhang von Koordinatengeometrie und Vektorgeometrie

80) 1) $\vec{p}_1 = \begin{pmatrix} s \\ 0 \end{pmatrix}$, $\vec{p}_2 = \begin{pmatrix} 0 \\ t \end{pmatrix}$;    $\vec{x} = \begin{pmatrix} x \\ y \end{pmatrix} = \begin{pmatrix} s \\ 0 \end{pmatrix} + \lambda \begin{pmatrix} -s \\ t \end{pmatrix} = \begin{pmatrix} s - \lambda s \\ \lambda t \end{pmatrix}$,

d.h. $x = s - \lambda s$, $y = \lambda t$: $\lambda = \dfrac{y}{t} \Rightarrow x = s - \dfrac{y}{t} \cdot s$ oder $\dfrac{x}{s} + \dfrac{y}{t} = 1$.

2) $\vec{p}_1 = \begin{pmatrix} s \\ 0 \\ 0 \end{pmatrix}$, $\vec{p}_2 = \begin{pmatrix} 0 \\ t \\ 0 \end{pmatrix}$, $\vec{p}_3 = \begin{pmatrix} 0 \\ 0 \\ u \end{pmatrix}$, $\vec{x} = \vec{p}_1 + \lambda(\vec{p}_2 - \vec{p}_1) + \mu(\vec{p}_3 - \vec{p}_1)$.

$\begin{pmatrix} x \\ y \\ z \end{pmatrix} = \begin{pmatrix} s \\ 0 \\ 0 \end{pmatrix} + \lambda \begin{pmatrix} -s \\ t \\ 0 \end{pmatrix} + \mu \begin{pmatrix} -s \\ 0 \\ u \end{pmatrix}$;

also $\left. \begin{aligned} x &= s - \lambda s - \mu s \\ y &= \lambda t, \; \lambda = \frac{y}{t} \\ z &= \mu u, \; \mu = \frac{z}{u} \end{aligned} \right\} \Rightarrow x = s - \left(\dfrac{y}{t}\right) \cdot s - \left(\dfrac{z}{u}\right) \cdot s$

oder $\dfrac{x}{s} + \dfrac{y}{t} + \dfrac{z}{u} = 1$.

81) 1) $\vec{m} = \begin{pmatrix} x_0 \\ y_0 \end{pmatrix}$;    $\vec{x} - \vec{m} = \begin{pmatrix} x - x_0 \\ y - y_0 \end{pmatrix}$    und    $(\vec{x} - \vec{m})^2 = r^2$    führt nach

Satz 60 sofort zu

$(x - x_0)^2 + (y - y_0)^2 = r^2$.

2) $\vec{m} = \begin{pmatrix} x_0 \\ y_0 \\ z_0 \end{pmatrix}$    und    analog *1)*.

82) $\vec{l} = \vec{q}_1 - \vec{p}_1 = \vec{p} + \lambda \vec{u} - \vec{p}_1 = \vec{p} - \vec{p}_1 + \lambda \vec{u}.$

$\vec{0} = \vec{l} \cdot \vec{u} = (\vec{p} - \vec{p}_1)\vec{u} + \lambda \vec{u}^2$ führt zu $0 = -21 + 14\lambda$, also $\lambda = \frac{3}{2}$
und damit

$$\vec{l} = \begin{pmatrix} 9 \\ 0 \\ -6 \end{pmatrix} + \frac{3}{2}\begin{pmatrix} -1 \\ 3 \\ 2 \end{pmatrix} = \begin{pmatrix} 7,5 \\ 4,5 \\ -3 \end{pmatrix} \quad \text{und} \quad \vec{q}_1 = \vec{p}_1 + \vec{l} = \begin{pmatrix} 7,5 \\ 4,5 \\ 3 \end{pmatrix}.$$

83) $\lambda = 0, \quad \mu = -\frac{5}{3} = \lambda', \quad S(\frac{10}{3}; -\frac{20}{3}; 5)$

84) Jeder Normalenvektor läßt sich auf die Form

$$\vec{n} = \nu \begin{pmatrix} 5 \\ 6 \\ 0 \end{pmatrix} \quad \text{mit } \nu \neq 0 \quad \text{bringen, speziell} \quad n_1 = \begin{pmatrix} 5 \\ 6 \\ 0 \end{pmatrix} \quad \text{mit} \quad \nu = 1.$$

$$\alpha = \sphericalangle(g, h): \cos\alpha = \frac{2 \cdot 0 + (-2) \cdot 0 + 1 \cdot 1}{3 \cdot 1} = \frac{1}{3}; \ \alpha \approx 70°28';$$

$$\beta = \sphericalangle(g, E): \cos\beta_1 = \frac{5 \cdot 2 + 6 \cdot (-2) + 0 \cdot 1}{\sqrt{61} \cdot \sqrt{9}} = \frac{-2}{3 \cdot \sqrt{61}};$$

$$\beta_1 \approx 180° - 85°6' = 94°54'; \quad \beta \approx 4°54'$$

$$\gamma = \sphericalangle(h, E): \cos\gamma_1 = \frac{5 \cdot 0 + 6 \cdot 0 + 0 \cdot 1}{\sqrt{61} \cdot \sqrt{1}} = 0; \quad \gamma_1 = 90°; \quad \gamma = 0°.$$

$h$ liegt also parallel zu $E$. Den Richtungsvektor $\vec{i}$ der Geraden $h$ erhält man deshalb auch aus der Parameterdarstellung der Ebene für $\lambda = \frac{2}{17}$ und $\mu = \frac{1}{17}$.

## Lineares Optimieren

85) Liefermenge des Steinbruches $S_1 : x_1$ Tonnen, Liefermenge des Steinbruches $S_2 : x_2$ Tonnen.

Minimierungssystem:

$$Z = 6x_1 + 8x_2 \to \text{Min};$$

$$\left. \begin{array}{l} 0{,}2x_1 + 0{,}1x_2 \geq 1{,}4; \\ 0{,}1x_1 + 0\ 1x_2 \geq 1{,}0; \\ \qquad\quad 0{,}1x_2 \geq 0{,}3; \\ x_1 \geq 0; \ x_2 \geq 0. \end{array} \right\} \text{oder} \left\{ \begin{array}{l} 2x_1 + x_2 \geq 14; \\ x_1 + x_2 \geq 10; \\ \qquad x_2 \geq 3; \\ x_1 \geq 0; \ x_2 \geq 0. \end{array} \right.$$

Der zulässige Bereich ist offen und hat folgende Ecken:
$E_1(0; 14)$, $E_2(4; 6)$ und $E_3(7; 3)$. Die Rohmaterialkosten sind minimal, wenn von $S_1$ 7 Tonnen und von $S_2$ 3 Tonnen bezogen werden. Sie betragen dann 66,— DM.

86) Minimierungssystem:

$$Z = 40x_1 + 10x_2 + 30000 \to \text{Min};$$

$$\begin{array}{r} x_1 + \quad x_2 \leq 1500; \\ x_1 \qquad\quad \geq 400; \\ 3x_1 + \quad x_2 \geq 3000; \\ x_1 \geq 0; \ x_2 \geq 0. \end{array}$$

Der zulässige Bereich ist ein Dreieck mit den Ecken $E_1(1000; 0)$ $E_2(1500; 0)$ und $E_3(750; 750)$. Die Anschaffungskosten sind minimal, wenn lediglich Teppichboden $A$ und $B$ zu je 750 m² verwendet wird. Sie betragen dann 67500,— DM.

*87)* Vergleiche die Lösung des Beispiels 52.

*88)* Vergleiche die Lösung der Aufgabe 85.

*89)* Vergleiche die Lösung der Aufgabe 86.

*90)* Man verwende die Abbildung auf S. 361 und überlege sich den Verlauf der Zielgeraden.

*91)* Vergleiche die Lösung des Beispiels 55.

*92)* Vergleiche mit den Zwischenwerten des Beispiels 56.

*93)* Substanz $A$ $x_1$ kg, Substanz $B$ $x_2$ kg und Substanz $C$ $x_3$ kg.

*Ansatz:* $Z = (14 - 15) \cdot x_1 + (14 - 12) \cdot x_2 + (14 - 10) \cdot x_3 \to$ Max;
$x_1 \le 100$, $\quad x_2 \le 100$, $\quad x_3 \le 50$, $\quad x_1 \ge 0{,}25 \cdot (x_1 + x_2 + x_3)$;
$x_3 \le 0{,}50(x_1 + x_2 + x_3)$.

*Maximierungssystem in der Normalform:*

$$
\begin{aligned}
Z + \quad x_1 - 2x_2 - 4x_3 &= 0; \\
x_1 \qquad\qquad &\le 100; \\
x_2 \quad . \quad &\le 100; \\
x_3 &\le 50; \\
-3\,x_1 + \quad x_2 + \quad x_3 &\le 0; \\
-x_1 - \quad x_2 + \quad x_3 &\le 0; \\
x_1 \ge 0, \quad x_2 \ge 0, \quad x_3 &\ge 0.
\end{aligned}
$$

Einführung von 5 Schlupfvariablen im Schema erforderlich!

1. fixierter Koeff. in $B_1$: Zeile 5, Spalte $x_3$, Wert $= 1$ $\quad \to Z_1 = 0$,
2. fixierter Koeff. in $B_2$: Zeile 4, Spalte $x_2$, Wert $= 2$ $\quad \to Z_2 = 0$,
3. fixierter Koeff. in $B_3$: Zeile 3, Spalte $x_1$, Wert $= 2$ $\quad \to Z_3 = 0$,
4. fixierter Koeff. in $B_4$: Zeile 2, Spalte $u_5$, Wert $= 0{,}75 \to Z_4 = 225$,

letzter Block $B_5$: $Z_5 = Z_{max} = 350$;

maximales Wertetripel: $x_1 = 50$, $\quad x_2 = 100$, $\quad x_3 = 50$.

Der Gesamterlös ist maximal, wenn von der Substanz $A$ 50 kg, von der Substanz $B$ 100 kg und von der Substanz $C$ 50 kg verwendet werden. Er beträgt dann 350,— DM.

*94)* Anzahl der Kälber $x_1$, Anzahl der Schweine $x_2$ und Anzahl der Schafe $x_3$.

*Maximierungssystem in der Normalform:*

$$
\begin{aligned}
Z - 120x_1 - 160x_2 - 40x_3 &= 0 \qquad (Z \to \text{Max}); \\
x_1 + \quad x_2 + \quad x_3 &\le 250; \\
x_1 \qquad\qquad &\le 200; \\
x_2 \qquad &\le 100;
\end{aligned}
$$

$x_1 \ge 0, \quad x_2 \ge 0, \quad x_3 \ge 0.$

Einführung von 3 Schlupfvariablen erforderlich!

1. fixierter Koeff. in $B_1$: Zeile 3, Spalte $x_2$, Wert $= 1 \to Z_1 = 0$;
2. fixierter Koeff. in $B_2$: Zeile 1, Spalte $x_1$, Wert $= 1 \to Z_2 = 16000$;

letzter Block $B_3$: $Z_3 = Z_{max} = 34000$;

maximales Wertetripel: $x_1 = 150$; $\quad x_2 = 100$, $\quad x_3 = 0$.

Die maximale Betriebsnutzung liegt vor, wenn der Bauer 150 Kälber und 100 Schweine, aber keine Schafe hält. Dann beträgt der Gewinn 34000,— DM.

*Rudolf Brauner*

# Allgemeine Zeichen und Abkürzungen

## Mengen

| | |
|---|---|
| Aufzählende Darstellung: | $M = \{a_1, a_2, \ldots, a_n\}$ |
| Beschreibende Darstellung: | $M = \{x \mid x \text{ hat die Eigenschaft } E(x)\}$ |
| $a \in M \,(a \notin M)$ | $a$ ist (ist nicht) Element von $M$ |
| $M \ni a \,(M \not\ni a)$ | $M$ enthält (enthält nicht) das Element $a$ |
| $A \subset B \,(A \not\subset B)$ | $A$ ist (ist nicht) echte Teilmenge von $B$ |
| $A \subseteq B$ | $A$ ist echte Teilmenge von $B$ oder gleich $B$ |
| $A \cup B = V$ | $A$ vereinigt mit $B$ (Vereinigungsmenge $V$) |
| $A \cap B = D$ | $A$ geschnitten mit $B$ (Durchschnittsmenge $D$) |
| $A \setminus B = R$ | $A$ ohne $B$ (Restmenge $R$), d. i. die Menge aller Elemente von $A$, die nicht zu $B$ gehören |
| $A \times B$ | Produktmenge (Paarmenge), d. i. die Menge aller Paare $(a, b)$ mit $a \in A$ und $b \in B$ |
| $\varnothing$ | leere Menge (enthält kein Element) |
| $P(M)$ | Potenzmenge, d. i. die Menge aller Teilmengen der Menge $M$ |
| $a \to b$ | Abbildung (Zuordnung) eines Elementes $a$ auf ein Element $b$ |

*Spezielle Zahlenmengen:*

| | | | |
|---|---|---|---|
| $N$ | Menge der natürlichen Zahlen | $Q^+$ | Menge d. *positiven* rat. Zahlen |
| $N_\circ$ | Vereinigungsmenge $N \cup \{\circ\}$ | $R$ | Menge der reellen Zahlen |
| $Z$ | Menge der ganzen Zahlen | $R^+$ | Menge d. *positiven* reellen Zahlen |
| $Q$ | Menge der rationalen Zahlen | $C$ | Menge der komplexen Zahlen |

## Vektoren

Basis eines n-dimensionalen Vektorraumes $\;(\vec{e}_1, \vec{e}_2, \vec{e}_3, \ldots, \vec{e}_n)$

Zeilendarstellung $\;\vec{a} = (a_1, \ldots, a_n) = a_1 \vec{e}_1 + \ldots + a_n \vec{e}_n$

Spaltendarstellung
(für $n = 3$)

$$\vec{v} = \begin{pmatrix} x_1 \\ x_2 \\ x_3 \end{pmatrix} = x_1 \vec{e}_1 + x_2 \vec{e}_2 + x_3 \vec{e}_3$$

Skalarmultiplikation: $\;k \cdot \vec{a} = (ka_1, \ldots, ka_n)\;$ (Ergebnis: Vektor!)

Skalarprodukt $\quad \vec{a} \cdot \vec{b} = a_1 b_1 + \ldots a_n b_n\;$ (Ergebnis: Skalar!)

Norm $\vec{a}^2 = \vec{a} \cdot \vec{a} = a_1^2 + \ldots + a_n^2$, Betrag $|\vec{a}| = \sqrt{\vec{a}^2}$

## Logik

| | | | |
|---|---|---|---|
| $\wedge$ | und – Konjunktion | $\Rightarrow$ | folglich – Implikation |
| $\vee$ | oder – Disjunktion | $\Leftrightarrow, \leftrightarrow$ | genau dann, wenn – Äquivalenz |

**Relationen**

| | | | |
|---|---|---|---|
| $= (\neq)$ | gleich (ungleich) | $a \mid b$ | a teilt b |
| $\approx$ | annähernd gleich | $a \nmid b$ | a teilt nicht b |
| $< (>)$ | kleiner (größer) als (105) | $\cong$ | isomorph (46) |
| $\leq (\geq)$ | kleiner (größer) bzw. gleich | $\cong$ | kongruent (255) |
| $A < B$ | A liegt vor B (247) | | |

**Intervalle (107) bzw. Strecken (247)**

| | |
|---|---|
| [...] abgeschlossen | [...[ halboffen (nach rechts) |
| ]...[ offen | ]...] halboffen (nach links) |

## Spezielle Zeichen und Abkürzungen

Die Seitenangabe bezieht sich auf die Stellen der Erklärung

*Kapitel I und II:*

| | | | |
|---|---|---|---|
| 11 | $D, T, D \circ T$ | 51 | $\oplus, \odot$ (vgl. S. 73/74) |
| 12 | $*, (Z, +), (Q^+, \cdot)$ | 52 | $(G_n, \oplus_n, \odot_n)$ |
| 14 | $g^l, (G, *)$ | 53 | $(Z, +, \cdot), (Q, +, \cdot), (R, +, \cdot)$ |
| 15 | $\max (a, b)$ | 65 | $T(30)$ |
| 16 | $\lvert a - b \rvert$ (vgl. S. 106) | 66 | $\cap, \cup$, kgV, ggT, |
| 20 | $(N_0, +)$ | | $(P(G), \cap, \cup)$ |
| 24 | $\triangle$ | | $(T(30),$ ggT, kgV$)$ |
| 26 | $\heartsuit$ | 74 | $(\mathfrak{w}, \oplus)$ |
| 27 | $N(x) = $ Rest von $(x:9)$ | 75 | $(K \times \mathfrak{w}), (K, \mathfrak{w}, +, \cdot, \oplus, \odot)$ |
| 33 | Permutation $\begin{pmatrix} ABC \\ ACB \end{pmatrix}$ | 95 | $\oslash$ |
| | | 97 | $\odot, \boxplus, \boxtimes$ |
| 44 | modulo | 101 | $(R, +, \cdot, <)$ |

*Kapitel III:*

| | | | |
|---|---|---|---|
| 106 | $\lvert a \rvert$ | | |
| 107 | $\varepsilon, U_\varepsilon(a), U^*(a)$ | 147 | $\dfrac{\Delta s}{\Delta t}$ |
| 108 | $\sup M, \inf M$ | | |
| 111 | $f: D \xrightarrow{f} W$ | 148 | $\dot{s}, \ddot{s}$ |
| 117 | $[x]$ | 170 | $f^1$ |
| 120 | $f \circ g$ | 176 | $U_n, O_n$ |
| 131 | $\lim\limits_a f, \lim\limits_{x \to a} f(x)$ | 177 | Zerlegung $Z$ von $[a; b]$, |
| | | | $m_i, M_i, U(f; Z)$ |
| 133 | $\lim\limits_\infty f$ | 178 | $O(f; Z), \Sigma$ |
| 145 | $f'(a), f'$ | | |

197  $I_u, I_o$

$$\int\limits_a^b f(x)\,dx, \int\limits_a^b f$$

182  $A = \int\limits_a^b f$

187  $\int\limits_{\bar a}^x f, F_u$

189  $\int\limits_a^{\bar a} f, F_o$

193  $\log_b x$

194  $\log x, \ln x, e$ (vgl. S. 218)

195  $E: x \to e^x$

204  $\tau$ (Tau) (vgl. S. 211)

205  $\dot Q, \dot U$

206  $f(x_1, \ldots, x_n), RF$

213  $\langle a_n \rangle, ZF, AF, GF$

214  $\lim \langle a_n \rangle, \lim\limits_{n \to \infty} a_n$

218  $\lim \left\langle \left(1 + \dfrac{1}{n}\right)^m \right\rangle$

*Kapitel IV:*

246  $E = \{A, B, \ldots P, Q, \ldots\}$
$g = (A; B) = (B; A)$

247  $ACB\,(A < C < B)$

248  $h = S(C), \bar h = S(C)$

250  $H, \bar H, H(g; A), H(g; h)$

251  $\sphericalangle(u; v) = \sphericalangle(v; u)$
$W(u; v) = W(v; u)$

252  $[ABC], \,]ABC[$

253  $h_1\, h_2\, h_3$

254  $P' = K(P), K(u)$

255  $\varphi = (s, u, H(u)) = (S, u, H),$
$M' \cong M, M' = K(M)$

257  $\overline{AB} = \lambda([AB])$

261  $\parallel, \nparallel$

265  $P(r_1; r_2) = (r_1; r_2)$

266  $\{(r_1; r_2) \mid Ar_1 + Br_2 + C = 0\}$
$g(a, b), g(m), g_0$

270  $\Delta_1, \Delta_2, \Delta_3$

279  $\dfrac{h}{AB}, \dfrac{e}{PQ}$

280  $AIg$

284  $g = \{P(x; y) \mid Ax + By + C = 0\}$
$g \equiv Ax + By + C = 0$

287  $\tau$ (Teilverhältnis vgl. S. 319)

292  HNF

298  $k(M; r)$

305  $R \times R \times R, (x; y; z)$

306  $E = \{P(x; y; z) \mid Ax + By + Cz + D = 0\}$

311  $(P; Q), \overrightarrow{PQ}$

312  $\uparrow\uparrow, (P; Q; P'; Q')$

313  $U, U^0, U^1, U^2$

314  $g = \{X \mid AX \in U^1\}$
$E = \{X \mid AX \in U^2\}$

317  $g \equiv \vec x = \vec p_0 + \lambda \vec b$

318  $E \equiv \vec x = \vec p_0 + \lambda \vec b_1 + \mu \vec b_2$

319  $\sigma = (A, B; C)$ (Teilv. vgl. S. 287)

334  $\vec a \perp \vec b$

# Register